JN074084

2025年版

パーフェクト宅建士基本書

住宅新報出版

はしがき

本書は，宅建試験に一発合格するために生み出された“パーフェクト宅建士シリーズ”の“**柱**”となる「**基本書**」です。

長年ご好評いただいてきた「網羅性」「正確性」という本シリーズの特長に，「読みやすさ」という要素をプラスした，「初めて学習する人にもわかりやすい本格テキスト」です。

全体の構成は，試験合格に必要な基礎力を養成するために，過去に出題されたテーマや今後の出題が想定されるポイントをできるかぎりカバーし，かつ重要な項目については，くわしく解説しています。

もちろん，直近の本試験の傾向を徹底的に分析し，それを踏まえた解説とすることで，最新の本試験の合格レベルに十分対応した内容です。

本書の記述に沿った学習で，**合格するために必要な知識**を，スムーズに身につけることができます。

本書を十分にご活用いただくことによって，1人でも多くの受験者の皆さんが合格されますことを，編集部一同，心から願っております。

2024年12月　㈱住宅新報出版
出版部

本書の利用方法

“合格レベルの知識”をきっちり収載，わかりやすく整理!!

網羅性・正確性という従来からのコンセプトに，「読みやすさ」という要素をプラスした本格テキストです。本書の流れに沿って読み進めれば，合格に必要な知識がスムーズに身につきます。

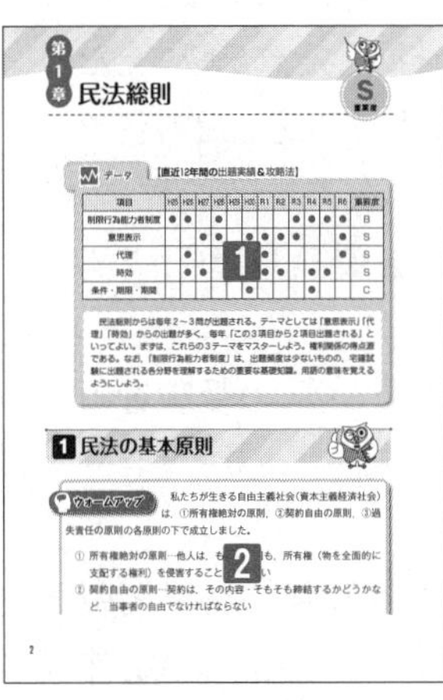

第1章 民法総則

S 重要度

データ【直近12年間の出題実績＆攻略法】

項目	H25	H26	H27	H28	H29	H30	R1	R2	R3	R4	R5	R6	重要度
制限行為能力者制度	●	●		●					●	●	●	●	B
意思表示			●	●		●	●	●	●			●	S
代理		●			[illegible]	[illegible]	●					●	S
時効		●	●		[illegible]	[illegible]	●	●		●	●		S
条件・期限・期間						●				●			C

民法総則からは毎年2～3問が出題される。テーマとしては「意思表示」「代理」「時効」からの出題が多く，毎年「この3項目から2項目出題される」といってよい。まずは，これらの3テーマをマスターしよう。権利関係の得点源である。なお，「制限行為能力者制度」は，出題頻度は少ないものの，宅建試験に出題される各分野を理解するための重要な基礎知識。用語の意味を覚えるようにしよう。

1 民法の基本原則

ウォームアップ　私たちが生きる自由主義社会（資本主義経済社会）は，①所有権絶対の原則，②契約自由の原則，③過失責任の原則の各原則の下で成立しました。

① 所有権絶対の原則…他人は，も[illegible]も，所有権（物を全面的に支配する権利）を侵害すること[illegible]い

② 契約自由の原則…契約は，その内容・そもそも締結するかどうかなど，当事者の自由でなければならない

2

1　冒頭の『データ』で狙われるテーマを攻略

各章及びテーマ単位での『**重要度**』を，「**直近12年間の出題実績**」や「**学習対策法**」とともに一覧にしました。**本試験の攻略**に役立ててください。

『データ』の見方

＊『重要度』S ：超重要（よく出る・得点源）

A ：重要（出る・得点源）

B ：やや重要（ときどき出る・加点源）

C ：余力があればチャレンジしたい

＊ 表中の「●」:「1問」以上出題された

2　スムーズに本文に入るための『ウォームアップ』コラム

学習の足がかりとアタマの準備体操のための「**ワンポイント解説**」です。制度趣旨をあらかじめしっかり理解しておくことで，その後に続く知識のインプットもスムーズになります。

3　多彩な「本文補足」やポイント総まとめの「図表」で知識を整理

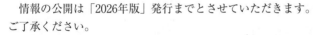

本文の知識を**補完する知識**を「メモ」「プラスα」等の補足欄でまとめました。各図表では，覚えるべきポイントをコンパクトにまとめました。「理解」「暗記」など，**学習目標**をアイコンで表記しています。

4　宅建初学者のための『法律用語かんたんナビ』

巻末の『**法律用語かんたんナビ**』では基本的かつ重要な法律用語に絞って意味を解説しています。

おしらせ

本書は，2024年10月１日現在で施行されている法令に基づいて編集されています。宅建試験は，その年の法令適用日（例年４月１日）に施行されている法令にのっとり，出題されます。本書に掲載している法令等が2025年４月１日までに改正・施行され，**本書の内容に修正等要する場合**には，当社ウェブサイトにてお知らせいたします。

https://www.jssbook.com/

情報の公開は「2026年版」発行までとさせていただきます。ご了承ください。

● パーフェクト宅建士シリーズ読者特典 ●

下記のコンテンツはすべて、無料で専用ページからダウンロードできます。

https://www.jssbook.com/news/n49978.html

＊特典１＊　電子書籍　パーフェクト宅建士基本書 ＋ 一問一答Pocket　おためし版

シリーズの人気タイトルの一部を無料でお試しいただけます。ぜひお試しください。

（2025年2月公開予定）

＊特典２＊　重要統計データ

令和７年度の宅建本試験で出題される可能性が高い統計データを掲載します。

（2025年8月公開予定）

目次

第3編 法令上の制限

第4編 税・その他

宅建試験 受験オリエンテーション

◆「宅建試験」とは

宅建試験は，土地・建物など，不動産を取り扱うスペシャリストである宅地建物取引士（**宅建士**）として，「**業務を行ううえで必要な知識があるかどうか**」を判定するための試験です。

宅建士の仕事は広範囲にわたりますが，「宅建士のみが行う」とされる業務が法律で定められており，宅建業者（不動産会社）の事務所には，**一定数以上の宅建士を設置**することが義務づけられています。

この「**宅地・建物の取引業務の中枢を担う**」という業務の性質から，**宅建試験の合格へのハードル**は，決して低くはありません。したがって，合格するためには，**万全の受験対策**をとることが必要です。

◆試験の概要

1　出題分野と出題数

試験の分野（内容）や出題数は，例年，次の表のとおりです。うち，②③⑦は，出題数が多く，「主要３分野」といわれます。これらの攻略を中心に，学習を進めることが得策です。

【出題分野と出題数（令和６年度）】

分野（内容）	出題数	本書の構成
① 土地・建物	2問	第４編「税・その他」
② 権利関係	14問	第１編「権利関係」
③ 法令上の制限	8問	第３編「法令上の制限」
④ 税	2問	第４編「税・その他」
⑤ 需給関係・取引実務	3問	
⑥ 不動産鑑定評価関係	1問	
⑦ 宅建業法・関係法令	20問	第２編「宅建業法」
合計	50問	

＊「**登録講習修了者**」（国土交通大臣の登録を受けた登録講習機関が行う宅建業従事者を対象とする講習の修了試験に合格した日から３年以内に宅建試験を受ける方）は，①⑤の計５問が免除される（**５問免除**）。

2　出題形式

試験での出題数は**全50問**，解答は**4肢択一・マークシート方式**です。「正しいものはどれか」「誤っているものはどれか」といった正誤等を問う設問に対して，4つの選択肢から正解を1つ選び，答案用紙に記入する方法で行われます。

3　合格ラインと合格率

合格率は，問題の難易度によって変動しますが，例年，おおよそ上位約15%～17%の受験者が合格となるよう設定されており，合格ライン（合格基準点）は7割前後です。つまり，**“100人のうち15人くらい，試験問題50問中35～38問前後を正解すれば合格”**ということです。

「**直近6年間の本試験の合格ライン・合格率**」は，次のとおりです。

年度	H30	R1	R2－10月	R3－10月	R4	R5
合格ライン（50問中）	37問	35問	38問	34問	36問	36問
合格率	15.6%	17.0%	17.6%	17.9%	17.0%	17.2%

4　直近の試験傾向

宅建試験の学習を初めてする方は，試験範囲の内容を全部覚えようとしがちですが，その必要はありません。合格点は，問題の難易度によって上下する年もありますが，基本的には出題される50問中の35～38問くらいを正解すればいいのですから，**“合格できるだけの力をつければOK”**と割り切りましょう。

そのためには，次のここ数年の**本試験の出題傾向**に沿って，効率よく学習することが大切です。

①　正確な知識が試される「個数問題」の増加

「4肢中どれが正しいか・誤りか」という単純な正誤問題だけでなく，近年は「正しい肢・誤りの肢はいくつあるか」という「個数」を問う形式（**個数問題）が出題されています**。例えば，令和5年度試験は8問，令和6年度試験も6問出題されました。

単純な正誤問題は「消去法」でも答えを導き出し得ますが，個数問題は，**正確な知識がないと正解できません**。つまり，要点を押さえながら，個数問題を意識した正しい知識をきっちり身につけるための学習をすることが肝要です。

② **実践的思考力が求められる「事例問題」の増加**

事例問題とは，具体的な登場人物を設定し，各人の法律関係の処理の正当性を問うタイプの出題形式です。近時の「**権利関係**」分野や「**宅建業法**」分野での出題の多くは，**事例形式**によるものです。

このタイプの出題は，丸暗記では対応できません。ポイントをしっかり理解し，さらに**柔軟に判断できる思考力**を養いましょう。

③ **法令改正への対応**

宅建試験は相当数の法令から出題されますが，改正には要注意です。直近の２，３年分の法改正はねらわれやすいため，きちんとカバーするよう心がけましょう。

◆ 分野ごとの試験対策と学習方法

1 「権利関係」分野

ここでの学習は，「契約に関すること・契約から生まれる権利・義務に関すること」が中心です。この分野での出題は，例年14問ですが，その内訳と試験対策は，次のとおりです。

【権利関係（計14問）】

法令等	内容・試験対策
民法 （10問）	内容・学習範囲が膨大。どのような内容がよく出題されるのかについては，本書の各章冒頭の『データ』を参考に，ある程度絞って学習を進めよう
借地借家法 （2問）	借地から1問，借家から1問の出題。ねらわれる箇所は比較的集中しており，過去問を解いて出題傾向を押さえるのが効果的。
区分所有法 （1問）	基本的な内容が多い。1問のみの出題であり，あまり学習時間をかけすぎないこと。
不動産登記法 （1問）	細かい知識が問われがちだが，出題数は1問のみ。基本書は一読にとどめ，あとは過去問を解くのが得策である。

〈アドバイス〉

・この分野は，なんといっても**理解することが大切**。ただし，日常なじみのない法律用語などもありますので，まずは細かいことは気にせずに読み通し，以後は登場人物・状況などをイメージしながら読むと，より理解が深まります。

2 「宅建業法・関係法令」分野

宅建業法・関係法令からは，50問中の20問（全体の４割）も出題されます。実務に即した，比較的学習しやすい内容ですので，この分野で，ぜひ高得点を目指しましょう。

【宅建業法・関係法令（20問）】

法令等	内容・試験対策
宅建業法（19問）	宅建試験の“メイン”であり，宅建士の仕事にも直結しているため，全範囲からまんべんなく出題される。難解な内容ではないので，基本書を十分に読み込もう。特に「重要事項の説明」と「契約書面」は，複合問題として出題されることが多いので，両者を比較しながら学習するのが効果的。また，「８種制限」は，「民法の原則」との差異を押さえることがポイント。
住宅瑕疵担保履行法（１問）	例年ほぼ同じ内容が出題されている。「資力確保措置」は熟読しておくこと。

〈アドバイス〉

・奇問・難問があまりない分野。基本書と同時進行で**過去問学習を行い，知識を定着**させましょう。

3 「法令上の制限」分野

この分野は，土地の利用等に対して一定の制限を加える法令で構成されます。

【法令上の制限（８問）】

法令等	内容・試験対策
都市計画法（２問）	この分野の“土台”となる内容であり，他の法令とも連動している。しっかり理解すること。
建築基準法（２問）	建築物に関する規制について出題される。数字等，暗記しなければならない内容が多いので，自分に合った方法でインプットしよう。
宅地造成及び特定盛土等規制法（１問）	出題範囲が限られているため，得点源にしたいテーマである。
土地区画整理法（１問）	難問も出題され得るため，時間をかけても学習効果があまり出ないことも。深入りしすぎないように。
農地法（１問）	例年，農地の「許可制度」から出題される。学習したことがそのまま出題されるので，学習効果は大きい。
国土利用計画法／その他の法令（１問）	国土利用計画法は単独で１問の出題，もしくは「その他の法令上の制限」のうちの１肢として出題されることが多い。なお，「その他の法令上の制限」は複数の法令の複合問題なので，余裕に応じて基本書の内容プラス過去問学習で押さえておく程度にとどめよう。

〈アドバイス〉

・この分野の基礎となるのは，都市計画法の「区域区分」や「用途地域」です。建築基準法など他の法令にも深く関係してきますので，**都市計画法の全体像をつかむ**ことが大切です。

・覚えるべき数字が多いのが，この分野の特徴です。最終的には暗記しなければなりませんが，**個々の制度を理解**することが先決です。“暗記は最後に”という気持ちで学習しましょう。

4 「税・その他」分野

ここでは，不動産取引の実務に関連する，さまざまな規定が出題されます。

【その他の分野（8問）】

法令等	内容・試験対策
税 （2問）	不動産取得税・固定資産税・所得税・登録免許税・印紙税などのうち，2つの税から出題される。苦手意識のある方は不動産取得税・固定資産税・印紙税・登録免許税を中心に学習しよう。
地価公示法・鑑定評価 （1問）	例年どちらか1問が出題される。地価公示法は得点しやすいが鑑定評価は難解な出題もあり得る。割り切って学習しよう。
（以下は，登録講習修了者の「5問免除科目」）	
住宅金融支援機構 （1問）	機構の業務に関する出題が中心となる。基本的な規定を押さえておこう。「直接融資」と「業務方法書」を覚えること。
景品表示法 （1問）	常識で判断できる出題が多いが，確実に得点源とするためには本書をきちんと一読すること。
土地／建物 （2問）	土地と建物から1問ずつ出題される。建物では難問が出題されることもあるため，深入りは禁物。定番の内容をきっちり本書で押さえておこう。
統計 （1問）	地価公示・建築着工統計等，土地・建物に係るデータからの出題となる。本試験直前期に「最新情報」を入手することがマスト＆ベスト。

〈アドバイス〉

・この分野は，テーマごとに難易度に差があるので，**自分の得手・不得手**を見つけて，それに沿って**集中的に学習する**のが効果的です。

・出題される統計データの種類は毎年ほぼ同じです。**最新の情報**を，インターネット等もしくは当社HP（8月以降に公開予定）でチェックしましょう。前年より「上昇したのか下降したのか」「増加したのか減少したのか」がよく問われます。

合格のための学習法

本書をはじめとするパーフェクト宅建士シリーズでは、独学で学ぶ受験生のニーズに合わせた豊富なラインナップをそろえています。

ただし、効率よく学習するためにはそれぞれの特色を理解し、①インプット、②アウトプット、③しあげをバランスよく組み合わせる必要があります。ぜひ使いこなして、合格を掴みとりましょう。

1 おすすめの組合せ

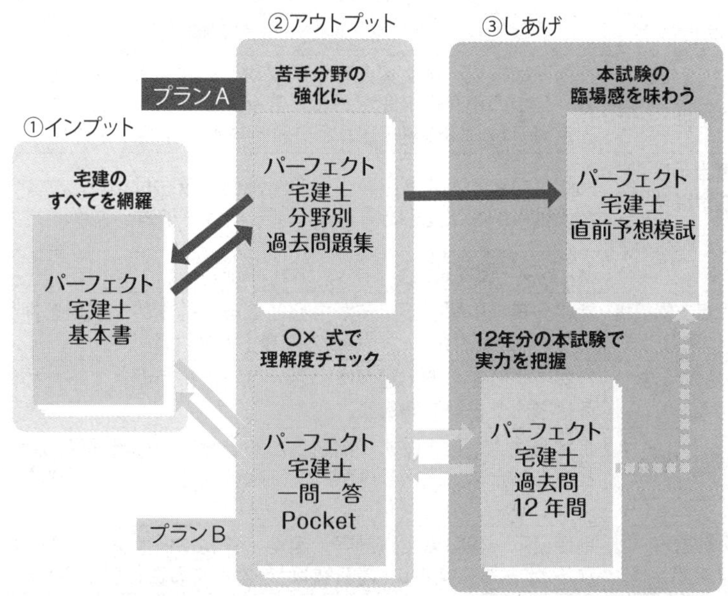

プランA 分野別＆基本書＆直前予想模試	プランB 基本書＆一問一答＆12年間
まずは実際の本試験の問題を解いて、どう出題されるのかを知りながら進めるならこちら。 ① **分野別過去問題集**を解いて、 ② **基本書**でわからないことを確認！ ③ ①②を繰り返したら、**直前予想模試**で本試験形式を体験しつつ、苦手分野を補強しましょう！	確実な得点力が欲しいなら、肢ひとつひとつの正誤に答えられる正確な知識を身につけることが一番です。そのためのプランがこちら！ ① **基本書**を読んで、 ② **一問一答Pocket**で繰り返し問題を解き、 ③ ①②を進めつつ、**過去問12年間**で本試験の解き方をものにしましょう！

② スケジュール・使い方

選んだテキスト・問題集はどう使えばいいのでしょうか。
また、いつ頃しあげにかかればいいか、目安をまとめてみました。

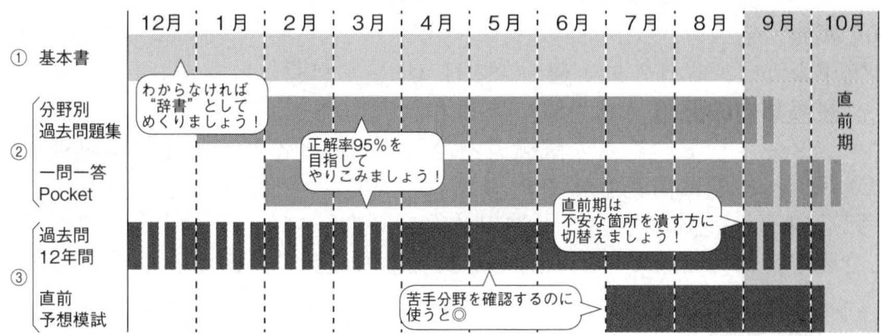

① インプット
→直前までわからなければ調べる
② アウトプット
→夏までに一通り終わらせる
③ しあげ
→8月ごろから直前期にかけて集中的に使う
→**基本書**の場合は学習開始から試験本番まで、辞書代わりに何度も見直そう

ワンポイントアドバイス！

学習を進めるコツは1冊を使いきることです。
これと決めたテキスト・問題集を使い込みましょう。

ヒント！ これは、あくまで理想のスケジュールです。ご自分の勉強の進捗や、苦手な分野・論点に合わせて必要と感じたテキスト・問題集を使いましょう。

◆宅建試験の事務手続

試験事務は、（一財）不動産適正取引推進機構が、都道府県知事の委任を受けて実施しています。

① 試験の内容

宅地建物取引業に関し必要な知識について行われ、特に宅地建物取引業に関する実用的な知識を有するかどうかを判定することに基準が置かれています。

② 受験資格

年齢・性別・学歴等の制限はいっさいありません。

③ 実施公告

実施公告は、６月の第１週の金曜日（予定）に行われます。

④ 試験案内の配布

インターネット申込みの試験案内は、（一財）不動産適正取引推進機構のホームページに掲載されます。

郵送申込みの試験案内（受験申込書を含む。）は、７月上旬（予定）から受験申込締切日までの間、各宅建試験協力機関の指定する場所で配布します。

⑤ 受験手数料

受験手数料は、8,200円（予定）

⑥ 受験申込受付

郵　　　　送　７月上旬～中旬
インターネット　７月上旬～下旬

⑦ 受験票の交付

10月上旬（予定）に、試験実施機関から直接本人に郵送されます。

⑧ 試験日

毎年１回、10月の第３日曜日　午後１時～３時（予定）
（登録講習修了者は午後１時10分～３時（予定））

⑨ 合格発表

原則として、11月下旬

試験実施機関

（一財）不動産適正取引推進機構　試験部
〒105－0001　東京都港区虎ノ門3－8－21　第33森ビル３階
URL　https://www.retio.or.jp/

詳しくは、受験される住所地にある「**宅建試験協力機関**」にお問い合わせください。

●宅建試験の実施機関

(一財)不動産適正取引推進機構 試験部　〒105-0001 東京都港区虎ノ門3-8-21 第33森ビル3階

〈宅建試験協力機関一覧表〉　(2024年11月現在)

名称	電話番号	所在地
(公社)北海道宅地建物取引業協会	011-642-4422	060-0001 札幌市中央区北1条西17丁目 北海道不動産会館
(公社)青森県宅地建物取引業協会	017-722-4086	030-0861 青森市長島3-11-12 青森県不動産会館
(一財)岩手県建築住宅センター	019-652-7744	020-0045 盛岡市盛岡駅西通1-7-1 アイーナ2F
(公社)宮城県宅地建物取引業協会	022-398-9397	980-0803 仙台市青葉区国分町3-4-18
(公社)秋田県宅地建物取引業協会	018-865-1671	010-0942 秋田市川尻大川町1-33 秋田県不動産会館
(公社)山形県宅地建物取引業協会	023-623-7502	990-0023 山形市松波1-10-1 山形県宅建会館
(公社)福島県宅地建物取引業協会	024-531-3487	960-8055 福島市野田町6-3-3 福島県不動産会館
(公社)茨城県宅地建物取引業協会	029-225-5300	310-0066 水戸市金町3-1-3
(公社)栃木県宅地建物取引業協会	028-634-5611	320-0046 宇都宮市西一の沢町6-27
(一社)群馬県宅地建物取引業協会	027-243-3388	379-2154 前橋市天川大島町1-4-37 群馬県不動産会館
(公社)新潟県宅地建物取引業協会	025-247-1177	950-0084 新潟市中央区明石1-3-10
(公社)山梨県宅地建物取引業協会	055-243-4300	400-0853 甲府市下小河原町237-5 山梨県不動産会館内
(公社)長野県宅地建物取引業協会	026-226-5454	380-0836 長野市南県町999-10 長野県不動産会館3F
(公社)埼玉県弘済会	048-822-7926	330-0063 さいたま市浦和区高砂3-14-21 職員会館4F
(一社)千葉県宅地建物取引業協会	043-441-6262	260-0024 千葉市中央区中央港1-17-3 千葉県宅建会館
(公財)東京都防災・建築まちづくりセンター	03-5989-1734	160-8353 新宿区西新宿7-7-30 小田急西新宿O-PLACE 3F
(公社)神奈川県宅地建物取引業協会	045-681-5010	231-0013 横浜市中区住吉町6-76-3
(公社)富山県宅地建物取引業協会	076-425-5514	930-0033 富山市元町2-3-11 富山県不動産会館1F
(公社)石川県宅地建物取引業協会	076-291-2255	921-8047 金沢市大豆田本町ロ46-8 石川県不動産会館
(公社)福井県宅地建物取引業協会	0776-24-0680	910-0004 福井市宝永4-4-3
(公社)岐阜県宅地建物取引業協会	058-275-1171	500-8358 岐阜市六条南2-5-3 岐阜県不動産会館
(公社)静岡県宅地建物取引業協会	054-246-7150	420-0839 静岡市葵区鷹匠3-18-16 静岡県不動産会館3F
(公社)愛知県宅地建物取引業協会	052-953-8040	451-0031 名古屋市西区城西5-1-19 愛知県不動産会館
(公社)三重県宅地建物取引業協会	059-227-5018	514-0008 津市上浜町1-6-1
(公社)滋賀県宅地建物取引業協会	077-524-5456	520-0044 大津市京町3-1-3 逢坂ビル4F・5F
(公社)京都府宅地建物取引業協会	075-415-2140	602-0915 京都市上京区中立売通新町西入三丁町453-3 京都府宅建会館
(一財)大阪府宅地建物取引士センター	06-6940-0104	540-0039 大阪市中央区東高麗橋1-12 北浜センタービル8F
(一社)兵庫県宅地建物取引業協会	078-367-7227	650-0012 神戸市中央区北長狭通5-5-26 兵庫県宅建会館
(公社)奈良県宅地建物取引業協会	0742-61-4528	630-8133 奈良市大安寺6-20-3 奈良県宅建会館
(公社)和歌山県宅地建物取引業協会	073-471-6000	640-8323 和歌山市太田143-3 和歌山県宅建会館
(公社)鳥取県宅地建物取引業協会	0857-23-3569	680-0036 鳥取市川端2丁目125番地 鳥取県不動産会館
(公社)島根県宅地建物取引業協会	0852-23-6728	690-0063 松江市寺町210-1 島根県不動産会館
(一社)岡山県不動産サポートセンター	086-224-2004	700-0023 岡山市北区駅前町2-5-28 岡山県宅建会館2F
(公社)広島県宅地建物取引業協会	082-243-0011	730-0046 広島市中区昭和町11-5 広島県不動産会館
(公社)山口県宅地建物取引業協会	083-973-7111	754-0021 山口市小郡黄金町5-16 山口県不動産会館
(公社)徳島県宅地建物取引業協会	088-625-0318	770-0941 徳島市万代町5-1-5 徳島県不動産会館
(公社)香川県宅地建物取引業協会	087-823-2300	760-0067 高松市松福町1-10-5
(公社)愛媛県宅地建物取引業協会	089-943-2184	790-0807 松山市平和通6-5-1 愛媛不動産会館2F
(公社)高知県宅地建物取引業協会	088-823-2001	780-0901 高知市上町1-9-1
(一財)福岡県建築住宅センター	092-737-8013	810-0001 福岡市中央区天神1-1-1 アクロス福岡3F
(公社)佐賀県宅地建物取引業協会	0952-32-7120	840-0804 佐賀市神野東4-1-10 佐賀県不動産会館
(公社)長崎県宅地建物取引業協会	095-848-3888	852-8105 長崎市目覚町3-19 長崎県不動産会館3F
(公社)熊本県宅地建物取引業協会	096-213-1355	862-0950 熊本市中央区水前寺6-1-31 熊本県不動産会館
(公社)大分県宅地建物取引業協会	097-536-3758	870-0025 大分市顕徳町2-4-15 大分県不動産会館1F
(一社)宮崎県宅地建物取引業協会	0985-26-4522	880-0862 宮崎市潮見町20-1 宮崎県不動産会館2F
(公社)鹿児島県宅地建物取引業協会	099-252-7111	890-0052 鹿児島市上之園町24-4
(公社)沖縄県宅地建物取引業協会	098-861-3402	900-0021 那覇市泉崎1-12-7

注)受験の申込み等については、受験者が居住する都道府県の、上記協力機関に確認してください。

第1編

権利関係

「権利関係」（民法及び特別法）の分野は、広く、深い。
ここでの学習の基本は「理解」。特に、令和2年に大きく改正が行われた民法は、しっかり理解して先に進みたい。とはいえ、合格するという目的にとって、「完全に」理解して覚えようとするのはあまり得策ではない。
「狭く、やや深く」勉強しよう。
そのためには、事例にあてはめて、なぜそうなるのか、1項目ごとに、きちんと納得しながら先に進むことがポイントだ。

第1章 民法総則

S
重要度

データ 【直近12年間の出題実績＆攻略法】

項目	H25	H26	H27	H28	H29	H30	R1	R2	R3	R4	R5	R6	重要度
制限行為能力者制度	●	●		●					●	●	●	●	B
意思表示			●	●		●	●	●	●			●	S
代理		●			●	●	●					●	S
時効		●	●		●	●	●	●		●	●		S
条件・期限・期間						●				●			C

民法総則からは毎年２～３問が出題される。テーマとしては「意思表示」「代理」「時効」からの出題が多く，毎年「この３項目から２項目出題される」といってよい。まずは，これらの３テーマをマスターしよう。権利関係の得点源である。なお，「制限行為能力者制度」は，出題頻度は少ないものの，宅建試験に出題される各分野を理解するための重要な基礎知識。用語の意味を覚えるようにしよう。

1 民法の基本原則

ウォームアップ

私たちが生きる自由主義社会（資本主義経済社会）は，①**所有権絶対の原則**，②**契約自由の原則**，③**過失責任の原則**の各原則の下で成立しました。

① **所有権絶対の原則**…他人は，もちろん国も，所有権（物を全面的に支配する権利）を侵害することはできない

② **契約自由の原則**…契約は，その内容・そもそも締結するかどうかなど，当事者の自由でなければならない

③ **過失責任の原則**…他人に損害を与えても過失がなければ損害賠償責任を負うことはない（「過失なければ責任なし」）

しかし，資本主義経済の発展は，多くの人を豊かにする一方で，富者と貧者の対立や各種公害などの弊害を生むに至り，３原則は修正を迫られることになりました。そこで，**民法**は，①**所有権絶対の原則**及び②**契約自由の原則**の修正原則として，以下の原則を第１条に**規定**したのです。

1 民法第１条の内容

（１）公共の福祉の原則

『私権は，公共の福祉に適合しなければならない』

私権とは，**物権**，**債権**などの私法上の権利（個人の個人に対する権利）のことであり，**公共の福祉**とは，社会全体の利益をいいます。私権の内容・その行使は，社会の共同の利益と調和するよう行われるべきであり，これに違反する場合は，**私権としての効力が認められません**。

（２）信義誠実の原則

『権利の行使及び義務の履行は，信義に従い誠実に行わなければならない』

信義とは，相手方の信頼を裏切らないことであり，取引の当事者は，相互に相手方に対して誠実に行動しなければなりません。これに違反する行為は，**自己の主張が認められないだけでなく，損害賠償の対象ともなりえます**。

（３）権利濫用の禁止の原則

『権利の濫用は，これを許さない』

外形上（見かけ）は権利の行使として許される行為も，他人との関係で許されるべきでない場合があります。①**権利者がその権利を行使することによって得られる利益**と，②**その権利行使によって他人が被る不利益**を比較して，②が大きい場合には**権利の濫用**（正当な範囲の逸脱）とされ，その**権利の行使は認められません**。そして，権利の濫用は不法行為となり，これにより**損害が生じた場合**は，その**損害を賠償しなければなりません**。

2 権利能力と意思能力，行為能力

（1）権利能力

権利能力とは，**権利・義務の主体となりうる能力（資格）**のことをいいます。**人**（**自然人**）と**法人**には権利能力があり，法的な権利・義務が帰属します。

① **人（自然人）**

人（**自然人**）は，出生によって**当然に権利能力を取得**します。そして，死亡によって権利能力は失われます。

なお，胎児は未だ「人」ではないので，本来権利能力がありません。しかし，例えば，父親の死亡時には胎児であったため父親を相続する権利が取得できないなど，出生の時期によって差が生じるのは，不公平です。そこで民法は，次の3つの場合に限り胎児に権利能力を認めることとしました（「**既に生まれたものとみなす**」）。

ⅰ）不法行為に基づく損害賠償請求　　ⅱ）相続　　ⅲ）遺贈

② **法人**

法人とは，自然人以外で法により**法人格**（**権利・義務の主体となりうる能力**）を与えられた者のことです。株式会社，一般社団法人・一般財団法人，学校法人，宗教法人，NPO 法人などがあります。法人には，法令の規定に従い，定款その他の基本約款で定められた目的の範囲内において，**権利能力が認められます**。

（2）意思能力（3条の2）

意思能力とは，自分の行為の結果を認識し判断できる能力のことです。言い換えれば，その（**法律**）**行為**をすることの**意味を理解し判断できる能力**のことです。例えば，高度の精神病や酩酊状態のときには，意思能力はありません。

法律行為の当事者が**意思表示**をした時（自分の考えを伝えた時）に意思能力がなかった場合は，その法律行為は**無効**です。契約などの法律行為が有効であるためには正常な判断能力が前提となるので，行為者に正常な判断能力がない場合は，その行為はそもそも効力が否定されるべきだからです。

（3）行為能力

単独で（1人で）財産を管理し，有効に契約などの法律行為を行うことができる能力のことを，**行為能力**といいます。宅建試験では，行為能力が重要です。

2 制限行為能力者制度

ウォームアップ

売買・賃貸借などの法律行為（契約）が成立するためには，前提として十分な判断能力が必要です。ところが，世の中には，例えば未成年者のように，その能力がないか不十分な者がいます。このような者が契約を締結した場合に，原則どおり，そのまま契約の内容に縛られてしまうのはかわいそうです。また，意思能力のない時の法律行為は無効ですが，その証明は簡単ではありません。

そこで設けられたのが，**制限行為能力者制度**です。行為能力とは，単独で財産を管理し，取引を有効に行うことができる能力・資格のことですが，この制度は，契約に対する判断能力が十分でないと認められる者を，「制限行為能力者」として，制限行為能力者であることを理由に，その者の財産を保護するための制度です。

1 「制限行為能力者」の種類

制限行為能力者は，いずれも**契約に関する判断能力が一般人よりも低い**，次の**4者**をいいます。

基本

未成年者	・18歳未満の者 ・保護者は「親権者」または「未成年後見人」（いずれも法定代理人）
成年被後見人	・精神上の障害により事理を弁識する能力が欠ける常況にあり，家庭裁判所により「後見開始の審判」を受けた者 ・保護者は「成年後見人」（法定代理人）
被保佐人	・精神上の障害により事理を弁識する能力が著しく不十分なため，家庭裁判所により「保佐開始の審判」を受けた者 ・保護者は「保佐人」
被補助人	・精神上の障害により事理を弁識する能力が不十分なため，家庭裁判所により「補助開始の審判」を受けた者 ・保護者は「補助人」

用語 ・**精神上の障害**：認知症，知的障害，精神障害などのこと
・**事理を弁識する能力**：法律行為をすることの意味を認識・判断（弁識）できる能力のこと。ここでは，契約に対する判断能力と理解しておこう
・**補助開始の審判**：本人以外の者が請求する場合，本人の同意が必要

2 制限行為能力者を保護する方法

制限行為能力者を保護するために，次の方法が認められています。

① あらかじめ保護者を付けて，保護者に，同意権・代理権を与えること
② 事後的方法として，本人と保護者に取消権を，保護者にはさらに追認権を与えること

まず，制限行為能力者の能力を補完するため，あらかじめ**保護者**が付され，保護者には，保護される制限行為能力者が一般的に持つ能力に応じた権能（**同意権**，**代理権**，**取消権**，**追認権**）が与えられます。

制限行為能力者が，単独で（１人で）行った契約などの法律行為は，一応有効ですが，事後的に取り消すことができるのが原則です。つまり，行われた行為がその制限行為能力者にとって財産的に不利益であれば，**本人**または**保護者**は，その行為を**取り消すことができます**。取り消すと，その行為は「**初めから無効であった**」とみなされるので，取り消して，原状（もとの状態）を回復でき，少なくともマイナスは生じない，というわけです。

一方，単独で行われた場合でも，保護者の事前の**同意**があれば，また，**代理人**が付されている場合にその**代理人により行われたとき**は，その行為は**初めから完全に有効**であり，さらに保護者の**追認**（事後的な同意）があれば，取り消すこともできなくなります（つまり，**有効が確定**します）。

以下，各制限行為能力者ごとに，その“制限された”能力を見てみましょう。

3 未成年者（5条，6条）

未成年者が法律行為を行うには，原則として，その**法定代理人**（**親権者**，または**未成年後見人**）の**同意**を得なければなりません。同意なく行われた行為は，本人または法定代理人が**取り消すことができます**。

ただし，次のように，未成年者が単独ですることができる行為があります。次

の３つの行為は，法定代理人の同意なく単独で行っても，取消しはできません。

（同意不要の行為）

① **単に権利を得，または義務を免れる法律行為**
　例 単純贈与（負担のない贈与）を受けること
② **法定代理人が処分を許した財産の処分行為**
　例 親からもらった小遣いをつかうこと
③ **法定代理人から営業を許された場合の，その営業上の行為**
　例 宅建業を許可された場合の「業者」として行う行為。つまり，不動産の売買行為も，業者として行う場合は，法定代理人の同意は不要となる。

また，法定代理人は，未成年者の利益のため，未成年者を**代理**して法律行為を行うことができます。

4 成年被後見人（9条）

成年被後見人の行った行為は，**本人**または**法定代理人**（**成年後見人**）が**取り消すことができます**。成年被後見人の契約に関する判断能力は低く，その財産の保護の必要性は高いからです。成年被後見人が単独で行った行為については，たとえ成年後見人の**同意**があっても**取り消せます**（成年後見人に同意権なし）。成年後見人の同意どおりに本人が行動できるとは限らないからです。

ただし，「**日用品の購入その他日常生活に関する行為**」は，単独で行った場合でも取消しはできません。

また，法定代理人は，成年被後見人の利益のため，日常生活に関する行為を含め，成年被後見人を**代理**して**法律行為**を行うことができます。

プラスα

・**後見人の欠格事由**（847条）：
未成年者・破産者等は，後見人になれない（家庭裁判所で免ぜられた法定代理人・保佐人・補助人等も同様）。

・**後見監督制度**（849条，851条他）：
（上記のように）被後見人の財産管理を目的に後見人には広範な権限が付与されているが，その権限行使を監督するために，家庭裁判所が，必要に応じ「後見監督人」を選任することがある。後見監督人の主な職務は後見人の事務の監督であるが，後見人が被後見人本人との利益相反行為をする場合などについて，本人の代理人として取引行為をすることもある。

5 被保佐人 (13条)

被保佐人には，日常生活に関する行為を含め，**一般的な契約**を行うための**判断能力があります**。したがって，契約など法律行為を行うにあたり，**保護者**（**保佐人**）の**同意**は，**原則として不要**です。ただし，**一定の重要な財産上の行為**を行うには，**保佐人の同意を必要**としました。

「**一定の重要な財産上の行為**」の主なものは，次のとおりです。

〈主な「民法13条」列挙行為〉

- **借金**をすること　・**保証人**となること，**物上保証人**となること
- 不動産その他**重要な財産の売買**をすること
- **相続の承認・放棄**をすること
- **新築，改築，増築，大修繕**を目的とする契約をすること
- **5年を超える宅地の賃貸借，3年を超える建物の賃貸借**の当事者となること
- これらの行為を**制限行為能力者の法定代理人**としてすること

用語　・**物上保証**：例えば，他人の債務を担保するために，自己の不動産に抵当権を設定すること，など

なお，**保佐人**の**同意**が必要で，その同意，またはこれに代わる家庭裁判所の許可を得ないでした行為は，本人または保佐人が**取り消すことができます**。

プラスα

- **家庭裁判所の許可**：保佐人の同意が必要な行為について，被保佐人の利益を害するおそれがないにもかかわらず保佐人が同意しないときは，被保佐人の請求により，家庭裁判所が，保佐人の同意に代わる許可をすることができる。
- **代理権付与の審判**：保佐人には，法律上当然には代理権は与えられていない。ただし，家庭裁判所の審判で，特定の行為（例 不動産の売買）について，保佐人に代理権が与えられることがある。

6 被補助人 (17条)

被補助人の能力は，被保佐人よりも高いので，法律行為を行うにあたって，原則として**保護者**（**補助人**）の**同意は不要**です。原則として単独で有効な法律行為ができるということです。

ただし，**家庭裁判所から同意を要する旨の審判を受けた特定の行為**については，

補助人の同意が必要です（**同意権付与の審判**）。同意が必要となる行為は，一定の重要な財産上の行為の中から特定されます。

補助人の同意が必要であって，その同意またはこれに代わる家庭裁判所の許可を得ないでした行為は，本人または補助人が取り消すことができます。

メモ

・**家庭裁判所の許可**：補助人が同意しない場合に，補助人の同意に代わる家庭裁判所の許可の制度がある。

・**代理権付与の審判**：同意権付与の審判の代わりに，または併せて，家庭裁判所の審判で，特定の行為について，補助人に代理権が与えられることがある。

まとめ

暗記

◎：ある　　×：ない

※：家庭裁判所により同意権付与の審判があった場合

△：家庭裁判所による代理権付与の審判があった場合

制限行為能力者	保護者	保護者の権能			
		同意権	取消権	追認権	代理権
未成年者	親権者（未成年後見人）	◎	◎	◎	◎
成年被後見人	成年後見人	×	◎	◎	◎
被保佐人	保佐人	◎	◎	◎	△
被補助人	補助人	◎※	◎	◎	△

メモ

保護者の辞任：親権を行う父または母は，やむを得ない事由があるときは，家庭裁判所の許可を得て，親権または管理権を辞することができる。また，後見人・保佐人・補助人等も，正当な事由があるときは，家庭裁判所の許可を得て，その任務を辞することができる。

7 居住用不動産の処分についての裁判所の許可

（859条の３，876条の５，876条の10）

成年後見人，保佐人，補助人が，**制限行為能力者**の**居住用建物・敷地**について，**売却**，**賃貸**，**賃貸借の解除**，**抵当権の設定**その他**これらに準ずる処分**をするには，

家庭裁判所の許可を得なければなりません。その許可なく行われた契約は，**無効**です。

8 制限行為能力者の相手方の保護

以上のように，制限行為能力者自身は手厚く保護されていますが，一方で，その相手方は不安定な立場に置かれることになります。

そこで，制限行為能力者の**相手方にも一定の保護**が与えられています。

（1）制限行為能力者が詐術を用いた場合（21条）

制限行為能力者が，自身が行為能力者であると信じさせるために**詐術**を用いた（例 ウソをついた）ときは，**取消権は行使できません**。その結果，もともとは取消しできる行為の**有効**が**確定**します。

（2）相手方の催告権（20条）

① 相手方の催告

制限行為能力者の相手方は，**取消しできる行為**について，制限行為能力者の側に対して，**1カ月以上の期間を定めて**，「**追認するか否か**」を確答するよう**催告**することができます。追認があれば，取り消すことができなくなり，行為の有効が確定します（取り消されれば，「初めから無効」とみなされます）。

メモ

催告先：単独で追認できる者（制限行為能力者が行為能力者になった後の本人），保護者または被保佐人本人，被補助人本人。なお，被保佐人・被補助人に対して催告する場合は，「保佐人・補助人の追認を受けるように」と催告する。

② 確答がない場合の効果

催告を受けた者が，期間内に確答を発しない場合は，次のようにその効果が確定します。

理解

催　告　先	確答がない場合の効果
単独で追認できる者 （＝行為能力回復後の本人，保護者）	追認されたとみなす （取消し不可）
被保佐人・被補助人	取消しされたとみなす

9 取消しの効果，第三者との関係，追認

（1）取消しの効果

取消しがされると，「**初めから無効**」であったとみなされます。

（2）当事者の関係（原状回復の義務）

当事者は，お互いにその行為がなかった状態に戻す義務を負います（**原状回復**）。つまり，受領したものがある場合には，**返還**するのが**原則**です。

メモ

当事者双方の原状回復義務は，同時履行の関係にある。

（3）第三者との関係

取消しがあった場合の取り消した者と第三者との関係は，取消しの原因によって異なります。例えば，制限行為能力者が取り消すと，その効果を**第三者にも対抗**（主張）できます。第三者は，たとえ**善意**であり，**登記**を備えていても，**保護されません**。

用語
・**善意**：ある事実を知らないこと。ここでは，例えば，取引の相手方が，制限行為能力者であることを知らないこと
・**悪意**：ある事実を知っていること

理解 〈制限行為能力による取消しと第三者の関係

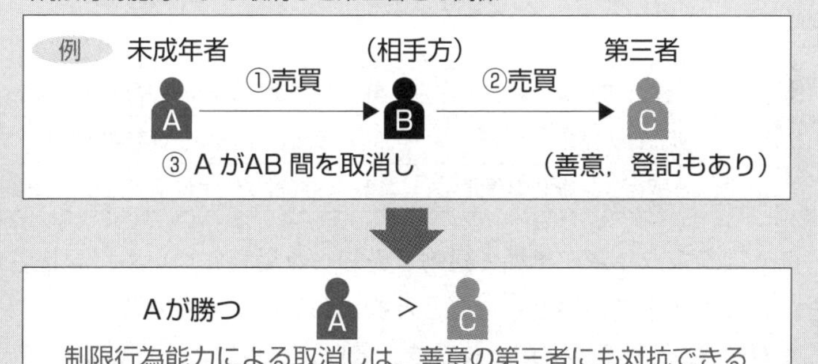

（4）取消権の行使期間の制限（126条）

取消権は，一般に，追認することができる時から５年，または行為の時から20年が経過すると，時効によって消滅します。

暗記

・追認することができる時から５年経過
・行為の時から20年経過

したがって，例えば，未成年者（16歳）が単独で契約をした場合でも，18歳（成年者）になるだけで取消権が消滅することはない。

（5）追認，法定追認

①　追認（124条）

追認とは，法律行為の効果を**初めから有効とする旨の意思表示**をすることをいいます。追認すると，以後，**取消し（無効の主張）は不可**となります。ただし，取消しの原因となっていた状況が消滅し，かつ，取消権を有することを知った後にしなければ，その効力は生じないのが原則です。

②　法定追認（125条）

単独で追認することができる者が，追認することができる時以後に，取り消すことができる行為について次のことを行ったときは，確定的な追認の意思表示がなくても，「追認した」ものとみなされます。

暗記

全部または一部の履行	例　保護者が登記の移転に協力した
履行の請求	例　保護者が売買代金を請求した
取得した権利の譲渡	例　保護者が代金債権を第三者に譲渡した

例えば，未成年者が単独で建物を売却した場合について，親権者が上記の行為を行うと，親権者が追認したことと扱われることになります。

なお，「**追認することができる時**」とは，次の場合をいいます。

（ア）未成年者→成年に達した後
（イ）他の制限行為能力者→（少なくとも）制限行為能力者である旨の宣告が取り消された後
（ウ）錯誤・詐欺・強迫→それらの状況を脱した後

したがって，例えば，売買の例で，未成年者が成年に達する前に，あるいは詐欺された者が詐欺に気づく前に売買代金を請求しても，法定追認とはなりません。

理解

取り消さないことを前提とする行為をする ＝ ①履行，②履行の請求など	➡	追認されたとみなす （取消し不可）

理解

〈無効と取消しの違い〉

無　効	取消し
・法律行為の効力は初めから生じていない ・主張は不要（当然に無効） ・期間の制限はない ・追認しても効力は生じない（なお，下記メモ欄参照）	・初めにさかのぼって効力を否定すること ＝初めから無効として扱う （取り消すまでは一応有効） ・取消権者の取消しが必要 ・期間の制限がある ・追認により有効が確定

メモ

無効な行為の追認：無効な行為は，追認によっても効力を生じないが，当事者が，その行為が無効であることを知って追認をしたときは，新たな行為をしたとみなされる。

10 失踪宣告

（1）失踪宣告とは（30条，31条）

失踪宣告とは，生死不明の者について法律上死亡したとみなす制度です。

不在者の生死が７年間明らかでないとき（普通失踪），または船舶の沈没，震災などの危難に遭遇しその危難が去った後その生死が１年間明らかでないとき（危難失踪）は，家庭裁判所は失踪宣告をすることができます。

失踪宣告を受けた者は，上の期間が満了した時（普通失踪の場合。危難失踪の場合は危難が去った時）に，死亡したものとみなされます。

（2）失踪宣告の取消し（32条）

失踪者が生存する証明があったときは，失踪宣告は取り消されます。ただし，その取消しは，失踪の宣告後取消し前に（当事者双方が）善意でした行為の効力に影響を及ぼしません。

3 法律行為・意思表示

ウォームアップ

例えば，売買契約が成立するためには，売主の「売る」という意思表示と，買主の「買う」という意思表示が**合致**することが必要です。この２つの意思表示が合致すれば売買契約は成立し，お互いに**拘束力**が発生します。つまり，「**契約は守られなければなりません**」。

しかし，意思表示はしたが，**実は本意ではなかった**場合や，**詐欺を受けて**意思表示してしまった場合などにも，常に完全に有効な意思表示があったのと**同様に扱うことは妥当ではない**でしょう。

この場合にどのように扱うべきか。それがここでのテーマです。

本試験でよく出題される次のようなケースに即して，考えてみましょう。

Ａが**欠陥のある意思表示**をした者（**表意者**），Ｂがその**相手方**，Ｃは，AB間の取引を前提に新たに法律関係に入った者（**第三者**あるいは転得者）で，AB間に**トラブル**が発生しています。

基本

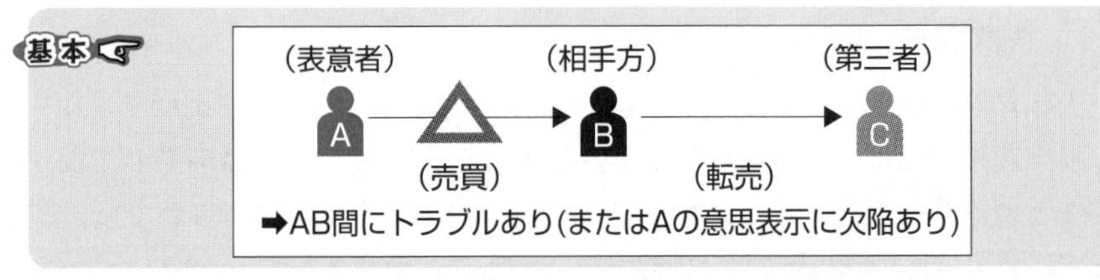

ポイントは，次の２点です。

① 当事者（AB 間）の契約は，有効か，無効か？
→一応有効の場合でも，取消しができるか？
② 第三者との関係（＝AC 間の優劣）：
→AB 間が，無効または取消しとなった場合，それをＣに対抗（主張）できるか？

1 原則（基本的な考え方）

（1）当事者間（AB間）

表意者（A）は，**無効の主張**，または，**取消し**ができるのが原則です。

基本

AB間のトラブルの原因	AB間の効果
公序良俗違反，通謀虚偽表示，心裡留保	Aは，無効の主張ができる
制限行為能力者である，錯誤，詐欺，強迫	Aは，取消しができる

（2）表意者と第三者との関係（AC間）の原則

第三者との関係（AC間）は，当事者間（AB間）が有効か無効かによって，変わります。

すなわち，**当事者間**（AB間）が**完全に有効**であれば，**第三者**（C）は，その**善意・悪意を問わず保護される**のが原則です。その直前者（B）が取得した権利を，そのまま取得するからです。

用語 ・**善意**：ある事実を知らないこと
・**悪意**：ある事実を知っていること

一方，**当事者間**（AB間）が**無効**または**取り消された**場合には，**第三者**（C）は，**保護されない**のが原則です。第三者の権利は，その直前者が有した権利を承継するにすぎないので，直前者（B）が無権利者である場合は，第三者は権利を取得できないと考えるからです（「**無から有は生じない**」）。

理解

① AB間が有効の場合	Cは，原則，保護される（Cの善意・悪意は不問） =AはCに対抗できない
② AB間が無効・取消し	Cは，原則として，保護されない =AはCに対抗できる

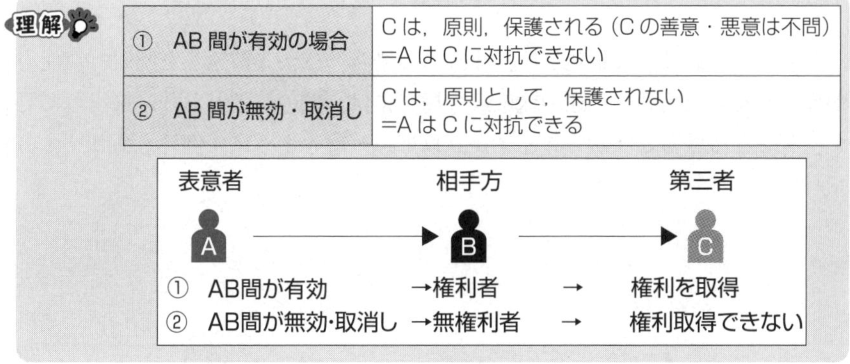

2 公序良俗違反の法律行為（90条）

（1）「公序良俗違反」とは

公序良俗違反とは，**公の秩序**や**善良の風俗**（公序良俗）に**反する法律行為**をいいます。例えば，相手Aの軽率・窮状などに乗じて不当な利益を得るBの行為（暴利行為）のことなどです。

基本

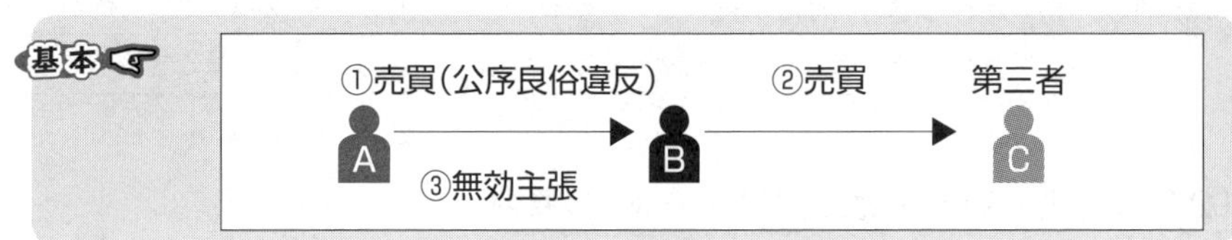

（2）効果

公序良俗違反の法律行為は，反社会性を帯び，その効力を，絶対に認めることができません。つまり，当事者間（AB間）の契約は無効です。第三者（C）との関係でも，表意者（A）は，常に保護されます。

一方，**第三者**Cは，**善意**であっても（AB間が無効であることを知らなくても），また，**登記**があっても，**保護されません**。

暗記

当事者間の効果	無効（絶対的無効）	A>B
第三者との関係	善意の第三者に対しても無効を主張できる	A>C

A>B：AとBの間ではAの権利が認められる（AがBに勝つ）という意味（以下，同じ）

このように**2**公序良俗違反の法律行為の場合のほか，前述した制限行為能力者が取消しをした場合，後述の**7**強迫の場合には，**1**の原則どおり，第三者に対して権利を主張することができますが，以下**3**～**6**のように，**例外**もあります。各項目別に見ていきましょう。

3 通謀虚偽表示(94条)

通謀虚偽表示とは，相手方と**共謀**して**虚偽**の**意思表示**をすることをいいます。

例えば，Aが税金の滞納処分を免れるため，所有する不動産をBに売却したかのように仮装する（**仮装譲渡**）などが典型例で，この場合，当事者（AとB）に，ともに売買の意思はありません。

（1）効果

当事者であるA・B双方に，法律行為を有効にする意思がない（売るつもりもなければ，買うつもりもない）以上，**当事者間**（AB間）は**無効**となります。

ただし，Bが第三者Cにこの不動産を転売し，Cが，AB間の売買が虚偽表示に基づくことを知らなかった（Cが善意の）場合には，Cを保護する必要があります。そこで，**善意**の**第三者**に対しては，**無効**を**主張することができない**（**対抗できない**）こととしました。

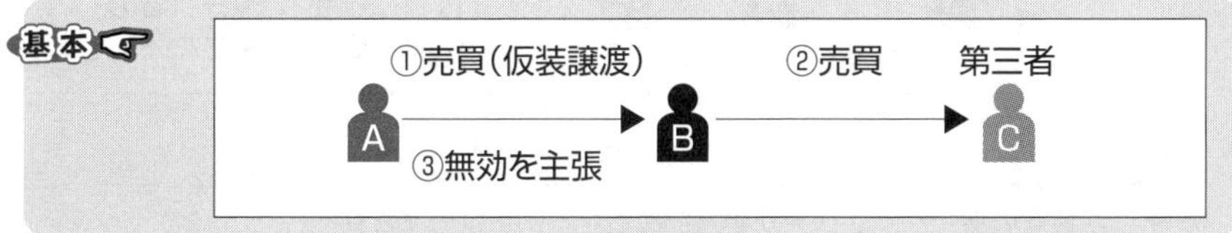

結果として，虚偽表示をしたAより，「知らなかった（善意の）」第三者Cを保護することになります。なお，Cは，知らなかったことについて過失があっても構いません（**通謀虚偽表示：第三者Cは，善意なら勝つ**）。

理解

当事者間の効果	無　効		A>B
第三者との関係	i）Cが善意の場合	善意の第三者Cに対して無効を対抗できない	A<C
	ii）Cが悪意の場合	悪意の第三者Cに対しては，無効を対抗できる	A>C

メモ

なお，無効を善意の第三者Cに対抗できない場合（iの場合）であっても，当事者のAB間では無効を主張することができる点に注意。

(2) 転得者がいる場合

Cがさらに D（転得者）に転売していた場合はどうなるでしょうか。

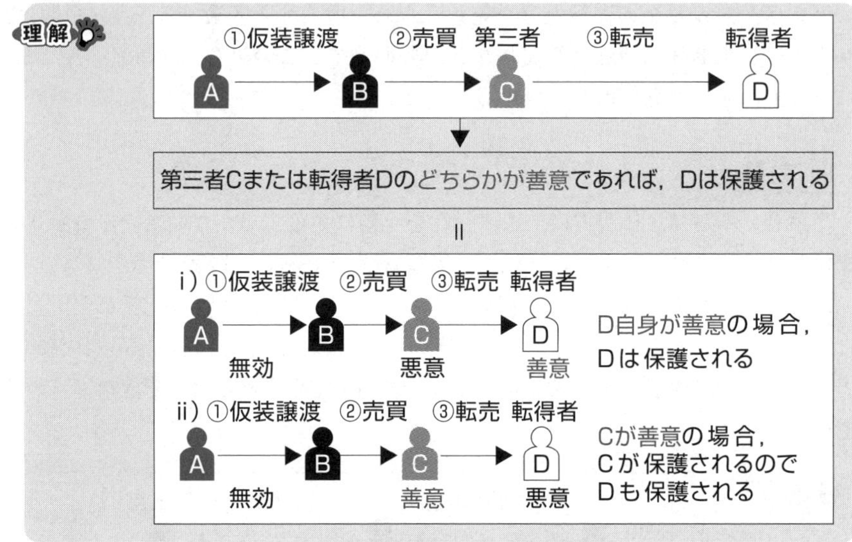

プラスα

D が善意の場合は，D 自身が善意であることにより保護される。

C が善意の場合は C が保護されるので，D は悪意があっても C の権利を引き継ぐことにより保護されることになる。

D（**転得者**）も，広い意味での「**第三者**」と考えるとよい。D が保護されないのは，C・D ともに悪意の場合（＝A・B は当然「悪意」なので，結局全員が悪意の場合）に限られることになる。

D がさらに E に，E はさらに F へ，F は G へと転々と譲渡した場合も，C 以後の誰かが善意であれば，その者より後の者は（悪意であっても）保護される。

4 心裡留保（しんりりゅうほ） (93条)

(1)「心裡留保」とは

心裡留保とは，表意者が単独で虚偽（ウソ）の意思表示をすることです。例えば，ウソや冗談で，自分の土地を贈与する約束をする場合などです。相手方との通謀はないこととして考えてみましょう。

基本

(2) 効果

心裡留保の場合，表意者Aの意思が真意ではない（虚偽である）ことを，相手方Bが知らない場合があります。そこで，Bを保護するため，BがAの真意を知ることができなかった場合（Bが**善意**かつ**無過失**）は，Aの意思表示（AB間）は**有効**としました。

一方，BがAの真意を知っていた，または知ることができた場合（Bが**悪意**または**有過失**）は，Aの意思表示は**無効**です。ただし，無効であっても，Aはその無効を，**善意の第三者**（C）に**対抗**（**主張**）**することはできません**。善意の第三者を保護するためです。

暗記

当事者間の効果	原則	Bが**善意**かつ**無過失**の場合	有効
	例外	Bが**悪意**または**有過失**の場合	無効
第三者との関係	i）AB間が有効	Cは悪意でも保護される	
	ii）AB間が無効	善意のCに対しては無効を主張できない	

メモ

第三者との関係については，当事者間の意思表示が有効か無効かで異なる点に注意しよう。まず，i）AB間が有効である場合は，目的物の権利は完全にBに移転し，その後のCは悪意でも保護される。一方，ii）AB間が無効である場合には，善意の第三者に対して無効を主張できない（3「通謀虚偽表示」と同じ）。

5 錯誤（さくご）(95条)

(1)「錯誤」とは

錯誤とは，内心（意思）と表示が異なっていることを，**表意者自身が自覚せずに意思表示**（いわば勘違い）することをいいます（意思と表示の不一致を知らずに行った意思表示)。例えば，甲建物を売ろうと思ったのに乙建物を売る，と表示した場合などです。

基本

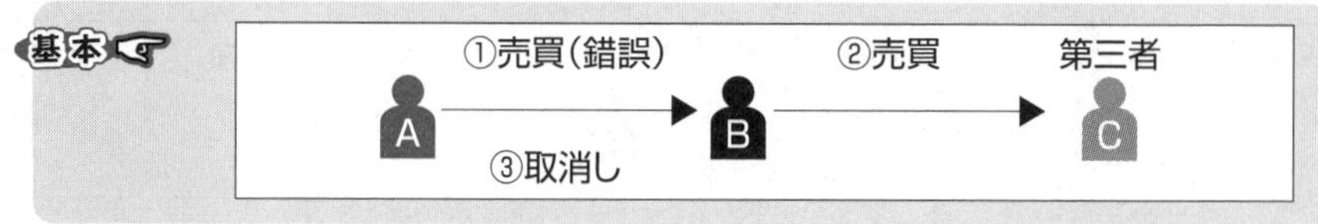

(2) 効果

表意者の意思と表示が一致していない場合を，些細な不一致も含め，すべてを取消し可または無効とするのでは社会が混乱します。

そこで，錯誤が，次の①または②の場合で，**法律行為の目的及び取引上の社会通念に照らして重要なもの**であるときは，**取り消すことができる**としました。意思と表示の不一致が，少なくとも客観的・一般的に重要なものでなければ，取消しはできないことになります。

> ① **意思表示に対応する意思を欠く錯誤**（表示行為の錯誤）
> ② **表意者（A）が法律行為の基礎とした事情について，その認識が真実に反している錯誤**（いわゆる「動機の錯誤」。その事情が法律行為の基礎とされていることが表示されていたときに限る。なお，表示は黙示的なもので構わない（判例））

メモ

- **①の例**：甲建物を売るつもりで「乙建物を売ろう」と表示した場合など
- **②の例**：非課税取引と思って行った売買に，多額の課税がされた場合など

ただし，錯誤が，表意者Aの**重大な過失**による場合には，次の③④の場合を除き，**取消しはできません**（相手方を保護する趣旨。逆にいえば，③④の場合は相手方Bを保護する必要がないので，表意者Aは重過失があっても取消し可，ということです）。

> ③ **相手方（B）が，表意者（A）に錯誤があることを知り，または重大な過失によって知らなかったとき**
> ④ **相手方（B）が，表意者（A）と同一の錯誤に陥っていたとき**

また，錯誤による意思表示の取消しは，**善意**で，かつ，**無過失の第三者**（C）**に対抗（主張）することはできません。**

暗記

<table>
<tr><td rowspan="3">当事者間の効果</td><td colspan="2">①②の場合で，錯誤が法律行為の目的及び取引上の社会通念に照らして重要→取消し可</td><td>A>B</td></tr>
<tr><td rowspan="2">・表意者（A）に重過失あり</td><td>原則：取消し不可</td><td>A<B</td></tr>
<tr><td>③④の場合：取消し可</td><td>A>B</td></tr>
<tr><td rowspan="2">第三者との関係</td><td rowspan="2">・錯誤取消しを主張できる場合（①②③④）</td><td>Cが悪意または有過失の場合</td><td>A>C</td></tr>
<tr><td>Cが善意かつ無過失の場合</td><td>A<C</td></tr>
</table>

6 詐欺（96条）

（1）「詐欺による意思表示」とは

詐欺による意思表示とは，だまされて（**欺罔**（ぎもう）によって）意思表示をすることです。

基本

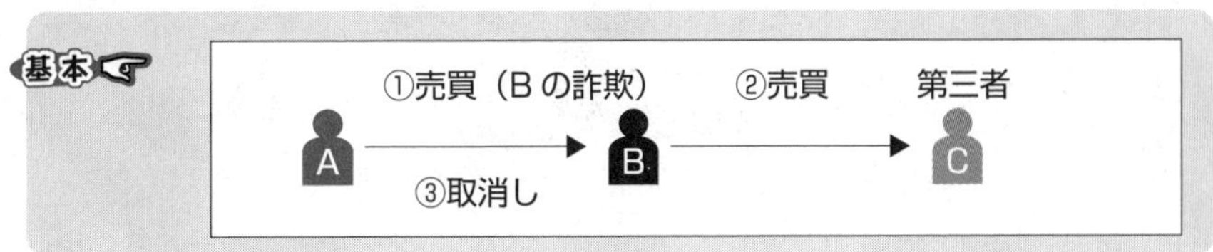

（2）効果

詐欺された者（A）は，意思表示を取り消すことができます。

第三者（C）に対しては，Cが，Aが詐欺により意思表示をしたことについて知り，または知ることができた（**悪意**または**有過失**の）場合のみ，Aは**取消しを対抗（主張）できます**。一方，善意かつ無過失のCに対しては，取消しの主張はできません。詐欺された者よりも善意・無過失の第三者を保護するべきだからです。

暗記

当事者間の効果	取消し可		A>B
第三者との関係	Cが善意・無過失の場合	取消しを対抗(主張)できない	A<C
	Cが悪意または有過失の場合	取消しを対抗（主張）できる	A>C

メモ

取消しを善意・無過失の第三者に対抗できない場合であっても，当事者間では取り消すことができる点に注意。

7 強迫（96条）

（1）「強迫による意思表示」とは

強迫による意思表示とは，**おどされて**意思表示をすることです。

基本

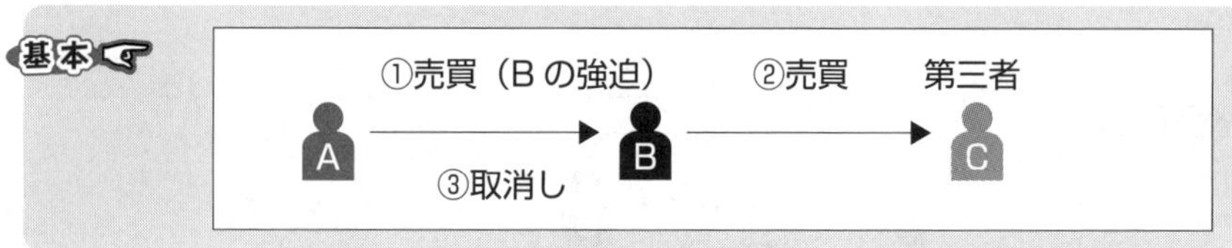

（2）効果

強迫された者（A）は，意思表示を**取り消すことができます**。

強迫による場合は，第三者（C）の**善意・悪意にかかわらず**，**取消しを対抗（主張）できます**。おどされて意思表示した者を保護しようとする趣旨です。

暗記

当事者間の効果	取り消すことができる	A>B
第三者との関係	善意・無過失の第三者に対しても，取消しを対抗（主張）できる	A>C

＜詐欺・強迫と取消し前の第三者＞

・詐欺による取消し→善意かつ無過失の第三者（C）には対抗できない

・強迫による取消し→第三者（C）に対抗できる

8 第三者による詐欺・強迫（96条）

第三者による詐欺・強迫とは，**相手方以外の者**（第三者）から**詐欺または強迫を受けた**場合です。

基本

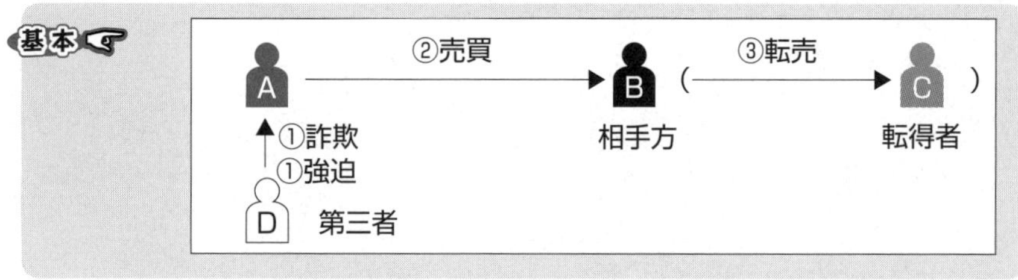

(1) 第三者による詐欺

例えば，Aが第三者Dにだまされて，自己所有の土地を，詐欺とは無関係のBに対して売却する意思表示をしたような場合です。

詐欺による意思表示ですから取り消すことができますが，相手方（B）がその事実（AがDにだまされていること）を知りまたは知ることができたとき（**悪意**または**有過失**の場合）に限り，**取り消すことができる**こととしました。

Bが**善意**かつ**無過失**の場合は，Aは**取り消すことができない**ことになりますが，詐欺された者よりも，善意かつ無過失の者をより保護しようとする詐欺に共通の趣旨に基づきます。

詐欺を受けたAが取り消すことができる場合の転得者Cとの関係は，次のように，Cが，Aが詐欺を受けた事実を知っていたか，または知ることができたか（悪意または有過失）によります。次の表を参照してください。

理解

<table>
<tr><td rowspan="2">当事者間の効果</td><td>Bが善意・無過失
→Aは取消しを主張できない</td><td>A<B</td></tr>
<tr><td>Bが悪意または有過失
→Aは取消しを主張できる</td><td>A>B</td></tr>
<tr><td rowspan="3">Cとの関係</td><td>Aが取り消せない場合（Bは善意・無過失）
→AはCに対抗できない</td><td>A<C
（Cの善意・悪意は不問）</td></tr>
<tr><td rowspan="2">Aが取り消せる場合（Bは悪意または有過失）
→善意・無過失のCには対抗できない</td><td>・Cは善意・無過失：A<C</td></tr>
<tr><td>・Cは悪意または有過失：A>C</td></tr>
</table>

(2) 第三者による強迫

第三者による強迫とは，相手方以外の者から強迫を受けた場合です。例えば，AがDに強迫されて，自己所有の土地を，強迫とは無関係のBに対して売却する意思表示をしたような場合です。

強迫された場合ですから，表意者（A）は，取消しを主張できます。相手方（B）や転得者Cの善意・悪意とは無関係です。何よりも，強迫された者をより保護しようとする趣旨に基づきます。

暗記

当事者間の効果	Aは取消しを主張できる	A>B
転得者Cとの関係	善意・無過失のCに対しても，取消しを対抗（主張）できる	A>C

4 代　理

ウォームアップ　自分のことは自分でするのが，原則です。

しかし，契約などについて，すべて自分でやらなければならないとすると，同時に多くの取引を行って利益追求の機会（もうけるチャンス）を広げていくことは困難です。また，複雑で高度な専門知識を要する行為については，むしろ専門家に委ねるほうが有利です。

さらに，制限行為能力者のように判断能力が低い人については，その保護者が本人のために取引をしたほうが，本人の利益となる場合が多いといえます。このための制度が**代理制度**です。

1 代理とは（99条）

代理とは，**他人（代理人）**が，**本人のために**，**相手方に対して意思表示**をすることによって，**本人**が直接にその**法律効果を取得する**ための制度です。

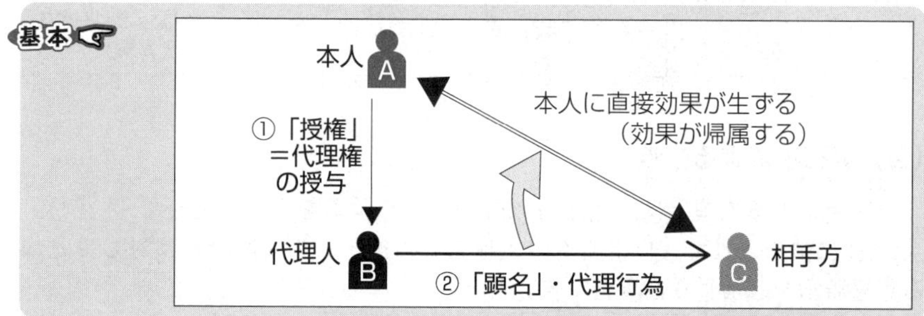

例えば，Aが自己所有の土地の売却をBに依頼し，そのための**代理権**を**授与**（**授権**）した場合に，Bが，本人Aのためにすることを示しつつ（**顕名**（けんめい）），与えられた代理権の範囲内でCに売買の意思表示をして契約を締結すると（**代理行為**），Aが直接意思表示をしたのと**同じ効果**が生じます（「**効果が帰属する**」＝AC間に当該土地に関する売買契約が成立します）。

代理制度の目的である「**本人への効果帰属**」（代理人の意思表示による効果を

直接に本人に帰属させること）が成立するためには，①**代理権**の**存在**と，②**代理人**の（**顕名**による）**代理行為**の**両方**が必要，と言い換えることもできます。

メモ

代理権の授与は，必ずしも書面にて行われる必要はない。

2 代理権

代理が有効に成立するには，まず代理人に**有効**な**代理権**がなければなりません。

（1）代理権の発生原因

代理権は，「**授権**」または**法令**により**発生**します。その発生原因により，代理は**任意代理**と**法定代理**に分かれます。

基本

任意代理	「授権」（代理権の授与） →本人の信任（依頼）によって代理人となる場合
法定代理	代理人の設置が法律によって定められている場合 （成年被後見人の成年後見人など）

プラスα

任意代理：委任契約に基づく場合が多いが，請負・雇用などによっても代理権が与えられる場合がある。

（2）代理権の範囲（103条）

法定代理人の**代理権の範囲**は，適用される**法律**により定められます。一方，**任意代理人**の**代理権の範囲**は，**授権行為**により定められます。

ただし，代理人の権限に定めがない場合や権限の範囲が不明確な場合は，代理人は，次の行為のみ，することができます。

理解 ＜代理権限に定めがない場合・代理権限が不明確な場合＞

保存行為	財産の現状を維持する行為（**現状維持行為**） 例 建物の修繕をする
利用行為	財産を利用して収益を図る行為（**収益行為**） 例 短期賃貸借に付す
改良行為	財産の価値を増加する行為（**価値増加行為**） 例 建物に造作を施す

前記の行為を超えて，代理の目的物や権利の性質を変更するような行為は不可。

例 農地を宅地にする行為など

（3）自己契約・双方代理の禁止（108条）

① 自己契約・双方代理とは

自己契約とは，**代理人自ら契約の相手方**となること，**双方代理**とは，**当事者双方の代理人**となることをいいます。

そもそも代理人は，本人に忠実でなければならないという義務，あるいは，代理人はもっぱら本人の利益のために行為すべきであり，自己や第三者の利益のために行為してはならず，また，本人の利益と自己の利益とが衝突するような地位に身を置いてはならないという義務を負っています（**代理人の忠実義務，善管注意義務**）。

② 自己契約・双方代理の禁止

自己契約や双方代理を行うと，本人の利益を害する危険があるので，これらの行為は，**原則として禁止**されます。禁止に違反して行われた代理行為は，**無権代理行為**（代理権のない行為）として，**無効**となります。本人に損害が発生したか否かは無関係です。代理人と本人の利益が相反する行為**（利益相反行為）**についても同様です。

ただし，債務の履行や本人の不利益となるおそれのない行為，本人があらかじめ許諾した行為は，可能です。

理解

原則	自己契約・双方代理の禁止
例外	・債務の履行 ・本人の不利益となるおそれのない行為 ・本人があらかじめ許諾した行為　例 登記の申請行為

（4）代理権の濫用（らんよう）（107条）

代理人が，**自己の利益または第三者の利益を図る目的**で，**代理権の範囲内の行為**をした場合は，**相手方**がその目的を知っていた（**悪意**）ときまたは知ることができた（**有過失**）ときは，その行為は**無権代理人**が行った行為とみなされます。

代理権を有する代理人が代理権の範囲内の行為を行ったのですから，本来有権代理として効果が本人に帰属するところですが，代理人は自己や第三者の利益のために行為してはならず，また，相手方が悪意または有過失であればより本人を保護する必要があるので，無権代理として，代理の効果は本人に帰属しないこととしたのです。

（5）代理権の消滅（111条，651条，653条）

有効に代理権が存在していても，その後，次のような事情が生じた場合は，代理権は当然に消滅します。

◎○：当然消滅　×：消滅しない

事　由		死　亡	破産手続開始の決定	後見開始の審判	辞　任 解　任
法定代理	本　人	◎	×	×	法定代理人に，辞任・解任の自由はない
	代理人	◎	◎	◎	
任意代理	本　人	◎	○	×	（本人から）解　任
	代理人	◎	◎	◎	（代理人の）辞　任

用語 **後見開始の審判**：成年被後見人となること

すなわち，**代理権**は，**本人の死亡**及び**代理人の死亡**，**破産手続開始の決定**，**後見開始の審判**によって**消滅**し（表中の◎），さらに，**任意代理**の場合は，**本人の破産手続開始の決定**によっても**消滅**します（表中の○）。

また，委任による代理の場合には，本人は代理人をいつでも解任でき，また，代理人はいつでも辞任できるので（**辞任・解任の自由**），本人が代理人を解任した場合や代理人が辞任した場合にも消滅します。

メモ

登記申請の代理権は，本人の死亡によって消滅しない（不動産登記法17条）。

3 代理行為

代理行為が成立するためには，代理人による**顕名**（けんめい）に基づく**意思表示**が必要です。

（1）顕名（100条）

①　顕名

代理人が本人のために代理行為を行う場合，相手方に本人のために行うことを示す必要があります（例えば「私は **A** の**代理人**である **B**」と表示）。これを「**顕名**」といいます。「**A** の**代理人**である **B**」と**顕名**されれば，相手方Cは，法律行為の真の相手方が，目の前の代理人Bではなく，本人Aであることがわかります。

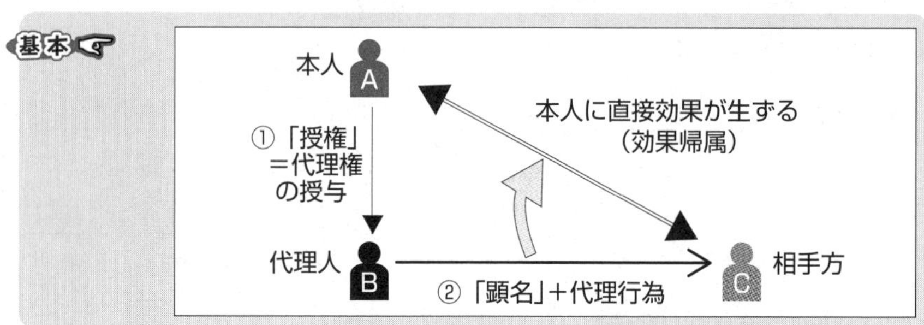

②　顕名を欠いた場合

代理人に本人を代理する意思はあるものの，代理人が本人のために行うことを示さなかった場合，代理行為の効果は本人に帰属するかどうか，という問題です。

代理人（B）が**顕名しない**と，**相手方**（C）は，通常，契約を**代理人自身**（B）と**締結**すると認識するからです（下表の「原則」）。ただし，例外があります。

理解

顕名の有無 （Cへの表示の例）		効　果	契約の 成立
顕名あり （「A 代理人 B」と表示）		効果は本人に帰属する	AC 間
顕名なし （「B」と表示）	原則	「代理人自身のためにしたものとみなされる」 →代理の効果は本人に帰属しない	BC 間
	例外	代理人が本人のためにすることを，相手方が知っていたとき（悪意），または，知ることができたとき（不注意で気づかなかったとき＝有過失） →代理の効果は本人に帰属	AC 間

（2）代理行為の瑕疵（101条）

例えば，**相手方**（C）が**代理人**（B）を**詐欺**して契約した場合，取消しができるのか，また，取消しができる場合，誰が取り消すか，という問題です。

「代理人による行為の効果は本人に帰属する」点から，**原則**は「**本人が取り消せる**」（代理人に取消権があれば，代理人も取り消せる）という結論になりますが，**第三者**（D）が**代理人**を**詐欺**した場合で，**本人**（A）がその**事実を知っていた**場合であっても本人の取消しは可能か，ということも問題となります。

理解

原則（本人が権利を主張）	錯誤・詐欺・強迫があったかどうか，善意か悪意か，有過失か無過失かなど事実の有無については，**代理人を基準に判断**し，発生した**法律効果は本人が主張**する 例 代理人が詐欺にあった場合，本人が取消し可 なお，代理人に権利主張権限が付与されていれば，代理人も権利主張できる
本人が主張できない場合	特定の法律行為をすることを委託された代理人が，その行為をしたとき →本人は，本人が知っていた事情（悪意），あるいは，本人が過失によって知らなかった事情（有過失）について，「代理人は知らなかった」と主張することはできない

（3）代理人の行為能力の問題（102条）

制限行為能力者でも他人の代理人になれるのか，という問題です。

代理人は**制限行為能力者でもなれます**。例えば，本人があえて制限行為能力者を自己の代理人として選任することは可能です。この場合，**制限行為能力者**が**代理人としてした行為**は，**制限行為能力**を理由に**取り消すことができません**。

ただし，**制限行為能力者**が**他の制限行為能力者**の**法定代理人**としてした行為については，**取り消せます**。例えば，未成年者の父親が後見開始の審判を受け，成年被後見人となるケースです。この場合，成年被後見人である父親が，未成年者の法定代理人として行った行為については，未成年者が取り消すことができるとしないと，未成年者本人の利益を守ることができないからです。

4 復代理

（1）復代理とは

復代理とは，**代理人**が**自己の権限内の行為**を行わせるため，**さらに代理人を選任**（復任）**すること**をいいます。選任された代理人を，**復代理人**といいます。

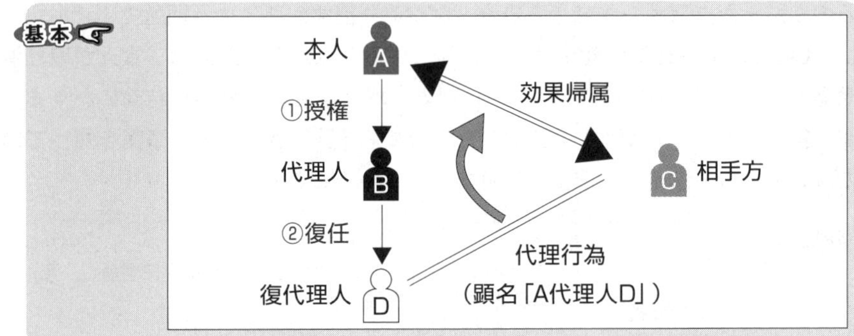

復代理人は，代理人が選任する，「**本人の**」**代理人**です。したがって，復代理人の行った代理行為の効果は，**直接本人に帰属**します。

（2）復代理人の権限（106条）

① **復代理人**は，本人の代理人として，本人に対して**代理人**と**同一**の**権利義務を**有します。例えば，代理行為を行うにあたり支出した費用があれば，直接本人に償還（返還）を請求できます。

② **復代理人**の**代理権**の**範囲**は，**代理人の代理権の範囲**を**超えることはできません**。したがって，代理人の**代理権**が**消滅**すれば，原則として，**復代理権**も**消滅**することになります。

（3）復任権（復代理人を選任する権限，104条，105条）

そもそも，代理人は自由に復代理人を選任できるのか（①），そして，例えば，復代理人の責任で本人に損害が発生した場合に，代理人自身に責任はあるのか（②），という問題です。

① **復任権の存否**

ｉ）任意代理

任意代理の場合，そもそも**復任はできない**のが原則です。本人の信任に基づいて代理権が授与されているので，代理人は，自ら代理人としての事務を処理する義務があり（**自己服務義務**），それができない場合には，あえていえば，辞任することが求められています。復代理人は代理人が選任するので，本人と復代理人との間に信頼関係が存することになるとは限らないからです。

ただし，**本人の許諾を得たとき**，または，**やむを得ない事情があるときに**

は，**復任**が**可能**です。復任しても本人の利益を害さないからです。

メモ

やむを得ない事情：例えば，代理人が急病になり職務に服せず，しかも本人が別の代理人を選任する余裕もない，といった場合など

ii）法定代理

法定代理の場合は，**代理人**は「**いつでも**」**復任をすることができます**。法律の規定に基づく選任であり，かつ，権限は広範なので，復代理人によって代理人としての事務を行ったほうが，本人の利益となる場合があるからです。

② 復代理人の行為に対する代理人の責任

復代理人の行為によって**本人**に**損害**が生じた場合，復代理人自身がその責任を負うこととは別に，代理人はどこまで責任を負うのでしょうか。次の表の右の欄で確認しましょう。

理解

	復任権の存否	復代理人の行為に対する代理人の責任
任意代理	原則：復任不可 例外：復任可 ア）本人の許諾があるとき または イ）やむを得ない事由があるとき	本人に対する代理人の債務不履行の問題として処理する
法定代理	いつでも復任可 （自己の責任で復代理人を選任できる）	・復代理人の行為について全責任を負う ・やむを得ない事由により復代理人を選任した場合は，選任及び監督についてのみ責任を負う

5 無権代理（113条）

代理人として行為した者が，その行為について**代理権**を**有しない**場合を，広く**無権代理**といいます。後述する「**表見代理**」も，広い意味で無権代理の一種です。

（1）効果

無権代理人が行った行為の効果は，原則として，**本人に帰属しません**（**効果不帰属**）。代理権がないので当然です。

メモ

「無権代理の効果は無効」といってもよい。いずれにしろ，代理人への有効な授権がない以上，本人に効果を生じさせることはできないのが原則である。

理解

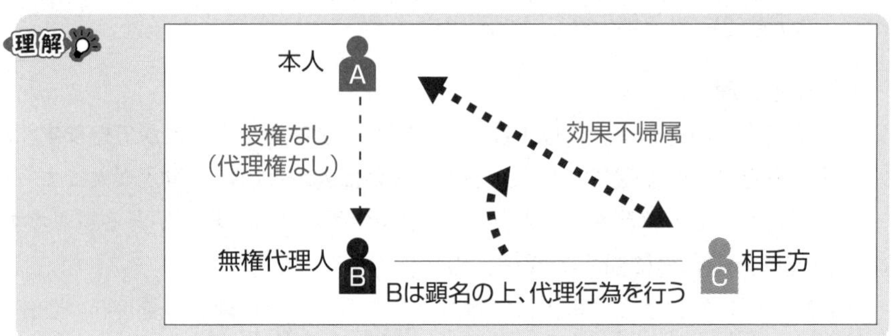

ただし，本人・（無権）代理人・相手方の三者間に，以下の**（2）（3）**のような関係が生じますので，その整理が必要となります。

（2）本人の追認権（116条）

①　追認と追認拒絶

本人は，無権代理行為を**追認**または追認を**拒絶**することができます。

追　認	契約の時にさかのぼって効力を生ずる（初めから有効） →追認の時から有効となるのではない
追認拒絶	本人への効果不帰属（無効）が確定

②　追認の相手方

追認は，通常**相手方**に対して行いますが，**無権代理人**に対して追認することもできます。ただし，本人が追認したことを**相手方が知るまで**は，本人は，その相手方に対して**追認の効果**（効果の帰属）を**主張（対抗）できません**。

例えば，本人の追認を相手方が知る前に相手方が取り消した場合，相手方の取消しが優先することになります。

（3）相手方の権利

無権代理は，追認があるまで本人に効果が帰属せず，無権代理人と取引した相手方は不安定な立場に置かれることになります。そこで，相手方に，こうした不安定な状態から逃れる手段を与えることにしました。

① **追認の催告権**（114条）

相手方は，本人に対して，「**追認するかどうか**」を確答するよう，**催告**することができます。本人が**追認**すれば，無権代理人の行為の**効果**は**有効**に，または，**追認拒絶**なら**無効**に確定しますが，**放置**された場合（**確答をしなかった場合**）は，本人は，追認を**拒絶**したものとみなされます。

理解

内　容	本人に対して，相当の期間を定めて，「追認するかどうか」確答するよう催告
善意・悪意	相手方は，悪意でも催告可能
効　果	期間内に確答なし→本人は，追認を拒絶したものとみなされる（つまり，無権代理行為の無効が確定する）

② **取消権**（115条）

相手方は，**善意**であれば，契約を**取り消して**，無権代理関係から離脱することができます。

理解

内　容	無権代理人との契約を取り消すことができる →相手方は契約の拘束から離脱。本人は追認できなくなる
善意・悪意	相手方は，契約時に善意（代理人に代理権がないことを知らないこと）でなければ取消しできない。過失があってもよい
時　期	本人の追認があるまでの間に限られる

③ **無権代理人の責任**（117条）

相手方は，**善意**かつ**無過失**である場合，無権代理人に対して，一定の**請求**をすることができます。すなわち，無権代理人は，自己の代理権を証明したとき，または本人の追認を得たときを除いて，相手方の選択に従い，相手方に対して**履行**または**損害賠償**の責任を負います（次ページ 理解 の表を参照）。

代理権があること，または本人の追認を得たことは，無権代理人の側で証明する必要があります。

なお，無権代理人が未成年者の場合など，無権代理人が行為能力の制限を受けていたときは，責任を負いません。

理解

内　容	無権代理人に対し，契約の履行請求，または，損害賠償請求が可能
善意・悪意	相手方は，代理人に代理権がないことについて善意・無過失でなければ請求できない →相手方が悪意または有過失の場合は請求できない →ただし，相手方が（善意）有過失でも，無権代理人が悪意の場合（相手方が過失により代理権がないことを知らなかった場合で，無権代理人が自己に代理権がないことを知っていたとき）は，請求が可能
時　期	本人の追認があるまでの間に限る

用語 **契約の履行請求**：約束した契約の内容をそのまま実現するように請求すること

④　表見代理の成立

相手方はさらに，「**表見代理**」（次項6参照）を主張できる場合があります。

まとめ

本人の権利主張	相手方の権利主張
i）**追認** →無権代理行為の有効確定（本人に効果帰属） ii）**追認拒絶** →無効確定（効果不帰属）	①　**催告**（悪意でも可） →（不確答）本人が追認拒絶をしたとみなす ②　**取消し**（善意の場合のみ） →（法律関係から離脱） ③　**無権代理人の責任を追及**（善意かつ無過失） →履行の請求，または，損害賠償請求 ④　**表見代理の成立を主張**（善意かつ無過失＋本人の帰責性）

メモ

・なお，要件を満たせば，表の①～④のすべての請求が可能となる。

・③は，相手方有過失の場合でも無権代理人が悪意なら請求可

（4）無権代理行為と相続

例えば，親の財産を，子が代理人として勝手に処分した場合で，その親子間に相続が発生したときなど，本人と無権代理人との間で**相続**が**発生**するケースがあります。この場合，相続人に，本人の地位と無権代理人としての地位が併存します。このとき，**相続人**は**追認**することができますが，追認すると自己に不利になる場合に**追認拒絶を選択できるか**が問題となります。

メモ

基本的には，「相続によって，相続人は特別に有利にも不利にもならない」と考えよう。

理解

ⅰ）無権代理人が，本人を単独相続	・追認拒絶はできず，無権代理は当然有効となる ・無権代理人は，もともと追認拒絶などできないからである
ⅱ）本人が，無権代理人を単独相続	・追認拒絶できる（→ただし，下記「**プラスα**」参照） ・本人は，もともと追認拒絶権を有していたからである

プラスα

・**ⅰ）についての注意点（判例）：**

① 無権代理人が本人を他の相続人と共同相続した場合
→共同相続人全員が共同して追認しない限り，無権代理行為は（当然には）有効とならない。

② 本人が追認拒絶した後相続が発生し，無権代理人が本人を相続した場合
→相続前の本人の追認拒絶により無権代理行為の無効は確定するので，相続があっても無権代理が有効となることはない。

・**ⅱ）についての注意点（判例）：**

相手方が善意かつ無過失の場合には，前述の「無権代理人の責任」を負うので（117条，相手方の選択により契約の履行請求を受けた場合），結果的に追認拒絶できないことと同じになる場合がある。

6 表見代理 (109条，110条，112条)

表見代理とは，**無権代理行為**であっても，本人と無権代理人との間の特殊な関係のために**真正な代理関係があるように見える**場合には，有効な代理行為が行われたのと同様に，本人への**効果帰属を認める制度**をいいます。

本人側の帰責事由 ＋ 相手方が保護されるべき事情（善意かつ無過失） ＝ 本人に効果帰属

なお，表見代理も**無権代理の一種**なので，表見代理が成立する場合でも，相手方は，これを無権代理として**取り消すこと**，または，無権代理人としての**責任**を**追及**することができます（前ページ まとめ の表を参照）。

（1）本人側の帰責事由

表見代理は，本人の犠牲のもとに，真正な代理人と信じて取引をした**相手方を保護する制度**です。そのため，表見代理が成立するには，相手方には保護されるだけの事情（**正当事由＝善意かつ無過失**）があるとともに，代理関係があるように見えることについて本人に責任があること（**帰責性**）の両方が必要です。

理解

本人側の帰責事由	例
① 代理権授与の表示	委任状を発行したが，実際には代理権を与えていない場合
② 権限外の行為の表見代理 （代理人の権限踰越）	代理人が与えられた代理権の範囲を逸脱して，これを超える代理行為をした場合
③ 代理権消滅後の表見代理	かつて存在した代理権が消滅したにもかかわらず，代理行為をした場合

なお，上表中の①と②，②と③の事由は，重畳的に（重ねて）適用されます。

例 抵当権設定の代理権を与えられた代理人が，代理権消滅後に，その土地を売却した場合は，②と③の重畳適用となる。

＜「表見代理」とは＞
本人に帰責があり，相手方が善意・無過失の場合は，
相手方が信じた内容が，そのまま実現される

（2）日常家事債務と表見代理

夫婦の一方が行った日常家事により生じた債務（**日常家事債務**）については，他の一方は，原則として**連帯責任を負います**（**連帯債務**。761条）。そして，その前提として，日常家事については，一方が他方の**代理権を有する**ことになります。

用語 **日常家事**：配偶者間などの家族の共同生活に日常必要とされる事項のこと

日常家事の範囲は，その夫婦の収入・資産，地域の慣習などから客観的に定まりますが，居住する家屋の**賃貸借契約**や生活必需品を購入するための**金銭消費貸借**（借金）などまでは含まれるとしても，**巨額の借金**や**不動産の売却**は（通常）**含まれません**。

そこで，例えば，夫が妻の不動産を無断で売却した場合，相手方（買主）に，不動産の売却がその夫婦の日常家事の範囲に属すると信ずるについて正当理由があるときに限り，その相手方は保護されるとされます（判例）。

5 時　効

ウォームアップ

時効とは，他人の物を自分の物として占有を継続する，あるいは権利者がその権利を行使しない，などの**一定の事実状態**が**一定期間継続**した場合に，その事実状態が真実であるか否かを問わず，そのまま**権利関係**として**認める制度**です。平穏に成立している現在の社会秩序を，そのまま維持することが目的です。

1 時効の種類

時効には，時効の成立によって権利を取得する**取得時効**と，権利が消滅する**消滅時効**とがあります。

例えば，他人の土地を自分の土地として占有し続け（**一定の事実状態が継続**），**一定期間経過**し，その後当事者が，その事実を「**援用**」すると，占有を継続した人に**権利**が**発生**します。時効により権利が取得されるので「**取得時効**」といい，**最初**から**権利者であった**ことになります。

また，例えば，ある債権を有していても，一定期間，一度もその債権を行使せず（**一定の事実状態が継続**），その後に当事者が「**援用**」すると，その債権（**権利**）は**消滅**します。時効により権利は消滅するので「**消滅時効**」といい，**最初**から**権利はなかった**ことになります。「権利の上に眠る者を保護しない」という趣旨です。

用語 **援用**：ある事実を自分の利益のために主張すること

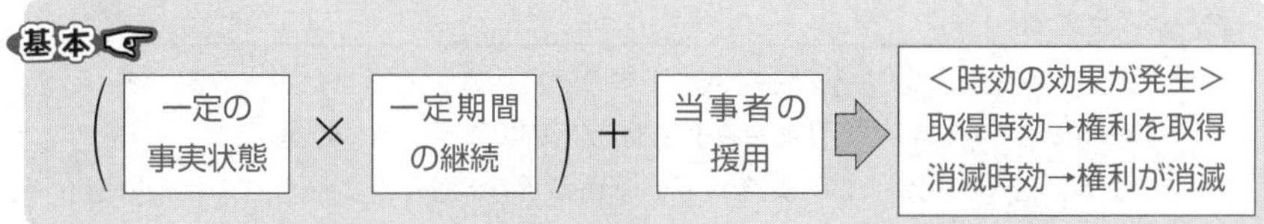

なお，一定の事実状態が一定期間経過したのみでは，時効の効果が直ちに（自然に）発生するわけではありません。必ず，当事者の「援用」が必要です。また，

一定の事実状態が一定期間継続した後でも，当事者は，時効による利益を「**放棄**」することもできます。

2 取得時効

（1）対象となる権利

占有の継続により，所有権の時効による取得が認められますが，**所有権以外の財産権**についても**時効取得**が**可能**です。**地上権**，**地役権**（継続的に行使され，かつ，外形上認識できるものに限る）や**不動産賃借権**も，**時効**で**取得**できます。また，土地の一部についても，時効取得は成立します。

用語 **地上権，地役権**：他人の土地を利用できる権利（物権）。第２章物権**1**「物権とは」参照

（2）所有権の取得時効（162条）

他人の物を，**所有の意思**をもって，**平穏にかつ公然**と，**一定期間占有**することによって，所有権の**取得時効**が**成立**します。

ポイントは以下のとおりです。

①「占有」とは

占有とは，事実上の支配（物を所持する状態）そのものを指します。自分自身が占有する代わりに，他人に占有させても構いません（**代理占有**）。

例えば，他人の家屋を賃貸借契約により賃借人に占有させて，その家屋の所有権を時効で取得するような場合です。

②「所有の意思」とは

所有権を取得するための占有は，自分が所有者であり，その物を排他的に支配しようという**意思**をもって行わなければなりません。これを，**自主占有**といいます。

プラスα

例えば，賃借人として行う占有は，所有の意思がない占有（他主占有）であり，そのまま何年占有を続けても「所有権」を時効で取得することはない。

なお，賃借人の相続人に，賃借している物の所有の意思が認められ，相続財産を事実上支配するに至るなど一定の要件を満たせば，新権原により自主占有を開始したこととして，所有権を時効で取得することがある（他主占有の自主占有への転換）。

③ 占有期間

占有は，「**一定の期間**」継続しなければなりません。

時効の取得期間は，次のとおりです。

ⅰ）占有の開始の時に**善意・無過失**である場合（**短期取得時効**）は，**10年**です。占有の途中で悪意に変わっても構いません。

ⅱ）占有の開始の時に**悪意**または（**善意**）**有過失**である場合は，**20年**です。

なお，占有は**継続**している必要があります。例えば，占有者が任意に占有を中止したり，他人によって占有を奪われたとき（**自然中断**）のように，途中で占有が**中断**すると，時効は**完成しません**。

なお，占有を奪われたときでも，占有者が**占有回収の訴え**を提起して**勝訴**すれば，占有は「**失われなかった**」として取り扱われます。

④ 占有の承継の問題（占有期間の合算）(187条)

自分自身で占有期間を満たすことができない場合には，**前主**の**占有期間**を**合算**することができます。すなわち，前の占有者から占有を引き継いだ者は，自身の選択により，**自分の占有のみを主張**すること，または，**自分の占有に前主の占有をあわせて**（**合算**して）**主張**することができます。

ただし，前主の占有をあわせて主張するときは，その**瑕疵**（ここでは，占有の開始時に悪意であったこと）も**承継**しなければなりません。また,「瑕疵のないこと」も承継が可能です。つまり，**前主**が**悪意**なら自分も**悪意**となり，前主が**善意・無過失**なら，自分も**善意・無過失**であると主張できることになります。

具体例で考えてみましょう。

ⅰ）**A**が，甲所有の土地の占有を**善意**かつ**無過失**で開始し，**7年間**占有を継続した後，**悪意**の**Bに譲渡**し，Bはその後**5年間**占有を継続した場合

→**B**は，**A**の**占有期間**と**無瑕疵**（占有開始時に善意・無過失であったこと）の両方を**承継**し，占有期間が12年となるので，当該土地の**時効取得**を**主張できます**。

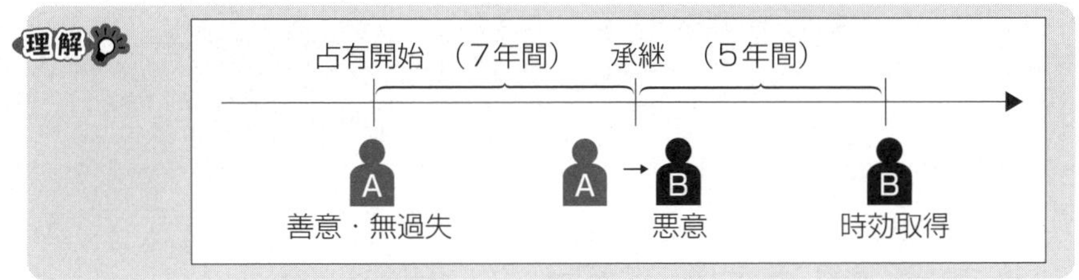

ii）Aが，甲所有の土地の占有を**悪意**で開始し，**7年間**占有を継続した後，**善意**かつ**無過失**の**B**に**譲渡**し，Bはその後**5年間**占有を継続した場合

→**B**は，**A**の**占有期間**とともに**瑕疵**（占有開始時に**悪意**であったこと）も承継するので，当該土地の**時効取得**を**主張できません**。

理解

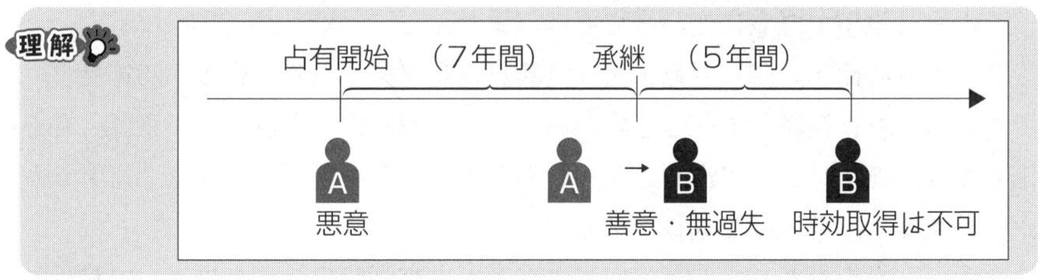

メモ

なお，この場合であっても，Bはさらに5年間占有を続ければ，自己の占有のみの主張で，時効取得できることになる。

占有者は，前主・及び連続する前々主の占有期間を合算して主張することができる
→占有開始の時の善意・悪意は，合算する「最初の者」で決まる

（3）所有権以外の財産権の取得時効（163条）

所有権以外の財産権も，自己のために行使する意思をもって，平穏にかつ公然と行使すると，**時効**によってその**権利を取得**します。**取得時効の期間**は，所有権の場合と同様に，**10年**または**20年**です。

例　Aが，B所有の家屋をCから賃借した場合（他人物の賃貸借），Aは，賃借の当時，その家屋の真の所有者がCではないことを過失なく知らずに10年（そうでない場合は20年）占有を継続すると（賃料はCに支払っている），賃借権を時効で取得できる。なぜなら，「土地の継続的な使用収益」という外形的事実が存在し，また，賃料支払いなどにより，占有が賃借の意思に基づいていると評価されるからである。

この場合，時効完成までは，Aは，Bからの立退き請求を拒むことはできないが，時効完成後は，賃借人として保護されることになる。

3 消滅時効 (166条)

(1) 対象となる権利

時効によって**消滅**する**権利**は，**債権**及び**所有権以外の財産権**（**地上権**，**地役権**など）です。なお，所有権は，時効によって消滅することはありません。

(2) 消滅時効の要件

権利を有する者が，「**権利を行使できる時**」から「**一定期間**」**行使しない**と，その権利は，**時効**によって**消滅**します。

① 権利を行使できる時（消滅時効の起算点）

消滅時効は「権利を行使できる時」から進行します。

基本

債権の種類		時効の起算点＝「権利を行使することができる時」
期限の定めのある債権	確定期限あり	その期限の到来時
	不確定期限あり	
期限の定めのない債権		債権の成立時

② 「一定期間」

権利不行使の期間は，次のとおりです。

暗記

債権	権利を行使することができることを知った時から	5年
	権利を行使することができる時から （原則）	10年
	人の生命または身体の侵害による損害賠償請求権	20年
所有権以外の財産権（地上権，地役権など）		20年
確定判決により確定した権利（※）		10年

メモ

※：判決確定の時に弁済期の到来していない債権については，適用しないことに注意。

4 時効の完成猶予と更新 (147条～)

例えば，売掛代金を支払ってくれない相手方に対して裁判を起こした場合には，たとえ消滅時効の期間が到来しても，その裁判中は時効が完成しないようにしておく必要があります。これが**時効の完成猶予**という制度です。

また，その裁判に勝訴して確定判決が出た場合でも，時効期間について時効完成が猶予された時までの期間を引き継ぐ，ということでは，すぐに時効期間が到来してしまう場合もあって，せっかく勝訴しても意味がないことになりかねません。そこで，時効期間についても，**あらためて初めからカウントを開始する**ようにしなければならない場合もあります。これが，**時効の更新**という制度です。

（1）「時効の完成猶予」とは

裁判上の請求や**催告**（**裁判外の請求**）などの一定の事由が生じた場合に，一定の期間が経過するまでの間は時効が完成しないことを，**時効**の**完成猶予**といいます。

ここでは，裁判上の請求及び催告があったときの時効が完成しない期間（**時効完成猶予期間**）が重要ですが，主な時効の完成猶予となる事由と時効完成猶予期間は，次のとおりです。

理解

時効の完成猶予となる事由	時効が完成しない期間（時効完成猶予期間）
裁判上の請求（※1） 支払督促，裁判上の和解，民事調停，破産手続参加など	①その**事由が終了**するまでの間 ②確定判決などによって権利が確定することなくその事由が終了した場合 →**その終了の時**から**6カ月を経過**するまでの間
強制執行，担保権の実行，民事執行法による競売など	①その**事由が終了**するまでの間 ②申立ての取下げ，法律の規定に従わないことによる取消しによってその事由が終了した場合 →**その終了の時**から**6カ月**を経過するまでの間
仮差押え，仮処分	その事由が**終了した時**から**6カ月**を経過するまでの間
催告（※2）	**その時**から**6カ月**を経過するまでの間
権利についての**協議**を行う旨の**合意**が**書面**でされたとき	次の時のいずれか早い時までの間 ①　その合意があった時から**1年を経過**した時 ②　その合意において**当事者が協議を行う期間**（1年未満のもの）**を定めた**ときは，**その期間**を経過した時 ③　当事者の一方から相手方に対して協議の続行を拒絶する旨の通知が書面でされたときは，その**通知の時**から**6カ月**を経過した時
夫婦の一方が他の一方に対して有する権利	婚姻解消の時から6カ月を経過するまでの間

※１：**裁判上の請求**：訴えを提起すること（原告となって裁判を起こすことが典型例。反訴，応訴の場合も含む）。裁判中は時効は完成しない。
訴えを取り下げた場合：取り下げた時から６カ月を経過するまで時効は完成しない。訴えが却下された場合も同様。

※２：**催告**（裁判外の請求）：裁判所の手続によらずに相手方に請求すること
例 内容証明郵便で支払を催促することなど

メモ
催告は，時効完成直前で裁判上の請求などの手続をとる時間的余裕のない場合に，そのための時間を稼ぐ点に実際上の効果があり，その意味で，時効完成が実質上６カ月間延長される，と考えるとわかりやすい。なお，この６カ月の期間中に再度催告をしても，完成猶予期間は延長しない。

（２）「時効の更新」とは

時効が新たにその進行を始めることを，**時効の更新**といいます。

例えば，「裁判上の請求」（訴えの提起）があった場合，確定判決があるまでの間は時効の完成が猶予され，勝訴の**確定判決の時**から，時効は**新たに進行**を**開始**します。また，「**承認**」があれば，その時から時効は**新たに進行**を**開始**します。

理解

時効の更新となる事由		時効が新たに進行を始める場合
時効の完成猶予があったとき	裁判上の請求，裁判上の和解など	確定判決などによって権利が確定した時から（確定判決時，和解成立時など）
	強制執行，担保権の実行など	・その手続が終了した時から ・ただし，申立ての取下げ，法律の規定に従わないことによる取消しによって時効完成が猶予された事由が終了した場合 →時効の更新制度の適用はない
権利の承認があったとき		（権利が承認された）その時から

用語 **承認**：時効の利益を受ける側から，権利者に対して，権利の存在を認識している旨を表示すること
例 債務者が自己の債務の存在を認めた，利息の支払いや債務の一部の弁済をした場合など

権利の承認をするにあたり，相手方の権利について処分の権限があることは必要でない。

なお，債務者自身が債務を承認すれば，その効力を物上保証人が否定することはできない。

5 時効の完成

一定の事実状態が一定期間継続すると，時効は一応完成するものの，それのみでは，時効の効果は確定的に生じません。**当事者**の時効の「**援用**」が**必要**です。

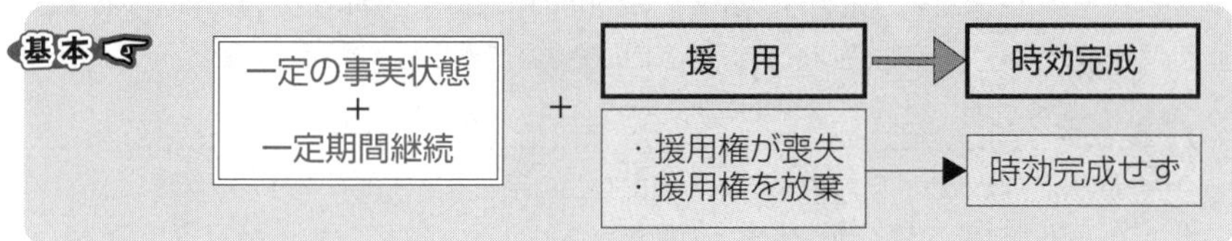

（1）時効の援用（145条）

① 「時効の援用」とは

時効の利益を受ける旨の**意思表示**をいいます。時効の効果は時効期間の経過によって当然に生ずるのではなく，その援用をまって，効果が生じます。

② 時効の援用権者

時効の援用ができるのは，**時効による権利の取得，または消滅について正当な利益を有する者**です。

なお，消滅時効に関しては，次の者（**ア**，**イ**，**ウ**）を含みます。

理解

ア　保証人，連帯保証人	主たる債務が時効消滅したとき →保証人・連帯保証人はその旨を主張して，債務を免れる
イ　物上保証人，抵当不動産の第三取得者	被担保債務が時効消滅したとき →担保の目的となっている不動産の所有者は，担保の消滅を主張できる
ウ　その他権利の消滅について正当な利益を有する者	

つまり，主たる債務者が時効を援用しない場合でも，表中の**ア**，**イ**，**ウ**の者は，自分の利益のために，時効を援用することができます。

（2）時効の利益の放棄（146条）

① 時効の利益の放棄

時効の利益を受ける**当事者**が，**時効完成を知った後**，完成した時効の**利益**を**放棄すること**をいいます。時効の利益を受けることを潔しとしない者の意思を尊重する趣旨です。

なお，**時効完成前**に，あらかじめ時効の利益を**放棄することはできません**。

② **援用権の喪失**

援用権の喪失とは，時効利益を放棄するという明確な意思表示がない場合でも，以後**時効**の**援用をすることができなくなる**ことをいいます。例えば，時効完成後に，債務者が，時効の完成を知らないで弁済をしたような場合です。

時効を援用されずに弁済を受けた，という債権者の利益を保護する趣旨であり，いったん弁済した後には，債務が時効で消滅したことを理由に，弁済したものの返済を請求することはできません。

（3）時効完成の効果（144条）

時効が完成すると，取得時効の場合であれば，**占有**の**開始時**から**所有者だった**ことになり，消滅時効であれば，**起算日**から**権利**は**消滅した**ことになります。つまり，時効の効果は，起算日にさかのぼって確定します。

〈時効の効力は，その起算日にさかのぼる〉

取得時効	「はじめから権利者であった」と扱う
消滅時効	「起算日に権利は消滅した」と扱う

メモ

・**消滅時効**：元本債権が消滅する場合，利息も発生していないことになる。

・**時効による原始取得**：時効による権利取得は「原始取得」といい，例えば，土地の所有者が担保のため抵当権を設定していても，取得時効が完成すると，抵当権の制限を伴わない完全な所有権を取得できることになる。

（4）時効完成と第三者との関係

時効完成の前または後に，本来の所有者から権利を取得した第三者との関係については，後述「**不動産物権変動**」（第2章物件**2**）を参照してください。

メモ

概略すると，例えば，土地の所有権を時効取得した場合で，時効完成後にもともとの所有者からその土地を譲り受けた第三者がいるときは，その第三者と時効取得者の関係においては，登記を先に備えたほうが優先する。

一方，時効完成前に第三者が譲り受けていた場合には，時効取得者が最終的に権利を取得することになる。つまり，譲り受けた第三者の所有となった土地を時効で取得したことになるため，登記によって決着する関係ではない，ということである。

6 条件・期限・期間

ウォームアップ　売買，賃貸借などの契約をするにあたって，例えば，「転勤が決まったら売ろう」あるいは「○月○日まで貸すよ」など，**条件**や**期限付き**で，その契約の**効力を発生**させたり，生じさせていた**効力を消滅**させたりすることがあります。それを「**条件・期限**」といいます。また，賃貸借，消費貸借などでは，「いつからいつまで貸す」というように**効力の存続期間**が定められる場合が多いでしょう，それが「**期間**」です。

一般的に適用される，これらの意味を確認しておきましょう。

1 条件 (127条～)

条件とは，法律行為の**効力**の**発生**または**消滅**を，**将来**の**不確定な事実の成否**にかからせる場合をいい，**停止条件**と**解除条件**の２種類があります。

理解

停止条件	法律行為の効力の発生を，将来の不確定な事実の成否にかからせる条件（＝条件成就まで効力なし，つまり，条件が成就して効力が発生する） 例　転勤が決まったら建物を売ろう，試験に合格したらお祝い金を贈与しよう，など	（停止条件） 効力発生 条件成就
解除条件	法律行為の効力の消滅を，将来の不確定な事実の成否にかからせる条件（＝条件成就まで効力あり。つまり，条件が成就すると，生じていた効力は消滅する） 例　ローンが受けられなかったら契約の効力は消滅する，など	（解除条件） 効力消滅 条件成就

メモ

条件と期限：条件は到来することが不確実，期限は到来自体が確実である点に違いがある。

（1）条件成就の妨害等（130条）

条件成就によって**不利益を受ける者**が，**故意**にその条件の成就を**妨害**したときは，相手方は，その条件が**成就したとみなす**ことができます。

また，条件成就によって利益を受ける者が，不正に条件を成就させたときは，相手方は，その条件が成就しなかったとみなすことができます。

（2）特殊な条件付き法律行為の効力（131条～）

特殊な条件が付いている場合の**法律行為**の**効力**はどうなるか，という問題です。「特殊な条件」の例として，次の３つが挙げられます。

① **既成条件**……法律行為当時に，条件の成否が確定している場合
② **不能条件**……「太陽に着陸したら贈与する」というように，条件の成就が社会通念上不可能な場合
③ **不法条件**……「ある人を殺せば（殺さなければ）贈与する」というように，不法をすること（または不法をしないこと）を条件とする場合

理解

法律行為の効力	① 既成条件		② 不能条件	③ 不法条件
	成就が確定している場合	不成就が確定している場合		
停止条件付き	無条件	無効	無効	無効
解除条件付き	無効	無条件	無条件	

この表は，例えば，「停止条件付きの法律行為でも，その条件成就がすでに確定している場合には，その法律行為は無条件となる」，あるいは「条件付きの法律行為でも，その条件が不法のものであれば，法律行為は無効となる」などと読みますが，停止条件，解除条件及び特殊な条件①②③それぞれの意味，特に③不法条件（不法をしないこと）は，いわば市民の義務であることを前提に考えると，いずれも当然の結論といえます。

2 期限

期限とは，法律行為の**効力**の**発生**または**消滅**を，**将来到来することが確実**な**事実の発生**にかからせる場合をいい，**確定期限**と**不確定期限**の２つに分けられます。

基本

確定期限	将来到来することが確実で，到来する時期も確定している場合 例 1年後に売却する
不確定期限	将来到来することは確実だが，その時期が不確定な場合 例 父が死んだら売却する

（1）期限の利益（136条）

期限があることによって当事者が受ける利益のことを，**期限の利益**といいます。

期限の利益は，**債務者のため**に存在すると**推定**されます。例えば，物品の売買において，代金の支払いは，本来商品の引渡しと同時であるべきところ（**同時履行**），代金のボーナス一括払い，分割払いの特約など，「一定の期限まで履行しなくても構わない」ということは，通常，債務者にとっての利益です。

期限の利益は，**放棄することもできます**（例 期限前に弁済する）。ただし，原則として，**利息**は**期限満了分**までつけて弁済する必要があります。満期までの利息を得るという債権者の期待を一方的に奪うのは，妥当でないからです。

（2）期限の利益の喪失（137条）

次のような事由が生じたときは，**期限の利益**は**喪失**します（当然に消滅）。

i ）**債務者**について，**破産手続開始の決定**があった場合
ii ）**債務者**が担保物を**滅失**・**損傷**・**減少**させた場合
　例 抵当に入れた山林を伐採すること，抵当家屋を失火で焼失させること
iii ）**債務者**に**担保提供**の義務があるのに，それを**提供しない**場合
　例 保証人を立てるという契約上の義務を履行しないこと

期限の利益が債務者に認められたのは，弁済につき債務者が債権者に信用されたからですが，上の場合には，債務者の信用はすでに失われたものといえます。

また，当事者が，期限の利益を喪失させる事由を特約する場合があります（期限の利益の喪失約款）。例えば，「賦払金（１回１回の支払金）の支払いを怠った場合，残金全額を一括にて支払うこと」という旨の特約がそれにあたります。

3 期間の計算 (138条～)

日・週・月・年によって期間の計算をする場合の原則は，次のとおりです。

(1) 初日不算入の原則

初日が完全に**丸1日（24時間）ない場合**は，初日を計算に入れずに，**翌日から計算**します。つまり，日数計算に関する民法の原則は，「**初日不算入**」です。

例えば，宅建業者が専任媒介契約を締結した場合の依頼物件の指定流通機構への登録は，7日（または5日）以内にしなければなりませんが（第2編第2章❶④「媒介及び代理契約の規制」），この期間に契約締結日当日は含まれません。

(2) 例外（初日算入の場合）

一方で，**契約や条文に定め**があれば，**それに従います**。例えば，宅建業法上のいわゆる**クーリング・オフ**は，適法にその旨の告知を受けた後8日以内にしなければなりませんが，この**8日間**には**告知された日を含みます**。これは，宅建業法の条文上明白だからです（第2編第2章❷②「事務所等以外の場所においてした買受けの申込みの撤回等」参照）。

(3) 期間の満了点 (141条，142条)

期間は，期間の**末日の終了**をもって**満了**となります。

例 4月1日午前9時から「10日以内」であれば，4月2日（午前0時）から起算して4月11日（午後12時）に満了することになる。

期間の末日が日曜日，休日に当たるときは，その日に取引をしない慣習がある場合に限り，期間は，その翌日に満了します。

(4) 暦による期間の計算 (143条)

週・月・年によって期間を定めたときは，その期間は暦に従って計算します。

週・月・年の初めから期間を起算しないときは，その期間は，最後の週・月・年においてその起算日に応当する日の前日に満了します。ただし，月・年によって期間を定めた場合において，最後の月に応当する日がないときは，その月の末日に満了します。

例 10月17日午前10時から1年後⇒翌年10月17日が満了日
5月30日午前10時から1か月後⇒6月末日が満了日

第2章 物　権

データ　【直近12年間の出題実績＆攻略法】

項目	H25	H26	H27	H28	H29	H30	R1	R2	R3	R4	R5	R6	重要度
不動産物権変動				●	●	●	●			●	●	●	S
所有権・共有，地役権等	●		●		●	●		●			●	●	A
担保物権	●	●			●	●			●				C
抵当権，根抵当権	●		●	●	●	●	●			●	●	●	S

物権からの出題数は年度によってムラがあるが，平均すると毎年２～3問が出題されている。重要なのは「不動産物権変動」と「抵当権」。「不動産物権変動」は「最終的に登記によって決着をつける関係か否か」を判断できるようにしよう。「抵当権」は確実に毎年出題されるといってよい。問題の難易度は比較的高いので，腰を据えて学習したいところだ。

「所有権・共有，地役権等」は加点テーマ。出題されたら確実に得点できるように，怠りなく準備しよう。

1 物権とは

物権とは，**特定の物**を，**直接的・排他的**に**支配**することができる，**物に対する権利**です。

民法上，物権は次ページの10種類が規定されています。

プラスα

- 物権は，物の支配を誰に対しても主張できる，いわば“強い”権利なので，物権の内容を契約によって変更することはできず，また，新たな物権を契約によって勝手に創設することもできない（物権法定主義）。
- **試験のポイント**は，次の表の②**所有権**（特に共有関係），⑤**地役権**，⑩**抵当権**（根抵当権）である。

(1) 民法上の物権

基本

<table>
<tr><th colspan="5">民法上の物権</th><th>ポイント</th></tr>
<tr><td colspan="5">① 占有権</td><td>物の所持そのものを保護する権利</td></tr>
<tr><td rowspan="9">本権（②～⑩の総称）</td><td colspan="4">② 所有権</td><td>使用・収益・処分の総体（全面的支配権）</td></tr>
<tr><td rowspan="8">制限物権（②を制限する権利）</td><td rowspan="4">用益物権</td><td colspan="2">③ 地上権</td><td>工作物・竹木の所有を目的に，他人の土地を利用する権利</td></tr>
<tr><td colspan="2">④ 永小作権</td><td>耕作・牧畜目的に，他人の土地を利用する権利</td></tr>
<tr><td colspan="2">⑤ 地役権</td><td>他人の土地を，自己の土地の便益のため利用する権利</td></tr>
<tr><td colspan="2">⑥ 入会権</td><td>採草・雑木の採取などのため，住民が一定の山林・原野を共同利用する権利</td></tr>
<tr><td rowspan="4">担保物権</td><td>⑦ 留置権</td><td rowspan="2">法定</td><td>物を留置して，債務の弁済を（間接的に）強制する権利（優先弁済を受ける権利はない）</td></tr>
<tr><td>⑧ 先取特権</td><td>法律に基づき，債務者の財産から優先弁済を受ける権利</td></tr>
<tr><td>⑨ 質権</td><td rowspan="2">約定</td><td>物を留置して債務の弁済を促すとともに，弁済がないときは留置物を換価し優先弁済を受ける権利</td></tr>
<tr><td>⑩ 抵当権
（根抵当）</td><td>抵当目的物の使用・収益を設定者に委ねつつ，弁済がないときはこれを換価し優先弁済を受ける権利</td></tr>
</table>

メモ

- **物権的請求権**：上記の権利が侵害された場合には，それぞれの権利に基づき，その**侵害**を**除去**できる。

  例　所有権に基づいて，次のア)～ウ）ができる。

  ア）**返還請求**：自己所有の土地の売買契約が解除された場合のその土地の明渡し請求など

  イ）**妨害排除請求**：隣地の擁壁が崩れ自己所有の土地に土石が侵入した場合の，その土石を撤去する請求など

  ウ）**妨害予防請求**：隣地の老木が自己所有の土地に倒れそうな場合の，その木を切除する請求など

- **不動産**に関しては，①**占有権**，⑥**入会権**，⑦**留置権**は，**登記ができない。**

（2）物権と債権の違い

財産に関する権利は，**物権**と**債権**に区分でき，次のような違いがあります。

理解

物　権	特定の物を直接・排他的に支配するための，物に関する権利。誰に対しても主張できる 例 所有権，地上権，地役権
債　権	人に関する権利。債務者に対して一定の行為を請求できる権利（請求権） 例 貸金債権，賃借権

プラスα

物権の内容は**法令**によって定められ，契約によって自由に創設できないが，権利者は，その権利を，**誰に対しても主張することができる**。一方，債権は，**契約**によって生じ，その内容も，原則，契約によって定められるが（法定債権もある），債権者は，**一定の者（債務者）に対して**のみ**その権利を主張できる**。

（3）地上権と土地の賃借権

物権と債権の違いを，同じく他人の土地の利用権である地上権（前ページの表中③）と土地の賃借権で比較すると，次のようになります。

理解

	地上権	土地の賃借権
権利の種類	**物権**	**債権**
地代	地代なしも有効	必要
存続期間の制限	**なし**（永久地上権可）	**最長50年**（民法上）
登記義務	あり	なし（特約可）
譲渡・転貸	**自由**＝設定者（地主）の承諾不要	**賃貸人の承諾**必要
物権的請求権（※１）	あり（返還請求・妨害排除請求・妨害予防請求）	対抗力あり⇒返還請求・妨害排除請求可能（※２）
修繕義務	明文なし（特約必要）	賃貸人に修繕義務あり（特約可能）

※１：前ページ参照　　※２：第３章11賃貸借の項参照

2 不動産物権変動

ウォームアップ 例えば，所有権の移転が**物権変動**の代表例ですが，私たちはその物権変動自体を直接見ることはできません。したがって，例えば，ある不動産に関する現在の権利関係が、外から見て判然としない場合があり，それでは売買などの取引を行う場合全く不便です。

そこで，**不動産**について，誰が**権利者**で，**権利の内容**はどのようになっているかなどを**公示**する仕組みが必要となり，**不動産登記**は，そのための制度として整備されました。

また，不動産登記制度は，物権の二重譲渡などが生じた場合に，「**権利者**が，当事者以外の**第三者**にその**権利を主張**（**対抗**）するためには**登記**が必要」という形で利用されています。

1 不動産物権変動と対抗要件（177条）

物権変動とは，物権を新たに設定したり，それを他人に移転すること，例えば，売買や贈与による所有権の移転，抵当権や地上権の設定・移転などをいいます。

民法の原則では，**物権変動**は**当事者**の**意思表示**のみで，その効力を生じます（意思主義の原則）。ただし，権利を取得した者が，当事者以外の**第三者**にそれを主張するためには「**対抗要件**」が必要とされ，不動産（土地，建物）については，**登記**が対抗要件です。

用語
- **物権変動の意思主義**：例えば，売買契約が成立すれば，それだけで，所有権は売主から買主に移転する，とする考え方のこと
- **対抗要件**：「第三者」に対して権利を主張するための要件，と考えるとよい

（1）不動産物権変動の対抗要件

すなわち，不動産に関する物権の変動は，**登記**をしなければ**第三者**に**対抗することができない**のが原則です。

例えば，**不動産**の**二重譲渡が**あった場合（Aが自己所有の土地をBに売却した後に，さらにCと売買契約を締結した場合），Bは，**契約当事者**であるAに対しては，**登記がなくても**所有権の取得を**主張できます**が，契約当事者以外の**第三者**であるCに対しては，**登記がなければ**所有権の取得を**対抗できません**。これは，Cが自分より先に，同じ不動産について契約したBがいることを知っている（悪意の）場合でも同様です。

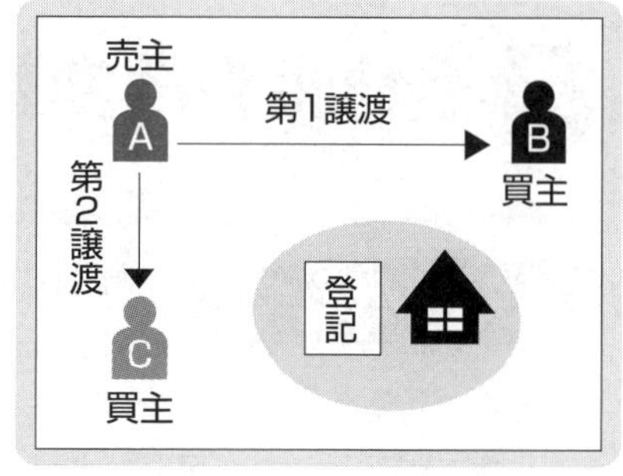

原則：Cは，悪意でも，登記を先に備えれば，Bに勝つ

（2）「当事者」か「第三者」か

そこで重要なのが，相手方が「当事者か，第三者か」という点です。

理解

AB間 AC間	・「**当事者の関係**」にある ・**B・Cはいずれも，登記がなくても**，Aに対して「当事者として」権利の主張ができる
BC間	・「**第三者の関係**」（「対抗関係」）にある ・登記によって**優劣を決する**関係。したがって，互いに相手方に対して「自分こそが権利者」と主張するには，**登記が必要**

このように，契約「**当事者**」以外の「**第三者**」に対し，自己の**権利**を**主張**するための要件を「**対抗要件**」といい，また，対抗要件がなければ自己の権利を主張できない関係を「**対抗関係**」といいます。

なお，右の図のように，不動産がA→B→Cと転々と譲渡された場合のAとCとの関係は，「当事者」の関係であり，「第三者」の関係ではありません。したがって，Cは，登記がなくても，Aに対し所有権を主張できることに注意しましょう。この場合，所有権移転登記については，Cは，BのAに対する登記請求権を代わりに行使することになります。

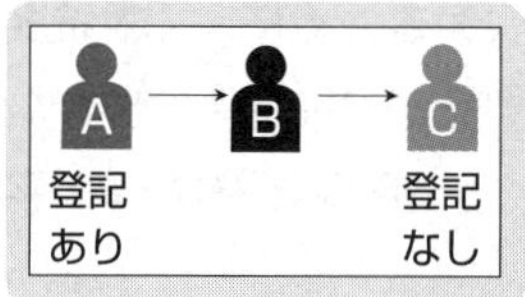

2 登記が必要な物権変動（登記がなければ第三者に対抗できない場合）

このような登記制度の機能は，様々なケースで応用されています。いずれも，登記がなければ権利主張が認められません（判例）。

（1）契約の「取消し後の第三者」と「取消し前の第三者」

Aが，**自己所有**の**不動産**を，Bの**詐欺**によりBに**売却**した場合を例に，考えてみましょう。BはCに**転売**しています。

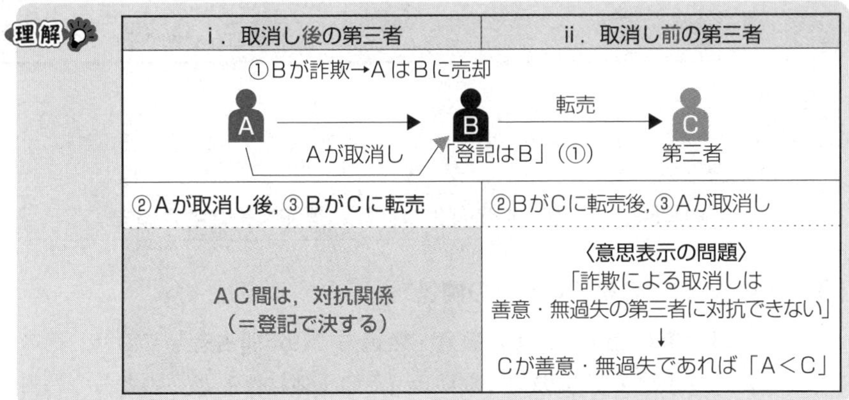

理解
i．取消し後の第三者
ii．取消し前の第三者
①Bが詐欺→AはBに売却
A
B
転売
C
Aが取消し
「登記はB」（①）
第三者
②Aが取消し後，③BがCに転売
②BがCに転売後，③Aが取消し
AC間は，対抗関係
（＝登記で決する）
〈意思表示の問題〉
「詐欺による取消しは
善意・無過失の第三者に対抗できない」
↓
Cが善意・無過失であれば「A＜C」

メモ

「取消し後の第三者」との関係では，B所有の土地を，Bが，AとCに二重譲渡したのと同じに考える。

「取消し後の第三者」との関係では先に登記を得た者が優先する

（2）契約の「解除後の第三者」と「解除前の第三者」

契約解除後に**登場**した**第三者**との関係は，**（1）**の「**取消し後の第三者**」との関係と酷似します。

理解

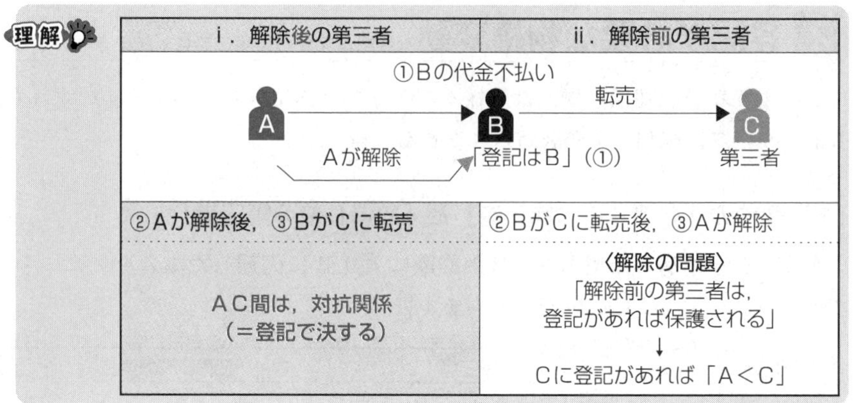

ⅰ．解除後の第三者	ⅱ．解除前の第三者
②Aが解除後，③BがCに転売	②BがCに転売後，③Aが解除
AC間は，対抗関係 （＝登記で決する）	〈解除の問題〉 「解除前の第三者は， 登記があれば保護される」 ↓ Cに登記があれば「A＜C」

メモ

「解除後の第三者」との関係では，B所有の土地を，Bが，AとCに二重譲渡したのと同じに考える。

契約解除と第三者との関係では，先に登記を得た者が優先する

（3）「時効完成後の第三者」との関係

例えば，**B所有の土地**を，**Aが善意・無過失**で**10年間占有**しており，その前後に，Bがその土地を**Cに売却**した場合，その土地は，AとCのどちらに帰属するでしょうか。

理解

ⅰ．時効完成後の第三者	ⅱ．時効完成前の第三者
Aが**時効完成後**，BがCに**売却** B Aが時効完成　B→C譲渡	BがCに**売却後**，Aが**時効完成** B B→C譲渡　Aが時効完成
AC間は，対抗関係（※1） （＝登記で決する）	AC間は，「当事者」の関係 （＝「時効完成者」が優先） ↓ Aは，登記がなくても 所有権をCに対抗できる（A>C）（※2）

メモ

※1：**B所有の土地を，Bが，AとCに二重譲渡したのと同じに考える。**また，Aは，時効完成による所有権移転登記ができたのにしなかった落ち度を突かれたと考えることもできる。

※２：**Ａは，Ｃの土地について取得時効を完成させたと考えるとよい。ⅱ）**の場合，Ｃへの譲渡がＡの時効完成の前ならば，Ａの時効完成後にＣが登記を得た場合でも，ＡはＣに優先できる（判例）。

（４）「遺産分割協議後の第三者」との関係

例えば，甲が死亡し，子Ａ・Ｂが相続した場合で，遺産中のある不動産をＡの単独所有とする旨の**遺産分割協議**がされたとします。本来ならば，遺産分割によって，相続開始時にさかのぼってＡの単独所有となりますが，どうなるでしょうか。

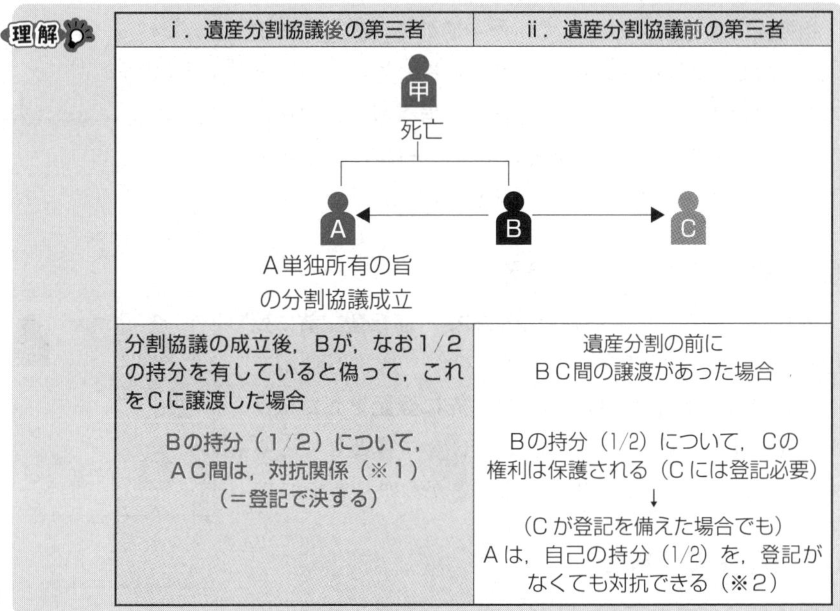

理解
ⅰ．遺産分割協議後の第三者
ⅱ．遺産分割協議前の第三者
甲
死亡
A
B
C
Ａ単独所有の旨
の分割協議成立
分割協議の成立後，Ｂが，なお１/２の持分を有していると偽って，これをＣに譲渡した場合
Ｂの持分（１/２）について，
ＡＣ間は，対抗関係（※１）
（＝登記で決する）
遺産分割の前に
ＢＣ間の譲渡があった場合
Ｂの持分（1/2）について，Ｃの
権利は保護される（Ｃには登記必要）
↓
（Ｃが登記を備えた場合でも）
Ａは，自己の持分（1/2）を，登記が
なくても対抗できる（※２）

メモ

※１：Ｂの持分を，Ｂが，ＡとＣに二重譲渡したのと同じに考える。

※２：Ａは，自己の持分（１/２）を超える部分については，登記がなければ，第三者（Ｃ）に対抗できない（899条の２）。なお，上の**（４）**の例は，遺産中のある不動産をＡの単独所有とする遺産分割協議があったという事例だが，甲がその不動産をＡに相続させる旨遺言していた場合も，同様に考えるとよい（第４章7「共同相続と遺産の分割」参照）。

3 相続と第三者

相続と第三者に関しては，前記「**(4)「遺産分割協議後の第三者」との関係**」のほか，いくつか事例（判例）があります。

(1) 相続人との関係

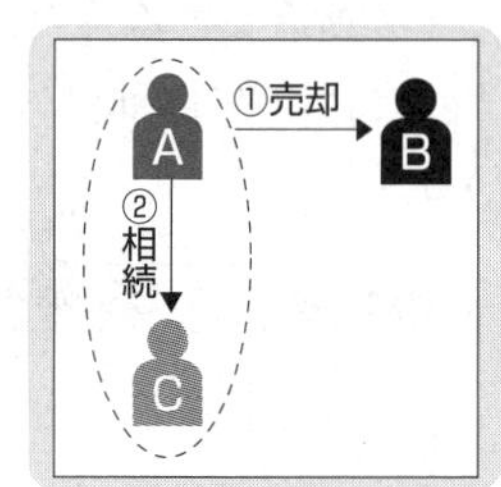

例えば，Aが，Bに不動産を**売却後**，**移転登記前に死亡**し，CがAを相続した場合，Bは，登記がなくても，Cに**対抗**（権利取得を主張）することができます。

相続人は**被相続人**の有していた**一切の権利義務を承継**（ここでは，登記移転義務を承継）するので，BとCとの関係は，AとBとの関係と同様，「**当事者**」の関係だからです。**相続人**Cと**被相続人**Aを，**一体としてとらえる点**がポイントです（次の**(2)**も同様）。

(2) 相続人からの物権取得者

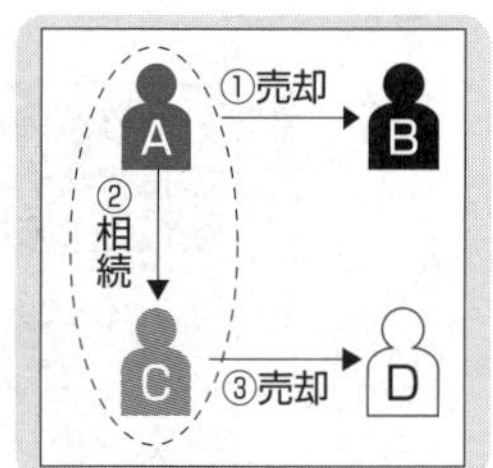

例えば，Aが，Bに不動産を**売却後**，**移転登記前に死亡**し，CがAを**相続**したところ，Cが，当該不動産をDに**売却**した場合は，BD間では，**先に登記**をしたほうが**優先**します。相続のあったAとCを一体としてとらえると，BD間は**対抗関係**であることがわかります。

(3) 相続放棄と第三者

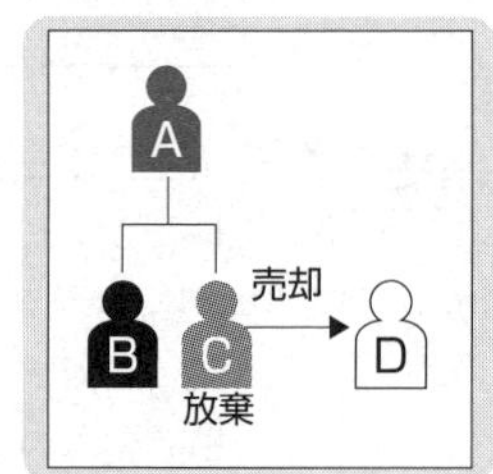

例えば，Aが**死亡**し，BとCがAを**相続**したが，Cが**相続放棄後**，A所有の不動産をDに**売却**した場合は，Bは，**登記がなくても**，Dに**対抗することができます**。相続放棄をすると，初めから相続人とならなかったものとみなされるので，Cは，**相続開始時**にさかのぼって**無権利者**であるため，DはCから権利を取得することはそもそもできないからです。

4 登記が不要な物権変動（登記がなくても第三者に対抗できる場合）

2 3のように，民法は，物権変動の「**第三者**」に対しては**登記がなければ対抗できない**としていますが，この場合の「**第三者**」とは，いわば，**正当な競争関係にある者**であるべきです。民法は，自由競争社会を守るための法だからです。

しかし，以下の者は，この正当な競争関係になく「**第三者**」**にあたらない**とされ，**登記がなくても対抗することができます**。つまり，登記がなくても自己の権利を主張できるのです。

（1）背信的悪意者

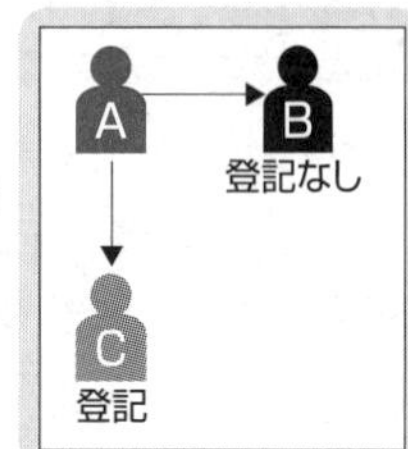

Aが，その所有する不動産をBとCに**二重**に**譲渡**し，Cが登記を得た場合で，次のときには，Bは，登記がなくてもCに対抗できます（前出「悪意であっても登記があれば勝つ」の例外）。

① Cが詐欺・強迫によりAB間の登記の申請を妨げたとき
② Cが，ABからAB間の登記の申請を依頼された者であるとき
③ CがBを害する目的で当該不動産を買い受けたようなとき

端的に，Cは，**法によって保護されるに値しません**。このような者を「**背信的悪意者**」といい，背信的悪意者に対しては，登記がなくても対抗できます。

プラスα
これに対し，「自分に先行する者がいること」を単に知っている場合は「**単純悪意**」。単純悪意者との関係は，お互い「登記があれば保護される」（登記の有無によって決する）こととなる（前述）。

（2）無権利者

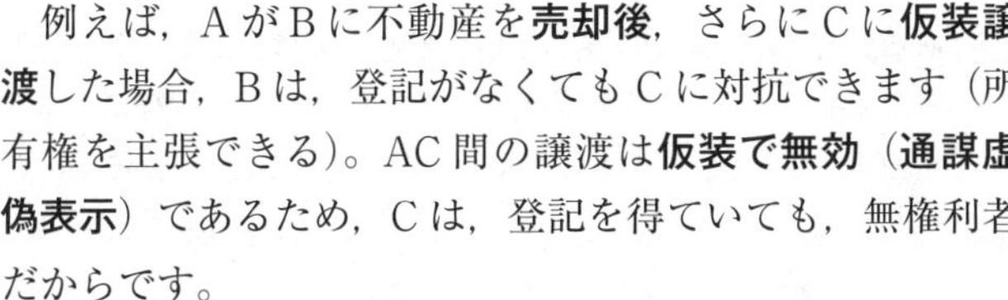

例えば，AがBに不動産を**売却後**，さらにCに**仮装譲渡**した場合，Bは，登記がなくてもCに対抗できます（所有権を主張できる）。AC間の譲渡は**仮装で無効**（**通謀虚偽表示**）であるため，Cは，登記を得ていても，無権利者だからです。

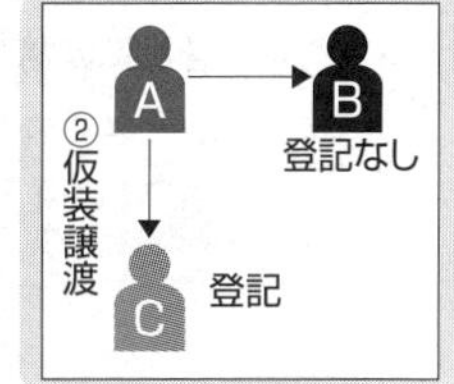

なお，このCが，**善意**のDに当該不動産を**譲渡**した場合のBとDとの関係は**対抗関係**となり，**先に登記**を得たほうが**優先**します。

(3) 不法占拠者，不法行為者

例えば，BがAから買い受けた不動産をCが**不法に占拠**したり，あるいはDが**故意**にその不動産を**損壊**した場合に，Bは，登記がなくても所有権を主張することができ，**不法占拠者**Cに対しては**明渡請求**を，**不法行為者**Dに対しては**損害賠償請求**をすることができます。

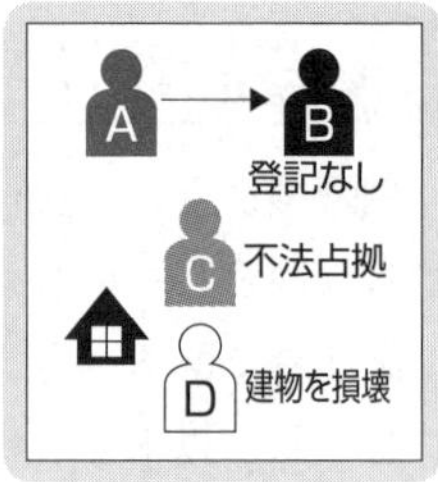

5 登記と公信力(こうしんりょく)

例えば，A所有の土地につき，Bが勝手に**申請書類を偽造**してB名義の登記をし，これを信頼したCが，Bから当該土地を購入した場合，Cは，**善意かつ無過失**であり，かつ，登記を備えたとしても，**所有権を取得することができません**。つまり，Aは，Cの登記の抹消請求をして自己名義の登記を回復することができるのです。日本の不動産登記制度では，**登記に公信力がない**とされているからです。

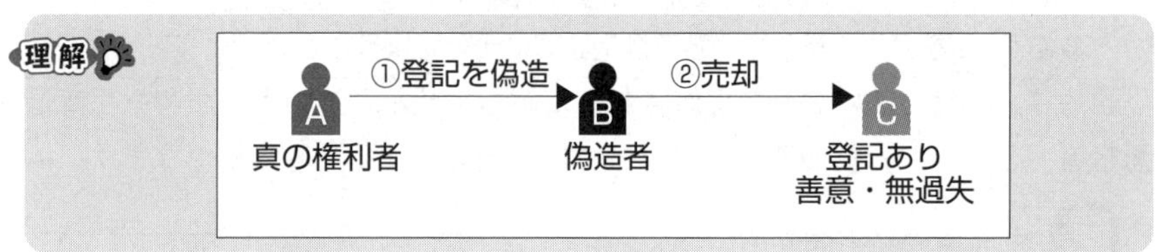

ただし，上の理解で，Aが，Bによって，Bへの不実の所有権移転登記がされたことを知りながら**長期間**そのまま**放置**していたような場合は，Aは，**善意かつ無過失**のCに**対抗できず，**その結果，Cは所有権を取得できることになります。

用語 **登記に公信力が「ある」とは**：登記を信頼して取引をした者は，たとえその登記が実体を備えないものであっても，真実の権利を伴っている場合と同様に，真正に権利を取得する（登記制度への信頼を保護する）場合，登記に公信力がある，という

3 所有権・共有，地役権等

ウォームアップ 物権は，物に対する直接的・排他的かつ，強力な支配権といわれますが，その“チャンピオン”が**所有権**です。

この所有権の内容を，何らかの側面において制限するのが**制限物権**で，特に**使用**・**収益面**を**制限**するのが**用益物権**です。

ここでは，所有権・用益物権のうち，**共有**（**共同所有**），**相隣関係**，**地役権**と，あわせて，**占有権**について検討します。

1 共有（共同所有）

（1）「共有」とは

共有とは，**1個**の物を**2人以上**の者で，**共同**して**所有**することをいいます。その共有者間の法律関係を調整するのが，**所有権**の**共有関係**です。

（2）共有者の持分と共有物の使用（250条，249条）

各共有者の有する権利は，「**持分**」という，全体に対する割合を示す数字で表されます（**割合的所有権**。例えば，「持分は２分の１」など）。

持分割合は，**共有者**の**合意**または**法律**の**規定**により定まりますが，不明のときは**相等しい**（**同じ**）**と推定**されます。

また，各共有者は，**共有物**の**全部**について，その**持分に応じた使用**をすることができます。その際，共有者は，善良な管理者の注意をもって，共有物の使用をしなければなりません。

なお，共有物を使用する共有者は，（使用料は無償とするなど別段の合意がある場合を除き，）他の共有者に対し，自己の持分を超える使用の対価を償還する義務を負います。

（3）共有物の管理・変更（251条，252条）

共有物の**管理・変更の方法**について，共有者の意思が，常に一致するとは限りません。そこで，方法別に①**保存行為**，②**管理行為**（狭義。利用・改良行為），③**変更行為**に分け，次のようなルールを定めています。

基本☞

① 保存行為	（現状維持的行為）	各共有者が単独でできる
② 管理行為	・管理に関する事項（利用・改良行為） ・軽微変更	**持分の価格の過半数で決する**
③ 変更行為	共有物の変更（軽微変更を除く）	**全員の同意が必要**

① 保存行為

共有建物の修理，妨害排除請求など現状維持的な行為が，「保存行為」です。保存行為は，**各共有者が単独**ですることができます。

不法占拠者に対する**明渡請求**は，保存行為に該当するとして，各共有者が，**単独**でできます（判例）。

また，共有物に関する**損害賠償の請求**は，金銭債権として**各自**に**分割**して**帰属**します。各共有者は自らの持分の割合を超えて請求することはできません（判例）。

メモ

数人が金銭債権の債権者である場合は，債権は，分割して各債権者に帰属する，と考えるとよい。

② 管理行為（利用・改良行為）

共有物の管理に関する事項（共有物の利用・改良行為。狭義の「管理行為」）は，**各共有者の持分の価格に従いその過半数**で決します。

例えば，砂利道のアスファルト舗装，共有建物を大規模修繕工事に付す，賃貸借契約を解除するなどであり，共有物の管理者（後述）の選任・解任を含みます。

また，変更行為のうち，共有物の形状または効用の著しい変更を伴わないもの（**軽微変更**）は，管理行為と同様に扱います（持分価格の過半数決）。

メモ

・次の期間の賃借権等は，短期賃貸借として，持分価格の過半数の賛成で設定できる。

ⅰ）樹木の植栽・伐採目的の山林の賃借権等：10年以内

ⅱ）それ以外の土地の賃借権等：５年以内

ⅲ）建物の賃借権等：３年以内

ⅳ）動産の賃借権等：６カ月以内

普通賃貸借契約	期間3年以内でも変更に当たり，共有者全員の同意が必要
定期賃貸借契約	期間3年以内なら管理に当たり，持分の過半数で可

共有物を使用する共有者があるときも，各共有者の持分価格の過半数により「管理行為」をすることができます。ただし，管理に関する事項の決定が，適法に共有物を使用する共有者に特別の影響を及ぼすべきときは，その承諾が必要です。

メモ

・共有者間の定めがないまま共有物を使用する共有者がいても，その共有者の同意なく，持分価格の過半数でそれ以外の共有者に使用させる旨を決定することができる，ということ。
・配偶者居住権が成立している場合は，持分価格の過半数決議があっても，配偶者居住権が優先する。

③　共有物の変更行為

各共有者は，他の**共有者全員の同意**を得なければ，共有物に変更を加えることができません。

なお，軽微変更（共有物の形状又は効用の著しい変更を伴わない場合）は，②の管理行為と同様，持分価格の過半数により決します。

④　共有物の管理に関心のない共有者・所在等不明の共有者がいる場合

ア）催告しても賛否を明らかにしない共有者がいる場合，または，イ）所在等不明の共有者がいる場合は，それぞれ裁判所の決定を得て，それらの共有者以外の共有者の持分価格の過半数により，共有物の管理に関する事項を決することができます。

メモ

・イ）の場合，裁判所の決定を得て，所在等不明共有者以外の共有者全員の合意により，共有物の変更ができる。
・賛否等不明・所在等不明の共有者の持分が，それ以外の共有者の持分を超えていても，これらの制度を利用できる。

⑤　共有物の管理者（252条の2）

共有者は，共有物を円滑に管理するため「管理者」を選任して共有物の管理を委ねることができます。管理者の選任・解任は共有者の持分価格の過半数で決します（管理行為）。共有者以外の者を管理者とすることもできます。

管理者は，共有物の管理に関する行為（軽微変更を含む）をすることができます。ただし，軽微でない変更を加えるには共有者の全員の同意を得なければなりません。

メモ

・共有者が共有物の管理に関する事項を決した場合には，管理者はこれに従ってその職務を行わなければならない。

・管理者がこれに違反して行った行為は，共有者に対してその効力を生じないが，共有者は，これをもって善意の第三者に対抗することができない。

例　共有者は共有物を使用する共有者を決定していたが，管理者が善意の第三者に賃貸した場合，善意者が保護されることになる。

⑥　管理の費用（253条）

共有物の管理には，単独所有の場合と同様に，一定の費用が必要です。そのため，**各共有者**は，その**持分**に応じて**管理の費用**を支払う義務があります。

プラスα

管理の費用には，修繕費，固定資産税などの保存費用，改良費用や変更に必要な費用も含む。なお，共有者の１人がその費用を払ったときは，他の共有者に請求できる。また，ある共有者が，１年以内に費用負担の義務を履行しないとき，他の共有者は，相当の償金を支払い，その者の持分を取得することができる。

（４）共有物の処分・共有持分の処分

①　共有物の処分

共有する不動産全体を売却するような，**共有物について処分**行為を行う場合には，**共有者全員の同意**が必要です。

②　共有持分の処分

各共有者は，自己の有する**持分権**を，**自由に処分**（**譲渡**，**担保の設定**，**放棄等**）することができます。

メモ

共有は他の所有者と「共同で所有」するので，１人では勝手に処分できないのに対し，持分は割合的に分割されているものの「所有権」であり，その処分について他の共有者の承諾等は不要，という趣旨である。

（５）持分の放棄等（255条）

共有者の１人が**死亡**した場合で，**相続人**または**特別縁故者**がいるときには，その共有持分は，**相続**（または**分与**）の**対象**となります。

共有者が死亡して**相続人等**が**いない**場合や，共有者の１人がその**共有持分**を**放棄**した場合は，その共有者の持分は，**他の共有者に**，それぞれの持分の割合に応じて**帰属**します。**共有者全員が死亡**し**相続人等もいない**場合には，その財産は，最終的に**国庫に帰属**することになります。

用語 **特別縁故者**：被相続人と生計を同一にしていた者などのこと

暗記

共有者の１人が死亡	相続人あり（または特別縁故者あり）	持分は	相続（分与）される
	相続人なし		他の共有者に，それぞれの持分の割合に応じて帰属する
共有者の１人が持分を放棄			
共有者全員が死亡して相続人等がいない			国庫に帰属する

（６）共有物の分割（256条）

共有物の分割とは，**共有関係を解消**することです。民法は，共有関係を不安定な関係と考えているので，原則として，**いつでも分割できる**としています。分割の方法は，協議により自由に決定できます。

なお，例外として，**不分割特約**がある場合は，**分割できません。**

プラスα

・**裁判による分割（258条）**：分割協議が調わないとき，または共有者の一部が不特定・所在不明などにより協議をすることができないときは，分割を裁判所に請求することができる。
具体的には，次の３つの方法がある。
① **現物分割**：共有物をそのまま物理的に分割する方法
② **賠償分割**：例えば１人の共有者が他の共有者の持分を取得する（買い取る）方法
③ **競売分割**：共有物を競売してその代金を分割する方法（①②の分割ができないとき，または分割によってその価格を著しく減少させるおそれがあるとき）

・**不分割特約**：その**期間**は**５年以内**に限られるが，さらに５年以内の期間で**更新**することができる。

（７）共有物に関する債権（254条）

共有者の１人が他の共有者に対して，共有物の修理代金の**償還請求権**や立て替えた**管理費用**など，共有物に関する**債権**を有するときは，直接その共有者に請求するほか，その**共有者**の**特定承継人**（その共有者から持分の譲渡を受けた者など）

に対しても**請求**することができます。特定承継人も，その管理により利益を得ているからです。

（8）共有の規定と遺産共有持分（898条）

相続により発生する共有関係を遺産共有といいます。

遺産共有状態にある共有物にも共有に関する規定は適用されますが，持分割合に関しては，具体的相続分の割合に関係なく，法定相続分（相続分の指定がある場合には指定相続分）により算出した持分が基準となります。

メモ

・**具体的相続分**：寄与分や特別受益を考慮した個々の相続人の具体的な相続分のこと。

例 遺産として建物があり，A・B・Cが相続人（法定相続分均等）である場合，その建物の管理に関する事項については，A・Bの同意により決することができる。

・**「遺産分割」について**：相続開始（被相続人の死亡）の時から10年を経過する前の遺産分割は具体的相続分を基準とするものの，10年経過後にする遺産分割は法定相続分（または指定相続分）による分割とすることができる。遺産共有関係は早期に解消されるべきと考えるからである。

（9）所在等不明共有者の不動産の持分（262条の2，262条の3）

不動産の共有者の中に所在等不明共有者がいる場合，他の共有者は，裁判所の決定を得て，所在等不明共有者の持分を取得することができます（持分の時価相当額が供託される）。

また，他の共有者は，裁判所の決定を得て，所在等不明共有者の持分を譲渡する権限を得ることができます（持分の時価相当額を供託）。この場合，他の共有者全員が，特定の者に対して，その有する持分の全部を譲渡することが条件となります（停止条件）。

なお，上記の2つの制度は，遺産共有の場合は，相続開始から10年を経過した後でなければ利用することができません。

2 相隣関係

相隣関係とは，**隣接する不動産**の各所有者の**権利**を，**互譲**（譲り合い）**の精神**のもと**一定程度制限**し，その**利用を調節**するための法律関係をいいます。

以下は，その代表的なものです。

（1）隣地使用権（209条）

以下の表のⅰ）～ⅲ）にあたる場合に，隣地を使用できる権利です。

①「隣地」の使用	ⅰ）境界またはその付近における障壁，建物その他の工作物の築造・収去・修繕 ⅱ）境界標の調査，境界に関する測量 ⅲ）隣地から越境して（催告しても切除されない）竹木の枝の切り取り →**必要な範囲内**で，**隣地を使用**することが**できる**
②「住家」への立入り	必ず**居住者の承諾**が必要

メモ

・使用の日時，場所及び方法は，隣地の所有者・隣地使用者のために損害が最も少ないものを選ばなければならない。

・隣地を使用する者は，あらかじめ，その目的，日時，場所及び方法を隣地の所有者・隣地使用者に通知しなければならない（あらかじめ通知することが困難なときは，使用開始後遅滞なく通知する）。

・①②いずれも，隣地の所有者・使用者が損害を受けたときは，償金を請求できる。

（2）「継続的給付」を受けるための設備の設置権等（213条の2，213条の3）

① 設備設置権

他人の土地に導管などの設備を設置しなければ，電気，ガス，水道水の供給，電話線(インターネット)などの各種ライフラインを引き込むことができない(「継続的給付」を受けられない）土地の所有者は，必要な範囲内で，他人の土地にそれらの設備を設置することができます。

メモ

・隣接していない土地についても設備の設置は可能。

・土地の分割・一部譲渡によって「継続的給付」を受けられなくなった場合には，分割者・譲渡者の所有地のみに設備の設置ができる。

② 設備利用権

他人が所有する導管などの設備を使用しなければ，「継続的給付」を引き込むことができない土地の所有者は，必要な範囲内で，他人が所有する設備を使用することができます。

この場合，土地の所有者は，その利益を受ける割合に応じて，設備の修繕・維持等の費用を負担しなければなりません。

③　**場所・利用の限定，事前通知**

設備の設置・使用の場所及び方法は，他の土地・他人の設備のために損害が最も少ないものを選ばなければなりません。

また，設備設置者（①）・設備使用者（②）は，あらかじめ，その目的，場所および方法を，他の土地等の所有者及び他の土地を現に使用している者（賃借人等）に通知しなければなりません。

④　**損害が発生した場合**

ⅰ）他の土地への設備設置工事や他人所有の既存の設備への接続工事の際に一時的に損害が発生した場合には，償金（その実損害）を支払う必要があります（一括払い）。

ⅱ）設備の設置により土地が継続的に使用することができなくなることになって他の土地に生じた損害（設備設置部分の土地の使用料相当額）についても同様です（1年ごとの定期払いが可）。

・土地の分割・一部譲渡に伴い分割者・譲渡者の所有地のみに設備の設置ができる場合には，ⅱ）の償金の支払いは不要。

（3）自然水流に対する妨害の禁止（214条）

土地の所有者は，隣地から水が自然に流れて来るのを妨げてはなりません。

（4）公道に至るための他の土地の通行権（210条～）

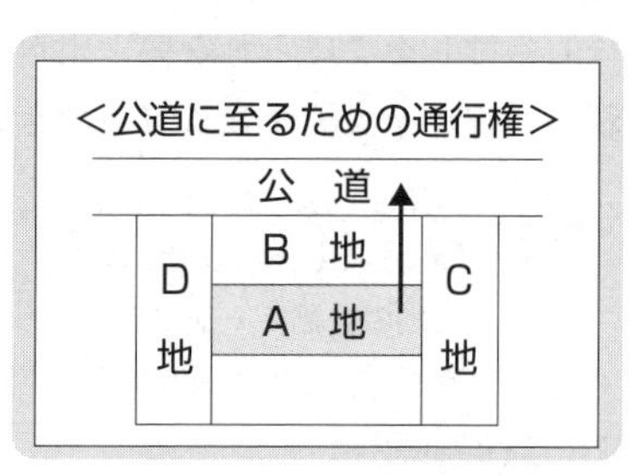

①　他の土地に囲まれて**公道に通じない土地**（**袋地，**図のA地）の所有者は，公道に至るため，その**囲んでいる他の土地**（B地など）を**通行できます**。また，河川を通らなければ公道に至らないときや，崖があって土地と公道とに著しい高低差があるときなども，同様です。

②　**通行の場所・その方法**は，通行権者のために**必要**であり，かつ，他の土地のために**損害**の**最も少ないもの**を選ばなければなりません。なお，状況により自

動車による通行権が認められる場合もあります。

また，必要があれば**通路を開設**できます（**通路開設権**）。

③ **通行地の損害**には，**償金**の支払義務があります。

④ **分割**または土地の一部の**譲渡**により，**公道に通じない土地**が生じたときは，**他の分割者等の土地のみ**を通行できます。なお，この場合，**償金**の支払いは**不要**です。

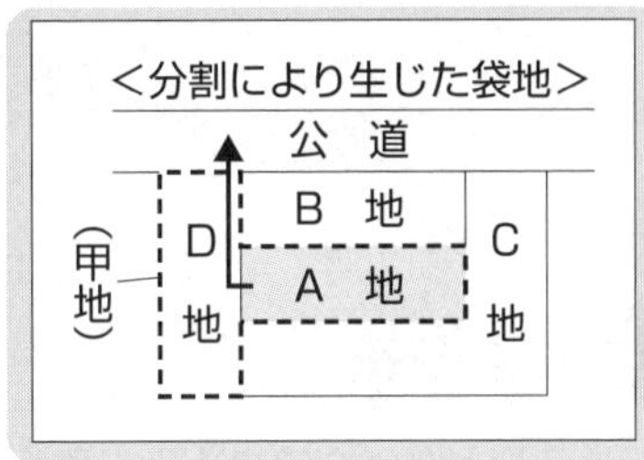

例 甲地がA,Dに分筆されてA地（袋地）が生じた場合，A地の所有者は，D地のみを，無償で通行できる。D地がその後，第三者に譲渡された場合も，同様に通行可

（5）境界を越える竹木の枝の切除，根の切取り（233条）

① **隣地の竹木の「枝」が境界を越えるとき**

その竹木の所有者に，その枝を切除する（切り取らせる）ことができます。

ただし，次の場合には，越境された土地の所有者がその枝を切除することができます。

ⅰ）竹木の所有者に枝を切除するよう催告したにもかかわらず，竹木の所有者が相当の期間内に切除しないとき。
ⅱ）竹木の所有者の所在がわからないとき。
ⅲ）急迫の事情があるとき。

② **隣地の竹木の「根」が境界を越えるとき**

越境された土地の所有者（自分）で，その根を切り取ることができます。

メモ

・「越境して来た隣家の柿は食べられないが，タケノコなら食べられる」と考えよう。
①で竹木が共有→各共有者はその枝を切り取ることができる。

（6）境界標設置権（223条，224条）

土地の所有者は，**隣地の所有者**と**共同の費用**で，境界標を設けることができます。

境界標の設置・保存の費用は，**相隣者**が**等しい割合**で負担し，また，測量の費用は，土地の広狭に応じて分担することになります。

（7）境界線付近の工作物築造に関する相隣関係（234条，235条）

建　　物	原則として境界線から50cm以上離す
境界線から1m未満の距離で，他人の宅地を見通すことができる窓・ベランダ等を作る場合	目隠しをつける

3 地役権（ちえきけん）

地役権とは，**自己の土地**（**要役地**）**の便益**のために，**他人の土地**（**承役地**）を**利用**することのできる**権利**です。

メモ

地役権が設定される土地が**承役地**（図の乙地），地役権により便益を受ける土地が**要役地**（図の甲地）である。例えば，乙地について甲地の通行地役権が成立すると，甲地の使用収益権者は乙地を通行できる。これによって，甲地（要役地）の利用価値(便益)が増すことになる。なお，**甲地と乙地は隣接**していなくてもよい。

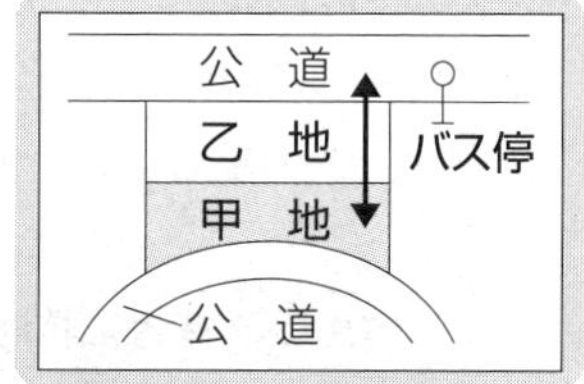

（1）地役権の成立（280条，283条）

地役権は，**設定契約**によるほか，**時効**によっても**成立**します。

① **設定契約**

地役権は，**要役地**の所有者と**承役地**の所有者との間で，**地役権設定契約**を結ぶことによって成立します。

② **時　効**

地役権は，**継続的に行使**され，かつ，**外形上認識**できるものに限り，**時効によって取得**することができます。なお，通行地役権に関し，通路の開設が要役地の所有者によってされなければ，「継続」とはいえないとされます（判例）。

メモ

時効取得の例：通路を設けた通行地役権，地表に表れているＵ字溝による用水・排水地役権など

③ **承役地に設置した工作物**（286条，288条）

（ア）承役地所有者の工作物設置義務等

設定契約などにより，承役地所有者が自己の費用で地役権行使のために工作物を設け，またはその修繕をする義務を負担したときは，承役地の所有者の特定承継人（買主など）も，その義務を負担します。

（イ）承役地所有者の工作物の使用

承役地の所有者は，地役権の行使を妨げない範囲内で，その行使のために承役地上に設けられた工作物を使用できます。

（2）地役権と登記

地役権も物権ですので，原則どおり，**登記**によって**対抗力が付与**されます。つまり，登記がなければ第三者に対抗することができません。

プラスα

地役権に関する判例：

① **要役地が譲渡された場合：**

地役権の移転は，その登記がなくても，要役地の移転登記があれば，承役地の所有者及びその一般承継人に対抗することができる。

② **承役地が譲渡された場合：**

通行地役権の設定登記がされていない場合でも，承役地の譲渡の時に承役地が地役権者によって使用されていることが客観的に明らかであり，譲受人がそれを認識することができたときは，譲受人は，地役権者に登記がないことを主張できない。

→この場合，通行地役権者は，譲受人に対して，地役権設定登記を請求することができる。

（3）地役権の付従性（281条）

① 地役権は，要役地の便益を増すための権利ですので，**要役地と離れて存続することはできません**。地役権は**所有権**に**従属**し，ともに**移転**します。

例 要役地が売買されると，地役権は当然に買主に移転し，また，所有権の移転を承役地の所有者に対抗できる場合は，地役権の移転も同様に，登記なく対抗できる。

② 地役権は，**要役地上に存する他の権利**の**目的**となります。

例 要役地上に抵当権を設定した場合，競落人は，土地所有権とともに地役権を取得する。

③ 要役地から分離して**地役権のみを譲渡**したり，担保に供するなど**他の権利の**

目的にすることは**できません**。

（4）地役権の不可分性（282条，284条）

要役地，承役地が**共有**の場合，あるいは要約地，承役地が**分割**された場合，地役権がバラバラの運命をたどるのは妥当ではありません。そのため，地役権をなるべく**存続させる**ために，**一体的な処理**が図られています。

① 要役地・承役地が**分割**された，または**一部譲渡**された場合，地役権は，**各部分**の上に**存続**します。

② 要役地・承役地が**共有**の場合は，次のようになります。

（ア）地役権が時効取得される場合

承役地の所有者は，地役権を行使している要役地の共有者に対する取得時効の更新は，共有者全員に対してしなければ，その効力を生じさせることはできません。また，共有者の１人が地役権を時効取得したときは，同様に，他の共有者も地役権を取得します。

（イ）地役権が消滅する場合

要役地・承役地の共有者は，自己の持分についてのみ，地役権を消滅させることはできません。また，要役地の共有者の１人が，地役権の消滅時効につき完成猶予または更新があるときは，その完成猶予または更新は，他の共有者のためにも，その効力が生じます。

4 占有権

占有権は，**物の所持そのもの**（物に対する事実的支配）を**保護**する権利（物権）です。

占有権者は，同時に，所有権者などの本権者である場合が一般的ですが，**本権者以外の者**が**占有権**を有する場合でも，その**占有**は当面**保護**されるべきで，そのための権利が占有権です。

メモ

本権とは，占有を法律上正当化づける権利のこと。最終的には，本権者でない占有者は，本権者に物を返還することになる。

(1) 占有訴権 (197条~)

占有者は，物の所持そのものを確保するため，**占有侵害者**に対して，次のような**訴えを提起**できます。

① 占有回収の訴え	占有を奪われた場合の占有を取り戻す訴えのこと
② 占有保持の訴え	占有妨害の状態を排除する訴え 例 立退きの請求をすること
③ 占有保全の訴え	占有侵害の危険がある場合の，その危険をあらかじめ排除する訴えのこと

なお，占有の訴えは，**本権に基づく訴え**とは**別個**に**提起**することができます。

メモ

例えば，占有者であり所有者（本権者）でもある者が，占有物を奪取された場合，占有権に基づく占有回収の訴えと，所有権（本権）に基づく返還請求を，それぞれ別々に提起することができる（判決も別々に出る）。

(2) 果実収取権 (189条，190条)

その占有する物から**果実**が生じた場合に，本来収取する権利のない**占有者**が，その果実を**収取できるか**，例えば，消費してしまった場合に，所有権者に代価を返還する必要があるか，という問題です。

理解

善意の占有者	果実を**収取できる**。つまり，果実そのものの返還も代価の償還も不要
悪意の占有者	果実は**返還する** すでに消費した場合には，その**代価**を**償還**する

用語
- **果実**：他人の不動産を賃貸して得た賃料などのこと
- **善意の占有者**：自己に正当な占有権がないことを知らない占有者
- **悪意の占有者**：自己に正当な占有権がないことを知っている占有者

(3) 費用償還請求権 (196条)

占有者が占有物を返還する場合において，占有物について支出した**必要費・有益費**がある場合，占有者は，**占有を回復した者**（所有者など）に対し，その**費用の償還**を**請求**することができます。

用語
- **必要費**：物の保存・管理に必要な費用。家屋の修繕費など
- **有益費**：物を改良し価値を増加させた費用

4 担保物権（留置権・先取特権・質権）

ウォームアップ

人にお金を貸そうとするとき，**担保**があれば，安心です。同じ金額を貸す場合でも，担保が十分であれば，より低い金利でお金を貸すことができます。

保証人を立てる，債務を**連帯債務**とすることなどは，いわば人を担保に取るので「**人的担保**」，債務者や第三者が所有する不動産などに**抵当権**や**質権**を付けることは，物を担保に取るので「**物的担保**」といいます。いずれも，いざというときに備えて，本来の債務者以外の「人」から弁済を受けたり，担保に取った「物」を換価して，債権の回収を図るための仕組みです（「人的担保」については後述第３章1「連帯債務」2「保証債務」参照）。

1 担保物権の種類・性質

担保物権とは，債権の履行の確保のために，**債務者**または**第三者**に属する**財産**について，債権者が，**他の債権者に優先して行使**できる権利をいいます。この債権者を「**担保物権者**」といいます。

民法は，**法定担保物権**（法律の規定により成立）として**留置権**と**先取特権**，**約定担保物権**（当事者の契約により成立）として**質権**と**抵当権**（**根抵当権**）の４種類を定めています。

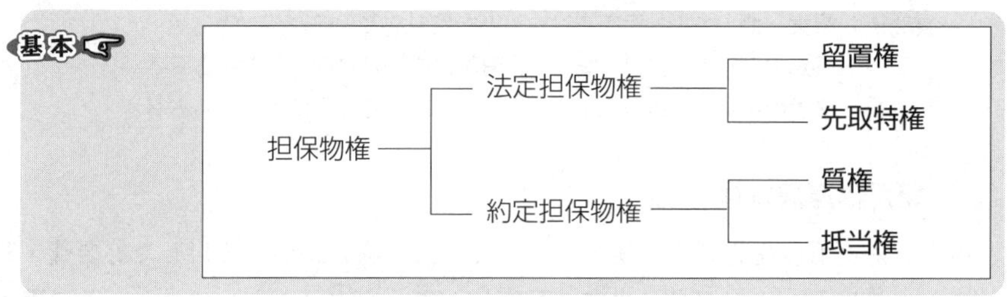

担保物権には，一般的に，次のような性質があります。

① **付従性**

担保物権は，債権担保のための手段ですので，**債権が成立しなければ，担保物権も成立しません。**また，**債権が消滅**すれば，担保物権も**自動的に消滅**します。

② **随伴性**

担保物権は，特定の債権を担保するものなので，その**債権**が**譲渡**されると，これに伴って**新債権者**に**移転**します。したがって，債権の譲受人は，同時に担保物権を取得します。

③ **不可分性**

担保物権者が**債権全部の弁済**を受けるまでは，目的物について，自己の**権利を行使**できるという性質です。担保物権の効力を強化するために認められています。

④ **物上代位性**

担保物権者は，目的物の**売却**，**賃貸**，**滅失**等により債務者が受け取る**金銭等**に対しても，**権利を行使**することができます。例えば，目的物が売却された場合の売買代金債権や，目的物が滅失した場合に受ける保険金請求権に及びます。

ただし，物上代位によって，担保物権者が他の債権者に先立って優先的に弁済を受けるためには，設定者（債務者など）に代金などが払い渡される**前**に，**担保物権者自身が差押え**をすることが必要です（判例）。

2 留置権 (295条)

留置権は，他人の物の**占有者**が，その物に関して生じた**債権の弁済を受けるまで**その物を**留置**（支配してとどめておくこと）して，債務者の弁済を間接的に促そうとする**法定担保物権**です。

他の担保物権と異なり，他の債権者に優先して債権者から弁済を受ける権利（優先弁済権）はありません。

留置権者が留置権を主張するには，**物の占有が必要**です。その場合，留置権者は，**善良な管理者の注意**をもって，留置物を占有しなければなりません（留置権者の**善管注意義務**）。

なお，留置権は，その性質上，登記できません。

プラスα

建物の賃貸借と留置権の行使の関係：

① 賃借人が，必要費償還請求権，有益費償還請求権を有する場合，その償還があるまで，それに基づいて目的物を留置することができる。

例 屋根の修繕をした賃借人が，その修繕費用の弁済があるまで，賃貸借終了後もその家屋を留置する場合，など

② また，賃貸借契約終了後，留置権に基づいて建物を留置している間に支出した必要費についても，留置権を行使できる（判例）。

③ なお，造作買取請求権・敷金返還請求権に基づいては，賃借建物について留置できない（判例）。

なお，占有が不法行為によって始まった場合は，留置権を行使することはできません。

メモ

屋根の修繕の例でいえば，不法占拠者が支出した修繕費用については，（償還請求自体は認められるが）留置権は認められない。債務不履行に基づき賃貸借契約が解除された後に支出された必要費についても同様である。

暗記

借家人の有する権利	賃借建物の留置（判例）
必要費償還請求権	可
有益費償還請求権	
造作買取請求権	不可 （建物の引渡しが先履行）
敷金返還請求権	

3 先取特権（303条）

法定の一定の債権を有する者が，**債務者**の**財産**から**優先弁済**を受けることができる**法定担保物権**です。**不動産**に関連するものとして，**不動産保存・不動産工事・不動産売買・不動産賃貸**の各先取特権があります。

（1）不動産の先取特権（325条～）

不動産の先取特権とは，**不動産保存・不動産工事・不動産売買**の各先取特権をいいます。

例えば，建物の**新築**あるいは**修繕工事**を請け負って，その請負工事の**代金**は全額後払い，という場合において，その**代金を担保**するために**登記**することで**当該建物の上に成立する権利**が，**不動産保存**（あるいは**工事**）**の先取特権**です。

基本☞

種　類	具体例
① 不動産保存の先取特権	建物について滞納税を支払った場合に，その費用（**保存費用**）を担保するために当該建物に成立する
② 不動産工事の先取特権	建物を新築した場合に，その**工事代金**を担保するために当該建物に成立する
③ 不動産売買の先取特権	建物の売買が行われた場合に，**代金債権**など売買により生じた債権を担保するために当該建物に成立する

不動産の先取特権は，いずれも，工事代金の額等を登記しなければ(**保存登記**)，その効力を生じません。

また，特に，**①不動産保存の先取特権**と**②不動産工事の先取特権**の２つは，先に登記した抵当権があっても**優先して行使**できます。

メモ

①②について：登記した複数の権利の優劣は登記の先後によって決する，という登記制度の原則の例外にあたる特殊な権利である。目的不動産の価値が，①または②の工事などがあってはじめて認められると考えれば，先行する抵当権が存在しても，①②が優先されるのは当然である。

（2）不動産賃貸の先取特権 (312条〜)

不動産賃貸の先取特権は，その不動産の賃料その他の**賃貸借関係から生じた賃借人の債務**に関し，**賃借人の動産**について存在する権利です。

例えば，建物の賃借人が賃料を滞納し契約が解除された，などの場合に，賃借人が，その建物中に，ある期間継続して置くために持ち込んだ動産（金銭・有価証券・宝石などを含む）を換価して，弁済に充てることができることになります。

メモ

賃貸人が敷金を受け取った場合には，**敷金から弁済を受けられない債権の部分についてのみ**，先取特権を有する。

（3）物上代位 (304条)

先取特権は，その目的物の**売却**，**賃貸**，**滅失**または**損傷**によって**債務者が受ける金銭**その他の物がある場合には，その物に対しても，行うことができます。

メモ

ただし，債務者に金銭等が払い渡されまたは物が引き渡される前に，**先取特権者によって差し押さえられなければならない。**

4 質権（342条）

（1）質権とは

質権とは，債権者が，債権の**担保**として，**債務者**または**第三者**から受領した物を弁済を受けるまで**留置**して，弁済を（間接的に）促しつつ，弁済がないときは，その物を**換価して優先弁済**を受けることができる**約定担保物権**です。

動産を目的とする**動産質**，不動産を目的とする**不動産質**，債権を目的とする**権利質**があります。

プラスα

質権の本質：

質権は，被担保債権の全額の弁済を受けるまで目的物を留置する（設定者から目的物の占有を奪う）ことに本質がある。抵当権の本質が，目的物の留置をせず，設定者に目的物の使用収益を委ねる点で異なる。

（2）質権の成立のポイント

①　要物契約

質権は，**当事者の合意**（**質権設定契約**）のほか，債権者に対する**目的物の引渡し**があってはじめて効力を生じます。**動産質**，**不動産質**の場合は，**目的物の引渡し**が必要となります。

メモ

他人の物を預かるので，質権者は，善良な管理者の注意をもって質物を占有する必要がある（善管注意義務）。

②　契約による質物の処分（流質契約）の禁止

契約による質物の処分とは，万一債務者が債務を履行できない場合には，**質権者**が質権目的物の**所有権を取得**し，あるいはこれを任意に**換価し優先弁済**に充てる旨について，あらかじめ合意しておくことをいいますが（流質契約），質権設定者に不利な場合が多く，民法では**禁止**されています。

メモ

流質契約は，民法では禁止されているが，特別法（質屋営業法など）で認められている。

(3) 不動産質のポイント

① **不動産質権者**は，目的物である不動産を，その用法に従い**使用・収益**することができます。その代わりに，目的物の**管理費用を負担**し，また，原則として，債権の**利息を請求できません**。

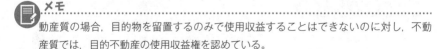

メモ

動産質の場合，目的物を留置するのみで使用収益することはできないのに対し，不動産質では，目的不動産の使用収益権を認めている。

② 不動産質権の**存続期間**は，**最長10年**で，これより長い期間を定めた場合は10年に短縮されます（**強行規定**）。

③ 不動産質権は，登記できます。権利を第三者に対抗するには，**登記が必要**です。

(4) 権利質のポイント

① 債権質権者が，**第三債務者**（質権の目的となっている債権の債務者）に質権を主張するには，ⅰ)質権設定者から第三債務者への**質権設定の通知**，または，ⅱ）第三債務者による**承諾**が必要です。

例 オフィスビルの賃貸借契約において，B（賃借人）がA（銀行）から敷金・保証金相当額の融資を受ける際に，その敷金または保証金返還請求権を質権の目的とする場合などには，ⅰ）B（賃借人）からC（賃貸人）への**通知**，または，ⅱ）Cの**承諾**が必要となる。

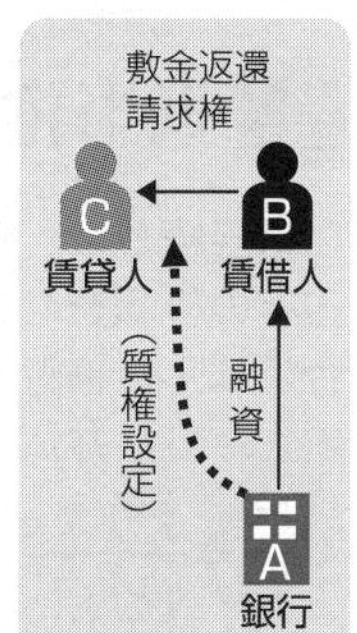

② 質権者は，質権の目的である**債権**を，**直接取り立てる**ことができます。

③ 質権者の債権の弁済期前に，目的債権の弁済期が到来する場合は，質権者は，目的債権の債務者に対し，その**弁済**をすべき**金額**を**供託**するよう，**請求**することができます。

5 抵当権・根抵当権

ウォームアップ

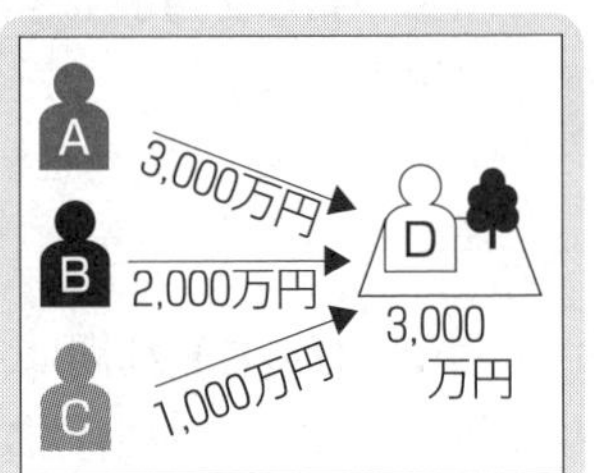

例えば，A・B・Cが，それぞれ3,000万円，2,000万円，1,000万円の債権を，債務者Dに対して持っているとします。Dには3,000万円の価値がある土地以外に財産がなかったとすると，最終的にA・B・Cは，それぞれの債権額に比例して，Aは1,500万円，Bは1,000万円，Cは500万円の配当を受けることになります。これを，**債権者平等の原則**といいます。

しかし，もしAが**抵当権**を有していたとすると，Aは，**他の債権者**（B・C）**に優先して**3,000万円全額の**弁済**を受けることができ（**抵当権の優先弁済的効力**），B・Cへの弁済額を0（ゼロ）とすることができるのです。

1 抵当権とは（369条）

抵当権とは，債務者または第三者（**抵当権設定者**）が債務の担保に供した物を，**占有の移転をせずに**，設定者の使用収益に任せながら，**債務の弁済がされない場合**には，債権者（抵当権者）が，その物の交換価値から**優先的に**（他の債権者に先立って）**弁済**を受けることができる約定担保物権です。

プラスα

債務の弁済がされない場合に，例えば，抵当権の目的物を**競売**にかけて，その代金から**他の債権者に先立って**，抵当権者が**弁済を受ける**。

具体例で見てみよう。

① AがBに1,000万円を貸し付けた。

② Cは，Aのために，自己所有の土地（価額3,000万円）に**抵当権**を**設定**・**登記**した（Cは**物上保証人**：債務者のために自己の不動産などに抵当権を設定した者のこと）。

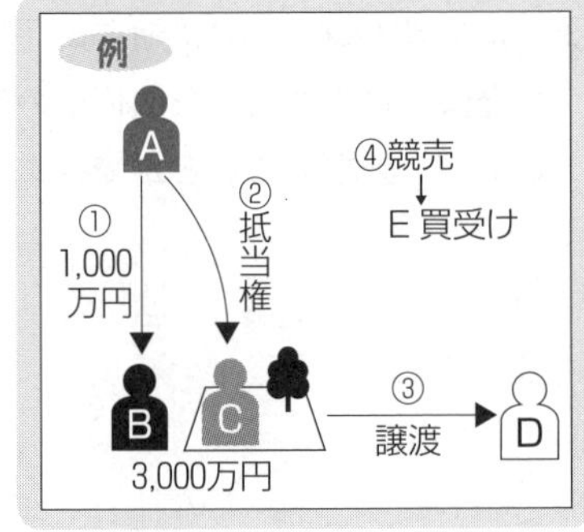

③ Cは，抵当権付きで当該土地をDに譲渡した（Dを**第三取得者**という）。

④ Bが弁済しないのでAは**抵当権**を**実行**（**競売**）し，Eが買い受けた。Eは当該土地の所有者となる（そのときの所有者Dは，当該土地の所有権を失う）。

⑤ Aは，**競売代金**から他の債権者に優先して**弁済**を受け，**債権を回収**した。

2 抵当権の成立等

（1）抵当権の成立（369条）

抵当権は，**抵当権設定契約**により，不動産に設定します。また，同じ債権の担保のために，複数の不動産に抵当権を設定することもできます（**共同抵当**。後述）。

基本

① 目的物（目的となる権利）	不動産（土地・建物），地上権，永小作権
② 抵当権の成立	**債権者**と抵当目的物の**所有者等**との間の，**抵当権設定契約**により成立する
③ 対抗要件	**登記**（元本の額を登記。なお，利息等も登記できる）

（2）優先弁済を受ける方法（抵当権の実行）

弁済期が来ても債務が弁済されない場合は，抵当権者は，**抵当不動産**を**売却**，**換価**または**賃貸**して，その代金・賃料等から，他の債権者に**優先して**自己の債権の満足を受けることができます（**抵当権の優先弁済的効力**）。実行の方法としては，**契約による実行**，**競売**及び**不動産収益執行**があります。

基本

① 契約による実行	・当事者の**契約**によって**任意の方法**で**換価**する ・例えば，**任意売却**，目的物の所有権を直ちに抵当権者に移転させる（**流抵当契約**，**抵当直流**）などの方法がある
② 競売　※1	・**裁判所の手続**に従って売却する ・抵当不動産の競売では，原則として誰でも買受人となれるが，**債務者は買受人となれない**
③ 不動産収益執行　※2	**裁判所**によって「**管理人**」が選任され，「**管理人**」が抵当不動産を**賃貸**・**管理**して，そこから生じる**収益**（主として賃料）を，**被担保債権**の**弁済にあてる**（＝不動産収益執行の申立人等に配当を配分する） →抵当権設定者は，不動産から生ずる収益を処分することができなくなる

※１：**弁済期前**は，原則として，**競売**の申立てをすることは**できない。**

※２：競売すると安価に競落されてしまうおそれがあるが，賃貸すれば確実に賃料収入が見込める都心のオフィスビルなどについて，抵当権を「実行」する場合の，有力な方法である。

3 抵当権の性質

前述した「**担保物権**」の性質は，**抵当権の性質**にもあてはまります。

（1）付従性

債権が**成立**しなければ，**抵当権**も**成立**せず，**債権**が弁済や時効などで**消滅**すれば，**抵当権**もそれとともに**消滅**します。

なお，本来，抵当権設定時において被担保債権は特定されていなければなりませんが，将来発生することが確実であるなら，現在発生していない債権であっても，被担保債権として抵当権を設定することができます。これは，成立において付従性が緩和される例です。

（2）随伴性

債権が**譲渡**されれば，これに伴って**抵当権**も**移転**します。したがって，債権の譲受人は同時に抵当権も取得することになります。

（3）不可分性

抵当権者は，その被担保債権全額の弁済が行われるまで，**目的物の全体**についてその**権利**を**行使**できます。

（4）物上代位性（304条，372条）

抵当権は，**目的物**の**売却**，**賃貸**，**滅失**または**損傷**によって抵当不動産の所有者が受けるべき**金銭**その**他の物**に対しても，**権利を行使することができます**。

例えば，次のような例があります。

① 目的物が売却された場合の売却代金請求権
② 目的物が賃貸された場合の賃料請求権
③ 建物に抵当権を設定し，当該建物が火事で焼失した場合の火災保険金請求権

なお，**物上代位**によって抵当権者が**優先弁済**を受けるためには，これら売買代金・賃料・保険金が抵当権設定者に**払い渡される**前に，**抵当権者**自ら，その**請求権を差し押さえる**ことが必要です（判例）。

例 判例を挙げておこう。

(i)：C所有の抵当不動産が**火災**で**滅失**した場合，原則として**抵当権**は**消滅**するが，Cが保険会社に対して**保険金請求権**を有する場合には，Aは，この保険金がCに**払い渡される前**に，**自ら差押え**をして，**抵当権**の**効力**を**主張**できる。

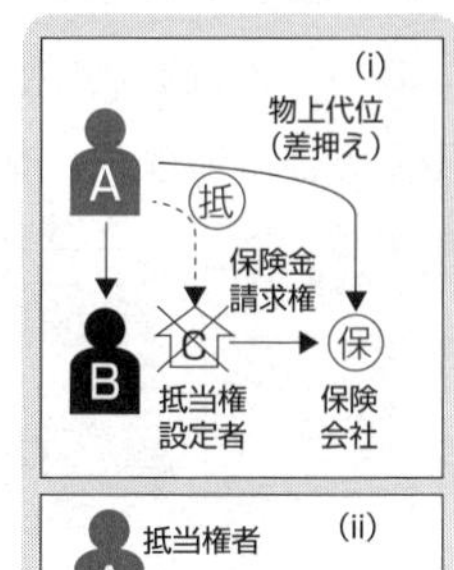

(ii)：**物上代位**の目的となるべきα債権が譲渡され，**対抗要件**が備えられた後でも，抵当権者は，α債権を自ら**差押え**して，**物上代位権**を**行使**することができる。なお，α債権について，**一般債権者の差押え**と**抵当権者の物上代位権による差押えが競合**したとき，その優劣は，「差押命令の**第三債務者への送達**」と「**抵当権設定登記**」の**先後**によって決する。

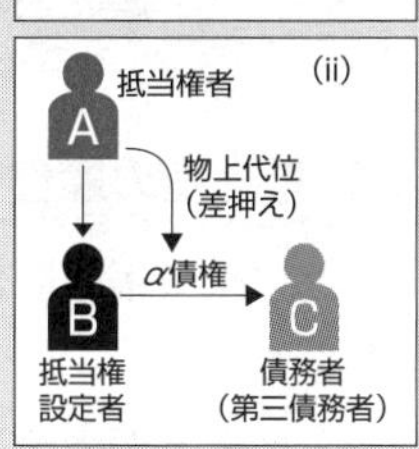

まとめ

〈担保物権の性質〉　○：認められる　×：認められない

	付従性	随伴性	不可分性	物上代位性	目的物
留置権	○	○	○	×	動産，不動産
先取特権	○	○	○	○	動産，不動産，一般財産
質　権	○	○	○	○	動産，不動産，権利
抵当権	○	○	○	○	不動産，地上権，永小作権
根抵当権※（確定前）	×	×	○	○	

※根抵当権については後述

4 他の債権者等との関係

（1）抵当権の順位（177条，373条）

同一の不動産の上に，**複数**の**抵当権**を**設定**することができますが，この場合，優先弁済は，順位に従って受けることになります。

基本

抵当権の順位	登記の前後による →1番抵当権，2番抵当権……などという
順位上昇の原則	弁済などにより先順位の権利が消滅すると，後順位の権利は自動的に順位が上昇する

（2）抵当権の順位の変更（374条）

また，抵当権の順位は，後に変更することができます。この変更には，次のものが必要です。

ｉ）抵当権者全員の合意　ⅱ）利害関係人の承諾　ⅲ）登記

なお，**債務者**や**抵当権設定者**の合意は**不要**です。また，登記をしなければ，変更は効力を生じません。

（3）抵当権の処分（376条）

抵当権の順位の変更のほか，次のような抵当権の処分も可能です。

理解

① 転抵当	抵当権者が，その**抵当権**を**他の債権**の**担保**とすること
② 抵当権の譲渡・放棄	抵当権者が，同一債務者に対する**無担保債権者**のために，その抵当権を**譲渡**し（受益者が優位），または**放棄**（受益者と同位）すること
③ 抵当権の順位の譲渡・放棄	抵当権者が，同一債務者に対する**後順位担保権者**に対し，**順位**を**譲渡**（受益者が優位），または**放棄**（受益者と同位）すること

メモ

・ここで「**譲渡**」とは，対象者と順位が入れ代わること。この場合，自分の配当額と対象者の配当額の合計について，受益者から配当を受ける。

・同じく「**放棄**」とは，対象者と同順位となること。この場合，自分の配当額と対象者の配当額の合計を，債権額で按分する。

メモ

②及び③は，優先弁済を受ける地位を，無担保債権者（②）または後順位担保権者（③）に対して譲渡・放棄をする場合である。なお，その他の者の配当額は影響を受けない。

例 債務者Aが所有する甲土地に，1番抵当権（債権者B，債権額2,000万円），2番抵当権（債権者C，債権額2,400万円），3番抵当権（債権者D，債権額3,000万円）が設定され，さらにAには債権者E（債権額6,000万円，無担保）がいる場合で，甲土地が競売され売却代金が6,000万円であったとき，それぞれが受ける配当額は，次のようになる（他に債権者はいない）。

ア）BがEに**抵当権を譲渡**した場合
→Bは0円，Cは2,400万円，Dは1,600万円，Eは2,000万円

イ）BがEに対して**抵当権を放棄**した場合
→Bは500万円，Cは2,400万円，Dは1,600万円，Eは1,500万円

ウ）BがDに**抵当権の順位を譲渡**した場合
→Bは600万円，Cは2,400万円，Dは3,000万円，Eは0円

エ）BがDに対して**抵当権の順位を放棄**した場合
→Bは1,440万円，Cは2,400万円，Dは2,160万円，Eは0円

いずれの場合も，Bの債権のうち，配当を受けられない残余部分は，無担保になる（Eはもともと無担保）。

（4）共同抵当（392条）

共同抵当とは，**同じ債権**の担保のため，**複数の不動産**の上に**抵当権を設定**することです。1個の不動産では，その価額からみて十分な担保とならない場合などに設定されます。

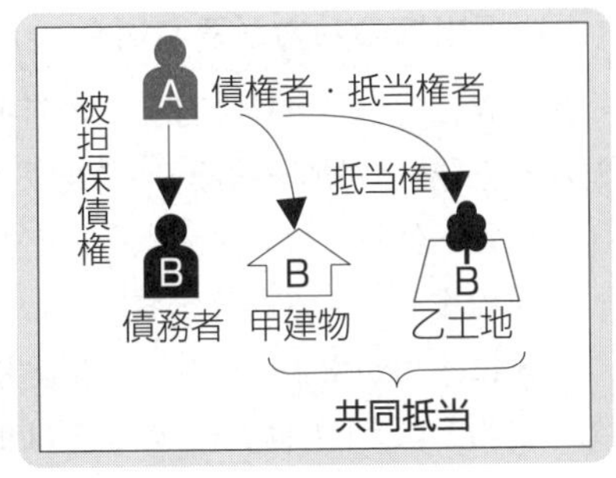

この場合，抵当権の実行についての，民法上のルールは概略次のとおりです。例えば，Bの債務を担保するために，甲建物と乙土地に抵当権を設定した場合を例に，考えてみましょう。

まず，抵当権者Aは，甲建物と乙土地の**いずれの抵当権から実行するか**を，**任意に選択**できます（**自由選択**。**同時実行**も**可**）。

ただし，それぞれの不動産に後順位の抵当権者（例えば，甲建物に2番抵当権

者C，乙土地に２番抵当権者D）がいる場合，どちらの不動産が先に実行されるかによって，ＣとＤに不公平が生ずる場合があります。

① **同時配当**

甲・乙両不動産上の抵当権が**同時**に**実行**される場合の配当は，次のとおりです。

ｉ）まず**１番抵当権者**Ａが，その**優先弁済額**を，甲・乙両不動産の**価額**（競売の売却代金額）**の割合**で**割りふって**（**割付**），優先弁済を受けます。

ⅱ）次に，甲建物の残額について２番抵当権者Ｃが，乙土地の残額について２番抵当権者Ｄが，それぞれ他の債権者に先立って優先弁済を受けます。

② **異時配当**

Ａは，甲・乙両不動産上の抵当権の**一方だけを**（例えば，甲建物のみを）**実行**することもでき，その代価から優先弁済額全額の弁済を受けることができます。ただし，これによりＣが弁済を受けることができなくなった場合は，Ｃは，Ａの乙土地上の**割付額**の**範囲**で，Ａの乙土地上の**１番抵当権**に**代位**することができます。

結論として，最終的には，両抵当権を同時に実行した場合（①）と**同じ配当額**となります。

5 抵当権の効力の及ぶ範囲，優先弁済の範囲

例えば，**競売**にあたって，抵当権が設定された**土地や建物**と同時に，抵当地上の樹木や抵当建物の畳も含めて競売できるか，という問題です。

（１）抵当権の効力が及ぶ場合（370条）

抵当権は，一言でいえば，その目的である不動産，及び，それに**付加**して**一体となった物**（「**付加一体物**」）に及びます。

① **付加一体物**とは，まずはその不動産の**構成部分**を指します。その不動産の一部を構成している部分であり，したがって，例えば，建物に抵当権が設定された後に建物が増築されれば，抵当権はその**増築部分にも及ぶ**ことになります。

② **従物**とは，「**主物**」（この場合は抵当権が設定された土地・建物自体）とは独立しているものの，主物の処分に従うことが互いの経済的効用を高める働きをするものをいいます。そのため，**抵当権**の**効力**は，抵当不動産の「**従物**」**にも**

及ぶとされます（判例）。

また，**借地上**の**建物**に抵当権が設定された場合の**借地権**も，建物に**従たる権利**として，建物に設定された抵当権の**効力**が**及びます**（判例）。

基本☞

「付加一体物」	意　味	具体例
構成部分	抵当不動産の構成部分となって独立性を失った物（附合物）	増築部分，雨戸，庭木
従　物	独立の物だが，主物に従属してその経済的効用を助ける物	建物に対する畳，建具
借地権	借地上の建物について抵当権を設定した場合の借地権	

（2）抵当権の効力が及ばない場合

次のものに対しては，抵当権の効力は及びません。

① **土地・建物**

土地と**建物**は，それぞれ**別個**の不動産なので，土地・建物の**一方に設定された抵当権の効力**は，**他の一方**に**及びません**。

② **果実**（371条）

「**果実**」には，**抵当権**の**効力**が**及ばない**のが原則です。

果実とは，「**元物**」である抵当権が設定された土地・建物から生まれ出る**産物**のことをいい，例えば，田や果樹から生産される稲・果実は**天然果実**，賃貸用建物から毎月生じる賃料は**法定果実**といいます。

基本☞

天然果実	抵当地上の農作物など，物から自然に産み出される経済的収益
法定果実	賃料など，物の使用の対価として受ける収益

田や果樹園などの農地や賃貸用建物に抵当権が設定されても，その産物である「果実」には，原則として，抵当権の効力は及びません。なぜなら，抵当権という権利は，そもそも抵当不動産の使用・収益を抵当権設定者に委ねることを本質とするからです。

ただし，被担保債権について**債務不履行**があった**後**は，その後に生じた**果実**には，**抵当権**の**効力**が**及びます**。天然果実，法定果実を問いません。

メモ

なお，法定果実については，別途，個別的な差押えにより，抵当権の効力を及ぼすこともできる（物上代位）。

（3）優先弁済の範囲（375条）

抵当権の目的は，**他の債権者に先立って優先的に弁済を受けること**ですが，抵当不動産の実行にあたり優先弁済を受けられるのは，**元本**のほかは，**満期**となった**最後の２年分の利息等**についてのみです。債権額全額が，常に優先弁済の対象となるわけではありません。

基本☞

元　本	全額担保される
利息・損害金等	原則として，満期となった最後の２年分のみ

プラスα

なぜ「最後の２年分」に限られるのか：

もし，先順位抵当権者の優先弁済額が決まっていず，かつ１番抵当権者が権利を行使せず年月が経過すると，利息が膨らんで後順位者の「取り分」は年々減少していくことになる。そうすると，後順位者は安心して抵当権の設定ができない。つまり，後順位抵当権者や一般債権者を保護し，かつ，設定者に抵当不動産の余剰価値の利用をさせようとするために，利息等につき優先弁済を受けられるのは「最後の２年分」に限ることとした。なお，他に債権者等がいないときは，抵当権者の配当額は，最後の２年分の利息等に制限されない（判例）。

6 建物を保護するための制度――法定地上権と一括競売

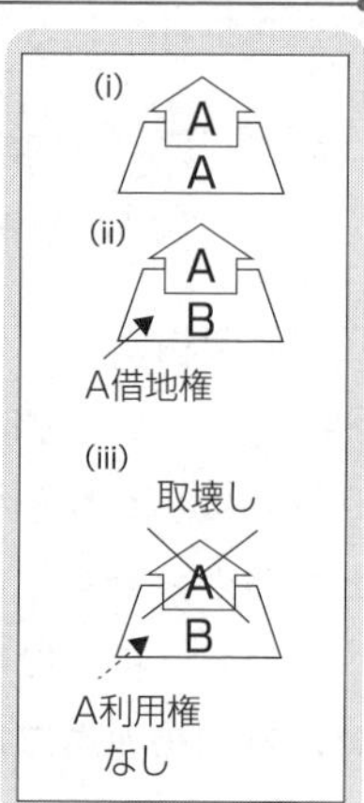

土地上に建物が存する場合において，(i) その両方が同じ人の所有物である場合や，(ii) 所有者が異なる場合でも建物のために土地の利用権（借地権など）が設定されている場合には，その土地上の建物を取り壊す必要はありません。

しかし，もし (iii) **土地と地上にある建物の所有者が異なり**，建物について**土地の利用権がない**場合には，建物は土地の不法占拠となって，建物は取り壊される運命にあります。また，建物所有者は土地の明渡し（退去）も必要となります。

そこで，抵当権の実行により競売が行われた場合にも，建物の価値を認めて取壊しを防ぐ方法を定めておく必要があり，それが，**法定地上権**と**一括競売**の制度です。

（1）法定地上権（388条）

①「法定地上権」とは

法定地上権とは，競売の結果，土地と建物が別の人の所有物となったとき，その土地上に，法律上**当然に地上権が発生する**ということにして，建物を救済する制度です。

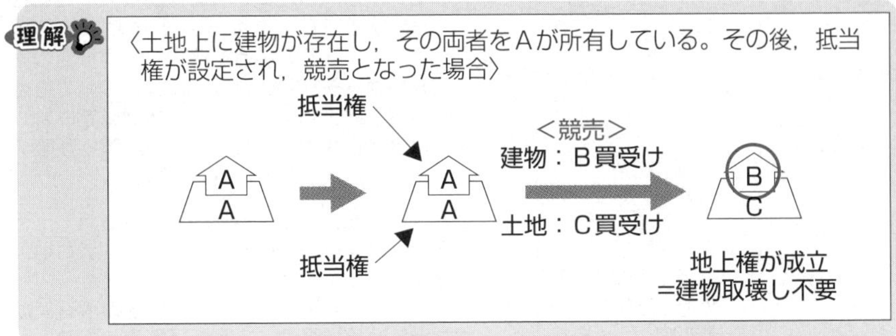

すなわち，土地と建物は別個の不動産であるため，土地上に建物が存在する場合でも別個に抵当権が設定され，その後競売に至ると，それぞれ別々の者が買い受けて**所有者が別々**になってしまう可能性があります。

この場合，建物の所有者が，土地の所有者から建物を収去して（取り壊して）土地を明け渡せと請求されてしまう不都合が生じるので，これを回避するため，競落の際に，当然に地上権が発生することにしたわけです。

② 成立要件

法定地上権は，次の①～③の要件のすべてが満たされたときに成立します。

すなわち，

> **① 抵当権設定当時，土地上に建物が存在すること**
> **② 抵当権設定当時，土地と建物の所有者が同一であること**
> **③ 競売の結果，土地と建物の所有者が異なるに至ったこと**

の3つです。

次ページ表中の「判例のポイント」も併せておさえてください。

理解

成立要件	判例のポイント
① 抵当権設定当時，土地上に建物が存在すること	（ア）抵当権の設定は，土地のみ，建物のみ，両方のいずれでもよい （イ）法定地上権の成立については，土地・建物とも，必ずしも登記されている必要はない （ウ）土地に抵当権を設定した当時，土地上に建物が存在していたが，その後，その建物が滅失した場合は，再築・登記されたときに，法定地上権が成立する （関連判例）一戸建ての土地と建物が共同抵当の場合で建物が滅失・再築されたときは，改めて抵当権が設定されない限り，法定地上権は成立しない （エ）更地に抵当権が設定され，その後に建物が築造された場合は，法定地上権は成立しない
② 抵当権設定当時，土地と建物の所有者が同一	（ア）抵当権設定後，土地・建物が売買等されて，それぞれの所有者が異なったとしても，法定地上権は成立する （イ）1番抵当権の設定当時，土地と建物の所有者が異なっている場合は，2番抵当権設定当時に土地と建物の所有者が同一となっていても，法定地上権は成立しない
③ 競売の結果，土地と建物の所有者が異なるに至ったこと	

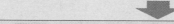

設定時 ←―― 途中の経過は問わない ――→ 実行時

設定時 ↑
① 土地の上に建物があること
② 土地・建物が同一人の所有であること

実行時 ↑
③ 競売により土地と建物の所有者が異なるに至ったこと

メモ

「判例」の考え方：土地の上に「その」建物が存在するとしてその土地の（担保）価値を評価していたか否かが，法定地上権が成立するか否かのポイントとなる。

（2）一括競売制度（389条）

① 「一括競売」とは（抵当地上の建物の競売）

更地に抵当権を設定した後，抵当地に**建物が築造**されたときは，抵当権が実行され土地が競売されても，**法定地上権は成立しません**。土地が更地として（高額で）評価された後に建物が築造されて，その建物のために土地の利用権が成立して建物を取り壊すことができないとすると，土地の評価は下がり抵当権者に不測の損害を与えるおそれがあるからです。

そこで，本来なら建物は取り壊して土地を明け渡すべき場合でも，建物の価値を認めて建物の取壊しを避ける方法として，**土地**とともに**建物**を**一括**して**売却**する競売手続を行って，同じ人が両方を一緒に買い受けることとするのが，**一括競売制度**です。

すなわち，一括競売制度とは，土地に抵当権が設定・登記された後その土地上に建物が築造された場合，土地に設定された抵当権の実行として競売を申し立てるときは，その土地とともに，抵当権は設定されていない建物についての競売も，あわせて申し立てることができる制度ということになります。

次の図は，Aが更地に抵当権を設定した後，A（またはB）が建物を築造し，その後，抵当権が実行され，土地・建物の両方をCが競落した例です。

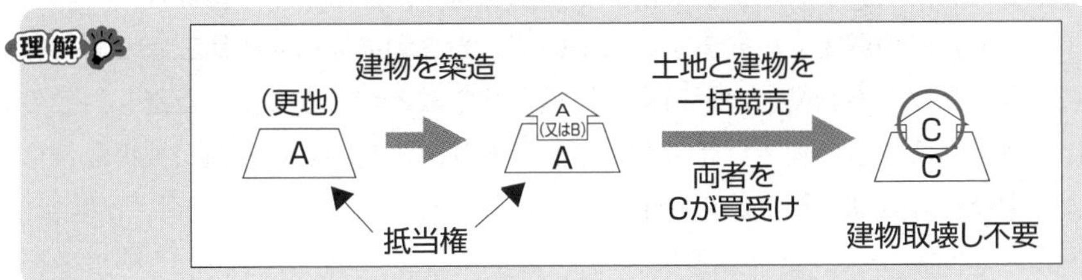

メモ
・建物の築造者は，土地の所有者以外でも構わない。
・建物の所有者に，借地権など抵当権者に優先する土地の占有権限がある場合は，一括競売はできない。

② 一括競売の効力

一括競売する場合であっても，抵当権は，あくまで土地に設定したものであり，建物にまでその効力が及ばないので，抵当権者が**優先弁済**を受けることができるのは，**土地**の**代価**についてのみ，となります。

7 抵当権を消滅させる方法（抵当不動産の買主等の保護）

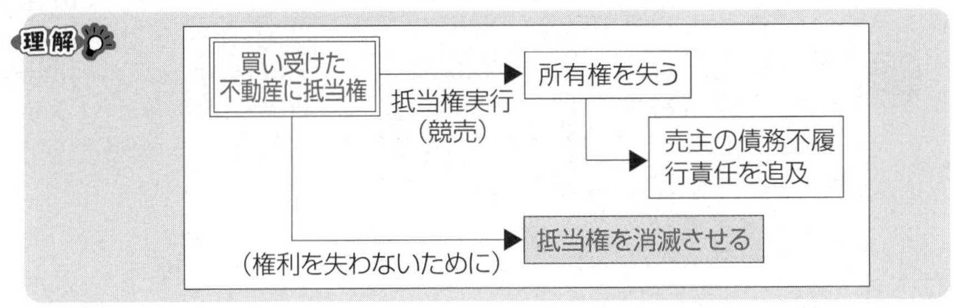

抵当不動産について売買が行われた後，競売によって抵当権が実行されると，買主はせっかく買い受けた権利を失うことになります。そこで，抵当不動産の買主（**第三取得者**）に，抵当権を消滅させる手段を与えることとしました。

一般的には，抵当権付きのまま不動産を売買することは稀ですが，ここではそのような売買が行われたとして考えてみましょう。

抵当権を**消滅**させる**方法**は**3つ**考えられます。

（1）第三者弁済（474条）

債務の弁済は，**債務者以外の第三者**も，原則として**弁済**することができます。**第三者弁済**が成立すれば債務が消滅し，**抵当権**も**消滅**します（**付従性**）。

抵当不動産の**買主**も，**弁済するについて正当な利益を有する第三者**として弁済し，買い受けた不動産上の抵当権を消滅させることができます。ただし，この場合，被担保債権額の全額を弁済する必要があり，抵当不動産の額が被担保債権額より少ない場合は，経済的に利用しにくいといえます。

（2）代価弁済（378条）

抵当不動産について**所有権**または**地上権**を**買い受けた者**が，**抵当権者の請求に応じて売買代価**を支払ったとき，**抵当権が消滅**するという制度です。

代価弁済がなされると，代金額（売買代価）が被担保債権額に満たない場合でも，抵当権は消滅します。

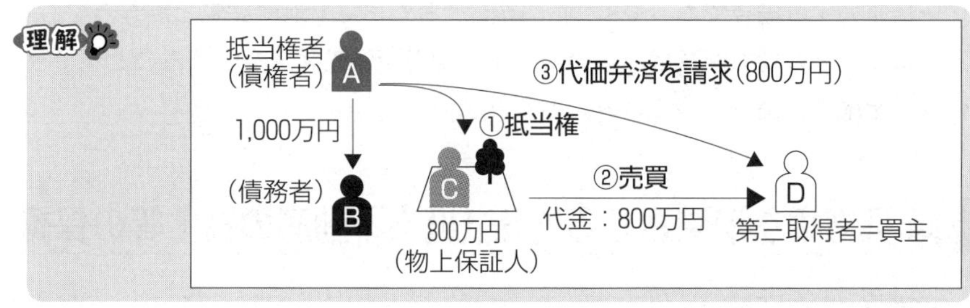

メモ

ＡがＤに代価弁済を請求。これにＤが応じて，Ｃに支払うべき800万円をＡに支払うと，抵当権は消滅する。Ａの債権の額は200万円となり（無担保），ＤからＣへの支払いはゼロに，また，ＣはＢに求償することとなる。

（3）抵当権消滅請求（379条〜）

① 「抵当権消滅請求」とは

抵当不動産につき所有権を取得した者（**第三取得者**）が，**登記**した**各債権者**に対し，**自分が適当と思う金額**（その不動産の買受け額とは限らない）を**提供**して，**抵当権**を**消滅**させてほしいと**要求する制度**です。なお，その際は，提供する金額等の一定の事項を記載した所定の書面を送付する必要があります。

登記した全債権者が承諾し，その代価が**払い渡された**，または**供託**されたとき，抵当権は消滅します。

i）登記した全債権者の承諾
＋
ii）承諾を得た代価の払渡し（供託）

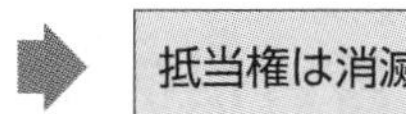

抵当権消滅請求は，抵当不動産の買主からのアプローチに対し抵当権者が応ずるという形になる。なお，**（2）**の代価弁済はこの逆で，抵当権者からのアプローチになる。

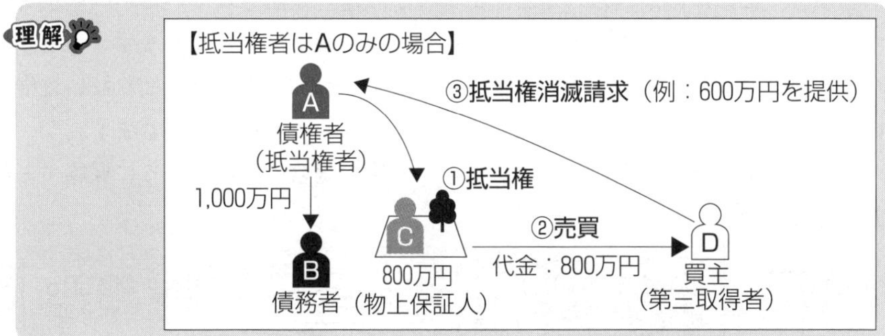

メモ

・上図は，抵当権者はＡのみで，ＤがＡに抵当権消滅請求（例えば600万円）をした場合である。Ａが承諾し，代価が払い渡されると，抵当権は消滅し，Ａの債権の額は400万円となる（無担保）。Ｄは，Ｃに600万円を求償することとなる（実際には，Ｄは800万円－600万円＝200万円を支払う）。なお，ＤはＢに600万円求償することもできる。

・**抵当権消滅請求を行う時期**：抵当権実行としての競売の差押えの効力が発生する前まで
・書面の送付を受けた者が，２カ月以内に抵当権を実行して競売の申立てをしない場合は，その債権者は，第三取得者が提供した金額を承諾したものとみなされる。
・債務者，保証人などには，抵当権消滅請求は認められない。自ら被担保債務の全部を支払うべき義務があるため，その全額を支払わない限り，抵当権を消滅させることができないからである。

②　代金支払の拒絶（577条）

買い受けた不動産について，契約の内容に適合しない抵当権の登記があるときは，**買主**は，抵当権消滅請求の手続が終わるまで，その代金の**支払い**を**拒む**ことができます。

8 賃貸借の保護等（387条，395条）

抵当不動産の使用・収益は抵当権設定者に委ねられていますので，抵当不動産の所有者は，抵当不動産を自由に賃貸することができます。しかし，**抵当権設定登記後の賃借権**は，その**抵当権に劣後**するので，**抵当権が実行**（**競売**）されると賃借権は**消滅**し，賃借人は，原則として，即時に立ち退かなければなりません。

しかし，この原則が貫かれると，抵当権が設定・登記されている不動産を賃借する者がいなくなり，事実上，抵当目的物の賃貸は不可能となります。また，場合によっては，賃借した不動産に抵当権が設定されていることを知らない賃借人に予期しない損害を与えることにもなるなど，様々な不都合が生じます。

そこで，抵当権設定登記後の賃貸借を，**一定の場合**に，次のように**保護**することとしました。

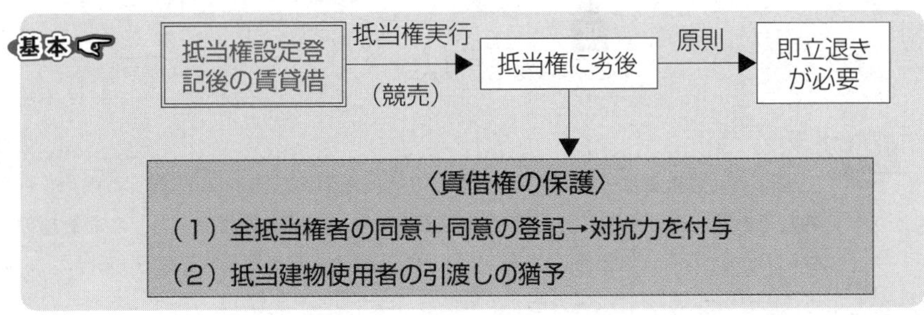

（1）抵当権者の同意の登記により賃貸借に対抗力を付与する制度（387条）

これは，**登記した賃貸借**について，**その登記前**に，登記した**全抵当権者**が**同意**し，かつ，その**同意の登記**があるときは，**賃貸借**は，同意をした**抵当権者に対抗**できるとする制度です。

債権者が，抵当不動産を競売等してその売却代金により優先弁済を受けるよりも，その不動産が優良な賃貸物件であり賃料による債権の回収を図ることのほうが適当であると判断する場合に，抵当権者による「**同意＋同意の登記**」が行われることがあります。

この場合には，賃借権が存続します。

メモ

利害関係人がいれば，その承諾も必要である。

（2）抵当建物使用者の引渡しの猶予制度（395条）

抵当権の目的物である建物が競売された場合，賃貸借は終了しますが，「**抵当建物使用者**」（競売手続前からその建物を使用する者など）は，買受人の買受けの時より**6カ月を経過**するまでは，その建物の引渡しを**猶予**されます。

引渡しまでの間，建物使用の対価（賃料相当額）を支払う必要があり，かつ，最終的には建物を引き渡さなければならないものの，一定の猶予期間が認められることになります。

メモ

この制度の対象は，「**抵当建物**」であって，**土地ではない**点に注意。

9 抵当権の侵害に対する救済

（1）侵害に対する妨害排除請求

抵当目的物の**価値を低下**させる行為がある場合は，抵当権の侵害として，抵当権者は，抵当権に基づき，その行為の**排除**や**停止**を請求することができます。

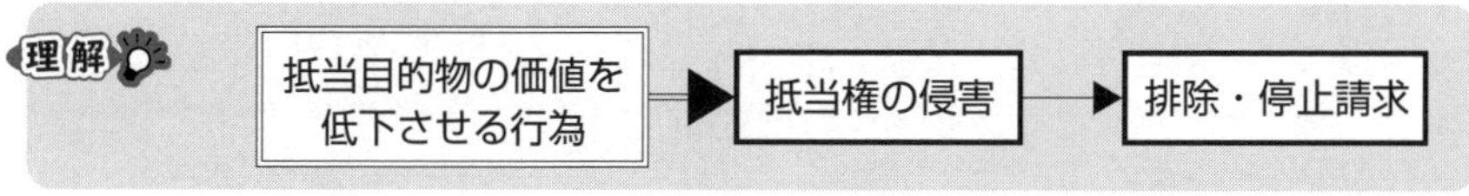

例えば，抵当権が設定されている山林の立木が不当に伐採されている場合，抵

当権者は，抵当権に基づく妨害排除請求として，伐木（伐採された木）の搬出を禁止することができます（判例）。

プラスα

・この場合，抵当不動産の価値が減少し，残部の価額によって被担保債権の額を担保できなくなることまでは必要とされていない（判例）。
・抵当地上に建物を築造する行為自体は，必ずしも抵当権の侵害となるわけではないため，原則として，禁止されない（判例）。
・**請求時期**：妨害排除の請求は，被担保債権の弁済期が到来する前でも可能である（判例）。

（2）損害賠償請求

抵当権の**侵害**によって**損害**が生じたときは，不法行為に基づく**損害賠償請求権**が発生します。

メモ

損害が生じたというためには，目的物の価値が減少したために被担保債権の弁済を受けることができなくなることが必要である（判例）。また，請求時期については，少なくとも弁済期以降でなければ，損害の賠償は請求できない（判例）。

10 抵当権の消滅時効（396条）

抵当権は，**債務者**及び**抵当権設定者**に対しては，その抵当権によって担保されている**債権と同時**でなければ**消滅時効**にかかりません。これは，「被担保債権の消滅時効が完成猶予されている限り，債務者と抵当権設定者は，抵当権だけが単独で時効により消滅することを主張できない」という意味です。

なお，**第三取得者**など**債務者及び抵当権設定者以外の者**に対しては，時効制度の原則どおり，抵当権も，**20年間**権利を行使しないと**消滅**します。

11 根抵当権（398条の2～）

根抵当権とは，継続的取引契約によって生じる債権などのように**一定の範囲**に属する**不特定の債権**を，**極度額**という限度額まで**担保**する**抵当権**をいいます。

例えば，A銀行とB商店の間の当座貸越・手形割引などの契約に基づいて，Bが，自己所有の時価1億円の土地に，極度額を5,000万円として根抵当権を設定・登記した場合などです。

（1）根抵当権の被担保債権

普通抵当権の被担保債権は，例えば，AB間における○月×日の額面・利息いくらいくらの債権というように特定したものです。

これに対して，**根抵当権**は，銀行等の金融機関と商人，メーカーと卸商，卸商と小売商などのように，**継続的に取引**が行われ債権の**発生・消滅が繰り返される**当事者間の**不特定多数**の**債権**を，**一括して担保**するため利用されます。

メモ

包括根抵当（債権者と債務者の間に生ずるすべての債権を担保するという根抵当）は，認められていない。

（2）付従性・随伴性の緩和

このように，権利自体が特定の債権と結びつかないため，**根抵当権**では**付従性**が**大幅**に**緩和**されています。例えば，現在**発生していない債権**を**被担保債権**として，根抵当権を設定できますし，逆に，現在根抵当権で**担保されている債権**が（弁済等により）**消滅**しても，根抵当権は**消滅しません**。

また，**元本確定前**の**根抵当権**は，被担保債権に対して**随伴性**が**ありません**。

メモ

元本の確定前に，根抵当権者から債権を取得しても，その債権について根抵当権を取得するわけではない。

（3）極度額

根抵当権によって**担保される枠の限度**（根抵当権によって担保される上限額）を，**極度額**といいます。

根抵当権は，この極度額まで**元本**，**利息**や**違約金等全部**を**担保**し，普通抵当権のように，「利息等について満期となった最後の２年分のみ」といった制限がありません。つまり，極度額内においては制限なく担保しますが，逆に，極度額を超えては一切担保しません。

プラスα

極度額の変更：極度額は，当事者の合意により，利害関係人（極度額を大きくする場合は後順位抵当権者，小さくする場合は転抵当権者など）の承諾を得て，変更できる。また，元本確定の時期の前後を問わない。

極度額の減額請求：元本の確定後において，根抵当権設定者は，極度額を，「債務額＋以後２年間に生ずる利息等及び債務不履行による損害賠償の額」を加えた額に減額することを請求できる。

（4）元本の確定

根抵当権を**実行**するにあたっては，**元本**を**確定**しなければなりません。

①　確定期日

根抵当権において，その**期日**に**存在する元本債権のみが担保**され，それ以後に発生する元本債権は担保されない，という期日のことを，**確定期日**といいます。被担保債権の額は絶えず変動するため，抵当権を実行する際には，債権とその額を固定する必要があるからです。

②　確定請求

元本の確定期日が定められているときは，それによりますが，定められていないとき，**当事者**は，**元本の確定を請求**することができます。

理解

根抵当権設定者からの確定請求	根抵当権設定時より３年経過時以後，可能 →元本は，請求時より２週間後に確定
根抵当権者からの確定請求	いつでも可能 →元本は，その請求時に確定

③ 根抵当権の変更

根抵当権の内容は，次のように変更できます。

暗記

○：できる　×：できない

	変更可能な時期		利害関係人の承諾	登記
	元本確定前	元本確定後		
被担保債権の範囲の変更	○	×	不要	必要（登記によって効力が生じる）
債務者の変更	○	×	不要	必要（登記によって効力が生じる）
確定期日の変更	○	×	不要	必要（登記によって効力が生じる）
極度額の変更	○	○	必要	必要（登記によって効力が生じる）

メモ

・設定当初において確定期日は定めないこともできるし，これを定め，元本確定前であれば定めた期日を変更することもできる。

・元本の確定前であれば，当事者は，被担保債権の範囲や債務者について変更することができる。利害関係人の承諾は不要。

・極度額の変更は，元本確定後でも可能。ただし，利害関係人の承諾が必要。

第3章 債　権

データ 【直近12年間の出題実績＆攻略法】

項目	H25	H26	H27	H28	H29	H30	R1	R2	R3	R4	R5	R6	重要度
連帯債務・保証債務等	●				●	●		●	●				B
債権譲渡		●		●		●			●				A
売買			●		●	●	●	●		●		●	S
債務不履行・契約の解除		●	●	●	●		●	●	●			●	S
弁済・相殺	●			●		●	●	●	●		●		A
賃貸借	●	●	●	●		●		●	●	●	●	●	S
その他の契約					●		●	●	●	●	●	●	C
不法行為	●	●					●		●			●	A

債権からの出題は例年４～５問。範囲は広く，この分野を完璧にマスターしようとすると時間がかかる。出題頻度の高いテーマについて，しっかり得点できるようにしよう。

まず学習すべきテーマは，「売買」「賃貸借」「債務不履行・契約の解除」「不法行為」。すべて「必ず毎年出る」わけではないが，これらからは例年３問は出題される。ここで確実に得点することが大切だ。

1 連帯債務

ウォームアップ

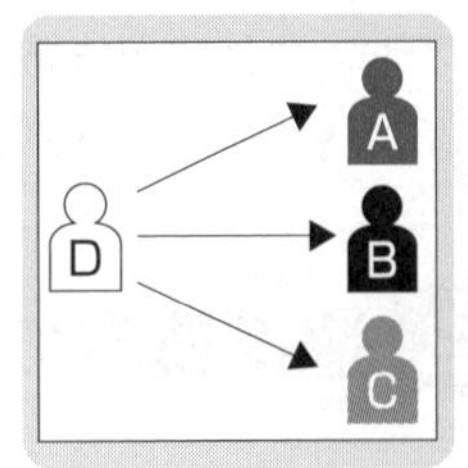

例えば，A・B・Cが，合計3,000万円の債務を債権者Dに対して負っている場合，民法上の原則としては，Dは，A・B・Cそれぞれに対し1,000万円ずつしか請求することができません（分割債権債務の原則）。

この場合に，例えば，債務者Aが無資力となって弁済が一切できなくなると，Dは，B及びCからそれぞれ1,000万円（合計2,000万円）の弁済を受けるにとどまってしまいます。いわば，債務者が無資力となるリスクを，債権者が負うことになるわけです。

そこで，**債務者**が**複数人**いる場合に，債権者に対して**債務者全員**が**全額の**弁済をしなければならないとすれば，債権者は，確実に債権の回収を図ることができて，安心です。

このように，**債権を強化する仕組み**が，**連帯債務**です。

1 「連帯債務」とは (436条)

連帯債務とは，**数人の債務者**が，同じ内容の給付について，それぞれ**独立**して**全部の弁済**をするという**債務**を負い，そのうちの**1人**が債務を**弁済**すれば，他の債務者**全員**も**債務を免れる**，という**多数当事者の関係**をいいます。つまり，債権を強化し，債権者が確実に弁済を受けることが，その目的です。

例えば，債権者Dと債務者A・B・Cとの関係が連帯債務関係の場合，DはA・B・Cそれぞれに3,000万円全額の請求ができ，また，A・B・Cもそれぞれ3,000万円の支払義務を負います。つまり，債権者との関係では，**連帯債務者**A・B・Cは，それぞれ，**債務額**の**全額**の支払をしなければならない点がポイントです（**外部関係**）。

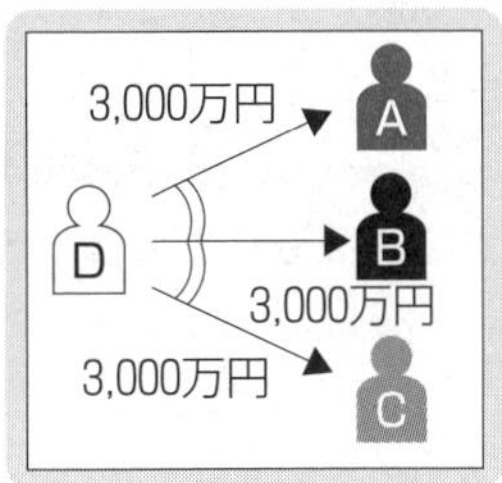

弁済後は，A・B・C間で決することになります（**内部関係**）。この際に基準となるのが「**負担部分**」（内部的負担割合）で，例えば，A・B・Cの負担部分が平等である場合で，Aが3,000万円を弁済した場合は，B・Cに各自の負担部分（1／3）にあたる1,000万円ずつを**求償**（請求）することができます（**求償関係**）。

なお，弁済額が債務全額の弁済でない場合も（一部弁済），負担部分の割合で求償できます。弁済額が自己の負担部分を超えない場合も同様です。

2 連帯債務の成立・効力（436条，437条）

（1）連帯債務の成立

連帯債務は，**契約**や**法律の規定**などによって**成立**します。

プラスα

・**数人が同時に不法行為を行い損害が発生した場合**：
その**損害賠償債務**は，法律上当然に，共同不法行為者の**連帯債務**となる。

・**連帯債務者の１人について取消し等がある場合**：
連帯債務者の１人について無効または取消しの原因があっても，他の連帯債務者について有効な債務が成立する。例えば，**連帯債務者の１人**Aが，錯誤によって契約したとして連帯債務契約を取り消し，**連帯債務の関係から離脱**しても，B及びCは，そのまま**連帯債務者**として**債務全額**を**負担**する。

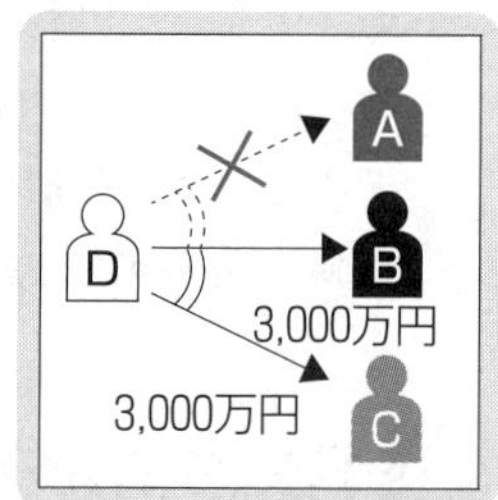

（2）連帯債務の請求の方法

債権者は，債権額の**満額の弁済**を受けるまで，**連帯債務者の任意の１人**に対し，債権額の一部だけを請求でき，あるいは，**債務者全員**に対して全額の請求をすることもできます。つまり，債務の全部の履行を請求してもよいし，一部を請求しても構いません。また，全員同時に請求してもよいし，順次に請求することもできます。

もちろん，債権満額より多い額を受け取ることはできませんが，満額に至るまで，連帯債務者の誰に対しても，いくらでも請求できることになります。

3 連帯債務者の１人について生じた事由の効力（連帯債務の３つの絶対効）

債務者が多数いる場合でも，そのうちの**１人**が**債務を弁済**すると，弁済した分だけ，**他の債務者の債務も消滅**します。連帯債務以外の関係でも同様ですが，これを「**弁済**に**絶対的効力**（絶対効）がある」と表現します。

> **・弁済には常に「絶対効」がある**
> **・１人が弁済すれば，他の債務者の債務も，弁済された額の全額について消滅する**

民法の原則では，このような**債権者**に**満足を与える事由**（**弁済・代物弁済等**）**以外**については，債務者の１人について生じた事由の効力は，**他の債務者**に**影響を与えません**（**相対的効力**の原則）。

ただし，**連帯債務**においては，弁済のほか，さらに以下の**更改・相殺・混同**の３つの事由について，連帯債務者の１人について生じた事由の効力を**他の連帯債務者**にも**及ぼす**としています（**連帯債務の絶対的効力**）。

法律関係を簡易に決済するのが，その目的です。

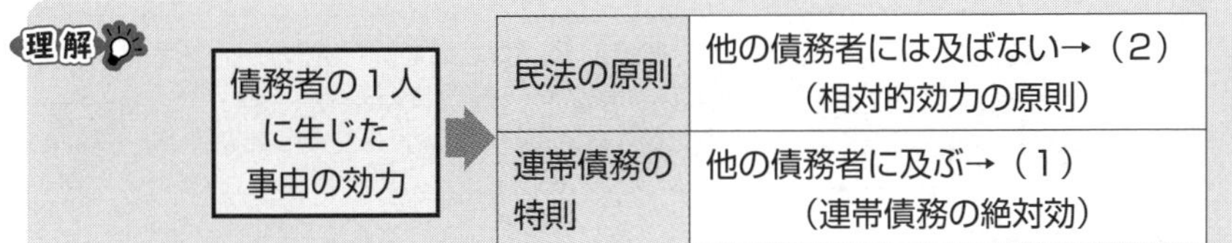

理解
債務者の１人に生じた事由の効力
民法の原則
他の債務者には及ばない→（2）
（相対的効力の原則）
連帯債務の特則
他の債務者に及ぶ→（1）
（連帯債務の絶対効）

（1）絶対的効力をもつ事由（他の連帯債務者にも効力が及ぶ事由）

上記を前提に，具体的に考えていきましょう。

① **更改**（438条）

連帯債務者の**１人と債権者**の間に**更改**が生じたときは，**債権**は，全ての連帯債務者の利益のために**消滅**します。

用語 ・**更改**：旧債務を消滅させ，新しい債務を成立させること。新旧の債務は，同一性を有さず，それぞれ別の債務となる

メモ
例えば，債権者Ｄと連帯債務者の１人Ａが，3,000万円の金銭債務について，Ａが所有する甲地の所有権をＤに移転する債務に更改する契約をした場合，ＢとＣの3,000万円を支払う債務は消滅する。

② 相殺（439条）

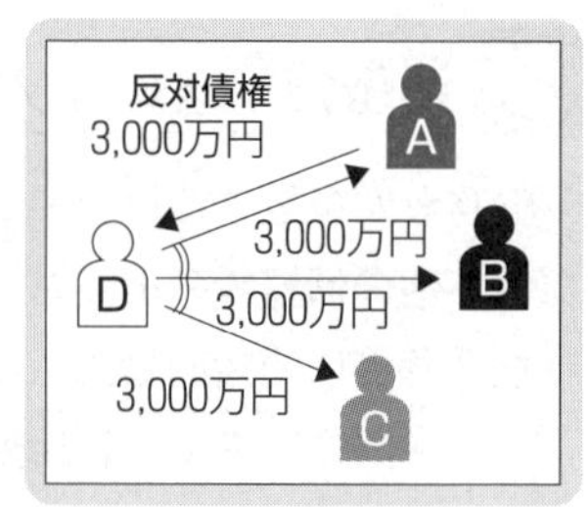

債権者Ｄに対し3,000万円の**連帯債務**を負うＡ・Ｂ・Ｃ（負担部分は平等）のうち，ＡがＤに対して3,000万円の**反対債権**を有している場合を考えてみましょう。

（ア）反対債権を有している連帯債務者が**相殺を援用**すると，**債権**は，全ての連帯債務者の利益のために**消滅**します。

メモ

反対債権を有しているＡが相殺を援用すると，Ａは債務を免れるとともに，Ｂ・Ｃも債務を免れる。Ａは，Ｂ・Ｃのそれぞれに対し，負担部分（債務全体の３分の１に相当する1,000万円）を求償することになる。

（イ）反対債権を有する連帯債務者が**相殺を援用しない間**は，その連帯債務者の**負担部分を限度**に，**他の連帯債務者**は，債権者に対して債務の履行を**拒むことができます**。

メモ

Ａが相殺するまで，Ｂ・Ｃは，Ａの負担部分（②の例では1,000万円）を限度に，債務の履行を拒むことができる。すると，実質上1,000万円分債務が減り，債務は2,000万円になる。つまり，2,000万円弁済すれば免責されることになる。

③ 混同（440条）

連帯債務者の１人と債権者との間に**混同**が生じると，その連帯債務者は**弁済**したとみなされます。

用語 ・**混同**：債権者（権利者）の地位と債務者（義務者）の地位が，相続や法人の合併などで同一人に帰すること。債権（権利）は存在意味を失い，消滅する。ただし，その権利が第三者の権利の目的であるときは，例外的に消滅しない。

メモ

②の例でいえば，ＡがＤを単独で相続すると，混同が生じる。混同によって，Ａは弁済したとみなされるので，Ｂ・Ｃの債務も消滅する。後は求償関係が残り，Ａは，Ｂ・Ｃのそれぞれに対して負担部分（1,000万円）の求償をすることができる。

暗記 〈連帯債務の絶対効〉

「こん・かい（は）・そうさいします」＝「混同」「更改」「相殺」に絶対効あり

⬇

債務全部が消滅する場合	弁済・更改・反対債権を有する者の相殺援用・混同
負担部分につき履行拒絶	反対債権を有する者が相殺援用するまでの間は可能

(2) 相対的効力をもつ事由（他の連帯債務者に効力が及ばない事由）(441条)

絶対的効力をもつ事由のほかは，全て当事者間においてのみ，効力が生じます（**相対的効力**，「相対効」）。具体的には，

① 期限の猶予　② 請求・時効の完成猶予・更新・債務免除
③ 債権譲渡の対抗要件・判決の効力・時効利益の放棄　④ 債務の承認

などが挙げられます。

したがって，例えば前出の例で，債権者Ｄが連帯債務者の１人Ａについてのみ期限を猶予した（履行期を延ばした）としても，他の債務者Ｂ・Ｃについては期限は猶予されず，また，Ａが債務を承認してDA間の債務について消滅時効が更新されても，その効果はＢ・Ｃに及ばないため，DB間・DC間の債務については，時効消滅することも起こり得ます。

プラスα

連帯債務者の１人に対して，**ア）履行を請求**した場合，**イ）債務を免除**した場合，**ウ）時効が完成**した場合のそれぞれについて，他の債務者にその効果が及ぶか否か，考えてみよう（債権額：3,000万円）。

- ア）連帯債務者の１人に対する**履行の請求**は，他の連帯債務者に対してその**効力を生じない**ので，例えば，請求により履行遅滞にする，消滅時効の完成を猶予させるなどの効果を生じさせるには，**債務者全員**に対して**請求**する必要がある。
- イ）債権者が，連帯債務者の１人に対し**債務の免除**をしても，ウ）連帯債務者の１人について**時効が完成**しても，**他の連帯債務者**が支払うべき**債務の額**は**変わらない**。例えば，右のイ）図で，ＤがＡの債務を全額（3,000万円）免除し，または，ウ）図で，Ａの債務について時効が完成した場合は，ＡのＤに対する債務は消滅するものの，ＢとＣは，3,000万円の連帯債務を引き続き負うことになる。

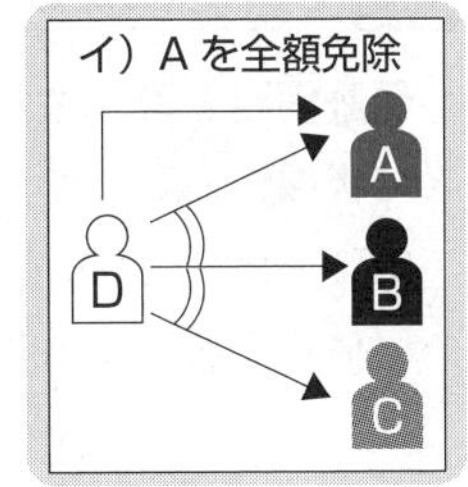

- **連帯債務者の１人との間の免除・時効完成と求償権**：**連帯債務者の１人**に対して**債務の免除**がされ，または

連帯債務者の１人のために**時効が完成**した場合も，他の連帯債務者は，その１人の連帯債務者に対し，**求償権を行使**することができる。
例えば，**イ）**ＤがＡの債務を**全額免除**し（3,000万円），または，**ウ）**Ａの債務について**時効が完成**した，という例で，Ｂがその後，債務の全額を弁済した場合は，Ｂは，Ａに対して負担部分（この例では１／３である1,000万円）につき，求償することができる。

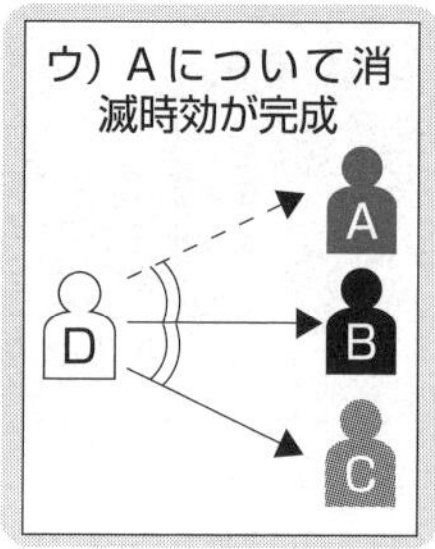

2 保証債務

ウォームアップ

債権の担保の方法（**債権を確実に回収**する方法）のうち，人的担保の代表格が**保証債務**です。
すなわち，主たる債務者が債務の弁済をすることができない場合には，債権者は，あらかじめ保証人と締結しておいた**保証契約**に基づいて，**保証人**から**弁済を受ける**ことで（**保証債務の履行**），債権の回収を確実にするわけです。
実際の保証は，「連帯保証人が複数いる」場合が多いのですが，保証の基本はあくまで「普通保証」。そこで，まず普通保証を概観し，次に，保証人が複数人存在する共同保証及び保証人が主たる債務者と連帯して保証する連帯保証の特徴，それから，拡充された**個人根保証契約**の概要をみることにしましょう。

1 「保証債務」とは（446条）

保証債務とは，**主たる債務者の債務の履行**を債権者に対して**担保**することを内容とする**保証人の債務**をいいます。
保証人は，主たる債務者がその債務を**履行しない**場合に，その債務を履行する**責任**を負います。

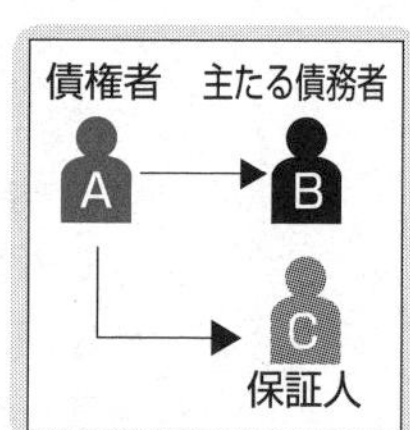

メモ

・担保される債務を**主たる債務**，保証人の債務を**保証債務**という。
・保証の対象となる債務は，金銭債務が一般的だが，金銭債務以外を保証することもできる。

（1）保証債務の成立

保証債務は，**債権者と保証人**との**保証契約**により**成立**します。保証契約は，**書面**（電磁的記録を含む）でしなければ，その**効力を生じません**。

保証人となるには，主たる債務者の委託（依頼）がある場合が一般的ですが，保証契約の**当事者**はあくまで**債権者と保証人**であって，主たる債務者は保証契約の当事者ではありません。そのため，**主たる債務者の委託のない保証**や，主たる債務者の**意思に反する保証**も**可能**です。

メモ

保証委託契約が無効でも，保証債務の成立には影響を与えない（判例）。

（2）保証人の求償権（459条～）

保証人が，主たる債務者に代わって，弁済その他自己の財産をもって債務を消滅させる行為（「**債務の消滅行為**」）をしたときは，そのために支出した財産の額（その財産の額が，消滅した主たる債務の額を超える場合は，消滅した額）を，主たる債務者に対して**求償**できます。

メモ

主たる債務者の委託のある保証において，保証人が主たる債務者にあらかじめ通知をしないで債務の消滅行為をしたときは，主たる債務者は，債権者に対抗できる事由を保証人に対抗できる（保証人の求償が制限されることがある）。

（3）保証人となる資格（450条）

保証人になる資格に，特に**制限はありません**。誰でも保証契約を締結できます。

ただし，保証人を立てることが契約の条件になっている場合など，債務者に**保証人を立てる義務**がある場合は，

①行為能力者であり，かつ，②弁済の資力を有する者

でなければなりません。

この場合，保証人が保証人となった後に弁済の資力を失ったときは，債権者は，

別の保証人を立てるよう請求できます。なお，債権者が保証人を指名した場合には，この制限はありません。

2 保証債務の性質

保証債務は，「主たる債務が履行されないときに履行されるべき」という目的を達成するために，次の性質があります。

（1）保証債務の付従性（448条，457条）

原則として，**主たる債務者に生じた事由**の効力は，**保証人に及ぶ**一方で，**保証人に生じた事由**の効力は，**主たる債務者には及びません**。

基本

〈主たる債務に生じた事由の効力は，保証債務に及ぶ〉

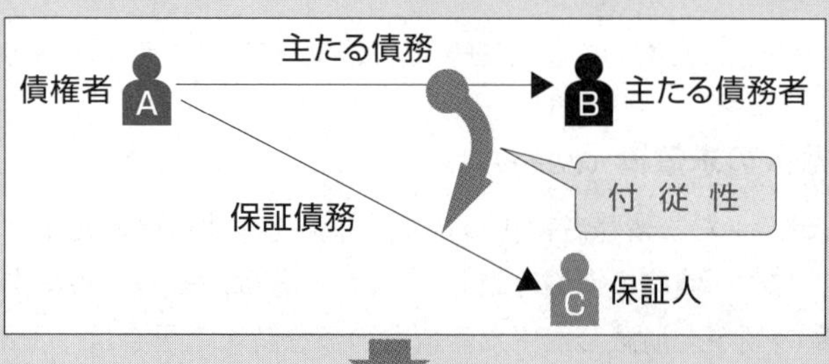

具体例	① **主たる債務者に請求した，または主たる債務者が債務を承認した場合** →主たる債務について時効の完成が猶予・更新 →保証債務の時効も完成猶予・更新 ・保証人に請求，または保証人が承認しても，主たる債務に効果は及ばない ② **主たる債務がなければ保証債務は成立せず，主たる債務が消滅すれば保証債務も消滅する** ③ **保証債務の目的・態様** ・主たる債務より軽いときは，そのまま有効となる ・主たる債務より重いときは，主たる債務の限度に減縮される ・**保証契約の締結後に主たる債務が加重されても，保証人の負担は加重されない**

メモ

時効利益の放棄との関係：

主たる債務が時効で消滅した場合には，主たる債務者が時効利益を放棄しても，保証人は，主たる債務の時効消滅を援用し，保証債務の消滅を主張することができる。

(2) 保証債務の随伴性

主たる債務が債権譲渡などにより**他に移転**した場合には，**保証債務**も，当然にこれに伴って**移転**します。

例えば，BがAに対して負う債務について，Cが保証人となっている場合において，Aがその債権をDに譲渡すれば，Cは，以後Dに対して保証債務を負うことになります。

この場合，債権の譲受人Dは，債務者Bに対する**対抗要件**を備えれば，保証人に対しても**当然に請求**できます。

メモ

債権者Aが債務者Bに債権譲渡の通知をすれば，保証人Cに対する通知またはCの承諾がなくても，譲受人DはCに対抗できる（保証債務の履行を請求できる）。

(3) 保証債務の補充性 (452条，453条)

保証人は，主たる債務者が**債務を履行しない場合にはじめて**その債務を履行するという，主たる債務に対して**補充的**，**二次的**な**責任**を負うにとどまります。

そこで，保証人には，**催告の抗弁**と**検索の抗弁**が認められています。

基本

催告の抗弁	・保証人は，債権者から直接履行の請求があったときは，「まず自分より先に，主たる債務者に**請求**せよ」と主張することができる ・ただし，主たる債務者が破産手続開始の決定を受けたとき，または行方不明のときは，催告の抗弁は行使できない
検索の抗弁	・保証人は，債権者から履行の請求があったとき，「まず主たる債務者の財産について**執行**せよ」と主張することができる ・ただし，保証人は，主たる債務者に弁済の資力があり，かつ，強制執行が容易であることを証明する必要がある

3 主たる債務者について生じた事由の効力 (457条)

保証人は，主たる**債務者**が**主張することができる抗弁**をもって**債権者に対抗することができます**。それが，**相殺の抗弁**，**同時履行の抗弁**などです。

（1）相殺の抗弁

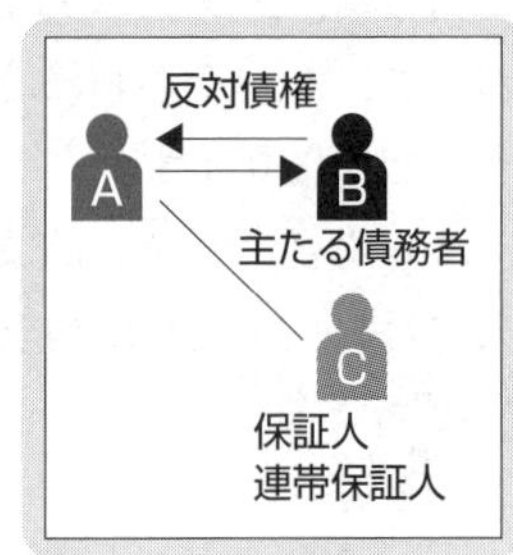

保証人（C）は，**主たる債務者**（B）が債権者（A）に対して**反対債権**を有する場合，**相殺**を**援用**して，その限度において保証債務の**履行を拒む**ことができます。逆に，（連帯）保証人が反対債権を有していても，主たる債務者は相殺の援用をすることができません。

メモ
この保証人からの相殺の抗弁は，保証人が連帯保証人の場合であっても行使できる。

（2）保証人と取消権・解除権の行使

主たる債務者が，債権者に対して**取消権**や**解除権**を有していても，**保証人**は**取消し**や**契約**の**解除**をすることは**できません**。保証人は，取消権者・契約の**当事者**ではないからです。

ただし，**主たる債務者**が取消権や解除権の行使によって**債務を免れる限度**において，**保証人**は，債権者に対して，保証債務の**履行**を**拒むことができます**。

4 保証債務の範囲 (447条)

保証人は，債権者の請求に対し，**主たる債務**に**関連するものすべて**を弁済しなければなりません。

基本

① 保証債務は，特約のない限り，元本のほか，主たる債務に関する利息，違約金，損害賠償，その他その債務に従たる全てのものを包含する ※特に反対の意思表示がない限り，契約解除における原状回復義務についても，保証の対象となる ※なお，一部保証の特約や上限額の設定（根保証。後述参照）は可能
② 保証人は，保証債務についてのみの違約金・損害賠償額の予定をすることができる

5 特殊な保証――共同保証，連帯保証と個人根保証契約

（1）共同保証と分別の利益（456条）

同一の主たる債務について**数人の保証人**がある場合を，**共同保証**といいます。

この場合，各共同保証人は，債務額を**全保証人間で均等に分割**した部分についてのみ，保証債務を負担します。この共同保証人の利益を，**分別の利益**といいます。

メモ

要するに，各保証人は，主たる債務の額を共同保証人の頭数で割った額についてのみ，保証債務を負担することになる。右の図の場合，C・D・Eは，ともに500万円の保証債務を負担することになる。

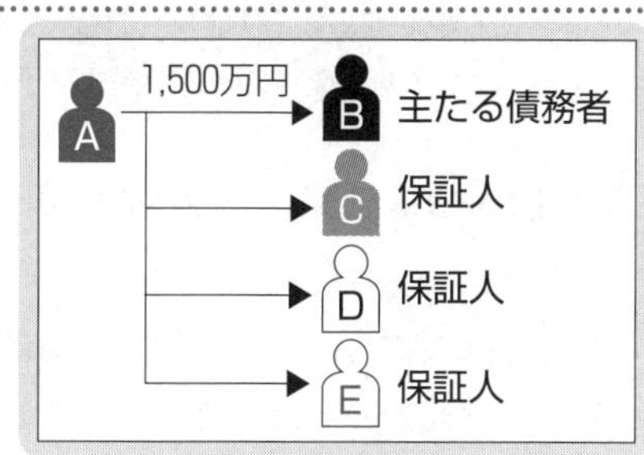

なお，**自己の負担部分を超えて**主たる債務を**消滅**ないし**減少**させた共同保証人の1人は，他の共同保証人に対して，**求償**することができます。

メモ

この場合で，CがAに1,500万円弁済した場合，Cは主たる債務者Bに対して1,500万円の求償権を取得するが，さらに他の共同保証人D・Eに対しても，500万円ずつ求償できる。

（2）連帯保証

① 連帯保証とは

連帯保証とは，保証人が主たる債務者と**連帯**して**保証債務を負担**することをいいます。実務上「保証」といえば，連帯保証を指す場合が一般的です。

債権者は，連帯保証人に対して**債権全額**の請求をすることができます。連帯保証人が数人いる場合も同様です。

② 普通保証との違い（454条，458条）

連帯保証が普通保証（通常の保証）と異なるのは次の2点のみであり，それ以外は，普通保証と同じです。

暗記

補充性がない	連帯保証人は，催告の抗弁と検索の抗弁ができない
分別の利益がない	共同保証の場合でも，各連帯保証人は，主たる債務者と同額の債務を負う。つまり，債権者は，全連帯保証人に全額請求できる

メモ

- 連帯保証も保証の一種であり，付従性があること，主たる債務者の有する反対債権により保証債務の履行を拒むことができることは，普通保証と同様。
- 連帯保証人へ「請求」しても，主たる債務者に「請求」したことにならない（例えば，主たる債務の時効の完成猶予とはならない）点に注意。

（3）個人根保証契約（465条の２～）

例えば，「絶対に迷惑をかけない」などの言葉を信じて，子や友人の借家契約の際に保証人になるなど，保証契約はしばしば個人的な事情により行われる場合が多いのは周知のとおりです。しかし，その結果，予測より多額の保証債務の履行を迫られる事態が生ずるおそれがあります。

継続的な取引から発生する**不特定**の**債務を担保する保証**を「**根保証**」といいますが，将来の債務の額を予想し，**個人が**保証人となるにあたり慎重な判断ができるように，**保証すべき額の上限**（「**極度額**」）を定める必要があります。

不動産の賃貸借にあたり**個人が**賃貸人と保証契約を締結する場合は根保証の典型例ですが，以下，これを念頭に「**個人根保証**」を考えてみましょう。

メモ

担保を提供する側を保護するために担保すべき額の上限を定めるという考え方は，**抵当権と根抵当との関係と似ているが**，**根抵当**は一定の場合に設定することが「**できる**」のに対し，**根保証**は，例えば不動産賃貸借に当たって個人が保証人となる場合は**必ず根保証となる**，という点に違いがある。

① **個人根保証契約**とは，**一定の範囲に属する不特定の債務**を主たる債務とする保証契約（**根保証契約**）であって，保証人が**個人**であるものをいいます。

この場合，保証契約は，個人根保証契約となります。

メモ

根保証でも保証人が法人となる「法人根保証」では，極度額の定めは必須でないなど別の規律に服することとなる。

② 個人根保証の場合も，**保証債務としての範囲**は，根保証以外の一般の保証債務と**同様**です。すなわち，保証の範囲は，**主たる債務の元本**，主たる債務に関する**利息・違約金・損害賠償**その他その**債務に従たる全てのもの**及びその保証債務について約定された**違約金**や**損害賠償の額**に及びます。

ただし，個人根保証の場合，保証人は，その全部に係る「**極度額**」を限度として保証債務を履行する責任を負うこととされ，この点が一般の保証と異なります。

そして，個人根保証契約は，この**極度額**を定めなければ**効力を生じません**。

③ また，個人根保証契約も保証契約なので，**書面**または**電磁的記録**により契約しなければ，その**効力は生じません**。

④ 元本の確定

根保証契約について履行を請求するためには，主たる債務について元本を確定しなければなりません。

個人根保証においては，次の場合に，主たる債務の元本は確定します。

- **債権者が，保証人の財産について，金銭債権についての強制執行または担保権の実行を申し立て，その手続きの開始があったとき**
- **保証人が破産手続開始の決定を受けたとき**
- **主たる債務者または保証人が死亡したとき**

(4) 事業に係る債務についての保証契約－公正証書の作成と保証の効力 (465条の6)

個人が金銭の借入れをする場合に比べ，事業者が金融機関などから事業用資金を借り入れる場合は借入額が大きくなりがちです。

そこで，**個人が**，**事業用資金**の借入れについて保証人となる場合など，

i）事業のために負担した貸金等債務を主たる債務とする保証契約，または，
ii）主たる債務の範囲に事業のために負担する貸金等債務が含まれる根保証契約

については，その契約の締結に先立ち，保証人になろうとする者（**個人**）が，**保証債務を履行する意思**を，その締結の日前1カ月以内に作成された**公正証書により表示**していなければ，保証契約はその**効力を生じません**。

保証契約のリスクを公証人のもとで確認する趣旨ですが，この規定は，個人が保証人になる場合であっても，**賃借人の保証人となる場合などには適用されません**。

6 情報提供義務

保証人は，主たる債務に関する利息，違約金などその債務に従たるすべてを弁済しなければならず，保証債務履行時の弁済額が，保証契約の締結時に想定した額より多くなっている可能性があります。そこで保証人を保護するため，保証人が主たる債務の履行状況を知ることができる制度が情報提供義務の制度です。

(1) 契約締結時の情報の提供義務 (465条の10)

主たる債務者は，**事業用資金の借入れ**について**保証人が個人**となる保証（前述**5**（4） i），ii）参照）の委託をするときは，委託を受ける者に対し，次に掲げる事項に関する情報を提供しなければなりません。

① 財産及び収支の状況
② 主たる債務以外に負担している債務の有無・額，履行状況
③ 主たる債務の担保として他に提供し，または提供しようとするものがあるときは，その旨及びその内容

主たる債務者がこれに違反し，委託を受けた者が誤認をして保証人となった場合には，保証人は，保証契約を取り消すことができる場合があります。

(2) 主たる債務の履行状況に関する債権者の情報提供義務 (458条の２)

主たる債務者の委託のある保証の場合で，保証人の請求があったときは，**債権者は**，保証人に対し，遅滞なく，主たる債務の元本・利息，違約金，損害賠償その他その債務に従たる全てのものについての不履行の有無・残額，そのうち弁済期が到来しているものの額に関する情報を提供しなければなりません。

(3) 主たる債務者が期限の利益を喪失した場合の債権者の情報提供義務 (458条の３)

期限の利益を有していた主たる債務者がその利益を喪失したときは，債権者は，**個人**である保証人に対し，利益の喪失を知った時から２カ月以内に，その旨を通知しなければなりません。

この通知をしなかったときは，債権者は，期限の利益喪失時からこの通知をするまでに生じた遅延損害金について請求することはできません。

なお，上記**(1)**および**(3)**は，保証人が法人である場合には適用されません。

3 可分債権・債務，不可分債権・債務，連帯債権

ウォームアップ　1 2では**連帯債務**・**保証債務**を，**債権の担保の方法**という**制度の効用の側面**から検討してきましたが，**その２つの債務**は，法律関係の当事者が複数である「**多数当事者の法律関係**」でもあります。ここでは，その関係をまとめてみました。

1 分割債権・分割債務の原則 (427条)

数人の債権者・**債務者**があり，債権・債務の目的が，その性質上**可分**であるときは，各債権者・各債務者は，**原則**としてそれぞれ**等しい割合**で**権利**を有し，**義務**を負います。

各債権・各債務はそれぞれ独立したものであり，各債権者は各自の債権を独立して行使し，各債務者は各自の債務を弁済すれば足ります。

また，**１人の債権者**について生じた事由の**効力**は，**他の債権者に影響を与えず**，**１人の債務者**について生じた事由の**効力**も，同様に，**他の債務者**に**影響を与えません**（**相対的効力**）。

2 不可分債権・不可分債務

（1）規定の準用 (428条，430条)

数人の**債権者**・**債務者**があり，債権・債務の**目的**が，その性質上**不可分**であるとき（**不可分債権**・**不可分債務**）は，原則として，それぞれ**連帯債権**・**連帯債務**の規定が**準用**されます。

（2）不可分債権者の１人との間の更改または免除 (429条)

ある連帯債権者との間で当該**不可分債権**について，**更改**または債務の**免除**があった場合は，債権自体が不可分なので，**他の不可分債権者**は，別途，**債務の全**

部の履行を求めることができます。

メモ

ただし，その場合，更改・免除をした不可分債権者は，自己の権利を失わなければ分与されるべき利益（各債権者が有する内部的な持分的利益で，その割合は，原則として平等）について，債務者に償還しなければならない。

（3）可分債権・可分債務への変更（431条）

不可分債権が 可分債権となったとき	各債権者は，**自己が権利を有する部分についてのみ**履行を請求できる
不可分債務が 可分債務となったとき	各債務者は，その**負担部分についてのみ**履行の責任を負う

3 連帯債権

（1）連帯債権とは

連帯債権とは，**数人の債権者**が，同一内容の給付について，**各自独立**して**全部または一部の履行**を**請求**でき，そのうちの**1人が弁済**を受けた場合には，その範囲において**他の債権者**の債権も**消滅**する，**多数当事者の債権関係**をいいます。

メモ

・連帯債権は，債権の目的が，その性質上可分である場合において，法令の規定または当事者の意思表示によって成立する。

例 転借人に対する転貸人と原賃貸人の賃料請求権など

・各連帯債権者は，債権について，それぞれ内部的な持分を有する。

（2）連帯債権者による履行の請求等（432条）

連帯債権においては，**各債権者**は，**全ての債権者**のために**全部または一部**の**履行**を**請求**することができ，**債務者**は，**全ての債権者**のために**各債権者**に対して**履行**をすることができます。

例 例えば，連帯債権の額が200万円，各連帯債権者間の内部的な持分が平等である場合において，債務者ＣがＡに対して債務全額を弁済した場合には，Ｃの債務は消滅し，Ａは，Ｂに対して，100万円を分与する関係になる。

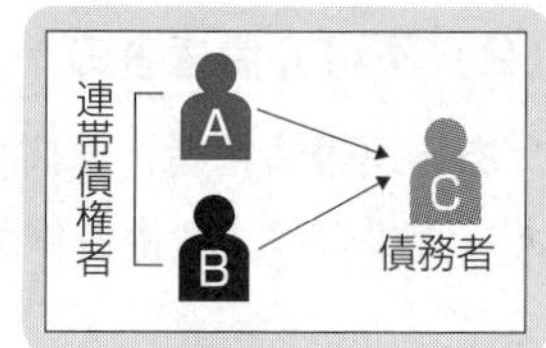

(3) 混同・相殺の絶対的効力 (434条, 435条)

連帯債権者の1人と**債務者**との間に**混同**があったときは，債務者は，**弁済**をしたと**みなされます**。

メモ

(2) の例 (連帯債権額200万円) で，AとCの間で混同があったときは，連帯債権は消滅し，Bは，Aに100万円の求償を求めることになる。

また，**債務者**が**連帯債権者**の**1人**に対して**債権**を有する場合で，その債務者が**相殺**を**援用**したときは，**他の連帯債権者**に対してもその**効力**を生じます。

メモ

(2) の例 (連帯債権額200万円) で，CがAに対して200万円の反対債権を有し相殺を援用した場合には，Bは，Cに対する連帯債権を行使することができなくなるので，Aに100万円の求償を求めることになる。

(4) 更改・免除の絶対的効力 (433条)

連帯債権者の**1人と債務者**との間に**更改・免除**があったときは，その連帯債権者が，自己の**権利**を失わなければ**分与**されるべき**利益** (連帯債権について各連帯債権者が有する持分的利益) に係る部分については，**他の連帯債権者**は，**履行を請求**することが**できません**。

メモ

(2) の例 (連帯債権額200万円) で，AとCの間で更改または債務の全額の免除があった場合には，Bは，Aの持分的利益である100万円について，Cに対し履行の請求をすることができないことになる (残りの100万円のみ履行請求できる)。

(5) 相対的効力の原則 (435条の2)

以上のほか，**連帯債権者**の**1人の行為**または**1人について生じた事由**は，原則として，**他**の**連帯債権者**に対して，その**効力**を**生じません** (**相対的効力の原則**)。

メモ

ただし，連帯債権者の1人と債務者の間の特約で，その連帯債権者について別段の効力を合意することは可能。

4 債権譲渡

ウォームアップ

債権とは，債権者が債務者に対して**一定の行為（給付）を請求する権利**であり，**財産権**の１つとして，債権者が**自由に処分**することができるのが原則です。

すなわち，債権者は，弁済期が到来するまで債権を保持し，**債務者から弁済**を受けて満足を得ることもできるし，あるいは，弁済期前にその債権を**譲渡**して投下した資金を回収するという方法を取ることもできます。後者が「**債権譲渡**」です。

1 「債権譲渡」とは（466条）

例えば，ＡがＢに対して有する**金銭債権**を，Ｃに対して**譲渡**するように，ある債権を**第三者（譲受人）**に**移転**させることを内容とした**債権者（譲渡人）**と**第三者（譲受人）**間の**契約**を，**債権譲渡**といいます。

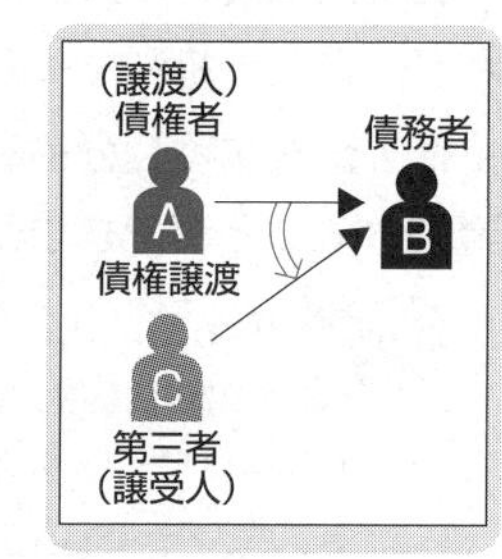

① 債権譲渡自由の原則

債権の譲渡契約は，**当事者**（譲渡人と譲受人）の**合意のみで成立**し，債権は譲渡人から譲受人に移転します。この際，**債務者の承諾**は**必要ありません**。つまり，債権の譲渡は，自由にすることができます（**債権譲渡自由の原則**）。

② 譲渡制限の意思表示

一方で，債権者と債務者は，**特約**で**債権譲渡**を**禁止**し，または**制限**することも**可能**です（**譲渡制限の意思表示**）。なお，その場合でも債権譲渡自体の**効力**は**有効**で，譲受人は新債権者となります。

ただし，**譲受人**が，**譲渡制限**の特約について「**悪意**または**重過失**」である場合（譲渡制限の意思表示がされたことを知り（悪意），または，重大な過失によって知らなかったとき（重過失））は，譲渡制限を反故にされた債務者は，次のⅰ）及びⅱ）の**対抗手段**をとることができます。

譲渡制限の意思表示	・債権者と債務者が**譲渡制限の意思表示**をしたときでも，**譲渡は有効** ・ただし，譲受人が**悪意**または**重過失**の場合，債務者は 　i）**債務の履行を拒むことができる** 　ii）譲渡人に対して弁済したなどの**債務消滅事由**があれば，それを**主張**（対抗）することができる

また，譲渡制限の意思表示がされた金銭債権が譲渡されたときは，債務者は，その債権の全額に相当する金銭を，債務の履行地の供託所に供託することもできます。

プラスα

・債務者が，譲受人の「悪意または重過失」を理由に譲受人からの請求を拒み，一方で債権譲渡を理由に譲渡人からの請求も拒むことがありうることから，債務者がいずれに対しても債務を履行しない場合には，譲受人が債務者に対し，相当の期間を定めて譲渡人への履行を催告することができ，その期間内に履行がないときは，債務者は上の表の，i）及びii）の対抗手段をとることはできなくなることとした。
なお，銀行預金などの「預貯金債権」については，一般に譲渡禁止（譲渡制限の意思表示がある）とされているが，譲受人がこれを知り（悪意）または重大な過失により知らなかった場合には，譲渡は無効とされる。

③ 将来債権の譲渡（466条の6）

将来発生する債権（**将来債権**）を，**現時点で譲渡することができるか**，また，将来債権の**譲渡後**に**譲渡制限特約**を付すことができるのか，という問題です。

i）債権の譲渡は，その**意思表示の時に債権が現に発生**していることは**必要でない**。譲受人は，その債権を，将来発生した時に，当然に取得する
ii）将来債権の**譲渡後**，譲受人に債務者に対する**対抗要件**（次項2参照）**が備わる前**に譲渡制限特約が付された場合，**譲受人**は譲渡制限特約について**悪意とみなされ，債務者の利益が保護**される
iii）将来債権の**譲渡後**，譲受人に債務者に対する**対抗要件が備わった後**に譲渡制限特約が付された場合は，**債務者**は譲渡制限特約を**譲受人**に**対抗できない**。つまり，**譲受人の利益が保護**される

2 債権譲渡の対抗要件 (467条)

債権譲渡に際して起こり得る債務者の**二重弁済**の危険を，どう回避するかという問題です。民法と判例によるルールは，次のとおりです。

(1) 譲受人の債務者に対する対抗要件 (権利行使の要件)

債権譲渡があったとき，債務者は，譲渡人と譲受人のどちらに弁済すべきか，という問題です。

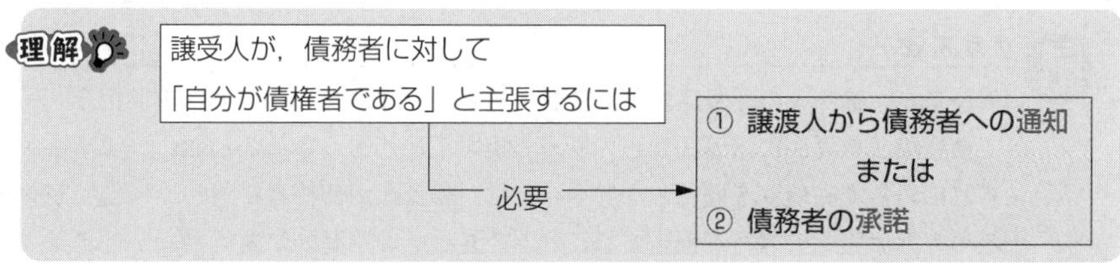

「通知または承諾」のどちらかがあれば，債務者は，弁済すべき債権者が誰であるかを知ることができる，というわけです。

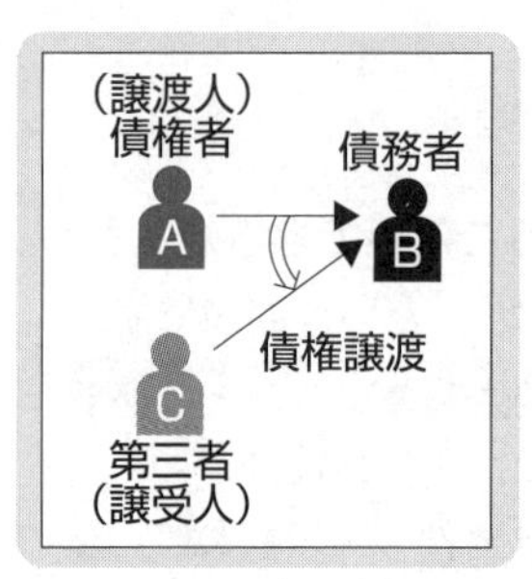

メモ

- **通知**または**承諾**のどちらかがあると，債務者Ｂは譲受人Ｃに対して弁済しなければ，免責されない。
- 通知・承諾の**方法**は**問わない**。
- 承諾は，**譲渡人**と**譲受人**のどちらに対して行ってもよい。
- **譲受人**から**債務者**に対して行う**通知**は，**無効**である。また，譲渡人が通知をしない場合でも，譲受人は，譲渡人に代位して通知することはできない。ただし，**譲受人**は，**譲渡人**の**代理人**として，債務者へ**通知**することは**できる**。

- **債務者**があらかじめ**譲渡行為**に**同意**した場合は，譲渡後**あらためての通知・承諾がなくても**，その債務者に対して**権利**を**主張**できる。

（2）債務者以外の第三者に対する対抗要件

債権の**二重譲渡**があると，さらなる譲受人（新債権者）が登場します。このとき，債務者は，どの譲受人に対して弁済すべきか，という問題です。

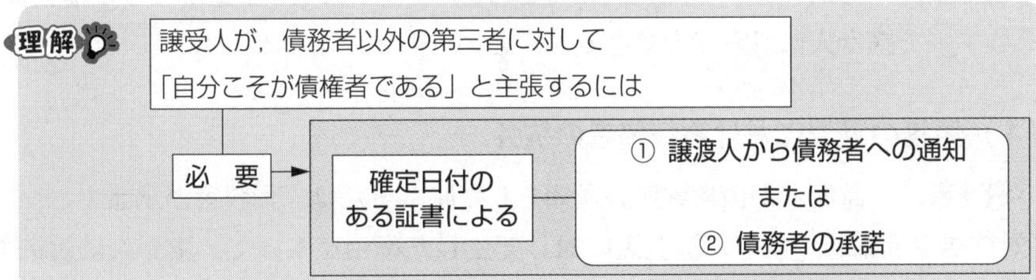

プラスα

- **確定日付のある証書**とは，内容証明郵便，公正証書などのこと。差押命令も同様に扱われる（判例）。
- Aが，Bに対する債権をCとDに二重に譲渡し，Cへの譲渡は口頭でBに通知し，Dへの譲渡については確定日付のある証書によって通知した場合には，Dが新債権者となる。したがって，Bは，Dに弁済しなければ免責されない。
- C・Dともに確定日付のある証書によって通知を備える場合は，（確定日付の先後ではなく）その証書を，先に債務者に**到達**させたほうが優先する。
- C・Dともに確定日付のある証書による通知を，同時に債務者Bに到達させた場合，債務者は，請求してきた譲受人からの請求を拒めず，また，請求してきたいずれかに弁済すれば，免責される。

〈債権の二重譲渡〉

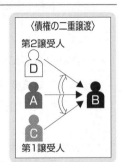

第2譲受人 D　A　B　C 第1譲受人

暗記

〈債権の二重譲渡〉

ケース	判例の結論
一方の通知のみ確定日付あり	確定日付のある方が優先
双方の通知に確定日付あり	先に到達させたほうが優先
確定日付のある通知が同時に到達	・双方とも債務者に請求できる ・債務者はどちらかに支払えばよい

3 債権の譲渡における債務者の抗弁と相殺(468条, 469条)

債権譲渡の場面において,**債務者**が**譲渡人**に対して様々な主張ができる場合に,その主張を**譲受人**に対してもできるか,という問題です。

(1) 債権の譲渡における債務者の抗弁

債務者は,譲渡人が**債権譲渡の通知**をした時,または,**債務者が承諾**をした時(**対抗要件具備時**)までに**譲渡人に対して生じた事由**をもって,**譲受人に対抗**することができます。

例 **抗弁**:債権が取消し・解除などによって消滅したこと,債権の全部または一部が弁済・時効の完成などにより消滅したこと,同時履行の抗弁など

(2) 債権の譲渡における相殺権

債務者は,**対抗要件具備時より前**に取得した譲渡人に対する**債権による相殺**をもって,**譲受人に対抗**することができます。

メモ

債務者は,譲渡人が債権譲渡の通知をした時,または,債務者が承諾をした時より前に,既に取得していた自働債権による相殺を,譲受人に主張できる,ということである。つまり,「既に反対債権を取得していたのだから相殺ができる」という債務者の期待を保護する趣旨である。

用語 **自働債権**:後述10「相殺」参照

また,債務者が**対抗要件具備時より後**に取得した**譲渡人に対する債権**であっても,その**債権**が,**対抗要件具備時**より**前**の**原因**に基づいて生じた**債権**であるなど**一定の債権**である場合は,同様に,**相殺**をもって**譲受人に対抗**することができます。

メモ

債務者の「対抗要件具備時より前の原因に基づいて生じた債権であるのだから,将来は相殺ができる」という期待を保護する趣旨である。

5 債務引受

ウォームアップ

債権譲渡は，**債権**が同一性を保ったまま債権者（譲渡人）から譲受人に移転することですが，「**債務引受**」は，「**債務**」が同一性を保ったまま**従前の債務者**から**引受人**に**移転**することをいい，「**免責的債務引受**」と「**併存的債務引受**」の２つに大きく分かれます。

例えば，赤字企業の営業譲渡などに伴って，営業権の譲受人がその営業にかかる債務を免責的に引き受ける，という場合が一般的です。

1 併存的債務引受（470条）

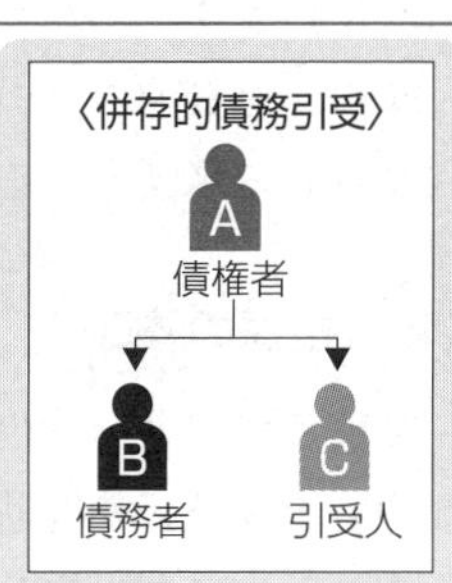

併存的**債務引受**とは，**債務者**に新しく**引受人が加わる**ことをいいます。したがって，**従前の債務者**は，**法律関係**から**離脱せず**，債務者２人の関係は，**連帯債務的な関係**に立ちます。

すなわち，図でいえば，併存的債務引受の引受人Ｃは，従前の**債務者**Ｂと**連帯**して，Ｂが債権者Ａに対して負担する債務と**同一の内容**の**債務**を**負担**します。

メモ
債務の一部についてのみの債務引受も可能。

併存的債務引受は，**債権者**Ａと**引受人**Ｃとの間の**契約**によって，することができます。

メモ
保証に類似する関係になるので，債務者Ｂの意思に反する債務引受も可能。

また，**債務者**Ｂと**引受人**Ｃとの間の**契約**によっても，することができ（**第三者のためにする契約**），この場合は，**債権者**が引受人に対して**承諾**（**受益の意思表示**）をした時に，その**効力**を生じます。

2 免責的債務引受（472条）

従前の債務者が**法律関係**から**離脱**し，**引受人**が新しい**債務者**となる形の債務引受が，**免責的債務引受**です。すなわち，免責的債務引受の**引受人**は，従前の債務者が債権者に対して負担する債務と**同一の内容**の**債務**を**負担**し，**従前の債務者**は，**自己の債務を免れます**。

（1）契約の当事者

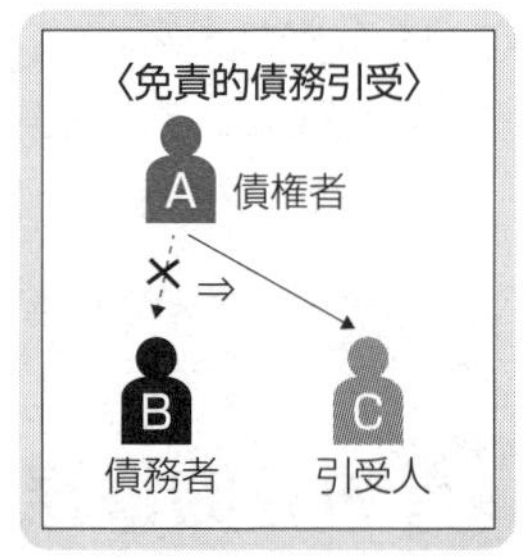

免責的債務引受は，**債権者**Ａ・**債務者**Ｂ・**引受人**Ｃの**3者間の契約**で行うことができるのはもちろんですが，その他に，**債権者**Ａと**引受人**Ｃとの**契約**によっても，することができます。

この場合，免責的債務引受は，**債権者**が**従前の債務者**に対してその**契約をした旨を通知**した時に，その**効力**を生じます。

また，免責的債務引受は，**債務者**Ｂと**引受人**Ｃが契約をし，**債権者**Ａが引受人に対して**承諾**をすることによっても，することができます。

（2）担保の移転

従前の債務と引受後の債務は**同じ内容の債務**ですが，債務者が変わるので，**従前の物上保証人**や**従前の保証人**は，それら**本人の承諾**がない限り，**新債務**を**担保**することには**なりません**。

まず，**債権者**は，従前の債務者が免れる債務について設定されていた**抵当権**などの**担保権**を，引受人が負担する債務に**移転**することができます。また，**優先順位**も**維持**されます。ただし，引受人以外の者が設定した場合には，その**承諾**を得なければなりません。

また，同様に，債務者が免れる債務に付された**保証債務**を，引受人の債務を担保するものとして**移転**することができます。その場合は，当然，その**保証人**の**書面**（または**電磁的記録**）による**承諾**がなければ，その**効力**を生じません。

6 債務不履行，損害賠償，解除

ウォームアップ

契約が成立すると，債務者は契約で定めた時期にその約束を果たさなければなりませんが，その時期が遅れたり，そもそも約束を果たせなくなる場合のことを，**債務不履行**といいます。

債務不履行に対しては，当然，「罰」が加えられますが，それが債務不履行の効果である**損害賠償**及び**契約の解除**です。

1 「債務不履行」とは

債務不履行は，大きく**履行遅滞**と**履行不能**の２種類に分けられます。

履行遅滞は，債務者が，**履行期に債務の本旨に従った履行をしない**こと，**履行不能**は，債務の**履行が不可能**であることをいいます。

行うべきことが行われない状態なので，債権者は，**履行の請求**または**契約の解除**をし，債務者に責任がある場合には，**損害の賠償**を請求することができます。

なお，債務の履行が，**契約その他の債務の発生原因及び取引上の社会通念に照らして不能（履行不能）**であるときは，債権者は，その債務の履行を**請求することができません。**

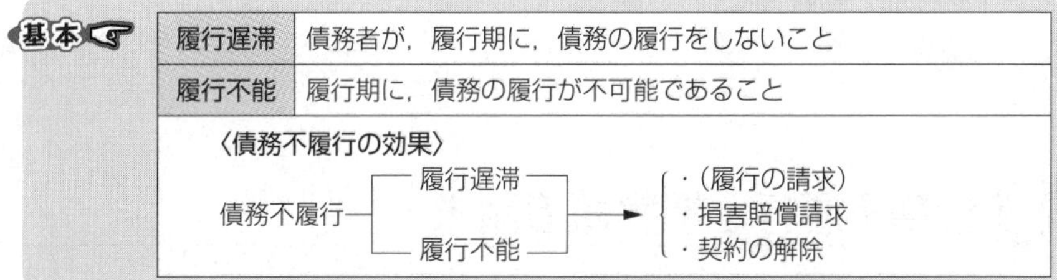

基本

履行遅滞	債務者が，履行期に，債務の履行をしないこと
履行不能	履行期に，債務の履行が不可能であること

（１）原始的不能（412条の２）

債務の履行がその**契約の成立の時**に**すでに不能**な場合が，原始的不能です。その場合でも，**契約は有効**で，債務不履行として扱います。債務者の責めに帰すべき事由があれば，債権者はその履行不能によって生じた**損害の賠償を請求**することができます。

例 建物について売買契約を締結したが，実は契約直前に滅失していた場合など

（2）履行遅滞に陥る時期（412条）

債務はいつから**履行遅滞**となるのか，という問題です。

一言でいえば，履行遅滞となるのは，債務者が「**履行すべきことを知った時**」です。履行すべきであることを知ったのに履行を怠ると，履行遅滞となります。

理解

履行期	例	遅滞となる時期
確定期限	12月31日までに支払う	期限の到来時（12月31日の終了時）
不確定期限	甲が死亡したら支払う	期限の到来（甲の死亡）後に履行の請求を受けた時，または，その期限が到来したことを知った時の，いずれか早い時
期限の定めなし	支払期日の定めがない	債務者が履行の請求を受けた時

（3）履行遅滞中・受領遅滞中の履行不能（413条の2）

債務者の**履行遅滞の間**に，当事者双方に責任なく債務の履行が不能となったときは，その履行の不能は，**債務者の責任**によるものとみなされます。

また，債権者の**受領遅滞**の場合で，履行の提供があった時以後に，当事者双方に責任なく債務の履行が不能となったときは，その履行の不能は，**債権者の責任**によるものとみなされます。

用語 **受領遅滞**：債権者が債務の履行を受けることを拒み，または，債務の履行を受けることができない場合のこと

2 債務不履行と損害賠償請求

（1）損害賠償責任（415条，416条，417条）

債務不履行が**債務者の責任**により生じた場合，債務者に**損害賠償責任**が生じます。損害を賠償する方法は，原則として，**金銭賠償**です。

メモ

- **債務者の責任**：債務不履行が契約その他の債務の発生原因及び取引上の社会通念に照らして債務者の責めに帰すことができない事由によるときは，損害賠償請求はできない。逆に言えば，債務不履行に関し，債務者にこれらの事由がない限り，損害賠償請求は認められることになる。
- **契約交渉中の当事者の片方が，一方的に契約交渉を打ち切ったような場合**：
契約準備段階であっても，打ち切りに至る過程に信義則上の注意義務（交渉段階から相手方の人格・財産を害してはならない義務）違反があれば，損害賠償責任は生じうる。
- **債務不履行に基づく損害賠償請求権の消滅時効**：
本来の債務の履行を請求できる時から進行する。

賠償請求できるのは，原則として「**通常生ずべき損害**」に対してですが，例外として，**特別な事情**が考慮されることもあります。

理解 〈損害賠償の範囲〉

原 則 「通常損害」	通常生ずべき範囲の損害を請求できる。当事者の予見は不問 例 建物を引き渡す債務が履行されない場合のホテル代・賃借アパートの賃料相当額など
例 外 「特別損害」	特別の事情によって生じた損害のうち，当事者がその事情を予見すべきであったときは請求できる 例 転売目的の不動産の売買において，売主の履行遅滞により転売価格が下落した場合の下落分など

(2) 過失相殺 (418条)

損害賠償は，原則として，その全額を債務者が負担しますが，例えば，**債権者の過失**によって損害が発生し，あるいは損害額が増大したときなど，本来は発生しなかったはずの損害の分まで債務者が負担するのは不公平です。

そこで，債務の**不履行**，またはこれによる**損害の発生・拡大**に関して，**債権者に過失**があったときは，**裁判所**は，これを**考慮**して，**損害賠償の責任**・その**額**を定めなければなりません。これを，**過失相殺**といいます。

メモ

裁判において，過失となるべき事実については，債務者が立証しなければならない。

3 金銭債務の特則 (419条)

金銭債務の不履行の場合には，次のように，物の引渡債務などの通常の債務とは異なる取扱いとなります。金銭は純粋な価値そのもので，個性がないからです。

理解

① 不可抗力による抗弁ができない 債務者の責めに帰すべき事由に基づかなくても（**債務者**に**故意**・**過失**がなくても），現に履行がなければ，債務者は，**債務不履行責任**を免れず，**無過失責任**となる
② 履行不能がない **金銭債務**の場合は，履行不能が起こり得ない。したがって，**常に履行遅滞**となる
③ 損害賠償額が自動的に決まる 損害賠償額は，**法定利率**によるのを**原則**とし，これより高い**約定利率**の定めがあるときには，その**約定利率**による
④ 立証責任が軽減される **債権者**は，損害賠償請求をするにあたり，**損害の発生**・**損害額**の**証明**は**不要**。履行遅滞の事実だけ証明すればよい

メモ

・**通常の損害賠償請求**：

①の場合：不可抗力による損害については責任なし

③の場合：損害賠償額は，実損額となる

④の場合：債務不履行の事実・損害の発生・損害額は，いずれも債権者が立証すべき

・**法定利率**：当初は年３%。３年を１期とし，１期ごとに見直される。

4 損害賠償額の予定 (420条)

(1)「損害賠償額の予定」とは

損害賠償額の予定とは，債務不履行があった場合に**一定の賠償額**を授受することを，当事者が，**あらかじめ合意**しておくことをいいます。**違約金**は，**損害賠償額の予定と推定**されます。

損害賠償請求をするには，債権者が損害発生の事実及び損害額を証明しなければなりませんが，損害賠償額を予定することにより，この煩わしさを回避することができます。

メモ
・**損害賠償額の予定のメリット**：債権者は債務不履行の事実だけを証明すればよく，損害の発生・損害額の証明は不要。
・損害賠償額の予定は，損害が発生する前であれば，契約成立後でも可能であり，金銭以外のものですることもできる。

（2）効果

当事者が，あらかじめ損害賠償額を定めておくと，実際の損害額とは無関係に，債権者は**約定した額**を**請求**できます。債権者が，実損額が約定額より多いことを証明しても約定額しか請求できない代わりに，債務者が，実損額が約定額に満たないことを証明しても，約定額の責任を免れません。

なお，債権者に過失があれば，過失相殺の規定（前出）が適用されます。

メモ
当事者間の合意なので，当事者はこの合意の内容に拘束されるものの，予定した額が**暴利行為など公序良俗違反**となるような場合は，債務者は減額の請求ができる。

5 契約の解除

契約の解除とは，いったん有効に成立した契約の**効力を消滅**させて，その契約が**はじめから存在しなかった**ことにする，**当事者の意思表示**をいいます。いわば，最初の状態に巻き戻すこと（**原状回復**）です。

解除権は，次の原因で発生します。

基本 〈解除権の発生原因〉

法定解除	法律の規定によって当然に解除権が生じる場合 例 債務不履行による解除，クーリング・オフ制度など
約定解除	当事者の契約によって解除権が生じる場合 例 解約手付，解除権の留保特約など
合意解除	当事者が契約を解消する合意（解除契約）をする場合

（1）債務不履行による解除（541条，542条）

① **債務不履行**があると**契約を解除**することができるのが原則です。その場合，原則として，「**催告**」が必要です。

催告による解除	当事者の一方がその債務を履行しない場合，相手方は，相当の期間を定めてその履行の催告をし，その期間内に履行がないときは，契約の解除をすることができる

用語 **相当な期間**：履行を準備し，債務を履行するために要する客観的な期間のこと

ただし，その期間を経過した時における**債務の不履行**が，その契約及び取引上の社会通念に照らして**軽微**であるときは，**解除することはできません**。

プラスα

- 債務者が同時履行の抗弁権を有するときは，債権者は，催告をしただけでは解除できず，債務者の抗弁権を失わせるために，自己の債務の提供が必要である（判例）。
- 期間が短すぎる（不相当な）催告も有効であり，その場合でも，相当な期間が経過すれば解除できる（判例）。
- 「催告期間内に履行がないときは，あらためて解除の意思表示をすることなく，契約は解除される」旨の特約も有効である（判例）。
- 期間の定めのない債務において，債権者は相当の期間を定めて催告し，債務者を履行遅滞とすると同時に，その期間内に履行がないときには，契約を解除することができる（判例）。
- 「ローンが不成立の場合には，契約を解除することができる」旨の特約がある場合，ローン不成立後あらためて解除の意思表示が必要である。
- 「ローンが不成立の場合には，契約は失効する」旨の特約がある場合は，ローンの不成立を解除条件とするものであり，解除の意思表示は不要（当然に失効する）。

② 次の場合には，債権者は，「**催告**」なしで，直ちに**契約の解除**をすることが**できます**。催告しても，履行の可能性はないからです。

催告によらない解除（無催告解除）	i ）**債務の全部の履行が不能**であるとき…履行不能 ii ）**債務者**がその債務の全部の**履行**を**拒絶する意思**を**明確**に**表示**したとき…履行拒絶 iii ）債務の一部の履行が不能である場合，または，債務者がその債務の一部の履行を拒絶する意思を明確に表示した場合で，**残存する部分のみ**では**契約をした目的を達することができない**とき…一部履行不能・一部履行拒絶 iv ）**定期行為**において，**債務者が履行をせずに**，その時期を経過したとき…定期行為の場合 v ）その他，債務者がその債務の履行をせず，債権者が催告をしても，**契約をした目的を達するのに足りる履行がされる見込みがないことが明らか**であるとき…その他履行の見込みがない場合

・**定期行為**：契約の性質または当事者の意思表示により，特定の日時または一定の期間内に履行をすることが契約をした目的である行為のこと
・賃貸借の場合の賃借人の債務不履行が，賃貸人に対する信頼関係を破壊するような場合は，（本来は催告が必要だが）無催告解除ができる（判例）。

なお，**債務の不履行が債権者の責めに帰すべき事由**によるものであるときは，債権者は，①②の方法による**契約の解除**をすることが**できません**。

（2）解除権の行使（540条，544条）

解除権は，次のように行使します。

① **行使方法**

解除は，相手方に対する**一方的な意思表示**で行い，相手方の**承諾**は**不要**です。また，解除の意思表示は，一度行うと，後に**撤回**することは**できません**。

② **解除権の不可分性**

解除権者が多数の場合は，**全員から解除**しなければならず，**1人につき解除権**が**消滅**すると，**他の者の解除権も消滅**します。

逆に，**解除される者が多数**の場合は，解除権者は，**全員に対して解除**しなければなりません。

解除は，「全員から，または，全員に対して」行わなければならない

6 解除の効果（545条）

契約が**解除**されると，契約は，**はじめから存在しなかった**ことになります（**契約の遡及的消滅**）。

（1）原状回復義務

契約が**解除**されると，当事者は，**契約成立前の状態**に戻す義務（**原状回復義務**）を負います。

解除とは，「原状回復」（はじめの状態に巻き戻すこと）

・当事者双方が原状回復義務を負う場合は，**同時履行**となる（判例）。
・売買契約を解除する場合，目的物の引渡しを受けた買主は，解除までに得た収益を売主に償還しなければならない。

返還すべきものが**金銭**であるときは，**受領時からの利息**を付けて**返還**しなければなりません。また，**金銭以外**の物を返還するときは，**受領の時以後に生じた果実をも返還**することになります。

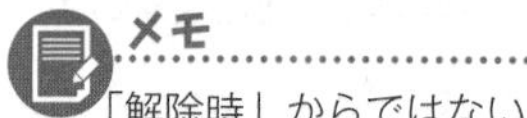

「解除時」からではない点に注意。

（2）損害賠償請求

解除により**損害**が**発生**した場合は，**解除**とともに，**損害賠償**を請求できます。

（3）第三者との関係（解除前の第三者）

解除と第三者との関係➡「登記ある者は保護される」

A所有の土地がA→B→Cと売買された後，AB間の売買契約が解除された場合，Cは買った土地を返還しなければならないのか，という問題です。

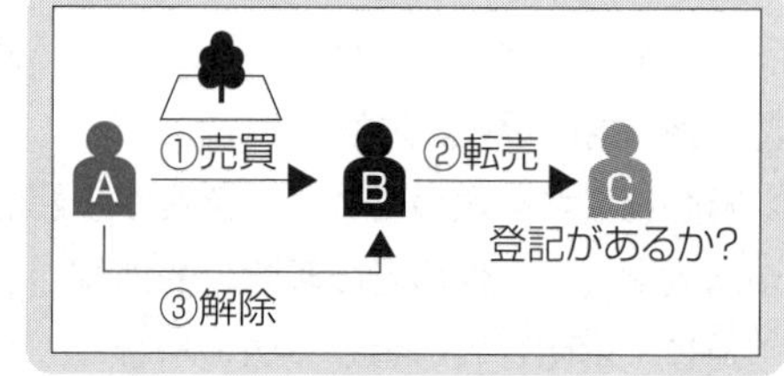

民法は，**第三者**Cを**保護**するため，Aの**返還請求**を**認めない**（解除は，第三者の権利を害することはできない）としています。

ただし，第三者Cが保護されるには，**登記**を備えていることが**必要**です（判例）。

メモ

解除後の第三者との関係：解除後に取引に入った第三者とは，対抗関係に立つことになる（登記の先後による。第2章❷ 2「登記が必要な物権変動」を参照）。

（4）解除権の消滅（547条，548条）

① **解除権**の**行使**について，**期間の定めがある**場合は，その定めに従います。

② **解除権**の**行使**について，**期間の定めがない**場合は，解除される者が解除権者に対し，相当の期間を定めて解除するかどうか催告し，その期間内に解除の通知がなければ，解除権は消滅します。

③ 解除権を有する者が，**故意・過失**によって契約の目的物を**著しく損傷**，あるいは**返還ができなくなった**場合，または，加工・改造によってこれを他の種類の物に変えた場合は，解除権は**消滅**します。

7 売買，予約・手付他

ウォームアップ

本契約を締結する前に，その「**予約**」をする場合があります。予約には，**後日**あらためて当事者が**本契約**を締結する場合と，**一方当事者**による，**契約を締結**する旨（予約完結）の**意思表示**があれば本契約が**成立**する場合があります。

そして，契約が成立すると，不動産の売買契約などにおいては，しばしば**手付金**が授受されますが，**当事者**がこの手付を利用して**契約解除**することは，一般的に認められています。

ここでは，**売買**における**予約**・**手付**など，売買契約に関する知識を整理しておきましょう。

1 売買（555条）

売買とは，**当事者**の一方が，ある**財産権**を**相手方に移転**することを**約束**し，相手方がその**代金の支払**を**約束**することによって成立する，**双務・有償・諾成**の契約です。

用語
- **双務契約**：当事者双方がお互いに対価的な債務を負担する契約のこと。売買契約・賃貸借契約などが典型例である。なお，贈与契約などを，**片務契約**という
- **有償契約**：契約の当事者双方がお互いに対価的な給付をする契約のこと。売買契約が典型例である。なお，契約の一方当事者のみが給付をする契約を，**無償契約**という
- **諾成契約**：両当事者の合意だけで成立し，物の引渡しが不要な契約のこと。なお，両当事者の合意だけでなく，現実の物の引渡しが必要な契約を，**要物契約**という

2 売買の予約（556条）

売買の本契約に**先立って**，その**予約を締結**することを**売買の予約**といいます。

通常は，**買主**になる予定の者に対して，後日売主に「本契約を締結する」という**意思表示**をするだけで**売買契約**を**成立**させられる**権利**を与えることをいいます。

この権利が**予約完結権**で，不動産に関する予約は，**仮登記**することにより**権利**を**保全**することができます（**売買予約の仮登記**）。

3 手付（557条）

（1）手付とは――解約手付の原則

手付とは，契約の締結に際し，当事者の一方から相手方に交付される**金銭その他の有価物**をいいます。

手付には，主として次の３種類のものがあります。

証約手付	・契約が締結されたことを証する手付 ・全ての手付は，少なくとも証約手付の性質をもつ
解約手付	・手付の分の損失を覚悟すれば，契約を解除できる手付
違約手付	・債務不履行があったときに，その損害賠償の額を予定する目的で交付される手付 ・単に「違約罰」として没収する趣旨のみで交付され，「別途損害賠償を請求できる」とする場合もある

交付された手付がどれにあたるのかは，最終的に**当事者の意思**により決まりますが，**不明**なときは，**解約手付と推定**されます。

メモ

・手付の成立には，現実に手付の授受がされることが必要（**要物契約**）。

・手付は，通常は金銭によって，売買の場合は買主が，賃貸借の場合は賃借人が支払うのが一般的である。

・手付の額については，民法上，特に制限はない。

（2）解約手付

解約手付とは，**交付者**（**買主**）は**手付を放棄**し，**受領者**（**売主**）は**倍額を現実に提供**することで，**契約**の**解除**ができるようにする目的で交付される手付です。また，解除権を相互に留保する契約であるため，**無理由**で**解除ができます**。

メモ

売主が「倍額の償還」により契約を解除するには，その倍額を，**現実に提供**すること（実際に用意して，買主が受け取ろうとすればいつでも受け取ることができる状態にすること）が必要である。

① 手付による解除の時期	・**相手方が履行に着手**するまで解除できる（相手方が契約の履行に着手した後は解除できない） ・解除する側が履行に着手していても，解除される側が履行に着手していなければ，解除ができる点に注意
② 損害賠償と解除	・手付による解除が行われると，**損害賠償**の問題は**生じない**

メモ

・①**について**：解除の可否は，「解除される側」の履行の着手の有無で決まることになる。具体的な履行の着手の有無は，最終的には事例ごと事情に照らして判断される（判例）。

・②**について**：手付が交付されていても，要件が満たされれば債務不履行による契約の解除ができる。その場合は，手付とは無関係なので，損害賠償請求は可能。

4 売買の費用（558条）

売買契約の締結に関する**費用**は，特約がなければ，**当事者双方が等しい割合で負担**します。

メモ

「費用」とは，目的不動産の鑑定評価，契約書作成などに要する経費などをいう。なお，売主が目的物を移転したり，買主が代金を送ったりする費用などは，債務の弁済のための経費であり，**債務者が負担**する（9「弁済」参照）。

5 買主の代金支払拒絶権

売買契約における買主には，代金の支払義務がありますが，**一定の場合**には，これを拒絶することができます。

（1）権利主張者がいる場合（576条）

売買の目的物について**権利を主張**する者がいて，買主が買い受けた**権利の全部または一部**を**取得**することができず，または失うおそれがあるときは，買主は，売主が相当の**担保**を**提供**しない限り，その危険の程度に応じて，**代金**の**全部または一部の支払を拒む**ことができます。

（2）買い受けた不動産に抵当権等の登記がある場合（577条）

買い受けた不動産について，契約の内容に適合しない**抵当権の登記**が行われている場合は，買主は，**抵当権消滅請求**の手続が終わるまで，**代金の支払を拒む**ことができます。

6 同時履行の抗弁（533条）

（1）「同時履行の抗弁」とは

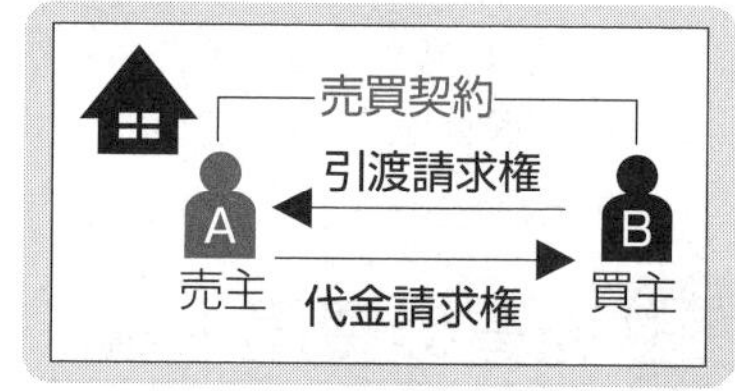

例えば，売買契約が成立すると，売主には**目的物引渡債務**が，買主には**代金支払債務**が発生します。

双務契約により生ずる当事者の債務は，価値的に「イコールの関係」（**対価的関係**）にあるので，その両当事者の公平を図るために，両者の債務は**同時に履行すべき**，とされます。これが**同時履行の抗弁**です。

つまり，同時履行の抗弁とは，**双務契約**から生じる**両債務の弁済期**が到来している場合に，当事者の一方が，「**相手方**が**履行しない**のであれば，**自分**も**履行しない**」と**主張できる関係**をいいます。

メモ

例えば，買主が，代金支払債務の履行の提供をしないで，売主に対して目的物の引渡しを請求した場合，売主は，買主の代金支払いと引換えでなければ目的物を引き渡さない（登記も移転しない）と抗弁できる。

同時履行の抗弁を主張できる場合には，履行期を過ぎても，**履行遅滞**には**陥りません**。

メモ

この場合，履行遅滞を理由に解除するには，催告のほかに，相手の同時履行の抗弁を奪うために行う，自己の債務の現実の履行の提供が必要である。

(2) 同時履行の抗弁に関する判例

①「同時履行関係にある」とされた例

i) 売買契約が取り消された，または，解除された場合の当事者双方の原状回復義務 例 受領した代金・売買目的物を，互いに返還する場合 ii) 債務の弁済と受取証書（領収証）の交付 例「領収証が発行されなければ支払わない」と抗弁する場合 iii) 目的物の引渡しを要する請負契約における目的物引渡債務と報酬支払債務 iv) 請負の目的物に契約不適合があった場合の請負人の修補義務に代わる損害賠償債務と報酬支払債務 v) 借地権者が建物買取請求権を行使した場合の，借地権設定者の建物代金支払債務と借地権者による土地明渡し

②「同時履行関係にない」とされた例

i) 貸金債務の弁済とその債務のために設定された抵当権設定登記の抹消登記	貸金債務の弁済が先履行
ii) 貸金債務の全部の弁済と債権証書の返還	貸金債務の全部弁済が先履行
iii) 賃貸借契約が終了した場合の賃貸人の敷金返還債務と，建物の明渡し	建物の明渡しが先履行
iv) 建物賃借人が造作買取請求権を行使した場合の，代金支払債務と建物の明渡し	建物の明渡しが先履行

7 危険負担 (536条)

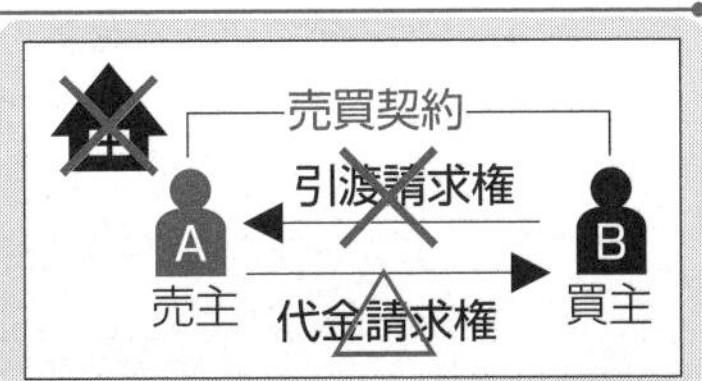

売買契約が成立すると，売主の**目的物引渡債務**と買主の**代金支払債務**が，**同じ価値のある債務**として発生します。その後，例えば，売主AがBに自己所有の建物を売り渡したが，建物の引渡し前に，売買の目的物である**建物が滅失**し，買主Bが建物の引渡しを受けることができなくなったとき，Bは代金を支払うべきでしょうか。これが，**危険負担**の問題です。

メモ

目的物の引渡しまでの間に生ずる目的物滅失の危険を，消滅した目的物引渡債権の債務者（売主）に負担させるのがよいか（**売主危険負担主義**・債務者主義），債権者（買主）に負担させるのがよいか（**買主危険負担主義**・債権者主義），ということである。

（1）滅失が不可抗力による場合

この点，民法は，**売主が危険を負担すべき**と考え，当事者双方の責めに帰することができない事由（**不可抗力**）によって債務を履行することができなくなったときは，**債権者**（買主）は，**反対給付の履行を拒むことができる**としました。つまり，**買主**は，建物の引渡しを受けることができなくなったのだから，**代金支払は不要**ということになります。

また，履行が不能であれば，契約は解除できます。ただし，当事者双方に責任がない状況なので，損害賠償請求はできません。

（2）滅失の責任が債権者（買主）にある場合

債権者（買主）の責めに帰すべき事由によって債務を履行することができなくなったときは，債権者は**反対給付（代金請求）の履行を拒むことが**できず，**代金を支払う**ことになります。

なお，この場合に，**債務者（売主）**は，自己の債務（目的物の引渡し）を免れたことによって**利益を得た**ときは，これを**債権者**（**買主**）**に償還**しなければなりません（**代償の請求**）。

例
- 売主が得た火災保険金について，買主は引き渡すよう請求することができる。
- 「代金1,000万円。ただし，内装を改修して引き渡す（費用300万円）」とする売買が成立し，内装改修工事が済んでいない場合，買主は，代金全額(1,000万円)を支払わなければならないが，売主は内装工事費用（300万円）の支出を免れているので，これを買主に償還しなければならない(実際には相殺することになる)。
- この考え方は，賃貸借や委任にも適用される。例えば，委任者の責めに帰すべき事由によって委任が履行の途中で終了した場合，受任者は報酬全額を委任者に請求できるが，受任者は，自己の責務を免れたことによって得た利益を委任者に償還しなければならない。

（3）危険負担に関する特約

危険負担に関する規定は**任意**であり，**当事者間で特約**をすることができます。つまり，特約があれば，まずそれに従うものの，特約がなければ，民法の規定に従うこととなります。

8 売主の契約不適合責任

ウォームアップ

「**瑕疵担保責任**」から「**契約不適合責任**」へ――

改正民法では,「売買の目的物に**欠陥**があり**契約内容に合致しない**場合, 買主はどのような権利を売主に主張できるのか」ということについて, 考え方が大きく変わりました。

不動産の売買を例にとると, **従前**は, その不動産は唯一無二のものであって, それに代わるものは存在せず, そこに「隠れた瑕疵」があっても, **売主**はその不動産をそのまま引き渡せば売主としての義務を履行したこととなりました（**現状引渡し**）。また, 瑕疵の存在に関しても, 対価との客観的な差異を埋めるべく,「**瑕疵担保責任**」という制度によって, 買主から①**代金減額請求**, ②**損害賠償請求**と, 契約した目的を達成できないことを前提に③**契約の解除**をすることができるとされていましたが,「存在する瑕疵を修理して引き渡す義務」などは, 民法上考慮されてきませんでした。

しかし, 時代の変化に伴い, 契約の内容を細かな点まで詰めた上で契約しなければ後日のトラブルを避けることができなくなるなど, 瑕疵の存在に対する売主の責任を法律で一律に規定することだけでは対応できなくなってきたのです。

そこで**改正民法**は, 売主の義務は「**契約の内容に適合した物を引き渡すこと**」とすることで, 売主の責任を, **契約上の責任**（**債務不履行責任**）と, 捉えることとしました。

すなわち, 買主に引き渡された**目的物**が, **種類・品質・数量**に関して**契約の内容に適合しない**ときは, **買主**は, **売主**に対して, 債務不履行の原則どおり「**損害賠償請求**」と「**契約の解除**」を求めることができることに加えて, 契約に基づく債務の内容として, 修補や代替物の引渡しなどの「**追完請求**」や, これに代わる「**代金減額請求**」を, 広く認めることとしたのです。

1 権利移転の対抗要件に係る売主の義務 (560条)

売主は，**買主**に対し，**登記**，**登録**その他の売買の目的である**権利の移転**について，**対抗要件**を備えさせる義務を負います。つまり，**登記等の移転の義務**は売買契約の内容とされ，この義務に違反すると，**債務不履行責任**（**損害賠償・契約の解除・履行の強制**）を負うことになります。

2 他人の権利の売買における売主の義務 (561条)

他人の権利（権利の一部が他人に属する場合における，その権利の一部を含む）を売買の目的としたときは，**売主**は，その**権利を取得**して，**買主に移転する義務**を負います。

つまり，**権利**の**全部**または**一部**が**他人**に**属する**物を目的とする**売買契約**（**全部他人物売買・一部他人物売買**）も，契約としては**有効**であり，したがって，**売主**は，その他人の物を**取得**して**買主に移転**しなければならず，その移転ができないときには，**債務不履行責任**（**損害賠償・契約の解除**）を負うことになります。

3 買主の追完請求権 (562条，565条)

引き渡された**権利**や**目的物**が，**種類**，**品質**または**数量**に関して**契約の内容に適合しない**ものであるときは，買主は，売主に対し，

①目的物の修補，②代替物の引渡し，または，③不足分の引渡し

による**履行の追完**を請求することができます。

ただし，**売主**は，**買主**に**不相当な負担を課すものでない**ときは，買主が請求した方法と**異なる方法**による**履行の追完**をすることができます。

メモ

例えば，売買目的物である建物に契約不適合がある場合，建物本体については①修補の請求，付属設備については②代替物引渡しの請求や③不足分の引渡しを請求することができる。

なお，**不適合が買主の責めに帰すべき事由**によるときは，買主は，**追完請求**をすることが**できません**。

4 買主の代金減額請求権（563条，565条）

売買により引き渡された**権利**や**目的物**が，**契約の内容に適合しない**ものである場合に，**買主**が，相当の期間を定めて前記の**履行の追完の催告**をし，その期間内に**履行の追完がない**ときは，**買主**は，その**不適合の程度**に応じて，**代金の減額を請求**することができます。

ただし，次の場合は，買主は，催告することなく，直ちに代金の減額を請求することができます。

①　履行の追完が不能であるとき
②　売主が，履行の追完を拒絶する意思を明確に表示したとき
③　定期行為（契約の性質または当事者の意思表示により，特定の日時または一定の期間内に履行をしなければ契約をした目的を達することができない場合）において，売主が履行の追完をしないで，その時期を経過したとき
④　①～③の他，買主が催告をしても，履行の追完を受ける見込みがないことが明らかであるとき

なお，**契約不適合**が**買主の責めに帰すべき事由**によるときは，**買主**は，代金減額の請求をすることは**できません**。

5 損害賠償請求（564条，415条）

契約不適合責任は**債務不履行責任の一形態**ですから，これによって生じた**損害の賠償を請求**することができます。ただし，契約不適合が，契約や取引上の社会通念に照らして**債務者の責めに帰すことができない事由**によるものであるときは，**損害賠償の請求はできません**（債務不履行に基づき損害賠償請求をするためには，債務者に帰責事由が必要である，ということ。前述**62**「債務不履行と損害賠償請求」参照）。

6 契約の解除（564条，541条，542条）

また，**契約不適合**は，**売主**がその**債務を履行しない**場合または**履行が不能**である場合であり，**債務不履行**として，**買主**は**契約の解除**をすることができます（前述**65**「契約の解除」参照）。

〈売主の契約不適合責任〉　○：できる　×：できない

買主の権利	売主に帰責事由（責任）	
	なし	あり
（1）追完請求	○	○
（2）代金減額請求	○	○
（3）損害賠償請求	×	○
（4）契約の解除	○	○

なお，**契約不適合が買主の責めに帰すべき事由**によるときは，買主は，表中**（1）～（4）**の**権利の請求**をすることは**できません**。

メモ

この表は，「売買の目的物の契約内容に不適合がある場合」であるが，「売主が買主に移転した権利が契約の内容に不適合である場合（権利の一部が他人に属する場合において，その権利の一部を移転しないときを含む）」についても同様となる。

7 目的物の種類または品質に関する担保責任の期間の制限（566条）

売主が，**種類または品質**に関して契約の内容に適合しない目的物を買主に引き渡した場合で，**買主**がその**不適合を知った時から1年以内**に，その旨（契約不適合の旨）を**売主に通知しない**ときは，**買主**は，その不適合を理由として，履行の追完の請求，代金の減額の請求，損害賠償の請求及び契約の解除をすることが**できません**。

なお，**売主が**引渡しの時に，不適合について**悪意または善意でも重過失**であった場合には，この期間の制限は適用されません。

メモ

・この「契約不適合を知った時から1年以内」の期間は，『権利保全のための通知期間』である。この1年間に，買主は，売主に対して履行された内容が契約不適合である旨を通知しないと，請求できる権利も消滅してしまうことになる。

・また，この通知により保全された買主の権利も一般的な消滅時効にかかるので，権利を行使できることを知った時から5年または権利を行使できる時から10年を経過すると，時効によって消滅する。

・なお，この規定は，権利や数量についての契約不適合には，適用されない。

8 抵当権等がある場合の買主による費用の償還請求（570条）

買い受けた不動産について**契約の内容に適合しない先取特権**，**質権**または**抵当権**が存していた場合で，**買主が費用を支出**してその不動産の**所有権を保存**したときは，**買主**は，**売主**に対し，その**費用の償還を請求**することができます。

メモ

抵当不動産の買主が，抵当権消滅請求をして権利を保存した場合などのこと。

9 担保責任を負わない旨の特約（572条）

売主の契約不適合の担保責任の規定は，いわゆる**任意規定**です。したがって，当事者の**特約**があれば，原則として，その特約が**優先**します。

ただし，**売主**は，**履行の追完の請求**の場合における**担保責任を負わない旨の特約**をしたときであっても，**知りながら告げなかった事実**及び**自ら第三者のために設定**した，または，**第三者に譲り渡した権利**については，その**責任を免れることができません**。

メモ

- 1～6，8の買主が請求できる内容に関する特約の他，7の責任期間の制限に関する特約も可能。
- ただし，品確法，宅建業法など強行規定に反することはできない。
- 品確法上の売主の責任については，第2編「宅建業法」第4章「住宅瑕疵担保履行法」の項を，宅建業法上の制限については，第2編「宅建業法」第2章「業務上の規制」2「自ら売主規制（8種制限）」の項を参照.

9 弁　済

ウォームアップ

弁済とは，**債務の内容である給付を実現**することです。その給付は，債務者自身による債務内容の実現で得られますが，**債務者以外の者**による債務内容の実現でも，債権者としては問題ありません（**第三者の弁済**）。また，**債権者が承諾**していれば，本来の内容とは異なる内容の給付でも，債権者は満足します（**代物弁済**）。

ここでは，このような弁済に関する様々な問題点を検討します。

1 「弁済」とは

弁済とは，債務者が，その内容である**給付を実現**して**債権者を満足**させる行為をいいます。弁済があると，債権は，その目的を達して消滅します。

弁済は，債務者が債権者に対して弁済の提供をし，債権者がこれを受領することで終了します。

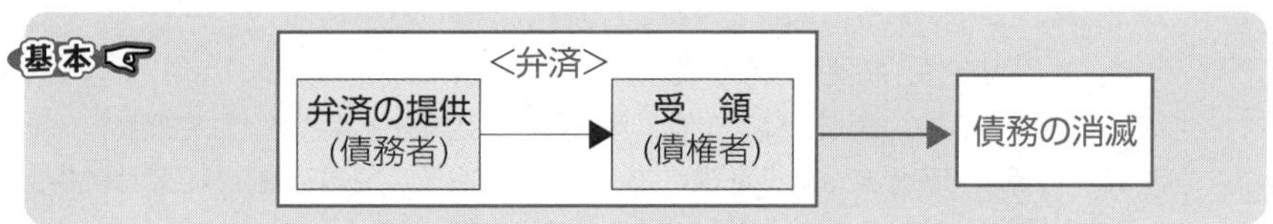

2 弁済の提供 (492条，493条)

(1)「弁済の提供」とは

債務が消滅するには，債務者が弁済の提供をし，債権者がこれを受領することが必要です。しかし，債権者が弁済の受領を拒否する場合など，債務が消滅するまでは債務者としての責任を一切免れないとすると，債務者には酷といえます。そこで，債務者として行うべきことを行った段階で，いまだ債務は消滅しないとしても，以後，債務者に不利益が生じないようにする必要があります。これが

「**弁済の提供**」という考え方です。

基本☞

弁済の提供とは	弁済の実現のために債務者自身でなし得ることを行い，債権者による「受領」という協力を待つ債務者の行為
弁済の提供の効果	たとえ債権者が受領しなくても，以後債務を履行しないことによって生ずる一切の責任を免れる

メモ

買主の受領拒否：

例えば，不動産の売買契約で，売主が弁済期に目的物を引き渡そうとしたが（弁済の提供），買主がこれを受領しない場合には，以後，売主は，（ア）債務不履行責任を負わない，（イ）目的物の保管義務が善管注意義務から自己の財産に対すると同一の注意義務に軽減する，（ウ）危険が買主に移転する，などの効果が生じる。

このように，**弁済の提供のみ**では，**債務自体は消滅しません**。債権者が受領しない債務を消滅させるには，**供託**（後述8）が必要です。

（2）弁済の提供の方法

弁済の提供は，債務の本旨に従って現実にしなければなりません（**現実の提供**）。ただし，**債権者があらかじめその受領を拒み**，または，**債務の履行について債権者の行為を要する**ときは，**口頭の提供で足りる**，とされます。

基本☞

現実の提供（原則）	債権者の受領さえあれば，弁済が完成する程度にまで提供すること 例 代金を売主のもとに持参する，など
口頭の提供	弁済の準備をしたことを通知してその受領を催告することで足りる

メモ

債権者の受領拒絶の意思が明白で，口頭の提供すら無意味であるときには，口頭の提供も不要とされる場合もある（判例）。

（3）提供すべき目的物 （483条）

債務者が債務の履行として引き渡すべき目的物は，**契約の内容に適合**したものでなければなりません。

ただし，債権の目的が**特定物**（土地，建物等）の引渡しである場合で，契約その他の債権の発生原因及び取引上の社会通念に照らしてその引渡しをすべき時の品質を定めることができないときは，弁済をする者は，**引渡しをすべき時の現状**でその物を引き渡せば足ります（**現状引渡し**）。

メモ

債権の目的が，不動産の引渡しであるとき，債務者（売主）は，その引渡しをするまで，**善良な管理者の注意**をもって，目的物を保存しなければならない。

3 弁済の場所等

（1）弁済の場所（484条）

弁済する場所について，契約があればそれに従いますが，契約で定められていない場合にはどこで弁済すべきか，という問題です。

弁済する場所は，**持参債務**と**取立債務**と，場面で分けて考えます。

持参債務	・金銭の支払いなど，特定物の引渡し以外の弁済の場合 （債権者のもとに債務者が給付を持参する場合） →**債権者の現住所**にて弁済する ・債権者が住所を変更した場合，新たな住所が弁済場所になる。ただし，そのための増加費用は，債権者が負担する
取立債務	・不動産の引渡しなどの特定物の引渡しの場合 →債権発生当時，**その物が存在した場所**にて弁済する

（2）弁済の費用（485条）

弁済の費用は，特約がなければ，原則として**債務者が負担**します。

メモ

・**弁済の費用**：運送費用，口座振込みのための費用などのこと

・売買の費用（契約書の作成費用など）は，「当事者双方が平等の割合で負担する」ことの違いに注意

（3）受取証書の交付請求と債権証書の返還請求

①　受取証書の交付請求等（486条）

二重弁済の危険を避けるため，弁済者は，弁済受領者に対して，受取証書（領収証）の交付（または，受領した旨を記録した電磁的記録の提供）を請求するこ

とができます。そして，弁済と受取証書の交付は，**同時履行の関係**にあります。

② **債権証書の返還請求**（487条）

債権証書がある場合で，弁済者が全額の弁済をした場合には，債権証書の返還を請求することができます。なお，債権証書の返還と全部の弁済は，**弁済が先履行**であり，同時履行ではありません。

（4）弁済の充当（488条，489条，490条）

例えば，債務者が，**同じ債権者**に対して，**複数の金銭債務を負担**する場合において，弁済の提供として行った給付が，全ての債務を消滅させるのに足りないとき，その弁済はどのように充当されるか，という問題です。

この場合，**合意**があれば，まずそれに従います（**合意による充当**）。しかし，充当に関する**合意がない**場合には，次のように**法定のルール**によって充当されます。

① **債務が複数ある場合（どの債務から充当されるか）**

ⅰ）当事者による指定がある場合

まず，**弁済者**が，給付の時に，その弁済を充当すべき債務を指定することができます。弁済者の指定がないときは，次に**弁済受領者**が，**受領時に指定**することができます。

ⅱ）当事者による指定がない場合

当事者による合意や指定がない場合には，**弁済期・債務の額に応じて**決まります。弁済期にあるものとないものでは，あるほうから充当します。全てが弁済期にある，またはないときは，**債務者のために弁済の利益の大きい**（例えば，利息の高い）ものから充当されます。

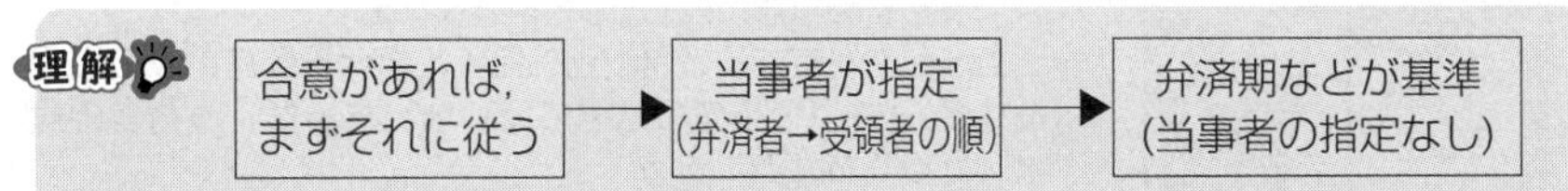
理解
合意があれば，まずそれに従う
当事者が指定（弁済者→受領者の順）
弁済期などが基準（当事者の指定なし）

② **「費用・利息・元本」の弁済の充当**

費用・利息を支払うべき場合で，弁済者の提供した額が債務全額に満たない場合は，合意があれば，それに従います。合意がない場合は「費用→利息→元本」の順に充当されます。

合意があれば，まずそれに従う

合意がない ──────▶ 費用→利息→元本の順で充当

4 第三者の弁済 (474条)

弁済は債務者が行うのが原則ですが，**債務者以外の第三者**も弁済することができます。債権者が満足するのであれば，第三者の弁済を禁止する必要がないからです。

ただし，次のように，債務の性質上，そもそも債務者以外の者の弁済に意味がない場合など，**第三者の弁済はできない**とされる場合があります。

理解

〈第三者の弁済〉

原　則	第三者による弁済は可能
第三者が弁済できない場合	①次のⅰ）ⅱ）は，第三者による弁済はそもそも不可 ⅰ）債務の性質が，第三者の弁済を許さないとき 例 絵を描く画家の債務，コンサートを行う歌手の債務 （誰でも履行できる性質の債務ではないため） ⅱ）当事者が第三者の弁済を禁止・制限する旨の意思表示をしたとき →この場合は，弁済者の，弁済にかかる正当な利益の有無にかかわらず，弁済できない ②弁済について正当な利益を有しない第三者は，債務者の意思に反して弁済をすることができない（ただし，債務者の意思に反することを債権者が知らなかったときは，有効に弁済できる） →正当な利益を有しない者（単に親子・兄弟・友人関係など）は，債務者の意思に反して弁済できない →正当な利益を有する者（物上保証人，担保不動産の第三取得者など）は，（債権者の意思に反しないならば）債務者の意思に反しても弁済できる ③弁済をするについて正当な利益を有しない第三者は，債権者の意思に反して弁済をすることができない（ただし，その第三者の弁済が債務者の委託を受けての弁済であることを債権者が知っていたときは，有効）

抵当不動産の買主などの**第三取得者**が弁済する場合を例に，考えてみましょう。AのBに対する債権を担保するため，Cが自己所有の不動産に抵当権を設定した後，Cはこれを第三取得者Dに譲渡した，というケースです(次ページの図を参照)。

Dは，放置すると抵当権を実行されて所有権を失う地位にいるので，Bの債務を第三者として弁済することにつき，正当な利益を有します。

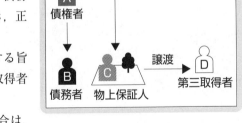

例
抵当権
A 債権者
B 債務者
C 物上保証人
譲渡
D 第三取得者

① AB間に第三者の弁済を禁止する旨の意思表示がある場合は，第三取得者Dは弁済できません。

② そのような意思表示がない場合は，Dは，弁済するについて正当な利益を有する者なので，債権者Aの意思に反しなければ，Bの意思に反しても弁済することができます。

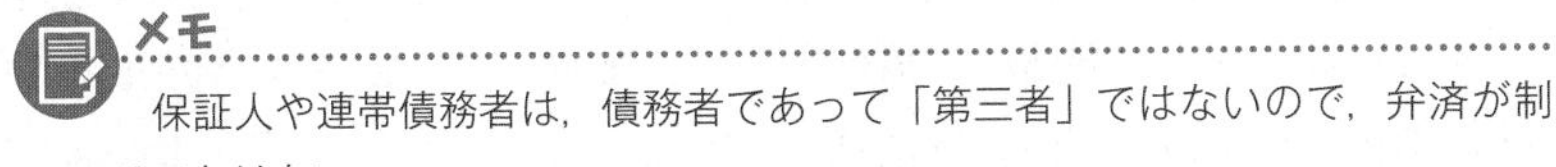

保証人や連帯債務者は，債務者であって「第三者」ではないので，弁済が制限されることはない。

5 弁済による代位 (499条～501条)

(1)「弁済による代位」とは

弁済が，債務者以外の者によって行われたとき，弁済者は，債務者に対して**求償**することができます（4の図でいえば，第三取得者Dが弁済すると，DはBに求償できます）。

この求償権を確保するために，債権者の権利は，弁済者に移転します。つまり，「債権者のいた地位に弁済者が立つ」，これが**弁済による代位**です。

(2) 法定代位と任意代位

弁済による代位には，**法定代位**（弁済をした第三者が正当な利益を有する者である場合）と**任意代位**（法定代位以外の場合）の２つがあります。

① **法定代位**の場合は，弁済した第三者は，弁済により当然に債権者に代位します。したがって，対抗要件は不要です。

② **任意代位**の場合は，債権譲渡の対抗要件（債権者から債務者に対する債権者の地位が弁済者に移転した旨の**通知**，または，その旨の**債務者の承諾**）を備えなければ，弁済した第三者は，弁済による代位を主張することができません。

メモ

弁済するについて正当な利益を有する者：物上保証人，担保不動産の第三取得者のほか，保証人，連帯保証人などを含む。

基本

弁済者は債権者に代位する	法定代位	弁済により，債権者に当然に代位する
	任意代位	弁済に加え，対抗要件（通知または承諾）が必要

6 弁済受領権限のない者に対して行った弁済の効力(478条，479条)

弁済は，債権者などの**弁済受領権者**に対して行わなければならず，弁済受領権限のない者に対して行った弁済は，原則として，**無効**です。あらためて弁済受領権者に対して弁済しないと，債務は消滅しません。

ただし，弁済者が善意かつ無過失で弁済した場合に，その弁済が有効となる場合があります。以下のとおりです。

理解

弁済受領権限のない者に対してした弁済は，原則として，無効

〈弁済の受領権者でない者に対してした弁済が有効となる場合〉
「取引上の社会通念に照らして受領権者としての外観を有するもの」
に対してした弁済で，弁済者が**善意かつ無過失**で弁済した場合

メモ

・「取引上の社会通念に照らして受領権者としての外観を有するもの」とは，債権者ではないが，外見上，誰がみても債権者らしくみえる者のこと。

例 ・預金通帳と印鑑（届出印）の両方を所持する者
・債権者の代理人と称する者（詐称代理人）
・偽造の債権証書・領収書の所持人
・相続人にみえる者（表見相続人）

用語 ・**善意かつ無過失**：弁済受領者に受領権限がないことについて知らない，または知らないことについて過失がないこと

7 代物弁済 (482条)

債権の目的は債権者が「満足」することにあるので，債権者が，**当初約束された給付の代わりに他の給付**を受けることで満足するのであれば，それを拒む理由はありません。

すなわち，弁済者が，債権者との間で，債務者の負担した給付に代えて他の給付をすることにより債務を消滅させる旨の契約をした場合，弁済者が**契約した他の給付**をした時に，その給付は，**弁済の効力**を生じます（**債務が消滅**）。

ここでは，代物弁済契約は**諾成契約**であること，代物給付をした時に**債務は消滅**すること，の2点がポイントです。

プラスα

- 不動産の所有権をもって代物弁済する場合には，所有権移転登記など，対抗要件を具備するために必要な行為を完了しなければ，弁済としての効力はない。
- 代物弁済契約を締結した後でも，債権者は当初の給付を請求でき，当初の給付がなされれば，代物弁済契約に基づく他の給付を求める債権も消滅する。

8 供託 (494条～)

債務を消滅させるには，債権者による弁済の受領が必要ですが，**供託**は，弁済の受領という**債権者の協力**がなくても，**債務を**消滅させることができる制度です。

メモ

供託先：供託所（法務局など）。供託所という国の機関が，「債務者が弁済する金銭などを預かる」と考えるとよい。

供託は，次の場合にすることができ，弁済者が**供託**をした時に，その債権は**消滅**します。

① 弁済の提供をした場合で，債権者がその受領を拒絶したとき。なお，受領拒絶に先立って，弁済の提供が必要
② 債権者（受取人）が行方不明の場合など，債権者が弁済を受領することができないとき（受領不能）
③ 弁済者が債権者を確知することができないとき（債権者不確知）
複数の者から支払請求を受け，いずれの者に支払ってよいかわからない場合。家主が死亡し，賃料を支払うべき相続人が誰か不明の場合，など。なお，債権者不確知の立証は，弁済者が負うことになる

メモ

・**賃貸借契約の場合**：賃貸人が建物の明渡請求をしてきただけでは，賃料受領の拒否の意思表示が明らかではなく，賃借人は，賃料相当額について直ちに供託はできない（判例）。
・賃借人が賃貸人から借賃の増額請求を受けたというだけでは，賃貸人が賃料を受領しないことが明らかであるとはいえず，少なくとも，口頭の提供をしなければ，供託は認められない（判例）。

なお，供託された場合，債権者は，供託物の還付を請求して，供託されたものを受け取ることになります。

用語 ・**還付請求**：供託関係に基づく権利者からの供託物の払渡請求のこと
・**取戻請求**：供託後に，供託原因が消滅した・当該供託が無効などの事由による，供託者からの払渡請求のこと

9 選択債権について（406条，408条，409条，410条）

（1）選択債権とは

選択債権とは，「2頭の馬のうちからどちらかを選んで売買する」など，債権の目的が数個の給付の中からの選択によって定まる債権のことです。

（2）選択権の所在（誰が選択するか）

選択は，まずは契約により，契約がない場合は，次の基準に従います。

① 原則は，債務者が選択します。売買であれば，売主（引渡債務の債務者）です。
② 債権が弁済期にあり，相手方から相当の期間を定めて催告をしても，選択権を有する当事者が選択しないときは，その選択権は相手方に移転します（選択権の移転）。
③ 契約などにより第三者に選択権がある場合で，その第三者が選択することができず，または選択をする意思がないときは，選択権は，債務者（売買であれば売主）に移転します。
④ なお，2頭の馬のうち1頭が死亡した場合など債権の目的である給付の中に不能のものがある場合で，その不能が選択権を有する者の過失によるときは，債権の目的は残存するものに確定します。それ以外の場合は，選択権者は，不能になった債権を選択することもできます。

10 相 殺

ウォームアップ

例えば，AがBに対して100万円の債務を負担し，一方，BがAに対して80万円の債務を負担している場合，それぞれ別個に弁済し合うより，自己の債務を相手方に対して有する債権（反対債権）で弁済する，相殺という制度を使って清算するほうが便宜です。

相殺では，このような制度の**機能面**を理解することが重要です。

1 「相殺」とは (505条)

相殺とは，債権者と債務者が，相互に同種の債権・債務をもつ場合に，その債権と債務とを**対当額において消滅**させる制度です。

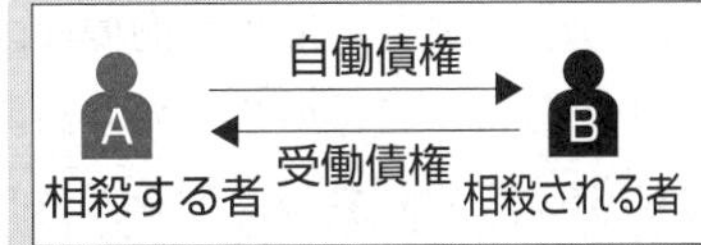

相殺する側（A）が債権者である債権を「**自働債権**」，相殺される側（B）が債権者である債権を「**受働債権**」といいます。

プラスα

相殺禁止の意思表示：
- 当事者が，相殺を禁止する旨の意思表示をした場合は，当事者間では相殺できない。
- 第三者に対しては，その第三者が悪意または重過失のとき（第三者がこれを知りまたは重大な過失によって知らなかったとき）に限り，相殺できない旨を，その第三者に主張することができる。

2 相殺の要件（相殺適状）

双方の債務が，互いに相殺に適するようになった状態が，**相殺適状**です。相殺適状であるには，次の要件（(1)～(3)）が必要です。

（1）双方の債権が同種の目的を有すること

例えば，両債権が金銭債権であること，などが必要です。双方の債権が同種の目的を有していれば，債権額・履行期・履行地が異なっていても，相殺は可能です。

（2）「自働債権」が弁済期にあること

「相殺することができる時期はいつか」という問題です。

双方の債権が弁済期にあれば，相殺できるのは当然です。ただし，自己の債務（受働債権）は，弁済期より早く弁済（期限の利益を放棄）できるので，**自働債権（自己の債権）の弁済期が到来していれば**，受働債権については，弁済期が到来していなくても，**相殺は可能**です。

〈10/1〉（弁済期10/1）
α債権
A
B
β債権
（弁済期10/10）
Aは相殺できる

① 右の図で，Aにとって自働債権はα債権。したがって，Aは，10月1日になれば相殺できます。

② 一方，Bにとっての自働債権はβ債権であり，Bは，自己の債権の弁済期（10月10日）にならなければ，相殺できません。

（3）両債権が存在すること（508条）

相殺は，**双方の債権が有効に存在**しなければできないのが原則です。

ただし，「**自働債権**」が**時効**によって消滅した場合，消滅する前に相殺適状に達していれば，**相殺が可能**です。

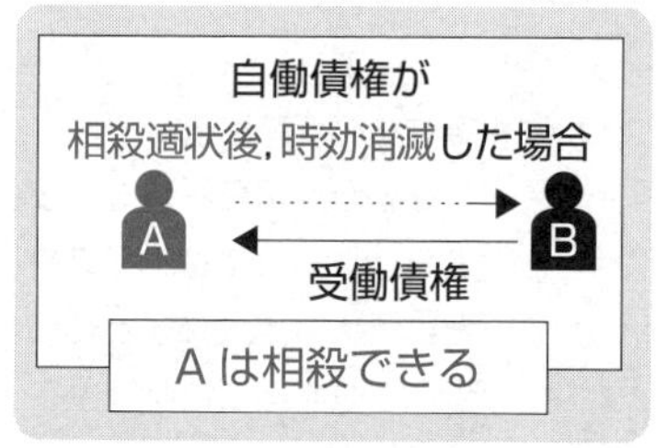

メモ

・相殺適状に達すれば，当事者があえて相殺の意思表示をしなくても，相殺して決済されたものとして扱うことが多いことを考慮したものである。

・なお，両債権が存在しても，自働債権に抗弁権（同時履行の抗弁，保証人の催告・検索の抗弁権など）が付着している場合には，相殺できない（判例）。

3 相殺の禁止

相殺適状にあっても，以下の場合には，相殺を主張することができません。

（1）自己が不法行為の加害者である場合（509条）

① 自己が，悪意をもって不法行為を行った加害者（損害賠償の債務者）である場合

自己が，被害者Bがもつβ債権（悪意をもって不法行為をしたことにより生じた損害賠償債権）の債務者（**悪意のある加害者**A）である場合，Aは，Bに対して，相殺を主張することができません。

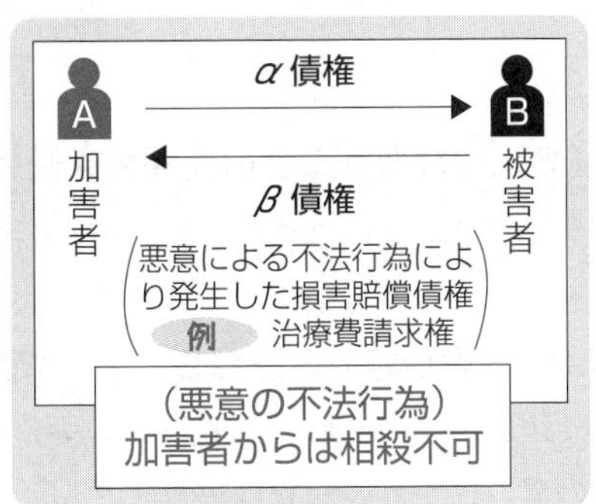

プラスα

「**悪意による不法行為**」：損害発生の可能性を認識しつつ行ったという以上に，**より積極的な加害の意欲**があって行われた不法行為のことをいう。被害者が実際に弁済を受けることができるようにする（現実の給付の確保）とともに，例えば，借金を返済しない債務者（上図ならB）に対して，上図のAが腹いせに営業妨害行為を行い損害を発生させ，その損害賠償債務を貸金債権と相殺する，というような不法行為の誘発の防止のためである。なお，被害者からの相殺は，もちろん可能である（次の②も同様）。

② 自己が，人の生命または身体の侵害に基づく損害賠償債権の債務者である場合

人の生命または身体に対する侵害があり，**損害が発生**した場合は，その損害賠償債権の債務者（**加害者**）も，①と同様，相殺を主張することができません。

したがって，債務者Aが，例えば，不注意による交通事故の加害者（過失により生じた損害賠償債権の債務者）である場合はもちろん，Aの債務不履行により損害が発生した場合も，**人の生命または身体に対する侵害に基づくもの**であれば，債務者（加害者）として，相殺の主張はできません。

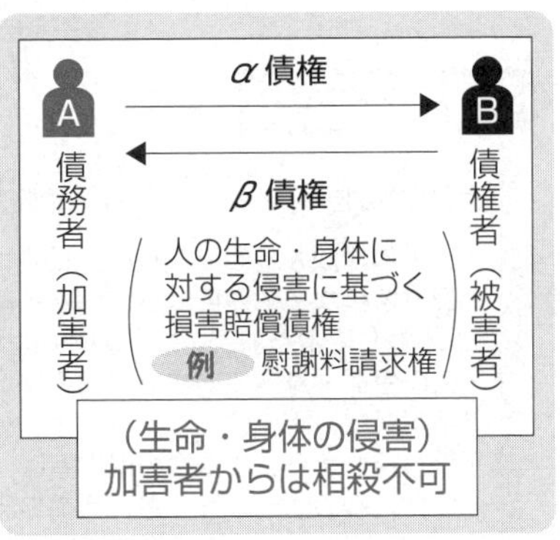

メモ

・①と同様，現実の給付の確保のためである。

・なお，①②いずれの場合も，Bが，β債権を他人から譲り受けたときは，Aの相殺の主張は可能となる。

・「悪意による不法行為」(①) でもなく，「人の生命・身体の侵害に基づく不法行為 (②) でもない場合（例えば，過失による交通事故の物損のような場合）には，加害者からの相殺は可能である。

（2）債権が第三者の差押えを受けた場合（511条）

第三者Cが，β債権（Bが債権者である債権）を差し押さえた場合は，次のように扱います。

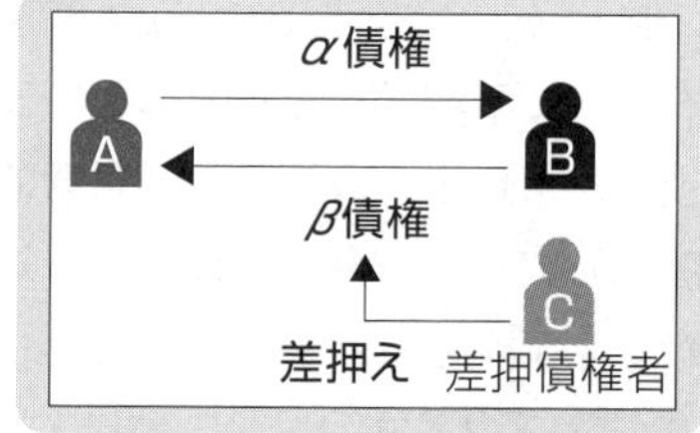

① 差押債権の債権者Bからの相殺

Bは，差押えによりβ債権の処分権限を失うので，Bからの相殺はできません。

② 差押債権の債務者Aからの相殺

Aのα債権の取得がCの差押えより早ければ，Aは，相殺をCに主張（対抗）できます。

一方，Aのα債権の取得が，Cの差押えより遅ければ，Aは，相殺をCに主張（対抗）できません。ただし，α債権が，差押え前の原因に基づいて生じたものであれば，Aの相殺の主張は可能とされます。

メモ

例えば，差押債権者Cがβ債権を取得した時に，すでにAはBの保証人であった場合で，Cのβ債権取得後にAが保証債務を履行し，AがBに対して求償権（α債権）を取得したときには，Aは，α債権とβ債権の相殺を主張できることになる。

まとめ

〈相殺の要件〉

・自働債権が弁済期にあれば，相殺可
・自働債権が，時効により消滅する前に相殺適状であった場合，相殺可
・「悪意」による加害者からの相殺は不可
・人の生命・身体に対する侵害の場合，その損害賠償の債務者（加害者）からの相殺は不可
・差し押さえられた債権の債務者は，差押え前に取得した債権を自働債権として相殺可
・差押え後の債権でも，差押え前の発生原因に基づき取得したものであれば，相殺可

4 相殺の方法と効力（506条）

（1）方法

相殺するためには，当事者の**一方**から相手方に対する**意思表示**が必要です。この意思表示には，**条件または期限**を付けることが**できません**。

（2）効力

① 相殺によって，双方の債権は，その**対当額**において**消滅**します。

メモ

相殺の充当：相互に１個または数個の債権・債務を有する場合は，当事者の合意によるほか，相殺に適するようになった**時期の順序**に従って，その対当額について相殺によって**消滅**する。

② 相殺は，双方の債務が**相殺適状**を生じた時に**さかのぼって**，その効力を生じます。

メモ

例えば，両債権の弁済期が10月15日である場合に，10月31日に相殺が行われると，両債権は10月15日にさかのぼって消滅したことになる。「相殺適状が生じた時点において決済された」と考えるのが通常だからである。

11 賃貸借

ウォームアップ

民法の賃貸借の規定は，有償の物の貸借についての規定ですが，物の貸借に係る「一般法」としての性格をもち，「**特別法**」**に規定のない事項**について**広く適用**されます。

不動産に関しては，借地関係（建物所有目的での土地の賃貸借等）及び借家関係（建物の賃貸借）については，特別法である**借地借家法が優先的に適用**されますが，**修繕義務**・**費用償還請求**・**敷金関係**など，借地借家法に定めのない事項については，民法の賃貸借の規定（本項）が**直接適用**されることになります。

1 賃貸借 (601条〜)

賃貸借契約は，当事者の一方（賃貸人）が，相手方（賃借人）に，ある物を**使用・収益**をさせることを約し，相手方が，これに対して**賃料を支払う**こと，及び引渡しを受けた物を**契約が終了したときに返還**することを約することによって，効力を生ずる契約です。

メモ

・双務・有償・諾成の契約である。
・賃貸借は，期間満了，解約申入れ，契約解除などの事由により終了するほか，賃借物の全部が滅失その他の事由により使用・収益することができなくなった場合にも，終了する。

（1）賃貸借契約の存続期間 (604条)

民法上の存続期間は**最長で50年**です。50年より長い期間の契約をしても，50年に短縮されます。最短期間の制限はありません。また，賃貸借の存続期間は，更新することができますが，その期間は，**更新の時から50年**を超えることができません。

存続期間が満了すると原則として，賃貸借は終了します。なお，契約は更新されたと推定される場合があります。

メモ

「契約更新」の推定（黙示の更新，619条）：存続期間満了後，賃借人が賃借物の使用または収益を継続する場合において，賃貸人がこれを知りながら異議を述べないときは，従前の賃貸借と同一の条件で更に賃貸借をしたものと推定される。

（2）期間の定めのない賃貸借（617条）

当事者は，賃貸借契約を，**期間の定めをしない賃貸借**とすることができます。この場合，賃貸借は，当事者が**解約の申入れ**をしない限り，存続します。

メモ

「期間の定めのない賃貸借」の解約申入れによる終了：

当事者はいつでも解約の**申入れ**をすることができ，解約申入れの日から，**土地**については**1年**，**建物**については**3カ月**が経過すると，その賃貸借は**終了**する。

（3）解約権の留保（618条）

当事者が期間を定めた場合でも，その一方または双方は，その期間内に解約する権利を留保することができます。

メモ

一般的には，「賃借人は，賃貸人に対し○カ月前に解約の申入れをすることにより，契約を解約することができる」などの契約条項を付すこととなる。

なお，存続期間・更新・契約の終了等については，借地借家法によって別途規制がかかります（後述第5章❶❷「借地借家法」参照）。

2 賃貸人の義務

賃貸借が成立すると，賃貸人・賃借人は，相互に一定の義務を負うことになります（双務契約）。

賃貸人の義務は「**貸す義務**」，つまり，契約内容に従って，賃貸物を賃借人に**使用・収益させる**ことに尽きます。具体的な内容は，次のとおりです。

（1）目的物の修繕義務（606条，607条）

① 賃貸人の修繕義務

賃貸人は，賃貸物の**使用・収益に必要な修繕**をする義務を負います。賃貸人の賃借人に目的物を使用・収益させる義務からの当然の帰結です。修繕の原因が不可抗力の場合にも，賃貸人に修繕義務があります。

ただし，賃借人の責めに帰すべき事由によって，その修繕が必要となったときは，賃貸人に修繕義務はありません。

② 賃貸人の修繕する権利

①のように，賃貸物の修繕が必要になった場合，賃貸人は修繕義務を負いますが，その一方で，賃貸人には，賃貸物を修繕する権利もあります。必要な修繕をしないと，その価値が漸減していくからです。

すなわち，目的物の保存のための修繕（保存に必要な行為）を賃貸人が欲する場合，賃借人はこれを拒むことができません（修繕受忍義務）。

ただし，その結果，賃借した目的を達することができないときは，**賃借人**は，賃貸借契約を**解除**することができます。

（2）賃借人による修繕（607条の２）

賃貸物の必要な修繕は賃貸人の義務ですが，次の場合，賃借人は，その修繕をすることができます。

> **① 賃借人が賃貸人に修繕が必要である旨を通知し，または，賃貸人がその旨を知ったにもかかわらず，賃貸人が相当の期間内に必要な修繕をしないとき**
> **② 急迫の事情があるとき**

本来賃貸人が負担すべき修繕内容であれば，その費用は，**必要費**として，支出後直ちにその全額を，賃貸人に請求することになります。

メモ

- ①②いずれの場合も，賃貸人の修繕義務が消滅するわけではない。
- 賃借人が修繕する旨の当事者の特約は有効。増改築は禁止，小規模な修繕に限る，事前に賃貸人に通知・同意が必要，などの内容がありうる。賃借人に不利となりうる場合も，借地借家法上無効とならない点に注意。

理解

賃貸目的物の損傷等→修 繕				
原 則	賃貸人に修繕義務			特約可能
目的物の保全に必要な行為	賃貸人に修繕する権利			
	賃借人は拒めない ➡	賃借の目的を達成できない ➡	賃借人に契約解除権	
賃借人による修繕	←賃貸人への通知等必要			

（3）賃貸人の費用償還義務（賃借人の費用償還請求権）(608条)

賃借人が，賃借物について「**必要費**」または「**有益費**」を支出した場合には，**賃貸人**は，これを賃借人に**償還**しなければなりません。

基本

① 必要費	賃借物を保存・管理し使用する上で**必要不可欠**な費用。現状維持・原状回復のための費用のほか，賃借物を通常の用法に適する状態に保存するための費用を含む 例 賃貸人が修繕すべき場合の修繕費用など
② 有益費	賃借物を改良し，その価値を増加させる費用。なお，賃借物を使用する上で必要不可欠というわけではないことに注意 例 シャワーのない風呂にシャワー設備を設置する，トイレの便座を温水便座に取り換える，など

① 必要費の償還請求

必要費は，本来**賃貸人が負担すべき費用**なので，賃借人が支出した場合は，賃借人は，賃貸人に対し，直ちにその**全額を償還**するよう請求できます。

② 有益費の償還請求

賃借人が支出した有益費については，**賃貸人の選択**により，支出した金額または現存する増価額のいずれかを，賃借人は，賃貸借終了時において**償還**するよう，請求できます。

なお，①②とも，償還請求は，賃貸人が賃貸した**目的物の返還を受けてから1年以内**にしなければなりません。

メモ

両請求とも，賃借人は留置権を行使し，支払いがあるまで賃借物の引渡し（返還）を拒否できる。ただし，賃貸借終了後も賃料相当額の支払が必要。

暗記 〈費用償還の範囲・時期〉

	償還の範囲	償還請求の時期
必要費	支出した金額の全額	支出後直ちに可
有益費	賃貸人の選択により，支出した金額，または，現存する増価額のいずれか	賃貸借終了時

3 賃借人の義務

賃借人の義務は，**賃料支払義務**・**善管注意義務**・賃借物の**返還義務**の３つに集約されます。

（1）賃料支払義務

① 支払時期について特約がないときは，**後払い**が原則です（建物・宅地については毎月末，その他の土地については毎年末の後払い）。

② 賃借物の**一部**が，**滅失**その他の事由により使用・収益ができなくなった場合で，それが賃借人の責めに帰することができない事由によるものであれば，**賃料**は，その使用・収益ができなくなった部分の割合に応じて，当然に**減額**されます。

プラスα

契約の解除：賃借物の一部が，滅失その他の事由により使用・収益をすることができなくなった場合で，残存する部分のみでは賃借人が賃借をした目的を達することができないときは，賃借人は，契約の解除をすることができる。

（2）善管注意義務

賃借人は，賃借物を善良な管理者の注意をもって管理する義務（**善管注意義務**）を負います。用法遵守義務，通知義務がその主な内容です。

基本

用法遵守義務	賃借人は，賃借物を，契約またはその性質によって定まる**用法に従って使用・収益**しなければならない
通知義務	賃借人は，賃借物の**修繕が必要**であるとき，または，賃借物につき**第三者が権利を主張している**ときは，遅滞なく，**賃貸人に通知**しなければならない

メモ

・「**用法に従った使用・収益**」とは，例えば，住宅は住宅として，事務所は事務所として使用すべし，という意味である。
・用法遵守義務に違反して損害が生じた場合の損害賠償請求は，賃貸人が目的物の返還を受けてから１年以内にする必要がある。

（3）賃借物の返還義務

契約が終了すると，賃借人は，賃借物を賃貸人に返還しなければなりません。

賃借物の受領後に，これに対して附属させた物がある場合は，賃借人は，賃貸借が終了したときに，賃借物を「**原状に復して**」返還する義務を負います（収去義務・原状回復義務。後述**7**参照）。

メモ

賃借物から分離することができない物や分離するのに過分の費用を要する物については，収去不要。

一方で，賃借人は，賃借物の受領後にこれに附属させた物は，収去することができます（**収去する権利**）。

プラスα

例えば，建物にエアコンが設置された場合，賃貸借の終了に際して，賃貸人としては，撤去されて元の状態で（原状に復して）返還してもらうほうがよい。残置したまま次の契約を締結し，その残置エアコンが故障した場合，その修繕をしなければならない場合があるからである。一方で，賃借人としては，設置したエアコンは自己の所有であり，撤去に多額の費用がかからないのであれば持ち出したい，ということである。なお，賃借人から造作買取請求ができる場合もある（第５章**1** **2**「借地借家法」参照）。

4 不動産賃借権の対抗力（177条，605条，605条の２）

不動産の賃貸借は，その**登記**（賃借権設定の登記）をすると，原則として，以後，その不動産について物権を取得した第三者に対してもその効力を生じます。

一方で，登記その他の方法で賃貸借の対抗要件を備えた不動産が譲渡されたときは，その不動産の賃貸人たる地位は，**譲受人に移転**します。

次ページの図は，Ａが所有しＢに賃貸している不動産をＣに譲渡した場合です。Ｂが賃貸借につき，すでに対抗要件（登記）を具備しているので，新所有者Ｃは，賃貸人としての地位をＡから承継し，旧賃貸人Ａは，賃貸借関係から離脱することになります。

このようにして，賃貸人たる地位が譲受人Cに移転した後は，賃貸借関係はCB間に承継されるので，必要費の償還債務や敷金の返還債務は，譲受人Cが承継します。

一方で，Cが，賃料を請求するなど，賃貸人としての地位を賃借人Bに対して**主張**するには，賃貸物についてAからCへの**所有権の移転の登記**が必要です。

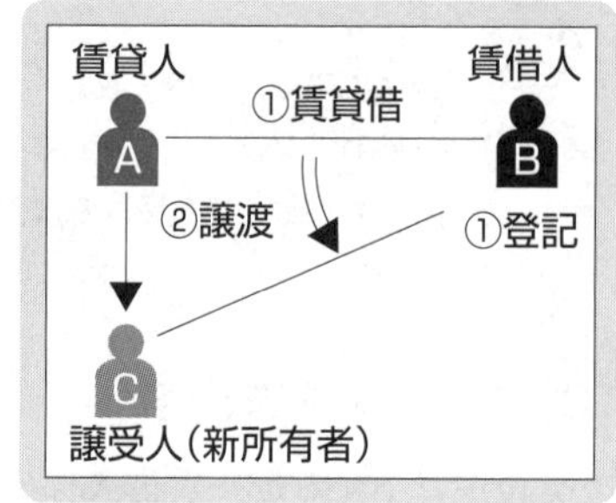

プラスα

・なお，不動産の譲渡人Aと譲受人Cが，賃貸人たる地位を譲渡人Aに留保する旨，及び，その不動産を譲受人Cが譲渡人Aに賃貸する旨の合意（いわゆるリースバック）をしたときは，賃貸人たる地位は，譲受人に移転しない。また，この場合において，譲渡人Aと譲受人Cとの間の賃貸借が終了したときは，譲渡人Aに留保されていた賃貸人たる地位は，譲受人Cに移転する。

・**不動産の賃借人による妨害の停止の請求等**（605条の４）：
対抗要件を備えた不動産の賃借人は，次の請求をすることができる。
　ⅰ）その不動産の占有を第三者が妨害しているとき→妨害停止請求
　ⅱ）その不動産を第三者が占有しているとき→返還請求
なお，対抗要件を備えない場合でも，賃貸人の所有権に基づくⅰ）妨害停止請求権の代位行使は可能（423条）。

5 賃借権の譲渡・転貸

（1）「賃借権の譲渡・転貸」とは

① **賃借権の譲渡**とは，賃借人が自己の有する**賃借権を第三者に譲渡**することです。その結果，賃借人は賃借権を失い，賃借権の譲受人が**新たな賃借人**となります。

② **賃借物の転貸**とは，賃貸人との関係では**賃借人という立場を維持**したまま，賃借人が第三者に目的物を賃貸（**転貸**）することです。もともとの賃貸借を原賃貸借ということがありますが，原賃貸借の賃借人は，**転貸借の転貸人**でもあります。

(2) 無断譲渡・転貸の禁止 (612条)

賃貸借のような継続的な法律関係を維持するためには，契約の当事者間に，**信頼関係が構築**されていることが必要です。例えば「あなただから，この建物を貸した」という関係です。

そこで，賃借人は，**賃貸人の承諾**がなければ，その賃借権を譲渡し，または賃借物を転貸することができません。もし，賃貸人の承諾なく目的物を第三者に使用・収益させたときは，賃貸人は，無断譲渡・転貸を理由に契約を解除できます。

・賃貸人の承諾の相手方は，譲渡・転貸の当事者の誰でもよい。
・個人として賃借し業務を行っていた企業が法人成りしたが，業務の形態は従前と同じというように，形式的に賃借人が変わった（個人が法人に転貸した）場合でも，現実の使用者や用法自体は同一など，賃貸人に不利益が生じない場合は，転貸について賃貸人の承諾がなくても，「**賃貸人に対する背信的行為と認めるに足りない特段の事情がある**」として，賃貸人の**解除権は発生しない**とされる（判例。信頼関係不破壊の法理）。

(3) 承諾を得た転貸の効果 (613条)

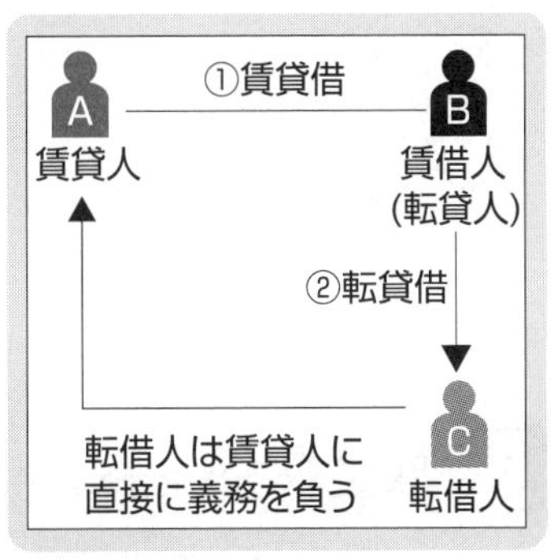

賃貸人（A）の承諾を得て賃借人（B）が適法に賃借物を転貸すると，賃貸人と賃借人との間には，従前の関係が継続して存続し，賃借人と転借人（C）の間に新たな賃貸借（転貸借）関係が生じます。

この場合，転借人と賃貸人の間には，直接の賃貸借関係は生じません。ただし，賃貸人の利益を保護するため，転借人は，賃貸人に対して直接に義務を負うこととなります。

すなわち，転借人は，**賃貸人と賃借人との間の賃貸借**（**原賃貸借**）に基づく賃借人の債務の範囲を限度として，賃貸人に対して，転貸借に基づく債務を直接履行する義務を負います。

その結果，例えば，賃貸借（**(1)** ①）における賃料と転貸借（**(1)** ②）における賃料の範囲内（つまり，額が小さいほう）で，賃貸人は転借人に対して，賃料の支払を直接請求することができることになります。

この場合，転借人は，転貸人に対する**賃料の前払をもって，賃貸人に対抗することはできません。**

メモ

なお，賃貸人Ａから，賃借人Ｂに対して権利を行使することも可能。

（4）転借人の地位――原賃貸借の合意解除と転貸借（613条）

転貸借が終了する前に原賃貸借が先に終了すると，残った転貸借はどうなるか，という問題です。

原賃貸借は転貸借が存在する前提なので，原賃貸借が終了すれば，転貸借関係は履行不能となって終了するのが原則です。

プラスα

原賃貸借が消滅すれば，転借人は立ち退くのが原則である。建物賃貸借が**賃借人の債務不履行・解除により終了**した場合，転貸借自体は適法なものであっても，賃貸人からの転借人に対する建物の明渡請求時に終了し（判例），転借人は退去することととなる。

ただし，適法な転貸借の場合において，賃貸人は，賃借人との間の（原）賃貸借を**合意により解除**したことを，転借人に対抗（主張）することはできません。つまり，転借人は賃貸人の明渡請求に応ずる義務はないことになります。

プラスα

転借人を追い出すため，賃貸人と賃借人が合意して原賃貸借を解除することは不可，ということ。ただし，解除の当時，賃貸人が賃借人の債務不履行による解除権を有していたときは，原則どおり，解除できる。

6 敷金関係（622条の２）

敷金とは，賃料債務その他の賃貸借に基づいて生じる**賃借人の**賃貸人に対する**金銭債務を担保**する目的で，賃借人が賃貸人に交付する金銭です。名目のいかんを問いません。また，担保する債務は**金銭債務のみ**です。

滞納賃料・損害賠償債務など，賃借人が賃貸人に支払うべき金銭債務があれば，賃貸借が終了し目的物が返還された後，敷金の額から**当然に控除され**，残額があれば，賃借人に返還されます。充当（控除）する旨の意思表示は，不要です。

また，賃貸借終了前でも，滞納賃料など賃借人が賃貸人に支払うべき金銭債務があれば，**賃貸人は**，**敷金をもって充当**することができます。ただし，敷金を充当するか否かは**賃貸人の任意**であり，**賃借人**のほうから，賃貸人に対して，敷金をその債務の弁済に充当するよう**請求することはできません**。

（1）敷金返還請求権の発生時期

賃借人の敷金返還請求権は，賃貸借終了後の目的物の返還時において，債務を控除し，なお残額があることを条件として，その残額につき発生します。

つまり，敷金返還請求権の発生時期は，賃貸借終了時でなく，**目的物の明渡しをした時**です。敷金の返還と目的物の明渡しは，同時履行の関係にありません(**明渡しが先履行**)。

（2）当事者が変更した場合

賃貸目的物が第三者に譲渡されて，賃貸人が変更となった場合，また，賃借権が譲渡され賃借人が変更となった場合のそれぞれについて，敷金関係は承継されるか，という問題です。

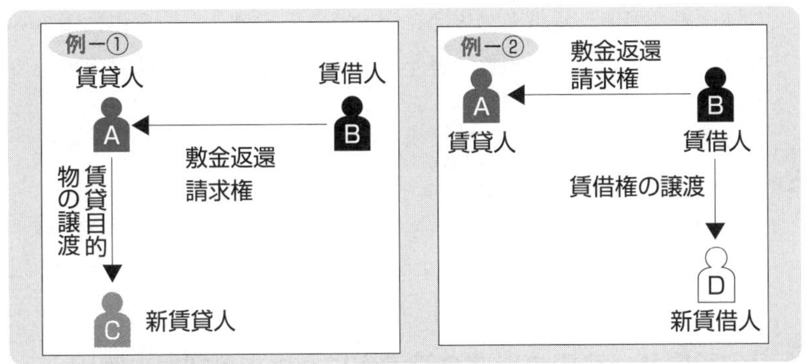

① 賃貸物が第三者に譲渡されて賃貸人が変更となった場合（例ー①）

賃貸目的物の譲渡により，賃貸借関係がAB間からCB間に移行した場合，敷金も，AからCへ承継されます。Bは，CB間の賃貸借契約終了（明渡し）後に，Cから敷金の返還を受けることになります。なお，AB間の賃貸借契約のもとで，Bによる不払賃料等があった場合には敷金はこれに当然充当され，残額がCに引き継がれます。

② **賃借権が譲渡され賃借人が変更となった場合**（例一②）

賃借権が，Aの承諾のもとでBからDに移転し，賃貸借関係がAD間に移行しても，敷金関係は，BからDへ承継されません。敷金関係は，まずAB間で清算されるため，BはAから敷金の返還を受けることになります。

基本

当事者の変更	敷金関係
① 賃貸人が変更した場合	新賃貸人に承継される
② 賃借人が変更した場合	新賃借人には，原則として承継されない

7 賃借人の原状回復義務（621条）

契約が終了すると，賃借人は賃借物を賃貸人に返還しなければなりませんが，賃借物に，賃借人が賃借中に生じた損傷がある場合は，賃借人は，賃借物を**原状に復して返還する義務**を負います。

ただし，その損傷が，**通常の使用・収益**によって生じた損耗や賃借物の経年変化による場合や，損傷が賃借人の責めに帰することができない事由によるものであるときは，その部分（通常損耗・経年変化した部分）は，原状回復の必要はありません。

メモ

通常使用による損耗の原状回復を，賃借人の負担とする特約：
補修費用を負担することになる通常損耗の範囲が契約条項に具体的に明記されるなど，**明確な合意**がある場合のみ，**有効**となる（判例，原状回復ガイドライン（国土交通省））。

8 損害賠償及び費用の償還の請求権についての期間の制限（622条，600条）

賃貸人は，賃貸借契約の本旨に反する使用・収益によって生じた損害の賠償について，契約が終了し，賃貸物の返還を受けた時から**1年以内に請求**しなければなりません。また，**損害賠償請求権**については，賃貸人が**賃貸物の返還を受けた時から1年を経過**するまでの間は，**時効は完成しません**。

メモ

例えば，用法違反による損害賠償請求ができる場合でも，結果的に，その事実は賃貸借終了まで明白にならないケースもあり，このような場合に，時効の完成を阻止する趣旨である。

12 請負・委任・寄託・贈与・使用貸借・消費貸借

ウォームアップ

宅地・建物に関する契約の中で最も重要なものは,「**売買**」と「**賃貸借**」ですが,このほかにも,「**請負**」(ある仕事を完成させる契約)と「**委任**」(他人の事務を処理する契約)は,宅地建物取引業との関連性が強く,重要な契約形態です。

また,無償で物の所有権が移転するのが「**贈与**」,無償で物を貸借する契約が「**使用貸借**」で,それぞれ「売買」「賃貸借」との違いが重要です。

物の貸し借りでも,目的物を直接貸し借りするのが「**賃貸借**」「**使用貸借**」,そして,目的物の所有権を借主に移転し,これと同種のものを返還するタイプの貸借を「**消費貸借**」といいます。金銭の貸し借り(金銭消費貸借)が,その代表例です。

1 請負 (632条〜)

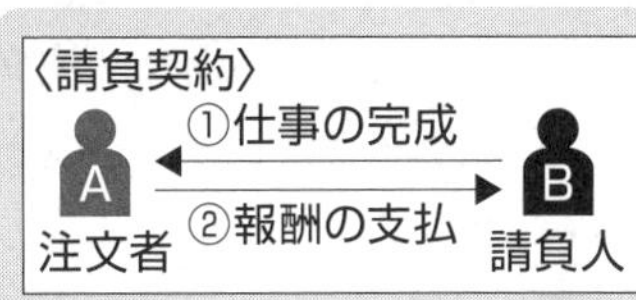

請負契約は,**請負人**(B)が,ある仕事(例 宅地の造成,建物の建築など)を**完成**させることを約し,**注文者**(A)が,それに対して**報酬を支払う**ことを約することにより成立します(有償契約)。

報酬の支払は,後払いが原則です。注文者は,目的物の引渡しと同時に,報酬を支払わなければなりません(引渡しと報酬支払が**同時履行**)。

プラスα

- **下請自由の原則**:仕事を完成させることが請負契約の目的なので,下請負は,原則として許される。
- 仕事完成に期限があれば,その期限までに完成しなければならず,仕事完成に最低必要な期限を過ぎても請負人が仕事に着手しない場合には,請負人の債務不履行となる。
- **割合的報酬請求**:請負人がすでにした仕事の結果のうち,可分な部分の給付によって注文者が利益を受けるときは,その部分を仕事の完成とみなし,請負人は,注文者が受ける利益の割合に応じて報酬を請求することができる。

例 ・注文者の責めに帰することができない事由によって仕事を完成することができなくなったとき
・請負が仕事の完成前に解除されたとき

（1）目的物の所有権の帰属

完成した請負の目的物は，注文者のものか，それとも請負人のものか，という問題ですが，**材料をどちらが供給したか**によって異なります。

理解

材料の全部または主要部分の供給者	所有権の帰属（原則）
請負人	完成した目的物の所有権は，請負人がいったん取得し，引渡しによって注文者に移転する（判例）
注文者	完成と同時に，注文者に所有権が帰属する（判例）

メモ

棟上げ時までに全工事代金の半額以上が支払われ，その後も，工事の進行に応じて，代金が逐次支払われてきた場合，建築された建物の所有権は，引渡しを待つまでもなく，完成と同時に注文者に帰属する（判例）。

（2）仕事完成前における注文者の任意解除権（641条）

仕事の完成しない間は，**注文者**は，**いつでも**，損害を賠償して，**契約を解除**できます。注文者にとって不要となった仕事を完成させることは，社会経済上も不利益だからです。なお，仕事の完成後は，この解除権は認められません。

メモ

注文者からの任意解除であって，請負人からの任意解除は認められない。

（3）注文者の破産による契約の解除（642条）

注文者が，**破産手続開始の決定**を受けたときは，請負人または破産管財人は，**契約の解除**をすることができます。ただし，請負人は，仕事を完成した後は，契約の解除をすることができません。

メモ

この場合，請負人は，すでに行った仕事の報酬等について，破産財団の配当に加入できる（報酬請求可）。

（4）請負人の担保責任の制限（636条，637条）

① 責任の内容

注文者に引き渡された目的物が，種類または品質に関して契約内容に適合しない場合には，注文者は，請負人に対して，債務不履行の責任を追及することができます。

メモ

内容的には，「売買」の場合に買主が売主に対して追及できる権利と同様。

ｉ）履行の追完の請求

まず，注文者は，**履行の追完**を請求できます。具体的には，**修補請求**，**代替物の引渡請求**，**不足分の引渡請求**となりますが，請負人は，注文者に不相当な負担を課すものでないときは，注文者が請求した方法とは異なる方法によって，履行の追完をすることもできます。

メモ

不適合が注文者の責めに帰すべき事由によるときは，注文者による追完請求は不可。

ii）報酬減額請求

引き渡された目的物が，契約の内容に適合しないものである場合において，注文者が相当の期間を定めて上記ｉ）の**履行の追完の催告**をし，その期間内に履行の追完がないときは，注文者は，その不適合の程度に応じて，**報酬の減額**を請求することができます。

プラスα

- ただし，ア）履行の追完が不能，イ）催告をしても履行の追完を受ける見込みがないことが明らか，ウ）特定の日時または一定の期間内に履行をしなければ契約をした目的を達することができない場合に，請負人が履行の追完をしないでその時期を経過した，などのときは，注文者は，催告なしに，直ちに報酬の減額を請求することができる。
- 契約内容の不適合が注文者の責めに帰すべき事由によるときは，注文者による報酬の減額請求は不可。

iii）損害賠償請求

注文者は，契約内容の不適合によって生じた**損害の賠償を請求**することができます。ただし，その不適合が，契約や取引上の社会通念に照らして請負人の責めに帰することができない事由によるものであるときは，損害賠償の請求はできません。

iv）契約解除

請負人が，その債務を履行しない場合，または，履行が不能であるときは，債務不履行として，注文者は，**契約の解除**をすることができます。

〈請負人の契約不適合責任〉　○：できる　×：できない

注文者の権利	請負人に帰責事由（責任）が	
	なし	あり
（1）追完請求	○	○
（2）報酬減額請求	○	○
（3）損害賠償請求	×	○
（4）契約の解除	○	○

メモ

・種類または品質に関する契約内容不適合の場合は，注文者は，注文者の供した材料の性質または注文者の与えた指図によって生じた不適合を理由として，請負人の責任を追及することはできない。

・ただし，請負人がその材料または指図が不適当であることを知りながら告げなかったときは，追及可能。

②　担保責任の期間の制限

目的物の種類または品質に関して契約不適合があった場合で，注文者がその不適合を**知った時から1年以内**にその旨を請負人に**通知しない**ときは，注文者は，その不適合を理由として，履行の追完請求などの**請負人の責任を追及することができません**。

メモ

仕事の目的物を注文者に引き渡した時（その引渡しを要しない場合にあっては，仕事が終了した時）に，請負人がその不適合を知り，または重大な過失によって知らなかったときは，責任追及の期間の制限はない。

③　担保責任を負わない旨の特約

請負人の契約不適合の担保責任の規定は，いわゆる**任意規定**であり，当事者間の**特約**があれば，その**特約が優先**するのが原則です。

ただし，請負人は，担保責任を負わない旨の特約をしたときであっても，**知りながら告げなかった事実**については，その**責任を免れることができません**。

2 委任 (643条～)

委任契約は，当事者の一方である**委任者**が，相手方である**受任者**に**事務の処理を依頼**し，相手方が**承諾**することにより成立します（諾成契約）。

成立にあたり，委任状の交付などは必ずしも必要ではありません。

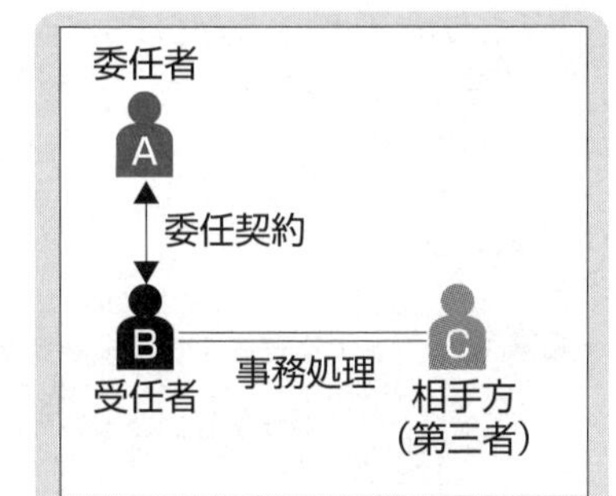

例えば，第三者Ｃ所有の不動産を購入することを，委任者Ａが受任者Ｂに委任をした場合，受任者Ｂは第三者Ｃと，その不動産に関する売買契約を締結します（受任者Ｂが買主となる）。それが，「委任の事務処理」であり，売買代金・契約書作成費用などが「事務処理費用」にあたります。

用語 **準委任**：受任者の事務処理は契約などの法律行為だが，委任者のために売買のあっせんなど，事実行為の依頼を受けることがある。これを「**準委任**」といい，委任の規定が準用される

メモ
・委任は，制度として**代理**（任意代理）と類似点が多いが，受任者は，当事者として顕名をすることなく事務処理を行う点，法律行為の効果がいったん受任者に帰属する点に違いがある。
・上例の場合，第三者Ｃの所有権は，受任者Ｂを経由して，委任者Ａに移転する（代理では，所有権は直接本人に移転し，代理人は所有者とならない）。

（1）受任者の義務 (644条～)

受任者は，委任の本旨に従い，善良な管理者の注意をもって，委任事務を処理する義務を負います（**善管注意義務**）。

委任は，無償契約の場合と有償契約の場合がありますが，たとえ無償の委任契約であっても，注意義務は軽減されません。

以下は，受任者の義務の具体的な内容です。

① 自己服務義務（復委任の原則的禁止）

受任者は，委任事務を自ら処理する義務を負いますので，委任者の許諾を得たとき，またはやむを得ない事由があるときでなければ，復受任者を選任すること

ができません。

メモ

代理権を付与する委任において，受任者が代理権を有する復受任者を選任したとき，復受任者は，委任者に対して，その権限の範囲内において，受任者と同一の権利を有し，義務を負う。

② 報告義務

基本☞

ⅰ）委任者より請求を受けたときは，いつでも	事務の処理の状況を委任者に報告しなければならない
ⅱ）委任事務が終了したときは，遅滞なく	

③ その他の受任者の義務

①②の他，受任者には，次のような義務があります。

基本☞

ⅰ）引渡義務	委任事務を処理するにあたって受け取った金銭その他の物，あるいは収取した果実を，委任者に引き渡さなければならない
ⅱ）権利移転義務	委任者のために自己の名で取得した権利を，委任者に移転しなければならない

（2）受任者の権利（648条～）

① 報酬請求権

委任は，原則として**無償契約**であり，**特約**がない限り，受任者は報酬を請求できません。また，報酬を受けるべき場合でも，委任事務を履行した後でなければ，これを請求することができません。報酬支払いの約定がある場合でも，特約がなければ後払いとなります（成功報酬の原則）。

プラスα

割合的報酬請求権：次のⅰ）ⅱ）の場合，受任者は，すでにした履行の割合に応じて報酬を請求することができる。

ⅰ）委任者の責めに帰すことができない事由によって，委任事務の履行をすることができなくなったとき

ⅱ）委任が，履行の中途で終了したとき（委任事務の終了前に解除されたとき）

また，受任者がすでにした事務処理によって，委任者が利益を受けるときは，受任者は，委任者が受ける利益の割合に応じて報酬を請求することができる。

成果等に対する報酬：委任事務の履行により得られる成果に対して報酬を支払うこととした場合，その成果が引渡しを要するときは，報酬は，その成果の引渡しと**同時に**支払わなければならない。

② **費用前払請求権，費用償還請求権**

受任者は，委任事務の処理について，**必要な費用の前払い**を請求することができます。また，受任者が事務処理費用を立て替えて支出したときは，委任者に対して，その費用と利息の**償還を請求**することができます。

プラスα

・例えば，「第三者の不動産を購入する」という委任の場合，受任者は，買主として売買契約を行い，代金を支払わなければならないが，その代金相当額等が委任事務処理の「費用」である。受任者は，委任者に対し，前払いまたは後払い（償還）の請求をすることができる。

・**代弁済請求権・代担保請求権**：受任者は，事務処理費用を負担したときに，委任者に対し，代わりに弁済するよう請求し，または，担保を提供するよう請求することができる。

・**損害賠償請求権**：受任者は，委任事務を処理するため，自己に過失なく損害を受けたときは，委任者に対し，その賠償を請求することができる。

（3）委任の終了（651条～）

委任は，委任事務の終了や，債務不履行による解除，期限付き委任契約の終期の到来など，契約の一般的終了事由によって終了するほか，次の事由によっても終了します。

① **委任契約の任意解除権（相互解除の自由＝無理由解除権）**

委任は，各当事者が，いつでも解除することができます。

プラスα

委任者からでも，受任者からでも，また，債務不履行などの理由がない場合にも，無理由で解除できる。委任契約は，**相互に信頼関係が存在**してこそ成り立つものであり，信頼関係が失われ，解除することを欲する状態になった以上，契約を無理に継続することはできないからである。

なお，この解除の場合，ⅰ)相手方に不利な時期に解除したとき，または，ⅱ)委任者が受任者の利益（もっぱら報酬を得ることによるものを除く）をも目的とする委任を解除したときには，原則として，相手方の損害を賠償しなければなりません。ただし，やむを得ない事由があったときは，その必要がありません。

暗記

〈委任契約の任意解除権〉

・原則は，損害賠償が必要

・やむを得ない事由による解除の場合は，損害賠償不要

・相手方に不利なときの解除でも，解除自体は制限されないことに注意。
・解除の効果は，将来に向かってのみ生じる。

② 委任の終了事由

委任は，さらに，委任者が死亡・破産手続開始の決定を受けた場合，もしくは，受任者が死亡・破産手続開始の決定・後見開始の審判を受けた場合に，当然に終了します。

暗記 〈委任の終了事由〉

	委任の終了事由	
委任者	i）死亡　ii）破産手続開始の決定	（解任） **相互解除** （辞任）
受任者	i）死亡　ii）破産手続開始の決定 iii）後見開始の審判	

委任の終了の対抗要件：委任の終了事由は，i）相手方に通知したとき，またはii）相手方が知ったときでなければ，その相手方に対抗できない。

③ 委任終了後の善処義務

委任が終了した場合でも，**急迫の事情**があるときは，受任者またはその相続人・法定代理人は，委任者等が，委任事務を処理することができる時まで，必要な処分を行わなければなりません。

メモ

・信任を受けていた者の，いわば当然の義務といえる。
・**急迫の事情**：委任の終了時に，委任にかかる権利が時効にかかるおそれがある場合や，委任者が病気で委任事務を執ることができない場合，など

3 寄託（きたく）(657条〜)

寄託とは，当事者の一方（受寄者B）が相手方（寄託者A）のために**ある物を保管**することを約する契約です。

報酬については，委任契約と同様であり，特約がなければ，**無報酬**が原則です。有償の場合も，**後払い**が原則です。

メモ
寄託契約の目的物は，不動産も可。

（1）契約の成立と契約解除

① 諾成契約

寄託は，寄託者が，**保管**を受寄者に委託し，受寄者が，これを**承諾**することによって，成立します（諾成契約）。

メモ
無報酬の場合も，当事者の合意により契約が成立する。なお，寄託物の引渡しは不要。

② 寄託物受取り前の契約の解除

寄託者は，受寄者が寄託物を受け取るまでは，契約を解除できます。

（2）受託物の保管

① 受寄者の注意義務

報酬のある受寄者は，**善良な管理者の注意**をもって，その一方で，無報酬の受寄者は，**自己の財産に対するのと同一の注意**をもって，寄託物を保管する義務を負います。

基本

有償受寄者	善管注意義務
無償受寄者	自己の財産に対するのと同一の注意義務

② 寄託物の使用及び第三者による保管

受寄者は，寄託者の承諾を得なければ，寄託物を使用することができません。

また，受寄者は，寄託者の承諾を得たとき，またはやむを得ない事由があるときでなければ，寄託物を第三者に保管させることができません。

（3）寄託物の返還

受寄者は，寄託契約に基づき，寄託者に対して，寄託物を返還する義務を負います。

理解

寄託者の返還請求	・返還の時期を定めたときでも，寄託者は，いつでもその返還を請求することができる ・定められた返還時期前の返還請求によって，受寄者が損害を受けたときは，寄託者に対し，損害賠償請求ができる
受寄者からの返還	ⅰ）返還時期の定めがない場合は，いつでも返還できる ⅱ）返還時期の定めがある場合は，やむを得ない事由がなければ，受寄者から，期限前に返還することはできない

メモ

寄託物の返還場所：寄託物の返還は，その保管をすべき場所で行う（寄託者による引取りが原則）。受寄者が正当な事由によって，その物を保管する場所を変更したときは，その現在の場所で返還をすることができる。

第三者が，寄託物について権利を主張する場合であっても，受寄者は，寄託者の指図がない限り，原則として，寄託者に対し，その寄託物を返還しなければなりません。

4 贈与（549条～）

贈与契約は，当事者の一方（贈与者 A）が，**無償**で，ある財産を相手方に与える意思を表示し，相手方(受贈者 B)が，これを受諾することによって成立する契約です（無償・諾成契約）。

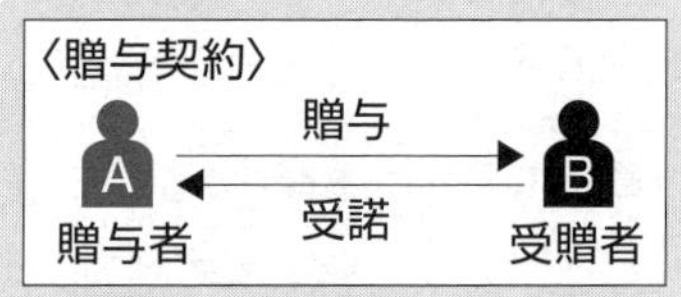

メモ

負担付き贈与：贈与は無償契約だが，受贈者が，贈与者の生活の面倒をみるなど，一定の給付を負担する場合もある。負担の不履行は債務不履行となる。

定期贈与：定期の給付を目的とする贈与。贈与者または受贈者が死亡すると効力を失う。

（1）書面によらない贈与

贈与も契約である以上，その合意内容は守られなければなりませんが，**書面によらない贈与契約**は，各当事者が**解除**することができます。

メモ

書面による贈与は，履行前でも解除できない。しかし，書面によらない場合は，「贈与する」という意思が強固といえないことがあるので，特に解除を認めたのである。

ただし，履行が終了した部分については，解除することはできません。

メモ
不動産の贈与の場合，**引渡しまたは登記**（所有権移転の登記）のいずれかがあれば履行が終了したといえ，**解除は不可。**

（2）死因贈与

贈与者の死亡によって効力を生ずる贈与のことです。性質が遺贈と類似しているので，遺贈に関する規定が準用されます。

メモ
例えば，いつでも撤回することができることや，前の死因贈与と後の遺言が抵触するときは，抵触する部分について，前の死因贈与は撤回したとみなされること（法定撤回），など

5 使用貸借 (593条～)

使用貸借とは，ある物の**無償での貸し借り**のことです。

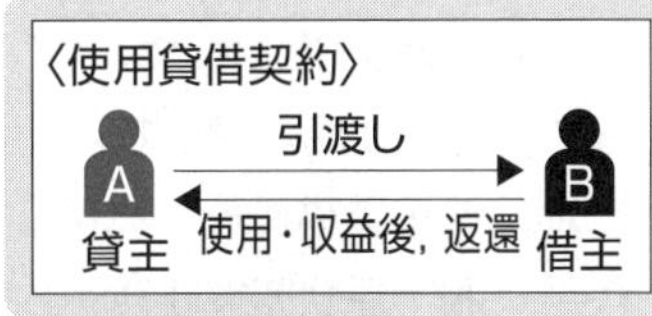

当事者の一方（貸主A）が，ある物を**引き渡す**ことを約し，相手方（借主B）がその受け取った物について**無償で使用・収益**をして契約が終了したときに**返還**をすることを約することによって，その効力を生じます（無償・諾成契約）。

メモ
親子・兄弟・友人間など，貸主・借主間の特殊な関係を前提に成立する場合が多い。

（1）借用物受取り前の契約解除

貸主は，借主が借用物を受け取るまで，契約の解除をすることができます。

ただし，**書面による使用貸借**については，解除できません。

メモ
口頭による場合と異なり，書面による場合は，貸主の貸す意思は明確と考えられるからである。

（2）貸主の引渡義務等

貸主は，使用貸借の目的物を，**使用貸借の目的として特定した時の状態**で引き

渡すことを合意したと推定されます。

メモ

使用貸借の場合も，目的物が契約内容に適合しない場合には，債務不履行責任を負う。ただし，無償の契約なので，貸主の責任は軽減される。

（3）賃貸借との異同

① **賃貸借契約**との主な違いは，次のとおりです。

ⅰ）無償契約であること
ⅱ）借主の死亡により当然終了し，使用借権は相続されないこと
ⅲ）使用収益権に，対抗力を備える方法がないこと（登記はできない）
ⅳ）借主は，目的物の通常の必要費を負担しなければならないこと

メモ

ⅳ）**通常の必要費**：例えば借地上の建物の使用貸借の場合における，建物の固定資産税の負担，建物の敷地の地代，など。なお，「その他の費用」は貸主が負担する。

② **賃貸借**との**共通点**は，次のとおりです。

ⅰ）目的物の保管について，借主は善管注意義務を負うこと
その違反に対して，貸主は契約を解除できること
ⅱ）使用貸借の終了に際し，借主には，目的物に付属させたものの収去義務・原状回復義務があり，また，収去の権利があること
ⅲ）契約の本旨に反する使用・収益に対して，貸主は損害賠償請求ができ，また，借主は支出した費用を償還請求する権利があること。これらの請求は，貸主が返還を受けてから１年以内に行う必要があること（短期の期間制限）
ⅳ）貸主の損害賠償請求について，貸主が返還を受けてから１年間の時効の完成猶予があること

メモ

ⅰ）の具体的な内容としては，用法遵守義務（契約またはその目的物の性質によって定まった用法に従いその物の使用・収益をしなければならないこと），無断譲渡・転貸の禁止（第三者への譲渡・転貸には貸主の承諾が必要であること）が挙げられる。

（4）使用貸借の終了

① **使用貸借の期間を定めたとき**

当事者が使用貸借の期間を定めたときは，使用貸借は，その**期間が満了**することによって**終了**します。

② **使用貸借の期間を定めなかったとき**

当事者が使用貸借の期間を定めなかった場合で，使用・収益の目的を定めたときは，使用貸借は，借主がその目的に従い，**使用・収益を終える**ことによって**終了**します。

メモ

・使用貸借の期間を定めなかった場合で，使用・収益の目的に従い借主が使用・収益をするのに足りる期間を経過したときは，貸主は，契約を解除できる。

・使用貸借について，当事者が，期間のほか，使用・収益の目的も定めなかったときは，貸主は，いつでも契約を解除できる。

③ **借主からの解除**

借主は，**いつでも契約の解除**をすることができます。

メモ

なお，使用貸借は，借主の**死亡**によって，当然に**終了**する。

理解

〈使用貸借の終了〉

存続期間の定めがあるとき		期間満了によって終了する
存続期間の定めがないとき	使用目的のみ定めたとき	・目的物の使用・収益が終わったときに終了する ・貸主は，使用・収益をするのに十分な期間を経過したとき，契約を解除できる
	使用目的も定めないとき	貸主は，いつでも契約を解除できる
・借主は，いつでも契約を解除できる ・借主の死亡により，当然に終了する		

6 消費貸借 (587条～)

消費貸借は，当事者の一方が種類・品質・数量の同じ物をもって返還をすることを約束して，相手方から金銭その他の物を受け取ることによって成立する契約です（原則は，要物契約）。なお，**有償**の場合（利息付き）と，**無償**の場合（利息なし）があります。

プラスα

・「隣人から米を借りる」という例もあるが，金融機関から金銭を借りる**金銭消費貸借**が典型例。利息に関する約定をしないと，無利息の消費貸借となる。
・使用貸借や賃貸借が借りたものそのものを返還するのに対し，消費貸借は，借りたものは「消費」して，同種・同等・同量の別のものを返還する点に違いがある。また，借りたものは「消費」するので，その所有権は，借主に移転することになる。

（1）書面でする消費貸借

消費貸借は，貸主は，金銭その他の物を引き渡すこと，借主は，受け取った物と種類・品質・数量の同じ物をもって返還をすることを，**書面で契約**することにより，諾成契約とすることができます。金融機関から住宅ローンを借りたり，企業が資金調達を行う場合など，現実の経済社会では，消費貸借を，**実際の金銭の受け渡しの前に成立**させる必要があり，**書面で契約**することにより消費貸借を合意により成立させる（諾成契約とする）ことができることとしたのです。

なお，消費貸借が，その内容を記録した電磁的記録によってされたときは，その消費貸借は，書面によってされたとみなされます。

（2）返還時期

借主が，借りた金銭などを返還すべき時期は，次のとおりです。

基本

	返還時期の定めがある場合	返還時期の定めがない場合
貸　主	期限到来まで 返還請求できない	・相当期間を定めて返還の催告ができる ・その相当期間経過後返済がないと，債務不履行となる
借　主	いつでも返還できる	

（3）準消費貸借

金銭その他の物を給付する義務を負う者が，相手方との契約により，その物を消費貸借の目的としたときは，**消費貸借契約が成立**したとみなされます。なお，実際には，金銭等の授受をすることなく，消費貸借が成立します（要物性の緩和）。

例　履行期の到来した売買代金債務を，消費貸借とする場合など

13 不法行為

ウォームアップ

故意・過失により他人の**権利**や法律上保護される**利益を侵害**した場合，それにより生じた**損害を賠償**しなければならないのは，当然です。民法は，まずそのことについて，**一般的不法行為**として規定しています。

また，損害の賠償は，加害者本人に対して請求するのが原則ですが，従業員が業務中に他人にケガを負わせてしまった場合の会社の責任（**使用者責任**）など，**直接の加害者のほかにも損害を賠償すべき者**がいる場合があります。これを，**特殊な不法行為**といいます。

いずれも，「どうしたら被害者が救済されるか」を基に，考えてみましょう。

1 不法行為とは（709条～）

不法行為とは，**故意**または**過失**により他人の**権利または法律上保護される利益を侵害**することをいい，被害者は，加害者に対して，**損害賠償請求**をすることができます。

なお，財産上のみならず，**精神上の損害**（慰謝料）も賠償の対象となります。

メモ

例えば，交通事故の被害者が，加害者に対して損害賠償請求をする場合。

（1）損害賠償請求（709条，710条）

賠償は，原則として**金銭**によって行います。そして，損害賠償の範囲は，債務不履行の場合と同様，**通常生ずべき損害**の範囲が原則です（前述6 1 2「債務不履行」参照）。

また，発生した損害賠償請求権は，**相続**の対象です。

- 被害者が即死の場合も，相続できる（判例）。
- 不法行為に基づく損害賠償請求は，胎児も請求できる。
- **正当防衛と緊急避難：**
  他人の不法行為に対し，自己または第三者の権利・利益を防衛するためやむを得ず加害行為をした場合（正当防衛）や，他人の物から生じた急迫の危難を避けるためその物を損傷した場合（緊急避難）は，**損害賠償責任は生じない**。

（2）損害賠償請求権の発生時期

不法行為に基づく損害賠償請求権は，損害発生と同時に発生し，**損害発生時**から損害賠償債務の**履行期が到来**した，と扱われます。したがって，被害者が請求するまでもなく，損害発生時から**当然に**，**履行遅滞**となり，損害発生時からの法定利息を請求できます。

（3）過失相殺（722条）

不法行為による損害賠償請求において，被害者側に過失があり，それにより被害が大きくなったときには，**裁判所**は，損害賠償の額を定めるにあたり，**被害者側の過失を考慮**することができます。

- 被害者の過失の分だけ，賠償額を減額することになる。
- 当事者による過失相殺の主張は必ずしも必要ではないが，過失相殺するかどうかは裁判所の裁量に任されるので，被害者側に過失があったからといって，必ず過失相殺されるとは限らない。

（4）損害賠償請求権の期間の制限（724条）

不法行為による損害賠償の請求権も，次のように，**時効によって消滅**します。

> ① **被害者またはその法定代理人が，損害及び加害者の両方を知った時から，3年間（人の生命または身体を害する不法行為による損害賠償請求については5年間）行使しないとき**
> ② **不法行為の時から20年間行使しないとき**

2 特殊な不法行為

（1）使用者責任（715条）

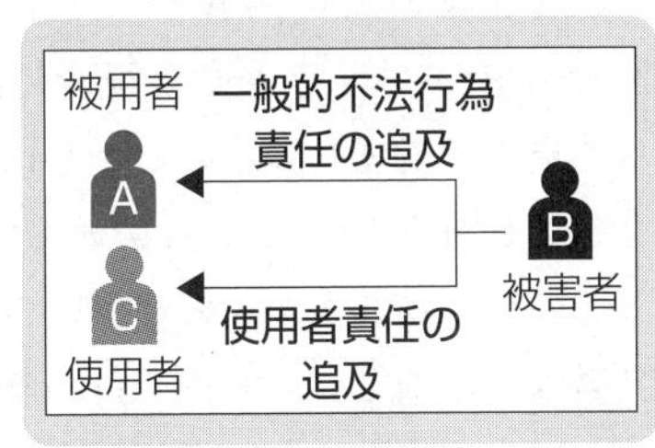

使用者責任とは，被用者A（他人に使用される者）が，使用者C（雇い主）の事業の執行について**第三者Bに損害**を加えた場合，使用者または使用者に代わって事業を監督する立場にある者に，その**損害を賠償する責任**を負わせるものです。

なお，使用者責任が生じるのは，被用者自体に，まず一般的不法行為責任が成立するのが前提となります。したがって，被害者は，被用者及び使用者の**両者に対して**，損害賠償を請求できます。

使用者責任：使用者は，原則として，被用者とともに責任を負う

プラスα

・宅建業者の従業員が，業務中に，第三者にケガをさせた場合であれば，使用者は被用者の活動によって**利益**を上げているので，被用者の活動から生じる**マイナス面も負担**するのが公平だ，と考えることになる。ただし，使用者は，被用者の選任・その事業の監督について相当の注意を払った場合には，使用者責任を免れることができる。なお，使用者自身に，被害者に対する直接的な故意・過失が認められる場合には，一般的不法行為責任（709条の責任）が成立する余地がある。

・「被用者の職務の範囲」については，被害者保護のため，行為の外形を標準として客観的に判断する（判例）。したがって，実際には職務権限外の行為であっても，外形上職務に含まれる場合，使用者責任が生じる。なお，被害者が，被用者の行為が職務権限外の行為であることを知り，または重大な過失により知ることができなかったときは，使用者責任は成立しない（判例）。

被害者は，被用者及び使用者の両方に対して，全額，損害賠償請求できます。そして，仮に使用者が全額弁済した場合，使用者は被用者に対して求償できますが，求償額は，**信義則上相当の範囲**に制限されることになります（判例）。

また，被用者が弁済した場合にも，被用者は，損害の公平な分担という見地から，相当と認められる額について，使用者に対して求償することができます（判例）。

（2）注文者の責任（716条）

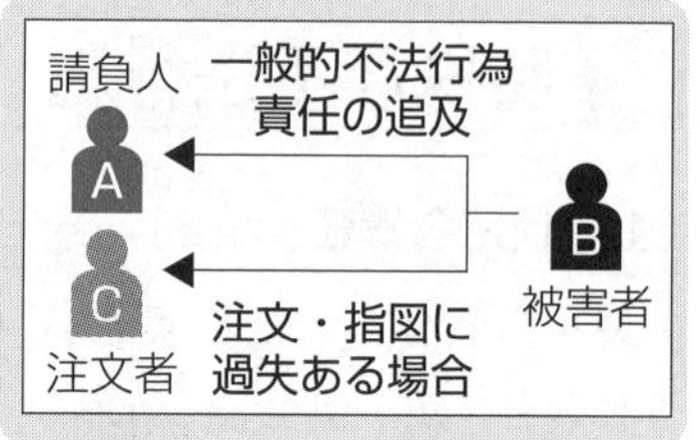

建物建築の請負人Ａが，工事中に誤って通行人Ｂにケガをさせた場合に，過失のある請負人は責任を負うのとともに，注文者Ｃも責任を負うのか，という問題です。

この点，請負人がその仕事について第三者に損害を加えた場合，請負契約の**注文者**は，原則として責任を**負いません**。

ただし，**注文または指図に過失**があるときには，**責任を負う**ことになります。

注文者の責任：注文者は，注文・指図に過失がある場合にのみ責任を負う

メモ

請負人に故意・過失がない場合には，注文者は716条としての責任は負わないものの，注文者自身に，被害者に対する直接的な故意・過失が認められる場合には，一般的不法行為責任が成立する余地がある。

（3）工作物責任（717条）

例えば，賃貸している建物の壁がはがれて，通行人Ｂにケガをさせた場合に，賃借人Ａが責任を負うか，または，所有者Ｃが責任を負うか，という問題です。

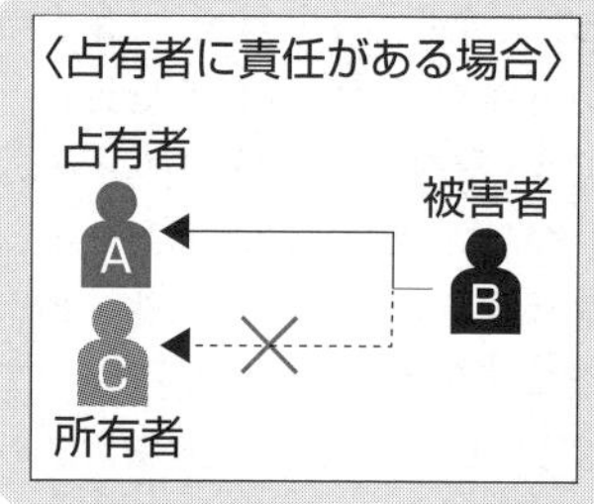

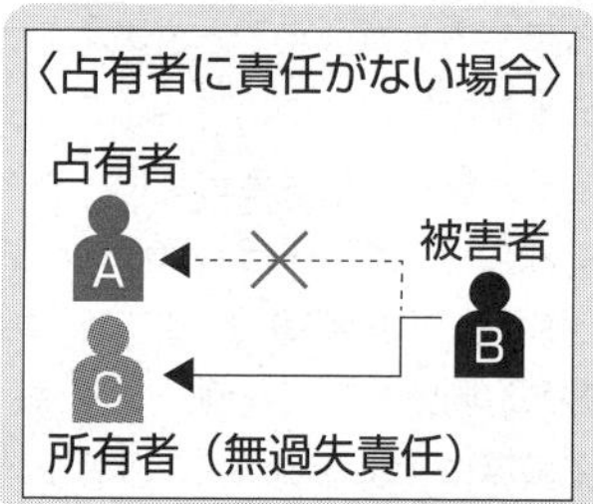

①　まずは「占有者」が，占有者が免責されると「所有者」が責任を負う

土地の工作物（建物など）の設置・保存に瑕疵があり，そのため他人に損害を与えた場合，第一次的には賃借人などの**占有者**が責任を負い（上の左の図参照），占有者が免責事由を立証すれば，第二次的に**所有者**が責任を負う（上の右の図参照）ことになります。

②　責任は免除されるか

第一次義務者である占有者は，損害の発生を防止するのに必要な注意を払ったことを立証すれば，責任を免れます。

これに対して，**所有者**は，自己の無過失を立証しても，責任を免れることはできません（**無過失責任**）。

> **工作物責任：**
> **・占有者が責任を負う場合，所有者は責任を負わない**
> **・占有者が責任を負わない場合には，所有者が責任を負う**

メモ

いずれの場合にも，他に，損害の原因につき責めに任ずべき者（例 工事施工者）がある場合は，その者に対して求償することができる。

（4）責任無能力者の監督義務 (712条～714条)

例えば，小学校6年生の子供が自転車事故を起こし，他人にけがをさせてしまったような場合に，被害者はその子供とその親に対して損害賠償を請求することができるか，という問題です。

① 責任能力

未成年者が他人に損害を加えた場合に，自己の行為の責任を弁識（理解）するに足りる知能を備えていなかったときは，賠償責任を負いません（責任無能力）。

メモ

・おおむね小学校卒業程度（12歳程度）の子供には責任能力がないとされる場合が多い。
・精神上の障害により自己の行為の責任を弁識（理解）する能力を欠く状態にある間に他人に損害を加えた者も，その賠償の責任を負わないのが原則。

② 責任無能力者の監督義務者等の責任

そこで，責任無能力者が責任を負わない場合には，その者を監督する義務を負う者（例 親権者）が損害賠償責任を負わなければならないのが原則です。

（5）共同不法行為 (719条)

数人が不法行為を共同して行った場合には，被害者の救済を厚くするため，その責任を**連帯債務**としました。これが，**共同不法行為責任**です。

例 売主から媒介の依頼を受けた宅建業者と，買主から媒介の依頼を受けた宅建業者が，共同して媒介して契約を成立させ，依頼者に損害を与えた場合，など

メモ

連帯債務：共同不法行為者は，各自，全額の損害賠償責任を負う。自己の負担部分（内部的な責任の割合）にかかわらない。ただし，自己の負担部分を超えて損害を賠償したときには，その超えた部分につき，他の者に対して求償できる。

第4章 相　続

データ　【直近12年間の出題実績＆攻略法】

項目	H25	H26	H27	H28	H29	H30	R1	R2	R3	R4	R5	R6	重要度
相　続	●	●	●	●	●	●	●	●	●	●	●		S

相続からは毎年１問出題されている。しっかりと知識を固めて，必ず得点すべき分野である。重要項目は，「相続人・相続分・相続の承認と放棄・遺産分割・遺留分」だが，他の項目や判例も含めて，漏れのない対策をしておこう。

ウォームアップ

Ａさんが死亡した場合に，Ａさんが持っていた権利・義務をそのままにしておくわけにはいきません。この場合，その人の最終的な意思である**遺言**があれば，第一次的には，遺言の内容に沿った処理がなされるべきです。

一方，遺言がない場合には，Ａさんの近親者（家族など）に権利・義務を承継させるのが，妥当というべきです。これが**法定相続**です。

また，遺言と近親者の相続への期待とが衝突する場合もあります。このとき，近親者の生活基盤を守るために「**遺留分**」という制度が設けられています。

いずれも，財産の処理に関するため，関係者の利害も対立しやすい場面です。ここでは，その**承継のルール**を見ていきます。

1 相続とは (896条)

相続人は，相続開始の時から，被相続人の財産に属した一切の権利義務を承継します。

相続とは，人の死亡によって，その者の財産関係を包括的に承継することです(**包括承継**，一般承継)。権利・義務関係は，原則として，全て引き継がれます(**地位が相続人に承継**される)。

ただし，年金受給権，宅建業の免許などのように，権利の性質上本人でないと認められない権利（**一身専属権**）は，相続されません。

メモ
財産を相続する者が相続人，相続される者（死亡した者）を被相続人という。

2 相続の開始

（1）相続開始の原因 (882条)

相続は，**人の死亡**により開始します。

メモ
失踪宣告の場合：普通失踪の場合は失踪期間の満了時に，危難失踪の場合は危難終了時に死亡したものとみなされ，相続が開始する（前述第1章2 10「失踪宣告」参照）。

（2）同時死亡の推定 (32条の2)

相続関係にある複数の親族の死亡の時期が接近していて，いずれが先に死亡したか証明することができない場合は，同時に死亡したものと推定されます。

同時死亡の推定を受ける場合には，**死亡者相互間には相続が開始しません**。ただし，代襲(だいしゅう)相続ができます（後述4（2）②参照)。

3 相続人の資格

（1）相続人の資格（誰が相続人となるのか)

自然人（人）には，全て相続能力が認められます。

なお，胎児は，まだ「人」ではありませんが，相続については，すでに生まれたものとみなされます（相続資格あり）。

（2）相続資格がなくなる場合（891条～）

相続する地位にいるべき者でも，次の場合は，相続資格を失います。相続資格が当然に失われる場合と，一定の手続を経たうえで失われる場合とがあります。

理解

① 相続欠格	一定の重大な反道徳的行為をした相続人の相続資格を，法律上当然に奪うこと 例 遺言書の偽造・変造・隠匿など
② 相続人からの廃除	①のように重大な事由ではないが，遺留分を有する相続人に被相続人に対する著しい非行がある場合。被相続人が，このような相続人の相続資格を，家庭裁判所に請求して奪うこと 例 被相続人を虐待，あるいは重大な侮辱を加えた場合など
③ 相続の放棄	相続人とならない旨を家庭裁判所に申述する。 相続の放棄をした者は，「はじめから」相続人とならなかったものとみなされる

メモ

①及び②は，このような者に相続資格を与えることが国民感情から妥当でない場合である。なお，②は，遺言による廃除も可能（遺言執行者による家裁への請求は必要）

4 相続人（886条～890条）

（1）相続人とその順位

相続人には，配偶者相続人と血族相続人があり，相続には順位があります。被相続人の**配偶者**は，**常に相続人**となり，血族相続人と同順位となります。

血族相続人の順位は，次のとおりです。

基本

血族相続人	第１順位	子及びその直系卑属（子・孫・ひ孫…）
	第２順位	直系尊属（父母・祖父母…）
	第３順位	兄弟姉妹及びその子（おい・めい）

メモ

・第１順位の相続人がいる場合は，第２・第３順位の者は相続人にならない。

・第２順位の者が相続人になる場合は，第１順位の者がいない場合であり，第３順位の者が相続人になる場合は，第１・第２順位の者がいない場合である。

(2) 子及び直系卑属（第1順位）の相続

① 子（胎児を含む）が数人いる場合には，全て同順位で相続人となります。
なお，子は，実子・養子，嫡出子・非嫡出子を問わず，全て相続人です。

メモ

・**養子**は，縁組の日から養親の嫡出子としての身分を取得する。実親との血縁関係は切断されないので，実親・養親の双方の相続権を取得する。なお，特別養子制度については，本書では扱わない。

用語 **嫡出子**：法律上の婚姻関係にある夫婦に生まれた子のこと
非嫡出子：法律上の婚姻関係にない男女間に生まれた子のこと

・「子」は実子または養子をさす。例えば，再婚の場合の夫（妻）の子（いわゆる連れ子）に相続権はない。

② 代襲相続
被相続人の子が，相続開始以前に死亡した（同時死亡も含む），あるいは相続欠格・相続人からの廃除によってその相続権を失ったときは，孫以下の直系卑属が，子が相続するはずであった相続分を代襲して，相続します。
なお，**相続の放棄**は，代襲原因となりません。つまり，相続放棄者の子等は，代襲相続しないことになります。

メモ

代襲原因は「死亡・欠格・廃除」の３つのみである。

(3) 直系尊属（第2順位）の相続

① 第1順位の者がいないとき，相続人となります。
② 直系尊属が数人いる場合，親等の異なる者の間では，その近い者が先順位となります。例えば，父または母がいれば，祖父母は相続しません。

(4) 兄弟姉妹（第3順位）の相続

① 第1順位，第2順位の相続人がいないとき，相続人となります。
② 代襲相続
兄弟姉妹にも代襲相続が認められますが，第1順位の場合（前出 **(2)**）と異なり，代襲の範囲は，兄弟姉妹の子に限られます。つまり，代襲相続ができるのは「おい，めい」までです。

5 相続分（899条，900条，902条）

（1）指定相続と法定相続分

被相続人は，相続分について，遺言で指定できます（指定相続）。この指定がないときには，法定相続分による相続が基本となります。

法定相続分は次のとおりです。

法定相続分	① 第１順位	② 第２順位	③ 第３順位
配偶者	１／２	２／３	３／４
血族相続人	子（直系卑属） １／２	直系尊属 １／３	兄弟姉妹 １／４

メモ

・例えば，①第１順位の相続の場合であれば，相続分は「配偶者が１／２，子が１／２」という意味である。

・同順位の相続人が数人あるときは，各自の相続分は相等しい（均等）。

（2）法定相続分の具体例

以下，「**遺産総額を1,200万円とした場合**」の法定相続分と相続額を検討してみましょう。被相続人をX，その配偶者をYとします。

①　子と配偶者が相続人の場合（第１順位の相続）

ア） 配偶者が１／２，子が１／２を相続します。

イ） 子が２人以上のときは，子は，子の（相続分の）１／２を均分して，それぞれ相続します。

ウ） 代襲相続については，例えば，本来相続するはずだった子BがXの死亡以前に死亡していた場合，Bの相続額を子 b_1，b_2が代襲して頭数で割って相続します。

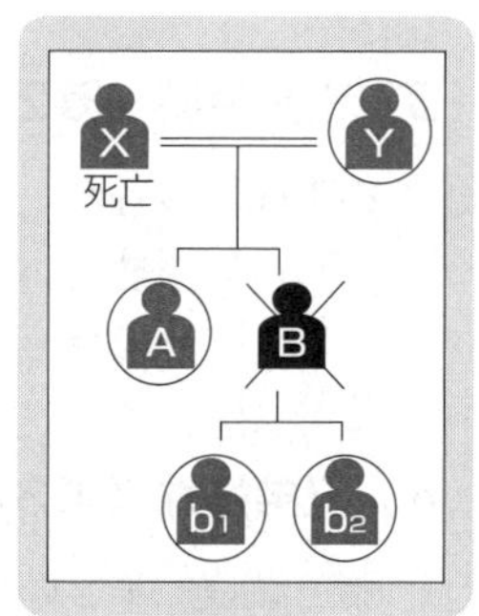

○：相続人となる
×：すでに死亡（以下同）

したがって，それぞれの相続分は，

・Y＝1,200万円×１／２＝600万円

・A＝1,200万円×１／２×１／２＝300万円

・b_1，b_2＝1,200万円×１／２×１／２×１／２＝（各）150万円

となります。

> **メモ**
> なお，嫡出子の相続分と非嫡出子の相続分に違いはない。

② 直系尊属と配偶者が相続人の場合（第2順位の相続）

配偶者が２／３，直系尊属が１／３を相続します。

なお，父母（CまたはD）が生存している限り，祖父母（甲，乙）は相続人ではありません。

したがって，

・Y＝1,200万円×２／３＝800万円

・C＝1,200万円×１／３×１／２＝200万円

・D＝1,200万円×１／３×１／２＝200万円となります。

③ 兄弟姉妹と配偶者が相続人の場合（第3順位の相続）

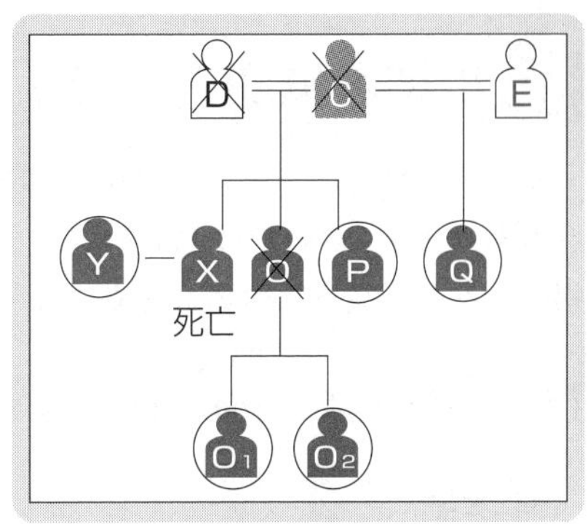

ここでは，O，P，QはXの兄弟姉妹，また，Xの死亡当時，C，D，Oはすでに死亡し，Oの子O_1，O_2がいる，とします。

ア） 配偶者が３／４，兄弟姉妹が１／４を相続します。

イ） 右図の場合，法定相続人は，配偶者Y，及び，兄弟姉妹O，P，Qになります。なお，Oについては，O_1，O_2が代襲し，また，Qは，Xとは一方の親のみ同じくする兄弟姉妹とします。

一方の親のみを同じくする兄弟姉妹の相続分は，両親を同じくする兄弟姉妹の１／２の相続分となるので，この例では，

O:P:Q＝２：２：１＝２／５：２／５：１／５

となります。

ウ） 次に，兄弟姉妹全体の相続分１／４を，O:P:Q＝２：２：１の割合で相続（Oの相続分はO_1，O_2が１：１の割合で代襲相続）する，と考えます。

したがって，それぞれの相続分は，

・Y＝1,200万円×３／４＝900万円

・O_1，O_2＝1,200万円×１／４×２／５×１／２＝（各）60万円

・P＝1,200万円×１／４×２／５＝120万円

・Q＝1,200万円×１／４×１／５＝60万円

となります。

（3）具体的相続分

実際の相続にあたっては，個々の相続人について，被相続人から営業資金の援助を受けたなどによる「**特別受益**」や，被相続人の財産の維持・増加に特別の貢献をしたことによる「**寄与分**」が考慮されなければならない場合があります。

このように各相続事案に即して指定相続分，法定相続分を修正して算出する割合が**具体的相続分**で，遺産分割の基準はこの具体的相続分の割合によることになります。

6 相続の承認と放棄（920条～）

相続については,“プラス”の財産ばかりでなく,“マイナス”の財産を承継する場合もあります。そのため，相続人は，一応生じた**相続の効果を受諾**するか（**承認**），**拒否**するか（**放棄**）の選択をすることができます。

（1）相続の内容（920条，922条，939条）

基本

単純承認	・被相続人の権利・義務を全面的に承継する意思表示 ・熟慮期間の徒過，相続財産の処分・隠匿などがあると，単純承認したものとみなされる（法定単純承認）
限定承認	・相続によって得た（プラス）財産を限度として，被相続人の債務（マイナス財産）を弁済するという意思表示 ・相続人自らが築いてきた固有の財産によっては，被相続人の債務は弁済しない，という留保付きの承認 ・相続人全員が共同して，家庭裁判所に対し申述して行う
放　棄	・相続の効果を拒否する意思表示 ・放棄をすると，はじめから相続人でなかったものとみなされる ・各自独立して，家庭裁判所に対し申述して行う ・代襲相続は生じない

（2）承認，放棄の時期

① 熟慮期間（915条）

相続の承認・放棄は，相続人が，**自己のために相続が開始したことを知った時から**，原則として，**3カ月以内**にしなければなりません。この期間内に意思表示をしないときは，**単純承認**したとみなされます（法定単純承認）。

② 承認・放棄

相続開始前の承認または放棄は，認められません。また，いったん行った承認・放棄は，熟慮期間中でも撤回できません。

メモ

詐欺または強迫による承認・放棄は取り消せるが，その旨を家庭裁判所に申述しなければ，その効果は生じない。

（3）相続財産の管理（918条，940条）

① 相続財産管理人の選任他（897条の2，952条）

相続が開始すると，家庭裁判所は，いつでも，相続財産の管理人の選任その他の相続財産の保存に必要な処分を命ずることができます（相続人が1人である場合でその相続人が単純承認をしたとき，相続人が数人ある場合で遺産の全部の分割がされたとき，相続財産清算人が選任されているときを除く）。

② 相続人による管理

一方相続人は，承認または放棄があるまで，その固有財産におけるのと同一の注意をもって，相続財産を管理しなければなりません。管理の程度を超えて処分行為を行うに至ると，その相続人は，相続を単純承認したものとみなされます（法定単純承認）。

③ 相続放棄の場合

相続の放棄をすると，はじめから相続人とならなかったものとみなされます。相続の放棄をした者は，その放棄の時に相続財産に属する財産を現に占有しているときは，相続人（法定相続人全員が放棄した場合は相続財産の清算人）に対して引き渡すまでの間，自己の財産におけるのと同一の注意をもって，その財産を保存しなければなりません。

7 共同相続と遺産の分割

（1）共同相続の効力（898条，899条）

相続人が数人いるときは，**相続財産はその共有**に属します（遺産共有）。そして，各共同相続人は，**その相続分に応じて**，被相続人の財産だけでなく，その権利義務を承継します。

金銭債権などの**可分債権は**，原則として，共同相続人にその相続分の割合に応じて，**当然に分割されて承継**されます（判例）。

① 金銭（そのもの）が相続財産である場合，各相続人は，遺産分割までの間は，その金銭を相続財産として保管している他の相続人に対して，自己の相続分に相当する金銭の支払を求めることはできません（判例）。

② **共同相続された預貯金債権**（普通預金，定期預金，通常貯金，定期貯金）は，換価性が高く，また，具体的な遺産分割の方法を定めるに当たっての調整財産としての機能上も現金に近く，遺産分割の対象となります。相続開始と同時に，各共同相続人にその相続分の割合に応じて当然に分割されることはありません（判例）。

③ **可分債務**は，可分債権と同様，当然に各相続人の相続分に応じて分割されます（判例）。また，移転登記義務などの**不可分債務**は，各相続人が，全部について責任を負うとされています（判例）。

プラスα

・**相続された預貯金債権の仮払い制度**（遺産の分割前における預貯金債権の行使）（909条の2）：
相続された預貯金債権は遺産分割の対象財産なので，原則として遺産分割が終了するまでの間は被相続人の預金の払戻しができないところ，相続人の当面の必要生計費や葬式費用の支払いなどの資金需要があっても払戻しされないという不都合を回避するため，遺産に属する預貯金債権のうち一定額（≒相続開始時の預貯金債権の額×１／３×法定相続分）については，遺産分割前にも，共同相続人が，単独で払戻しができる。

・**共同相続における権利の承継の対抗要件**（899条の２）：
不動産及び動産を共同相続により承継した場合，（特定財産承継遺言（相続させる旨の遺言）についても）法定相続分を超える部分については，登記等の対抗要件を備えなければ，第三者に対抗することができない。遺言の内容等を知りえない第三者等の取引の安全を確保するためである。なお，法定相続分の範囲内の部分については，対抗要件なくして第三者に対抗できる。

・**連帯債務の共同相続：**

・連帯債務者の１人が死亡し，相続人が数人ある場合，各相続人は，（法定）相続分の割合に応じて分割された債務を承継し，各自その承継した範囲を負担部分として，本来の債務者と連帯債務を負う。

・例えば，連帯債務をＹとともに負担するＸが死亡し，Ｘの相続人がＸ１・Ｘ２（相続分は各１／２）の場合，Ｘ１・Ｘ２は，Ｙとともに連帯債務を負い，それぞれの負担部分は，Ｘ１：Ｘ２：Ｙ=0.5：0.5：１となる。

（2）特定財産承継遺言（相続させる旨の遺言）（1014条）

① 「特定財産承継遺言」とは，共同相続人のうちの特定の相続人に対し，特定の相続財産を相続させる，とする内容の遺言をいいます。例えば，ある特定の不動産をある特定の相続人に譲りたい，という場合に用いられます。

② **効力**

「特定財産承継遺言」は，原則として遺産分割の方法の指定であり，相続人はこれと異なる遺産分割はできません。

遺言としての効力が発生した時に，その特定の遺産が特定の相続人に承継されます（ただし，法定相続分を超える部分については，登記をしないと第三者に対抗できません）。なお，遺留分侵害額請求（後述）の問題は，別途発生します。

メモ

すべての相続財産を特定の相続人に相続させる旨の遺言：

遺産分割方法の指定であり（包括遺贈ではない），特定の財産を相続させる旨の遺言と同様に扱われる。

（3）遺産分割の方法（906条～）

遺産分割とは，遺産共有関係にある相続財産を，各相続人に具体的に分配することです。

遺産分割の方法は，①**遺言**による分割（指定分割），②**相続人間の協議**による分割（協議分割），③**家庭裁判所の審判**による分割（審判分割）によります。

分割につき，特に期限の定めはありません。つまり，遺産分割請求権は消滅時効にかからないということです。

メモ

・具体的相続分による遺産分割の限界（904条の３）：

遺産分割の基準は具体的相続分の割合であるが，いつまでも具体的相続分により遺産分割を求めることができるわけではない。すなわち，相続開始（被相続人の死亡）の時から10年経過後にする遺産の分割については，原則として法定相続分（または指定相続分）による。相続開始後遺産分割がないまま長期間経過すると，具体的相続分の根拠となる生前贈与や寄与分に関する証拠が散逸してしまうおそれがあるからである。

プラスα

遺産の分割前に遺産財産が処分された場合の遺産の範囲（906条の２）：

相続開始後，遺産の分割前に，遺産に属する財産が処分された場合であっても，共同相続人は，その全員の同意により，処分された財産が遺産の分割時に遺産として存在するものとみなすことができる（共同相続人によりその財産処分がされたときは，その共同相続人の同意は不要）。例えば，共同相続人の１人が，相続開始後，密かに預貯金を引き出したような場合でも，それを相続財産に含めることによって，不当な出金がなかった場合と同じ結果を実現できることになる。

①　指定分割（908条）

被相続人は，遺言で，分割の方法を定めること（または，これを第三者に委託すること）ができます。

遺言による分割指定の方法があれば，まずそれに従います。

プラスα

遺言による分割の禁止：

被相続人は，遺言で，相続開始の時から５年を超えない期間を定めて，遺産の分割を禁止することができる。

相続分の指定をした被相続人が負っていた債務の履行（902条の２）：

遺言により相続分の指定がされた場合でも，被相続人の債権者（相続開始時に被相続人が負っていた債務の債権者）は，各共同相続人に対して，その法定相続分の割合に従って，相続債務の履行を請求することができる。

②　協議分割（907条）

遺言による指定がない場合には，相続人の協議により分割します。共同相続人は，原則として，いつでも，その協議により遺産の分割をすることができます。

メモ

・すでに成立している遺産分割協議を，共同相続人全員の合意により解除し，改めて分割協議を成立させることもできる（判例）。

・遺産分割をしない旨の契約（908条）：

共同相続人は，５年以内の期間を定めて，遺産の分割をしない旨の契約をすることができる（更新もできる）。ただし，その期間の終期は，相続開始の時から10年を超えることはできない。

③　審判分割（907条）

協議が調わないとき，または協議をすることができないときは，各共同相続人は，その分割を家庭裁判所に請求することができます。

メモ

・家庭裁判所は，審判の手続に先立ち，調停による分割を試みることもできる。

・分割禁止の審判（908条）：

家庭裁判所は，５年以内の期間を定めて，遺産の分割を禁ずることができる（期間の更新も可）。ただし，その期間の終期は，相続開始の時から10年を超えることができない。

（4）遺産の分割の効力（遡及効）

遺産分割が成立すると，相続により取得した遺産について，相続開始の時に被相続人から直接に承継したと扱われます。つまり，遺産分割は，相続開始の時にさかのぼって効力を生ずることとなります。ただし，第三者の権利を害することはできません。

メモ

遺産分割後，認知が確定した場合：

遺産分割後に認知の訴えが確定したことにより相続人となった者が遺産の分割を請求する場合は，価額のみによる支払いの請求権を有するにとどまる。

（5）相続回復請求権の時効消滅（884条）

相続回復の請求権は，相続人またはその法定代理人が相続権が侵害された事実を知った時から５年間行使しないとき，または，相続開始の時から20年経過したときは，時効によって消滅します。

メモ

例えば，戸籍上は相続人でない兄妹が，被相続人の子どもであるとして相続上の権利を主張した場合に，他の共同相続人が相続回復請求権は時効により消滅した旨を主張反論することが考えられる。

8 相続人がいない場合 (951条～)

(1) 相続財産法人

相続人がいることが明らかでない場合，相続財産は法人となり，その管理は，利害関係人等の請求により家庭裁判所が選任した相続財産清算人が行います。

メモ
この場合も，被相続人に対して債権を有していた債権者は，相続財産清算人に請求して，弁済を受けることができる。

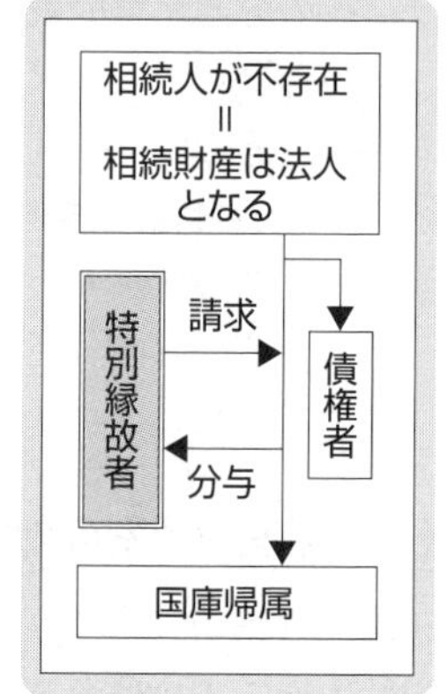

(2) 特別縁故者への分与 (958条の2，959条)

家庭裁判所は，被相続人と生計を同一にしていた者，被相続人の療養看護に努めた者（特別縁故者）などの請求により，相続財産の一部または全部を分与できます。

なお，残った財産は，国庫に帰属します。

9 遺言 (960条～)

遺言は，相続分の指定や遺贈など，**遺言者の意思を実現**するために行います。**遺言者自ら行う必要**があり，代理人による遺言はできません。

遺言（書）の作成の方式は，法律により，厳格に定められています。慎重さを要求し，偽造等が行われないようにするためです。法律に定められた方式を備えていないと，遺言はその効力を生じません（要式行為)。

遺言の方式は，普通の方式として，①**自筆証書遺言**，②**公正証書遺言**，③**秘密証書遺言**の３種類があります。また，死亡の危急に迫った者の遺言，在船者の遺言などの，特別の方式もあります。

i）①**自筆証書遺言**の場合，遺言者は，遺言の全文，日付及び氏名を自書し，これに押印しなければなりません。ただし，自筆証書遺言に一体のものとして財産目録を添付する場合には，その目録については自筆を要しません（目録の毎葉・両面への署名・押印は必要)。

なお，自筆証書遺言については，遺言書の原本等を法務局が保管する自筆証書遺言書保管制度が運用されています。

ⅱ）証人の要否については，①**自筆証書遺言**は不要ですが，②**公正証書遺言**，③**秘密証書遺言**では，２人以上必要とされ，また，特別の方式についても，それぞれ証人が必要です。

ⅲ）遺言は，必ず１人が１つの証書でしなければならず，２人以上共同して，同一の証書で遺言することはできません（共同遺言の禁止）。これに反して行われた遺言は，無効です。

（1）遺言能力（961条）

15歳に達した者は，遺言をすることができます。

メモ

15歳以上の者なら，未成年者，被補助人，被保佐人はもとより，成年被後見人も，本心に復していれば医師の立会いのもとに，単独で遺言をすることができる。

（2）遺言の撤回（1022条～）

①　遺言撤回自由の原則

遺言は，その効力を生ずるまでは，いつでも撤回できます。

メモ

遺言者は，この撤回権を放棄することはできない。

②　撤回の方法

ⅰ）遺言は，遺言の方式に従って撤回できます。

ⅱ）前の遺言と抵触する遺言や法律行為をしたとき，あるいは，故意に遺言書を破棄したときなどは，遺言は，その抵触する部分や破棄した部分について，当然に撤回したものとみなされます（法定撤回）。

（3）遺言の効力（985条）

遺言は，遺言者死亡の時から，その効力を生じます。

メモ

特定の遺産を特定の相続人に相続させる趣旨の遺言があった場合，原則として，被相続人の死亡の時に，直ちにその遺産はその相続人に相続により承継される（判例）。

なお，遺贈は，遺言者が死亡するより前に受遺者が死亡したときには，その効力を生じません。

（4）遺言の執行

① 遺言書の検認

検認とは，家庭裁判所において遺言書の存在，状態，内容を確認する手続です。

公正証書遺言以外の遺言書の保管者は，相続の開始を知った後，遅滞なく，遺言書を家庭裁判所に提出して，その検認を請求しなければなりません。

メモ

・検認の手続を経なかった場合でも，遺言が無効になるわけではない。なお，遺言の保管者がいない場合で，相続人が遺言書を発見した場合も，同様に検認が必要である。

・自筆証書遺言書保管制度を利用していると，検認手続は不要。

② 遺言執行者の指定

遺言者は，遺言で，１人または数人の遺言執行者を指定し，またはその指定を第三者に委託することができます。

なお，遺言執行者は，正当な事由があるときは，家庭裁判所の許可を得て，その任務を辞することができます。

10 配偶者居住権

（1）「配偶者居住権」とは（1028条〜）

① 配偶者居住権の成立

被相続人の**配偶者**は，ｉ）被相続人の遺言により，または，ⅱ）遺産分割の方法の１つとして，相続開始時に居住していた被相続人所有の建物（「**居住建物**」）の全部について，**無償で使用・収益をする権利**（「**配偶者居住権**」）を取得できます。

配偶者が遺産分割により居住建物の所有権を取得すると，相続財産の状況によっては，他の預貯金などの財産を取得することができずに，必要な生活費が不足しかねない，という事態が生じえます。そこで，居住建物の所有権はともかく，居住権を取得して，居住建物への居住を継続しながら，預貯金など他の財産も取得できるようにしたのが，この**配偶者居住権**という制度です。

プラスα

・「配偶者」は，法律婚に限る。いわゆる内縁の配偶者には配偶者居住権は成立しない（次項の（2）「配偶者短期居住権」も同様）。

・配偶者居住権は，遺産分割協議が調わない場合などには，家庭裁判所の審判によっても取得される。

・被相続人が相続開始の時に居住建物を配偶者以外の者と共有していた場合は，配偶者居住権は生じない。

・居住建物が配偶者の財産に属することとなった場合でも，他の者がその共有持分を有するときは，配偶者居住権は，消滅しない。

② 配偶者居住権の存続期間・登記等

配偶者居住権は，原則として，配偶者の**終身**（または遺産分割協議，遺言などの定めによる**一定の期間**）存続します。また，その配偶者の死亡（または存続期間の満了）により消滅します。

「居住建物」の所有者は，配偶者居住権を取得した配偶者に対し，**配偶者居住権の設定の登記**を備えさせる義務を負い，配偶者が自己の居住権を登記したときは，その不動産について物権を取得した者その他の第三者に対抗することができます。

プラスα

・配偶者は，従前の用法に従い，善良な管理者の注意をもって，居住建物の使用・収益をしなければならず，居住建物の通常の必要費を負担しなければならない。

・配偶者居住権は，譲渡することができない。

・配偶者は，居住建物の所有者の承諾を得なければ，居住建物の改築，増築をし，または第三者に居住建物の使用・収益をさせることができない。

（2）配偶者短期居住権（1037条～）

被相続人の**配偶者**は，相続開始時に被相続人の建物（「居住建物」）に**無償**で居住していた場合には，次の**ｉ）**または**ⅱ）**の期間，居住建物取得者に対し，居住建物について，引き続き，無償で使用する権利（「**配偶者短期居住権**」）を取得します。

> **ｉ）居住建物について配偶者も遺産分割に関わっている場合：**
> 遺産分割により居住建物の帰属が確定する日または相続開始の時から6カ月を経過する日の，いずれか遅い日までの間
> **ⅱ）ｉ）以外の場合：**
> 居住建物取得者は，いつでも配偶者短期居住権の消滅の申入れができ，その申入れの日から6カ月を経過する日までの間

被相続人が，居住建物を第三者に遺贈した場合や，配偶者自身が相続放棄をしたなどの場合は，その配偶者は，最終的には居住建物から退去しなければなりませんが，配偶者短期居住権により，居住建物の居住が，常に最低「6カ月間」保

護されることになります。

11 遺留分（1042条～）

遺留分とは，特定の相続人に保障されている**相続財産の一定の割合**をいい，被相続人の贈与・遺贈などの処分によっても奪うことはできないものをいいます。

自己の財産を遺言によってどう処分しようと，本来は自由ですが，例えば遺言により全財産が特定の相続人に対してのみ贈与されたり，全くの他人に贈与などされると，残された家族の生計が維持できなくなるおそれがあります。

そこで，配偶者等に一定の財産を確保するため，**遺留分**という制度が設けられました。

（1）遺留分権利者

遺留分を有する者は，相続人中，配偶者，直系卑属（子。胎児及び代襲相続人も含む）及び直系尊属に限られ，**兄弟姉妹**には，**遺留分はありません。**

メモ

相続欠格，相続人からの廃除，相続放棄により相続権を失った場合には，遺留分権も失う。

（2）遺留分の割合

遺留分の割合は，次のとおりです。

① 直系尊属のみが相続人の場合	相続財産の３分の１
② ①以外の相続人の場合	相続財産の２分の１

メモ

上記の割合を，各自の法定相続割合で分けたものが，各自の遺留分であると考えて構わない。ただし，配偶者と兄弟姉妹が相続人の場合，兄弟姉妹には遺留分はないので，配偶者のみが１／２の遺留分を有する。

（3）遺留分侵害額の請求

① 遺留分侵害額請求

遺留分を侵害する遺贈または贈与の結果，遺留分権利者が確保できる遺留分に満たないときには，遺留分権利者は，受遺者または受贈者に対し，**遺留分侵害額に相当する金銭の支払**を請求することができます。

メモ

遺留分侵害額請求は，必ずしも裁判上の請求による必要はない。また，行使自体は各遺留分権利者の自由であり，遺留分権利者が複数いる場合でも共同行使の必要はない。

遺言（遺贈）で遺留分を侵害しても，その遺言が無効になるわけではなく，遺留分権利者が自己の権利を侵害された部分を，金銭的に取り戻すことができることになります。

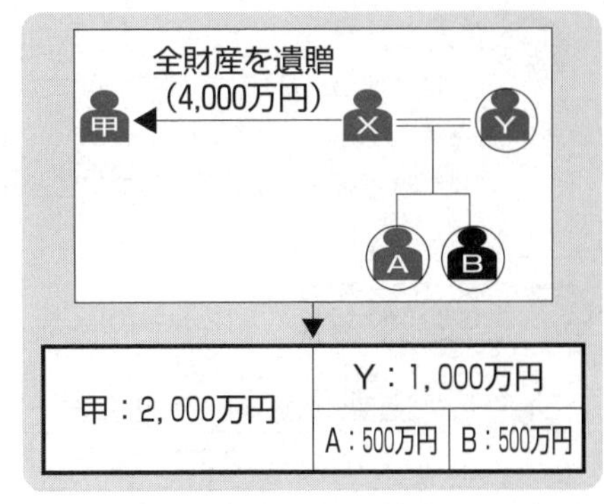

例えば，Xが甲に全財産の4,000万円の遺贈をした場合，配偶者Y，子A・Bの遺留分の額として，

・Y＝4,000万円×１／２×１／２
　＝1,000万円

・A＝4,000万円×１／２×１／２×１／２＝500万円

・B＝4,000万円×１／２×１／２×１／２＝500万円

を，それぞれ請求できることになります。

メモ

この例で，Y・A・B全員が侵害額を請求した場合，甲の取得分は2,000万円となる。また，もしAが侵害額の請求をしなかった場合は，Aに帰属すべき500万円は甲に帰属する。遺留分侵害額請求権を行使しないことは，遺留分の放棄であり，「遺留分を放棄しても，他の遺留分権利者の遺留分は増加しない」からである。

②　遺留分侵害額請求の対象となる贈与

遺留分額の算定の基礎となる財産には，生前に贈与された一定の財産が含まれます。ただし，算入される贈与財産は，原則として，相続開始前の１年間に贈与されたものに限られます。

メモ

１年より前にされた贈与でも，当事者双方が遺留分権利者に損害を与えることを知っていたときには，算入される。

（4）遺留分の放棄（1049条）

遺留分は放棄できます。ただし，**相続開始前の放棄**は，**家庭裁判所の許可**を受けなければ効力を生じません。

遺留分を放棄した場合，その相続人は遺留分権利者ではなくなりますが，相続人としての地位を失うわけではありません。

メモ

例えば，前出（3）①の例で，Aが200万円分についてのみ遺留分侵害額請求をした場合を考えてみると，300万円分については遺留分を放棄したことになるが，そのことにより相続権を失ったわけではないことがわかる。

まとめ

理解 〈遺留分の放棄と相続の放棄〉

遺留分の放棄	相続の放棄
① 相続開始前の放棄ができる ② 放棄をしても他の相続人の遺留分は増加しない ③ 放棄をしても相続権は失われない	① 相続開始前の放棄はできない ② 放棄をすると他の相続人の相続分が増加する ③ 放棄をすると相続権が失われる（遺留分もない）

（5）遺留分侵害額請求権の期間の制限（1048条）

遺留分侵害額請求権は，遺留分権利者が，相続の開始及び遺留分を侵害する贈与または遺贈があったことを**知った時から1年間**行使しないときは，**時効**によって消滅します。**相続開始時から10年を経過**したときも，同様に消滅します。

第5章 特別法

データ　【直近12年間の出題実績＆攻略法】

項目	H25	H26	H27	H28	H29	H30	R1	R2	R3	R4	R5	R6	重要度
借地関係	●	●		●	●	●	●	●	●	●	●	●	S
借家関係	●	●	●	●	●	●	●	●	●	●	●	●	S
区分所有法	●	●	●	●	●	●	●	●	●	●	●	●	S
不動産登記法	●	●	●	●	●	●	●	●	●	●	●	●	S

借地借家法・区分所有法は，民法の「特別法」であり，それらに規定された内容は，一般法（「民法」）に優先して適用される。3問出題されるが，全問正解したい。また，不動産登記法は，民法などの実体法が定める内容を登記に反映するための手続を定めた「手続法」である。条文数も多く，すべて理解しようとするのは，受験対策としては明らかなオーバーワークとなる。本書では本試験に出題された項目を受験用に整理した。その内容を理解しておけば，十分である。

1 借地借家法－①（借地関係）

ウォームアップ

建物を所有する目的で**他人の土地を借りる**場合に登場するのが，借地関係です。貸主と借主との関係は，原則として，民法の賃貸借の規定が適用されますが（一般法），建物を所有するという目的を考えると，期間，更新など，民法の規定では十分カバーできない場合が多くあります。

そこで，民法の賃貸借に関する特別法として，借主保護のために置かれた規定が，借地借家法であり，**民法に優先して適用**されます。

1 「借地権」とは（借地借家法２条）

① 借地権とは，建物の所有を目的とする**地上権**または**土地の賃借権**をいいます。

建物の所有を目的とするものに限られるため，例えば，土地を駐車場として借りるときには，民法が適用され，本法の適用はありません。

Aの土地をBが借り，Bは土地上に家を建てる。この場合，地主のAを借地権設定者，Bを借地権者という

② **地上権**と**賃借権**には，主として次のような**違い**がありますが，他の点についてはほぼ同一と考えてよいでしょう。

理解

	地上権	土地の賃借権
種 類	物権	債権
契 約	地上権設定契約による	賃貸借契約による
自由譲渡性	あり 譲渡・転貸に 設定者の承諾は不要	なし 譲渡・転貸に 設定者の承諾が必要（原則）
登記請求権	あり	なし （契約により，あり）
地代・賃料	無償の地上権も有効	必ず有償

2 借地権の存続期間（3条）

借地権の存続期間については，次のとおりです。

借地権の存続期間	期間の定めなし	法定期間未満の定め	法定期間以上の定め
当初の期間	30年（法定期間）		定めたとおりの期間

借地権を新たに設定する場合の存続期間は，**最短30年**で設定しなければなりません。「30年未満」の期間の定めは，借地権者に不利なものとして無効となり，「期間の定めはなし」という扱いになって，法定期間（30年）となります。

3 借地契約の更新（4条〜6条）

借地権は，期間が満了したときは，更新することができます。その際，更新についての合意があれば，原則としてそれによることになりますが（(1)），合意がなくても更新される場合があります（(2)）。

(1) 合意による更新

借地契約は，**当事者の合意**により更新できます。契約更新の際の建物の存否には，関係ありません。更新後の契約内容は，合意によりますが，存続期間については，その最短期間が，次のように法定されています。

基本

借地権の存続期間	期間の定めなし	法定期間未満の定め	法定期間以上の定め
更新１回目	20年（法定期間）		定めたとおりの期間
２回目以降の更新	10年（法定期間）		

(2) 合意によらない更新

借地権者を保護するため，当事者に**更新の合意がない場合**でも，次の２つのときには更新が認められています。

①「更新請求」による更新	②「借地の使用継続」による更新

① 借地権者の更新請求による更新

契約期間の満了後，借地権者が更新を請求した場合には，**建物が存在**するときに**限り**，従前の契約と同一条件で更新したとみなされます。

② 借地の使用継続による更新

期間の満了後，借地権者が土地の使用を継続すると，**建物が存在**するときに**限り**，従前の契約と同一条件で更新したとみなされます。

更新後の存続期間は，①②いずれの場合も，１回目の更新の場合は20年，２回目以降の更新の場合は10年となります。

メモ

- 上記①②のいずれの場合も，**借地上の建物の存在が要件**であり，建物が存在しない場合には，合意がなければ更新しない。
- 転借地権が設定されている場合には，転借地権者が使用継続をしていれば，借地権は原則として更新される（建物の存在は必要）。

まとめ

基本

更新事由	内　容	更新後の存続期間	借地権設定者が更新を阻止する方法
① 更新請求による更新	建物が存在する場合に限り，前契約と同一条件で更新したものとみなされる	・１回目の更新→20年 ・２回目以降の更新→10年	ア）更新を拒絶するに足りる正当事由をもって イ）遅滞なく異議を述べること
② 使用継続による更新			

（3）借地契約の更新の拒絶

①　借地権設定者からの更新拒絶

借地権者の「更新請求」または「使用継続」があっても，借地権設定者は，**正当な事由をもって遅滞なく異議を述べる**ことで，更新を阻止することができます。

正当事由の有無は，自己使用の必要性を**主たる要素**（必要的要素）とし，他の要素を**従たる要素**（補完的要素）として判断されます。

理解

正当事由	主たる要素	・借地権設定者及び借地権者が土地の使用を必要とする事情（「自己使用の必要性」）
	従たる要素	・借地に関する従前の経過 ・土地の利用状況 ・立退料の給付の申出

②　借地権者からの更新の拒絶

借地権者に契約更新の意思がない場合や借地の使用継続もない場合，存続期間が満了すると，借地契約は消滅します（正当事由は不要）。

（4）借地契約と中途解約の特約

①　借地契約には，必ず期間が定められるため，契約の内容に借地権者からの解約権留保の特約がない場合には，契約期間中の解約はできません。

②　解約権留保の特約がある場合には，その内容に従って解約が行われます。特約中に解約期間の定めがあればそれに従い，ない場合には，解約申入れから１年経過後に，借地契約は終了します。

③　なお，借地権設定者からの中途解約を可能とする特約は，借地権者に不利な特約として無効です。

4 建物買取請求権（13条）

借地権の存続期間が満了した場合で，契約の更新がないときは，借地権者は，借地権設定者に対し，建物及びその他権原により土地に附属させた物を，時価で買い取るべきことを請求できます。

借地権設定者は，この買取りの請求を拒めません。建物買取請求権が行使されると，建物について，売買契約が成立することになります（形成権）。

メモ

- 借地人の債務不履行により借地契約が解除された場合には，建物買取請求権は認められない。
- 買取価格は，基本的には建物価格であり，場所的利益を加味して評価する（借地権としての価格はない）。
- 借地権者は，買取代金支払の提供を受けるまでは，建物の明渡し（土地の明渡し）を拒否できる（同時履行の抗弁）。ただし，賃料相当額の支払いが必要である。

5 存続期間満了前の建物滅失（7条，8条）

借地権の存続期間中に建物が滅失した場合，借地権はどうなるのか，という問題です。建物の滅失の発生が，当初の（最初の）契約の**存続期間中**か**更新後**かで，扱いが大きく異なります。

（1）当初の期間中の建物滅失と借地権

当初の存続期間中に建物が滅失しても，借地権はその時点では消滅せず，少なくとも当初の存続期間満了まで存続します。

メモ

借地契約においては，当初は最低30年の存続期間が設定されることから，取引慣行上，権利金の授受があって契約が成立する場合が多く，建物滅失という，いわば偶然によって借地権の消滅がもたらされるのは，当事者間の公平に欠けるからである。

したがって，借地権者は，借地を継続して利用でき，自由に建物を再築することができます。

つまり，再築自体につき，**借地権設定者の承諾は不要**です。

当初の期間中の建物滅失→再築は自由（設定者の承諾不要）

（2）建物再築による借地権の期間の延長

借地権の存続期間が満了する前に建物が滅失し（借地権者が自ら取り壊した場合を含む），借地権者が，残存期間を超えて存続すべき建物を再び築造したときは，その建物を築造するにつき**借地権設定者の承諾**がある限り，借地権は，承諾があった日，または，建物が築造された日の，**いずれか早い日から20年間**存続します。

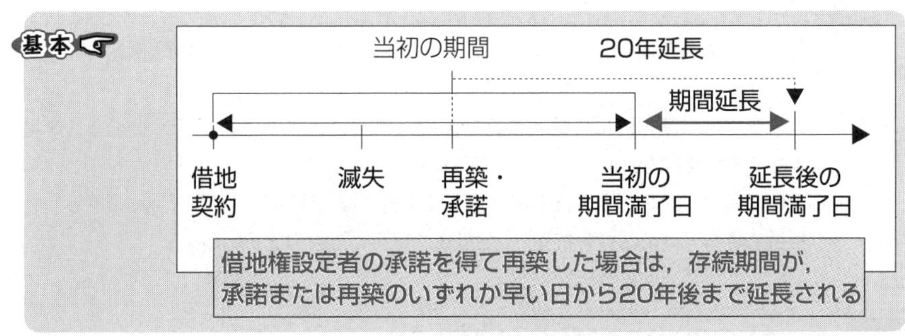

メモ

- ただし，残存期間が20年より長いとき，または，当事者がこれより長い期間を定めたときは，その期間による。
- **みなし承諾制度**：借地権者が借地権設定者に再築の通知をしたのち，借地権設定者が２カ月以内に異議を述べなかったときは，**最初の契約期間に限り**，承諾があったものとみなされる。このみなし承諾の制度は，**当初の存続期間においてのみ適用**され，更新後の期間については適用されない点に注意すること。

（3）契約更新後に建物が滅失した場合

当初の期間中の建物の滅失と異なり，**更新後**に建物が滅失した場合に，借地権者が建物を再築するには，原則として，**借地権設定者の承諾が必要**です。

①　借地権設定者の承諾を得て再築した場合

当初の期間中と同様，「20年の期間延長」が認められます。

② 借地権設定者の承諾を得ずに再築した場合

借地権設定者は，地上権の消滅の請求または土地の賃貸借の解約の申入れをすることができます。借地権は，消滅請求または解約の申入れがあった日から３カ月経過後，消滅します。

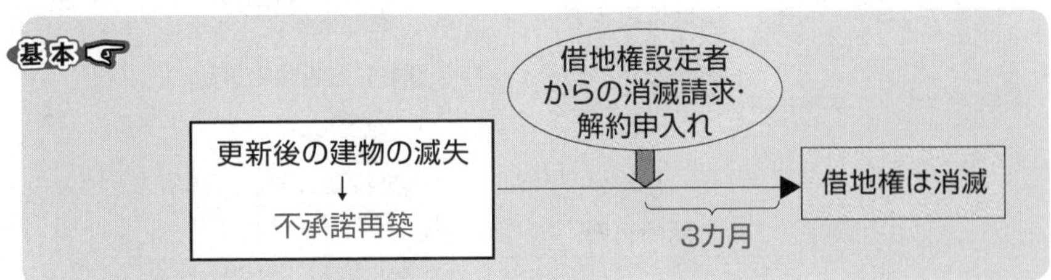

プラスα

再築することにつき，借地権者にやむを得ない事情があるにもかかわらず，借地権設定者が承諾しないときは，裁判所は，借地権者の申立てにより，承諾に代わる許可を与えることができる。

③ 借地権者からの解約申入れ等

借地権者は，地上権の放棄，または，土地の賃貸借の解約の申入れをすることができます。そして，借地権は，地上権の放棄または賃借権の解約の申入れがあった日から３カ月経過後，消滅します。

メモ

この場合，建物の再築はせず土地を返還することになる。

6 借地権の対抗力（10条）

借地権が設定されている土地を，その所有者（借地権設定者）が第三者に譲渡した場合，借地権者は，その土地から立ち退かなければならないでしょうか。

もちろん，地上権または土地の賃借権の登記があれば，対抗力を有しますが，これがない場合に，借地権は第三者対抗力を備えることができるか否か，という問題です。

（1）対抗要件

次の図は，①土地の所有者ＡはＢと借地契約を締結し，Ｂはその土地上に建物を建築したが，地上権または賃借権について登記を備えることができないうちに，②AがCにその土地を譲渡した場合です。

Cは B に対して，建物を収去し，土地を明け渡すように請求できるでしょうか。

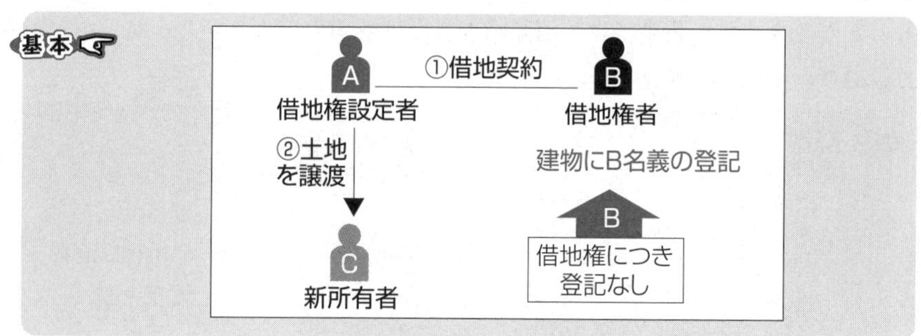

この場合，借地権者は，地上権または土地の賃借権の登記がなくても，土地上に，**自己名義で「登記」されている建物を所有**するときは，第三者に自己の借地権を対抗できます。つまり，上の例では，CのBに対する建物収去土地明渡しの請求は認められないことになります。

メモ

・「登記」は建物の表示に関する登記でもよい。

・一筆の土地上に借地権者が所有する数棟の建物がある場合，そのうちの一棟について「登記」があれば，対抗力は土地全部に及ぶ。

（2）建物が滅失した場合の借地権の対抗力

（1）のように，地上建物に，登記によって対抗力が備わっている場合において，その地上建物が滅失した場合，借地権の対抗力は存続するか否か，という問題です。

①　原則

登記した建物が滅失した場合，登記自体が「実体がない」として無効となり，対抗力が失われますので，このときに土地の譲渡がなされると，借地権を対抗できないのが原則です。

②　一定の掲示による対抗力（明認方法）

そこで，登記した建物が滅失した場合でも，借地権者が，これまで建っていた建物を特定するために必要な事項等一定の掲示を土地の見やすい場所にした場合には，**滅失の日から２年間に限り**，借地権の対抗力が持続することとしました。

メモ

ただし，掲示による対抗力は暫定的なものなので，建物滅失の日から２年以内に建物を再築し，かつ，その建物につき登記をしないと，いったん認められた対抗力もなかったものとされる。

7 地上建物の譲渡と借地権の譲渡・転貸

借地上の建物は，借地権者の所有であり自由に譲渡することができますが，建物が第三者に譲渡されると，これに伴って借地権も同時に移転する（譲渡または転貸される）のが原則です。建物と土地の利用権は一体だからです。

そして，借地権の伴わない建物の譲渡が事実上不可能である以上，借地権（地上権・土地の賃借権）の譲渡・転貸を認める必要が生じます。

メモ

借地上の建物の「貸借」は，設定者の承諾なく，自由にできる。

（1）借地権が地上権の場合

借地権が地上権の場合，地上権は物権であり，自由譲渡性があるので，地上権者は，土地の所有者の承諾がなくても地上権の譲渡・転貸ができるので，問題は生じません。

（2）借地権が賃借権の場合（14条，19条）

借地権が土地の賃借権に基づく場合，賃借権には譲渡性がないので，賃借権の譲渡・転貸には賃貸人の承諾が必要であり，賃貸人に無断で譲渡・転貸すると，賃貸借契約を解除されてしまうおそれがあります。そこで，借地権設定者（土地の賃貸人）の承諾がない場合には，何らかの救済策が必要となります。

次の図は，「①土地の所有者Ａが，Ｂと土地の賃貸借契約を締結し，Ｂはその土地上に建物を建築したが，②その後，ＢはＣにその建物を譲渡した場合，建物を譲り受けたＣは適法に土地の賃借権を譲り受けられるか否か」という問題に関するものです。

理解

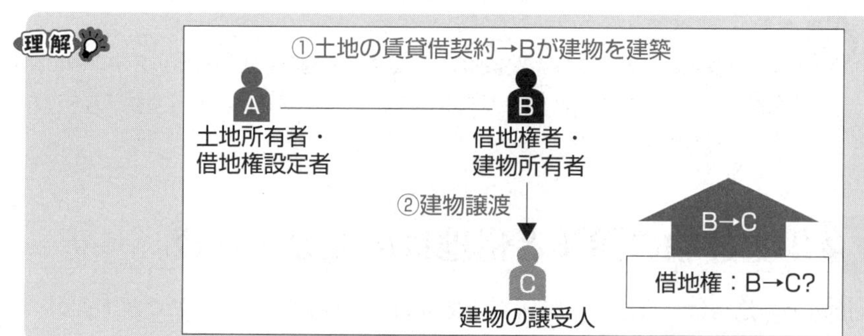

この点，借地権者は，次のように保護されています。

理解

時期	制　度	請求権者	内　　容
i）建物の譲渡前	裁判所の代諾許可	借地権者（上図中B）	第三者が賃借権を取得または転借しても借地権設定者に不利とならないにもかかわらず承諾を得られないときは，**借地権者**は，借地権設定者の承諾に代わる許可を，裁判所に求めることができる →この許可をもって適法に譲渡（転貸）できる
ii）建物の譲渡後	建物買取請求	建物譲受人（上図中C）	借地権設定者が，賃借権の譲渡または転貸を承諾しないときは，**建物譲受人**は，借地権設定者に対し，建物買取請求権を行使できる →行使されると，借地権設定者は買取りを拒めない

（3）土地賃借権の譲渡の許可（建物競売等の場合，20条）

例えば，第三者Cが，賃借権の目的である土地の上の建物を，競売により取得した場合に，その第三者（建物競落人）が，賃借権を取得しても借地権設定者Aに不利となるおそれがないにもかかわらず，借地権設定者がその賃借権の譲渡を承諾しないときは，裁判所は，その**第三者の申立て**により，**借地権設定者の承諾に代わる許可**を与えることができます。

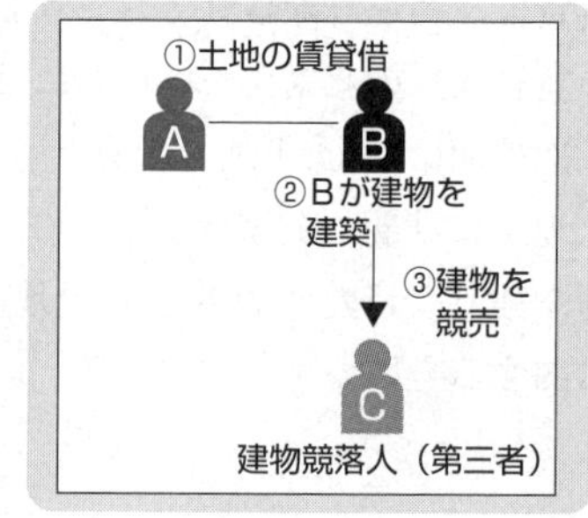

メモ

- この申立ては，建物競落人等が建物の代金を支払った後2カ月以内に限り，することができる。
- 建物競落人等は，前記（2）表中ⅱ）と同様，借地権設定者に対して，建物買取請求をすることもできる。
- （3）は，前記（2）のCが，**建物競落人等**になった場合であると考えればよい。ただし，次のように，請求時期と請求権者に注意。

暗記 〈裁判所の代諾許可制度〉

	請求時期	請求権者
建物の譲渡の場合	譲渡前	譲渡人（借地権者）
建物の競売の場合	競売後	競落人

8 この他当事者間の法律関係に裁判所が関与する場合（17条）

（1）借地条件の変更の許可の裁判

借地条件（築造する建物の種類，構造，規模，用途制限など）を設定した場合，当事者はそれに拘束されます。

しかし，その後の法令による土地利用の規制の変更，付近の土地の利用状況の変化などによって，現に借地権を設定する場合に，当初の借地条件と異なる内容にすることが相当である場合で，当事者間の協議が調わないときは，**裁判所**は，当事者の申立てにより，その**借地条件を変更**することができます。

（2）増改築の許可の裁判

増改築を制限する旨の借地条件がある場合，土地の通常の利用上相当とすべき増改築について当事者間の協議が調わないときは，**裁判所**は，借地権者の申立てにより，借地権設定者の**承諾に代わる許可**を与えることができます。

9 地代等増減請求権（11条）

地代・賃料も契約内容の一部であるため，原則として，その増減を相手方に対して一方的に請求することは妥当ではありません。ただし，借地・借家関係は長期間にわたるので，時間の経過に伴い，地代・賃料の額が不相当となることが起こりえます。そこで，その場合には，増減請求を認めることとしました。

メモ

調停前置主義：地代等の増減額をめぐる紛争については，訴訟を提起する前に，原則として調停の申立てをしなければならない（民事調停法）。

（1）「増減額請求」とは

地代等が，土地に対する租税その他の公課の増減や，土地の価格の上昇・低下その他の経済事情の変動により，または近傍類似の土地の地代等に比較して不相当となったときは，契約の条件にかかわらず，当事者は，**将来に向かって**地代等の**額の増減**を請求することができます。これが地代等増減額請求です。

メモ

経済事情の変動の例：固定資産税の増額，地価の高騰・下落，鉄道駅の開廃業など。

ただし，**一定の期間は増額しない旨の特約**がある場合には，その間，増額請求はできません。

メモ

・固定資産税等の増額に応じて毎年の地代等を増額する旨の特約（自動改訂特約・スライド条項）の効力は否定されない（判例）。

・減額しない旨の特約や，賃料等自動改訂の特約があっても，要件を満たせば，**減額請求は可**。

（2）当事者間の協議が調わないとき

① **増額**について，当事者間で協議が調わないときは，増額請求を受けた者（借地権者）は，増額を正当とする裁判が確定するまでは，自分で**相当と認める額**を支払えば足ります。

② **減額**について当事者間に協議が調わないときは，減額請求を受けた者（借地権設定者）は，減額を正当とする裁判が確定するまでは，自分で**相当と認める額の支払**を請求することができます。

基本

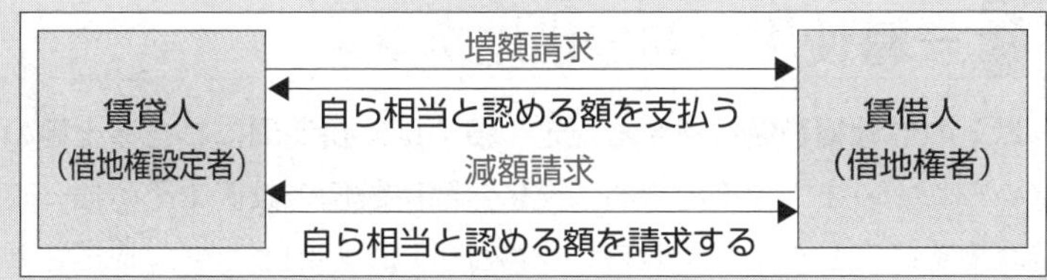

メモ

・いずれの場合も，それぞれの「請求を受けた者」が，自ら相当と認める額を支払う（増額請求の場合），または請求できる（減額請求の場合）。

・裁判確定後，過不足額があるときは，その額に年1割の利息を付けて清算する。すなわち，増額請求を受けた借地権者は，不足額に利息を付けて支払い，減額請求を受けた借地権設定者は，超過受領額に利息を付けて返還する。

理解 〈裁判が確定するまでの賃料の取扱い〉

増額請求	減額請求
・賃借人は，自らが相当と考える賃料を支払えばよい ・支払額が，裁判所が相当と判断した賃料に不足している場合，賃借人に「不足額の支払＋不足額に年1割の利息の支払」の義務がある	・賃貸人は，自らが相当と考える賃料を請求できる ・受領額が，裁判所が相当と判断した賃料を超える場合，賃貸人に「超過額の返還＋超過額に1割の利息の支払」の義務がある

10 借地権者に不利な特約の効力（9条，16条，21条）

存続期間など期間に関する規定，**対抗力**に関する規定，**建物買取請求権**に関する規定，**借地についての許可の裁判に関する規定**について，**借地権者に不利な特約**は，**無効**となります。

〈借地権者に不利な次の特約は無効〉
・存続期間　・対抗力　・建物買取請求権　・許可の裁判

例 存続期間，借地契約の更新，正当事由，建物再築による借地権の期間の延長，借地契約更新後の建物の滅失による解約，借地権の対抗力，建物買取請求権，借地条件の変更　等

11 一時使用目的の借地権 (25条)

以上の**借地権者を保護**する規定の多くは，**長期間にわたる土地の利用**を前提に定められています。そのため，逆に，**臨時設備**の設置やその他**一時使用**のために借地権を設定したことが明らかな場合には，原則として，適用されません。

メモ

・**一時使用目的**：例えば，選挙事務所，博覧会などのために設定される場合など

・なお，借地借家法の全ての規定が適用されないわけではなく，例えば，借地権の対抗力の規定は，一時使用目的の借地権についても適用されることに注意。

12 定期借地権等 (22条～24条)

(1)「定期借地権等」とは

以上のように，通常の借地権（普通借地権）には更新制度があるため，いったん借地権を設定すると，土地の所有者（借地権設定者）にとって土地を取り戻すことが困難となりやすく，借地権の設定に消極的にならざるをえません。また，設定する場合でも高額の権利金を要求することにもつながり，更新制度は，貸す側・借りる側両者にとって，メリットだけでなくデメリットもあります。

そこで，近年の経済社会による借地需要の多様化に対応するため，一定期間の経過後には確定的に借地権が消滅するタイプの借地権（**定期借地権**という制度）が定められました。

それには，一般定期借地権，事業用定期借地権等，建物譲渡特約付借地権の3つの類型があります。

メモ

一般定期借地権・事業用定期借地権等は，期間の経過により借地権が**当然に消滅**するタイプであり，**建物譲渡特約付借地権**は，地上建物を借地権設定者が買い取ることにより借地権が消滅するタイプである。

(2) 一般定期借地権 (22条)

50年以上の存続期間を定め，**(ア) 契約の更新**（更新請求・土地の使用の継続によるものを含む）・**建物の築造**（再築）**による存続期間の延長がな**く，かつ，**(イ) 建物買取請求をしない旨**の特約を定めた借地権をいいます。

これらの特約は，必ず書面（または電磁的記録）によって行います。

〈一般定期借地権〉

i）存続期間は「50年以上」
ii）「契約の更新なし」「再築による存続期間の延長なし」「建物買取請求権なし」の旨を特約
iii）ii）の特約は，書面（または電磁的記録）によって行う

メモ

・書面であればよく，必ずしも公正証書による必要はない。
・上記ii）の特約の内容が電磁的記録によって記録されればよい。

（3）事業用定期借地権等（23条）

専ら事業の用に供する建物（居住用の建物は不可）の所有を目的とする借地権をいい，次の2つのタイプがあります。

①　存続期間を30年以上50年未満とする場合

（ア）契約の更新・建物の築造（再築）**による期間延長がなく，（イ）建物買取請求をしない旨**の特約を定めることができます。

②　存続期間を10年以上30年未満とする場合

存続期間や更新，建物の再築による期間延長，建物買取請求に関する規定は適用されません。

なお，①②とも，契約は公正証書によって行わなければなりません。

〈事業用定期借地権等〉

i）専ら事業の用に供する建物の所有が目的。ただし，居住用の建物は不可
ii）存続期間は，事実上，「10年以上50年未満」
iii）契約の更新・再築による期間延長・建物買取請求権を，全部「なし」とすることができる
iv）公正証書によって契約する

メモ

ファミリーレストランのように店舗立地の回転が早い業種などに適している。短期で更地にして返還されるので，借地権者側には権利金が低額となるというメリットがあり，一方で，短期間なら土地を貸してもよい，という土地所有者の要望に応えることができる。

（4）建物譲渡特約付借地権（24条）

借地権を消滅させるために，その設定後**30年**以上経過した日に，借地上の建物を借地権設定者に**相当の対価で譲渡**することを，**あらかじめ特約**しておく借地権です。

借地権設定後，30年以上経過した日に，建物の所有権が借地権設定者（土地の所有者）に帰属することになり，その結果，借地権は，混同により**消滅**します。

〈建物譲渡特約付借地権〉

i）設定の目的は「借地権の消滅」
ii）「設定後30年以上経過した日」に借地上の建物を，借地権設定者に相当の対価で譲渡することを，あらかじめ特約する

プラスα

・建物譲渡特約付借地権は，「普通の借地権に建物譲渡特約を付加したもの」，と考えるとよい。したがって，契約期間が30年未満の事業用定期借地権には，この特約を付けることはできない。
・借地権設定者にとっては，借地上の建物を買い取るという出費はあるが，通常は築後30年以上経過した建物なので，その建物の価格は随分と安くなっているはずであり，借地権を消滅させるという目的を廉価で達成できるというメリットがある。
・この特約は書面で行う必要はない。通常は，建物買取特約を仮登記することとなる。
・建物譲渡特約が実行され，借地権が消滅した場合，借地権者または建物の賃借人で借地権消滅後に建物の使用を継続している者が請求をしたときは，その請求の時に，借地権設定者との間に，原則として，「期間の定めのない建物賃貸借契約」が成立するとされている。これにより，建物譲渡時に，借地権者がすぐさま立退きを強いられるという事態は回避される。

まとめ

暗記 〈普通借地権と定期借地権の比較〉

種類	存続期間	利用目的	契約方式	借地権の終了	終了時の建物
普通借地権	30年以上	限定なし	口頭でも可	・期間満了 ・ただし法定更新あり	・建物買取請求権あり ・建物収去義務なし
一般定期借地権	50年以上	限定なし	書面による(または電磁的記録)	期間満了	・建物買取請求権なし ・建物を収去し，更地として返還する
事業用定期借地権等	10年以上50年未満	事業用建物の所有に限る	公正証書に限る	期間満了	・建物買取請求権なし ・建物を収去し，更地として返還する
建物譲渡特約付借地権	30年以上	限定なし	口頭でも可	借地権設定者による建物の買取り	・設定者が買い取る ・建物は収去せず，請求により，建物について賃貸借契約が生ずる

2 借地借家法-②（借家関係）

ウォームアップ　建物の賃貸借は，人間の生活の基盤に直接関係する法律関係であるが故に，民法の規定のみでは妥当な結論を得ることができない場合があります。そこで，借地借家法には，**賃借人の保護**を目的とした，借家に関する規定が置かれています。借地借家法に規定する事項については，同法が民法に優先して適用されます。

1 建物の賃貸借

建物の賃貸借には，まず借地借家法で規定された事項が優先的に適用され，借地借家法に規定のない事項について，民法が適用されることとなります。

メモ

・使用貸借契約には適用されない。

・賃貸借でも，「**明らかな一時使用**」が目的の場合は，**適用されない**。

（ア）夏期休暇中のみ借りる，（イ）選挙期間中のみ臨時の選挙事務所として借りる，など

2 建物賃貸借の存続期間 (29条)

建物賃貸借は，**期間の定めのある**賃貸借と**期間の定めのない**賃貸借とに分けられます。

(1) 期間の定めがある場合

建物の賃貸借については，当事者が，存続期間を**自由**に定めることができます。存続期間の**上限はありません**。

ただし，期間を1年未満とする建物の賃貸借は，（定期建物賃貸借を除き）期間の定めがないものとみなされます。

最長期	制限なし
最短期	1年未満の期間の定めは，「期間の定めなし」とみなされる 例 1年→そのまま有効，6カ月→期間の定めなし

メモ
定期建物賃貸借の場合は，期間1年未満の定めも有効（後述12参照）。

（2）期間の定めがない場合

建物賃貸借では，当事者間で期間の定めをしない場合，**期間の定めのない建物の賃貸借**契約として成立し，解約されるまで存続します。

メモ
借地では法定期間（30年）を存続期間として契約が成立したこととの違いに注意。

3 建物賃貸借の更新と更新拒絶・解約申入れの制限

（1）期間の定めがある場合（26条）

存続期間の定めがある場合で，その期間が満了した場合，当事者は，契約を更新することができます。

① **更新について当事者間の合意がある場合**

更新後の契約内容は，その合意によります。

② **更新について当事者間の合意がない場合**

当事者間の合意がない場合でも，当事者が，期間の満了の1年前から6カ月前までの間（**通知期間**）に，相手方に対して，**更新しない旨の通知**（更新をしない旨または条件を変更しなければ更新をしない旨の通知）を**しなかったとき**は，従前の契約と同一の条件で**契約は更新された**とみなされます（法定更新）。

ⅰ）期間の定めのある建物賃貸借の場合は，期間満了にあたり，合意がなくても，**原則**として，**更新**されることになります。更新後の契約は従前の契約と同一の条件ですが，期間については「期間の定めのない賃貸借」となります。

ⅱ）当事者双方が更新を拒絶する（更新しない旨の通知を行う）方法は，次のとおりです。

理解

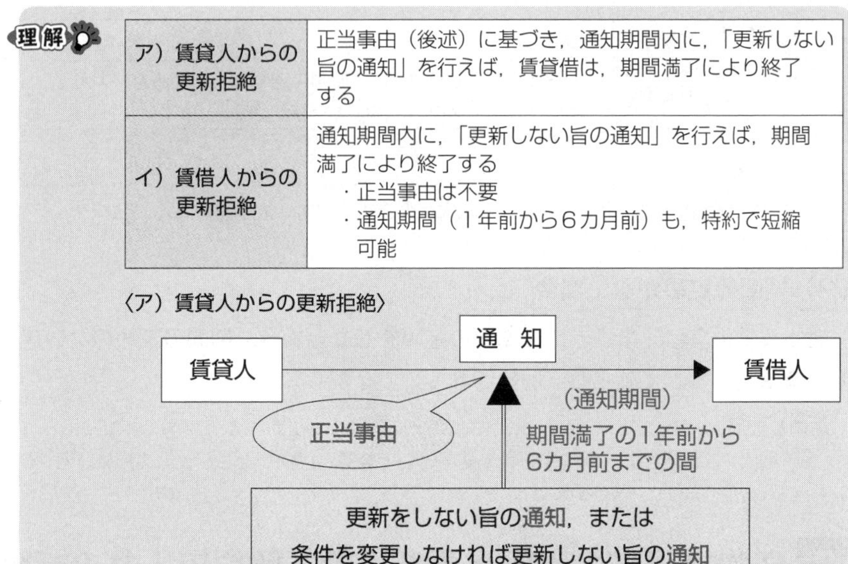

ア）賃貸人からの更新拒絶	正当事由（後述）に基づき，通知期間内に，「更新しない旨の通知」を行えば，賃貸借は，期間満了により終了する
イ）賃借人からの更新拒絶	通知期間内に，「更新しない旨の通知」を行えば，期間満了により終了する ・正当事由は不要 ・通知期間（1年前から6カ月前）も，特約で短縮可能

iii）建物の賃貸借の期間が満了した後も，賃借人が**建物の使用を継続**する場合，賃貸人が遅滞なく異議を述べなければ，**契約は更新された**とみなされます（法定更新）。

基本

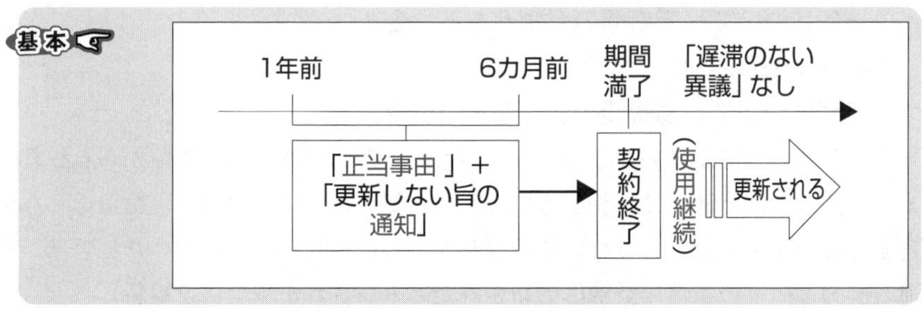

メモ

・賃貸人からの「更新拒絶の通知」が適法に行われた場合も含め，賃借人が，いわば借家に居座っている場合には，「使用継続」として契約が更新される場合があるということである。なお，この場合の異議を述べるにあたり，正当事由は不要である。

・建物の転貸借がされている場合には，「転借人の使用継続＝賃借人の使用継続」とみなされる。

（2）期間の定めがない場合（27条）

期間の定めがない建物賃貸借契約の当事者が，契約を終了させる場合は，相手方に対して**解約申入れ**を行います。

①　賃貸人からの解約申入れ

賃貸人は，正当な事由をもって，いつでも解約の申入れをすることができ，賃貸借契約は，解約申入れの日から**６カ月経過後に終了**します。

メモ

要するに，正当事由をもって解約申入れがあっても，立退きまでに6カ月間の猶予があることになる。

ただし，解約申入れによって賃貸借が終了した後も，建物の賃借人が**使用継続**する場合は，賃貸人が遅滞なく異議を述べなければ，契約は更新されます（法定更新）。

②　賃借人からの解約申入れ

賃借人の側から解約する場合については，賃借人を保護する必要がないため，借地借家法に規定はありません。したがって，民法の原則どおり，賃借人は正当事由は不要で，いつでも解約の申入れができ，解約申入れをした後**３カ月を経過**すれば，賃貸借は**終了**します。

なお，解約期間を含め，特約も有効です。

（3）正当事由について（28条）

以上のように，賃貸人による更新拒絶・解約申入れには，正当事由が必要ですが，正当事由の有無は，**自己使用の必要性**を「主たる要素」（必要的要素），**他の要素**を「従たる要素」（補完的要素）として判断されます。

基本

正当事由	主たる要素	・賃貸人及び賃借人が建物の使用を必要とする事情（自己使用の必要性）
	従たる要素	・建物賃貸借に関する従前の経過 ・建物の利用状況 ・明渡料の給付の申出

メモ

・正当事由は，少なくとも，（1）期間の定めのある場合は，賃貸人の更新拒絶の通知時から存続期間の満了時まで，（2）期間の定めのない場合は，解約申入れ時から6カ月後の賃貸借終了時まで，それぞれ間断なく必要とされる（判例）。
・「賃貸人」からの更新拒絶・解約申入れに関して，賃借人に不利な特約は，無効となる。

（4）中途解約の特約

① 期間の定めがある建物賃貸借契約の内容に，賃借人からの解約権留保の特約がない場合には，契約期間中の解約はできません。

② 解約権留保の特約がある場合には，その内容に従って解約が行われます。解約期間の定めがあればそれに従い，ない場合には，解約申入れから3カ月経過後に賃貸借は終了します。

4 建物賃借権の対抗力（31条）

建物賃借権が設定されている建物が第三者（新所有者C）に譲渡された場合，賃借人Bは立ち退かなければならないか，という問題です。

この点，建物賃借権は，その**登記**があれば当然，対抗力を有しますが，賃借権の登記がなくても**建物の引渡し**があれば，その後建物を取得した第三者に対抗できます。

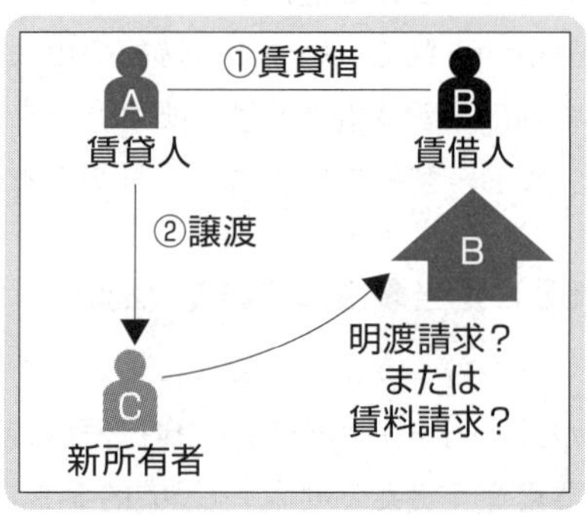

メモ

対抗力を有する賃借人Bがいる建物を取得した新しい所有者Cは，前賃貸人Aの地位をそのまま引き継ぐ（敷金関係も引き継ぐ）。この場合，新所有者Cは，賃貸人として賃料請求などの権利を主張することができるが，所有権移転登記を備えることが必要（第3章⓫「賃貸借」参照）。

5 建物賃借権の譲渡・転貸（民法612条）

建物賃借権の譲渡・転貸には，**賃貸人の承諾**が必要です。無断での譲渡・転貸は，原則として，契約の解除事由となります。

なお，借地権のような，賃貸人の承諾に代わる許可の裁判の制度はありません。

その他，民法の「賃貸借」（第３章11 5「賃借権の譲渡・転貸」）を必ず参照のこと。

6 賃借人の死亡と建物賃借権の承継 (36条)

（1）建物賃借権の相続

建物の賃借人が死亡したときは，その相続人に，建物賃借権の相続が認められます。

（2）事実上の夫婦等の居住権（相続人がいない場合）

相続人がいない場合には，原則として，建物賃借権は消滅します。ただし，**居住用建物**に関し一定の同居者がいる場合には，その者の生活の拠点を確保しなければなりません。

そこで，居住用建物の賃借人が相続人なく死亡した場合で，その当時，婚姻または縁組の届出をしていないが，建物の賃借人と**事実上の夫婦**または**養親子と同様の関係にあった同居者**がいる場合は，その同居者は，賃借人の権利・義務を承継することとなります。

①居住用の建物に限られることと，②同居していた者に限られることに注意。

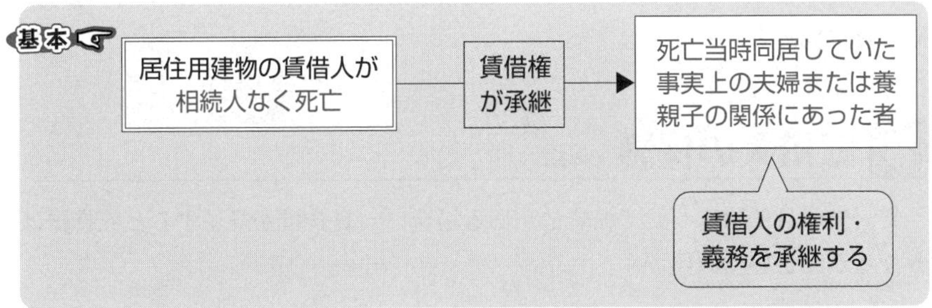

なお，同居人が承継を拒絶するときは，同居人は，賃借人の死亡を知った後１カ月以内に，建物の賃貸人に承継しない旨を通知して，建物賃借権を放棄できます。

メモ

あらかじめ，賃貸人・賃借人・同居人の三者間で，この**居住権を排除する特約**をすることができる（排除特約は有効）。

7 造作買取請求権 (33条)

建物賃貸借契約の終了によって，賃借人が建物に付加した畳・建具などの造作がある場合は，これらを全て収去して，建物を賃貸人に返還するのが原則です(賃借人の返還義務・収去義務)。

ただし，**ア）建物の賃貸人の同意を得て建物に付加した造作**，または，**イ）建物の賃貸人から買い受けた造作**がある場合，**賃借人**は，建物の賃貸借が期間満了または解約の申入れによって終了するときに，**賃貸人**に対し，その造作を時価で買い取るべきことを，請求することができます。

賃貸人は，この造作買取請求を拒むことができません。

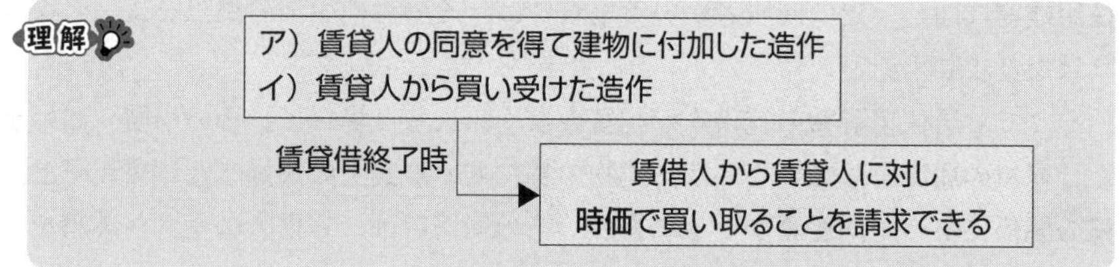

なお，この造作買取請求は，あらかじめ，当事者の特約で排除することができます（排除特約は有効）。

また，賃借人の債務不履行により賃貸借契約が解除された場合には，造作買取請求権は認められません。

8 転借人の保護 (34条)

賃貸借の目的物について転貸借がある場合に，賃貸借が終了すると転貸借はどうなるか，という問題です。

（1）転借人の地位（民法上の考え方）

転貸借は，そもそもの賃貸借の存在を前提としているため，賃貸借が終了した場合，転借人は賃貸人に対しては目的物の不法占拠者となり，賃貸人の明渡請求に，即座に応じなければならないのが，民法の原則です。。つまり，転貸借が履行不能となり，転借人は立退きが必要となるのです。

理解

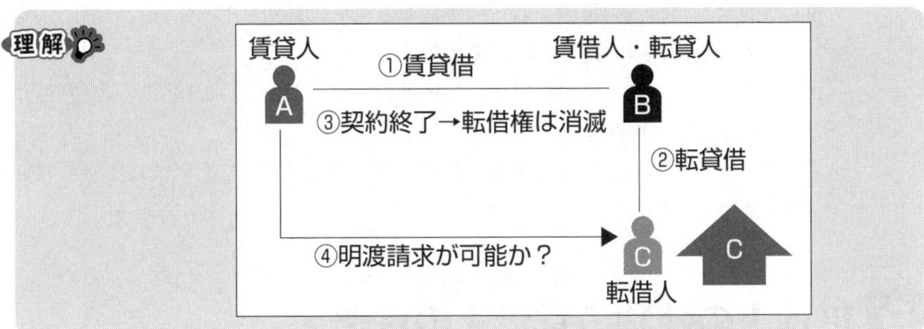

（2）借地借家法による転借人の保護

しかし，それでは，賃貸人の承諾を受けて適法に転借した転借人にとって，酷となる場合があります。賃貸借の終了原因のすべてについて，転借人があらかじめ対処することは困難だからです。そこで，最終的に立ち退かなければならないとしても，賃貸借が期間満了または解約申入れによって終了する場合は，次のような形で転借人を保護することとしました。

基本

ｉ）賃貸借が終了した場合でも，賃貸人は転借人に対して**賃貸借終了の通知**をしなければ，終了した旨を転借人に対抗できない
ⅱ）通知をした場合でも，転貸借は，通知後６カ月を経過してから終了する

賃貸借終了の通知
６カ月後
↓
転貸借終了

理解

〈賃貸借の終了原因と転借人の保護〉

賃貸借の終了原因	転借人の保護
① 賃借人の債務不履行 →賃貸人による契約の解除	なし（転借人は立退きが必要）
② 合意解除（賃貸人と賃借人が賃貸借契約を合意解除すること），賃借人が賃借権を放棄	賃貸人は転借人に対抗できない（判例）
③ 賃貸借の期間満了，または，解約申入れ	賃貸借終了の通知後６カ月経過 →転貸借は終了し，転借人は立退きが必要

メモ

賃貸借の終了原因が「①賃借人の債務不履行」にある場合：

・賃貸人には，賃借人の債務不履行の事実を転借人に通知して，転借人自身による賃料支払等の履行を促す義務はない（判例）。

・民法の原則どおり「賃貸借の終了＝転貸借の終了」であり，転借人は，立ち退かなければならない（判例）。

・賃貸人の承諾がある転貸借の場合，賃貸人が転借人に立退きを請求した時に転貸借は終了する（判例）。

9 借地上の建物の賃借人の保護（35条）

例えば，定期借地権を設定した土地上の建物について建物賃貸借契約がされている場合で，借地権の存続期間が満了すると，建物の賃借人は，その時点で，土地を明け渡さなければならない立場に置かれます。**この建物の賃借人の立退き**に，一定の猶予を与えて保護しようとする規定です。

すなわち，借地上の建物につき，賃貸借がされている場合で，借地権の存続期間の満了により建物の賃借人が土地を明け渡すべきときに，建物の賃借人が，その期間の満了を１年前までに知らなかったときには，**裁判所**は，建物賃借人の**請求**により，このことを知った日から１年を超えない範囲内において，土地の明渡しにつき，相当の期限を許与することができます。つまり，建物賃借人としては，知らないうちに借地権が消滅し，いきなり明渡しを要求されるおそれがなくなります。

そして，この期限到来時に，建物賃貸借は終了します。

10 建物の賃借人に不利な特約の効力（30条，37条）

存続期間及び対抗力に関する規定についてされる，建物の賃借人に不利な特約は，無効となります。

メモ

・具体的には，契約の更新，更新拒絶の要件，１年未満の建物賃貸借の期間，対抗力，転借人の保護，借地上の建物の賃借人の保護の各規定が対象となる。

・①造作買取請求権の排除，及び，②同居者の建物賃借権承継排除について，当事者間で特約した場合は，賃借人に不利な内容であるが，有効である。

・借地借家法に規定のない③修繕を賃借人が行う特約，④必要費などの費用を償還しない特約なども，有効である。

11 借賃増減請求権（32条）

建物の借賃についても，借地に関する「地代等増減請求権」と，ほぼ同様の規定があります（前述1「借地借家法－①（借地関係）」9参照）。

メモ

転貸事業を行うため建物を一括して賃借することを内容とする契約（いわゆる「サブリース契約」）で，賃料自動増額特約等の約定がある場合についても，借賃増減額請求の規定は適用される（判例）。

12 定期建物賃貸借等

一定の事由の下で，必ず賃貸借が終了し，更新されないという内容の建物の賃貸借です。

借地借家法には，**定期建物賃貸借**と**取壊し予定建物の賃貸借**の２種類が規定されています。

（1）定期建物賃貸借（38条）

①「定期建物賃貸借」とは

建物賃借権のうち，あらかじめ定められた期間が満了したときに，必ず契約が終了し，契約の更新がないものをいいます。

メモ

契約終了後に，同じ賃借人が同じ建物を継続使用する場合は，当事者間の「再契約」となる。

② 定期建物賃貸借契約の成立

定期建物賃貸借をする場合，**書面**（または電磁的記録）**によって契約**をするときに限り，「契約の更新がない」とする旨を定めることができます。

③ 更新がない旨の事前説明義務

定期建物賃貸借をする場合は，賃貸人は，更新がなく期間満了により契約が終了する旨を記載した**書面**を，**事前**に交付して，**説明**しなければなりません。

この説明がないと，「更新がない」とする旨の定めは，無効となります。つまり，一般の建物賃貸借（普通建物賃貸借）となります。

メモ

・この「事前説明」は，賃借人の承諾を得て，電磁的方法により提供することができる。

・この「書面」は，契約書とは別個の書面でなければならない。
重要事項説明書に必要な事項が記載されていれば，重要事項説明書をこの事前説明書面とすることができるが，事前説明は賃貸人が行わなければならないので，例えば媒介する宅建業者の宅建士が行う場合は，賃貸人から事前説明の委任を受け賃貸人を代理して建物の賃借人に対して説明する必要がある。

〈定期建物賃貸借の成立のポイント〉

① 期間の定めを必ずしなければならない。１年未満の定めも有効

② 必ず「書面」で契約する。ただし，必ずしも公正証書でなくてもよい

③ 更新のない旨を，事前に「書面」で説明しなければならない

④「書面」は電磁的記録で可

④ 契約終了の通知

定期建物賃貸借の期間が１年以上である場合に，賃貸人は，期間満了の１年前から６カ月前までの間（通知期間）に，賃借人に対して，期間満了により契約が終了する旨の通知をしなければ，その終了を賃借人に対抗できません。

メモ

・賃借人に不利な特約は無効。正当事由は，当然，不要である。

・通知期間経過後に通知した場合でも，その通知の日から６カ月を経過すれば，契約は終了する。

⑤ 賃借人からの中途解約

居住用建物の定期建物賃貸借（床面積が**200㎡未満**の建物に**限る**）において，転勤，療養，親族の介護その他のやむを得ない事情により，賃借人が建物を自己の生活の本拠として使用することが困難となったときは，賃借人は，解約の申入れをすることができます。

この場合，建物賃貸借は，申入れの日から**１カ月を経過**すると**終了**します。

メモ

・（中途解約禁止の特約などの）賃借人に不利な特約は無効。

・一般的な中途解約特約がない場合でも，上の要件が満たされれば，賃借人からの解約は可能ということ。

⑥ 借賃増減請求権の不適用

定期建物賃貸借に，借賃の改定に係る特約がある場合には，借賃増減請求に関する規定は適用されません。

基本

	普通建物賃貸借	定期建物賃貸借
増額しない特約	有効 （一定期間増額しない特約がある場合は，増額請求できない）	有効 （増額請求できない）
減額しない特約	無効 （減額請求できる）	有効 （減額請求できない）

⑦ 既存の契約からの転換

当事者間の合意により，従来の賃貸借契約を定期建物賃貸借に契約し直すことは，原則として可能です。ただし，居住用建物について，平成12年３月１日より前に締結している普通借家契約を合意にて終了させ，引き続き同じ建物について定期建物賃貸借を新たに締結することはできません。

（2）取壊し予定の建物の賃貸借 (39条)

法令（例 公用徴収・区画整理事業の施行など）または，契約（例 定期借地権や事業用定期借地権を設定した土地上の建物の賃貸借など）により，一定の期間経過後に建物を取り壊すことが明らかな場合には，借家契約締結の際，建物を取り壊すべき時に借家契約が終了する旨の特約をすることができます。

この特約は，建物を取り壊すべき事由を記載した**書面**（または電磁的記録）によって行う必要がありますが，公正証書による必要はありません。

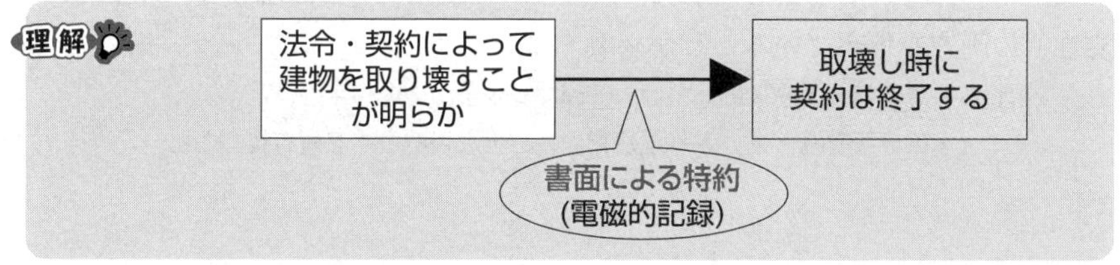
理解
法令・契約によって建物を取り壊すことが明らか
取壊し時に契約は終了する
書面による特約（電磁的記録）

3 建物の区分所有等に関する法律

ウォームアップ

いわゆる“**マンション法**”です。マンションにおける生活関係は，一戸建ての隣人同士の生活関係に比べるとより密接で，トラブル発生の可能性も，一戸建ての場合より高いといえます。

また，マンションは，建物の躯体（くたい）の部分を区分所有者同士で**共有**するのが原則なので，その管理・変更のためには，マンションの所有者全体として，**統一的な意思決定**をしなければなりません。

建物の区分所有等に関する法律（以下「**区分所有法**」）は，マンションなどの区分所有建物をめぐって生ずる，様々な法律問題を解決する**法的な基準**を示しています。

1 専有部分，共用部分と敷地利用権（区分所有法2条，4条，22条）

（1）専有部分

区分所有権の目的となる建物の部分を，**専有部分**といい，区分所有権を有する者を**区分所有者**といいます。

建物の部分が，**専有部分**であるためには，「**構造上の独立性**」と「**利用上の独立性**」の**両方**を備えていることが必要です。

用語
- **専有部分**：簡単にいえば，分譲マンションの各住戸のこと
- **区分所有権**：区分された建物の各部分を目的とする所有権のこと

基本

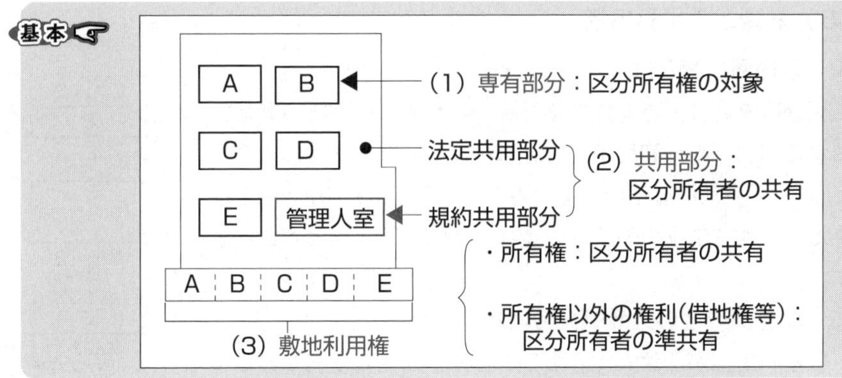

(2) 共用部分

共用部分とは，専有部分以外の建物の部分，専有部分に属しない建物の附属物，及び規約により共用部分とされた附属の建物をいいます。

共用部分となる建物の部分は，法定共用部分と規約共用部分に分けられます。要は「**専有部分以外**はすべて**共用部分**」と考えるとよいでしょう。

用語 **建物の附属物**：電気設備，給排水管設備，換気設備，昇降機設備など

理解

法定共用部分	① 廊下または階段室その他構造上区分所有者の全員またはその一部の共用に供される建物の部分，その他の部分のこと ② 法定共用部分は（それを独立して）登記することができない
規約共用部分	① 区分所有権の目的とすることができる建物の部分，または，通常は所有権の対象とすることができる附属の建物で，いずれも規約により共用部分とされたもののこと ② 規約共用部分は，登記をしなければ第三者に対抗できない →登記は専有部分の表題部になされる

メモ

法定共用部分の例：

玄関ホール，エレベーター，内外壁，屋上テラス，バルコニー，ベランダ

規約共用部分の例：

集会室，管理人室，倉庫，車庫など

（3）敷地と敷地利用権

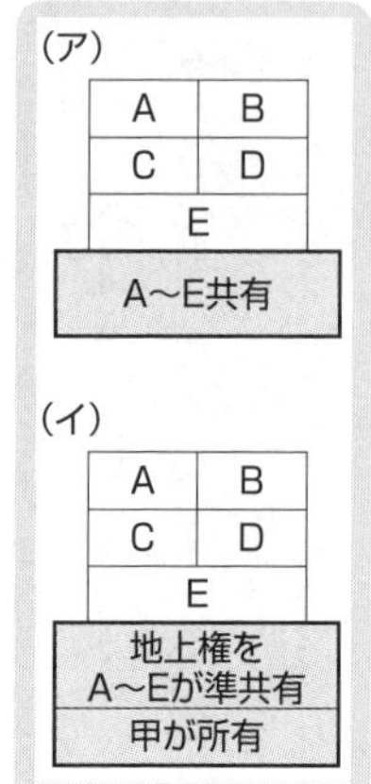

①　敷地利用権とは

区分所有者は，専有部分を所有するために，建物の敷地に関する権利（**敷地利用権**）を有しなければなりません。形態として，「土地所有権の共有の場合」（図 **(ア)**）や，「地上権または土地賃借権の準共有の場合」（図 **(イ)**）などがあります。

②　専有部分との分離処分の禁止

敷地利用権が，数人で有する所有権その他の権利である場合は，区分所有者は，専有部分とその敷地利用権とを分離して処分することができません。ただし，**規約**で，分離処分ができる旨を定めることができます。

メモ

分離処分が禁止されている敷地利用権が登記されたとき，不動産登記法上，それを「敷地権」という。

③　法定敷地と規約敷地

敷地も，法定敷地と規約敷地に区別されます。

基本☞

法定敷地	実際に建物が所在する土地のこと
規約敷地	区分所有者が，建物・法定敷地と一体として管理・使用する土地で，規約で建物の敷地とした土地のこと

メモ

規約敷地：駐車場・庭等の用地として確保される敷地のこと。必ずしも区分所有者の共有（準共有）でなくてもよく，また，必ずしも法定敷地と隣接しなくてもよい。

2 共用部分の権利関係

共用部分は，**区分所有者全員の共有**に属します。

(1) 共用部分の共有関係 (11条)

理解

共用部分	区分所有者全員の共有に属する
一部共用部分	共用する区分所有者の共有に属する

メモ

一部共用部分：例えば，ある階段を，それを使用する区分所有者のみの共用部分とすることをいう。一部共用部分に関する事項で区分所有者全員の利害に関係しないものは，区分所有者全員の規約に定めがある場合を除き，一部共用部分を共用すべき区分所有者の規約で定めることができる。

なお，共用部分の所有関係につき，規約により，管理者や特定の区分所有者の所有と定めることができます。ただし，管理者の場合（「**管理所有**」）を除いて，区分所有者でない者を共用部分の所有者にすることはできません。

(2) 共用部分の持分 (14条，15条)

① 共用部分の持分の割合

共用部分の各共有者の**持分**は，規約により別段の定めのない限り，**専有部分の床面積の割合**によります。

また，専有部分の床面積は，規約により別段の定めのない限り，壁その他の区画の**内側線**で囲まれた面積で計算します。

基本

	原　則	例　外
共用部分の持分	専有部分の床面積の割合で定まる	規約で別段の定めができる
専有部分の床面積	壁その他の区画の内側線で囲まれた面積で計算する（内法計算）	

② 共用部分の持分の分離処分禁止

共用部分の持分は，専有部分の処分に従います。

また，法律に別段の定めがある**例外**の場合を除いて，その有する専有部分と分離して，共用部分の持分を処分することができません。

メモ

「分離処分禁止」の例外：ⅰ）管理所有の場合（4（2）「管理者」参照），ⅱ）共用部分の持分の割合の変更の場合，の2つの場合が該当する。

（3）共用部分の負担及び収益（19条）

各共有者は，規約に別段の定めがない限り，持分に応じて，共用部分の費用（例 管理費，共益費等）を負担し，また，共用部分から生ずる利益（例 賃貸駐車場からの収益金等）を収取します。

3 区分所有建物に関する債権者の保護

（1）先取特権（7条，8条）

ある区分所有者が管理費を滞納し，さらにそのまま第三者に売却した，という場合，管理費相当額は，滞納した元区分所有者，及び，その区分所有権を譲り受けた第三者に請求できますが，その弁済を確保する手段として，**先取特権**を認めています。

すなわち，区分所有者は，共用部分，敷地，共用部分以外の附属施設につき他の区分所有者に対して有する債権，または，規約や集会の決議に基づき他の区分所有者に対して有する債権を担保するため，債務者の区分所有権及び建物に備えつけた動産の上に先取特権を有します。また，債務者がその区分所有権を譲渡したときは，譲受人に対しても，先取特権を行使することができます。

（2）建物の設置・保存の瑕疵の推定（9条）

外壁のタイルが剥げ落ちて通行人にケガをさせた場合など，建物の設置または保存に瑕疵があることにより他人に損害が生じたときは，その瑕疵は，共用部分の設置または保存にあると推定されます。

メモ

共用部分は，原則として，区分所有者全員が専有部分の床面積の割合に応じて共有するので，建物の設置・保存の瑕疵により損害を受けた者は，共用部分の共有者である**区分所有者全員**に対して，**損害賠償請求**ができることになる。

4 建物等の管理

「誰が区分建物とその敷地を管理するか」という問題です。

(1) 管理組合 (3条)

マンションの管理をするのは,「区分所有者の団体」, つまり, **管理組合**です。

すなわち, 区分所有者は, **全員**で, 建物並びに敷地及び附属施設の管理を行うための団体を構成します。区分所有者は, 当然に団体を構成する組合員となり, **集会**を開き, **規約**を定め, **管理者**を置くことができます。

メモ
一部共用部分についても, それを共用する区分所有者が管理するための団体である「一部管理組合」を構成する。なお, この場合, 全体を管理するための管理組合とは, 併存する。

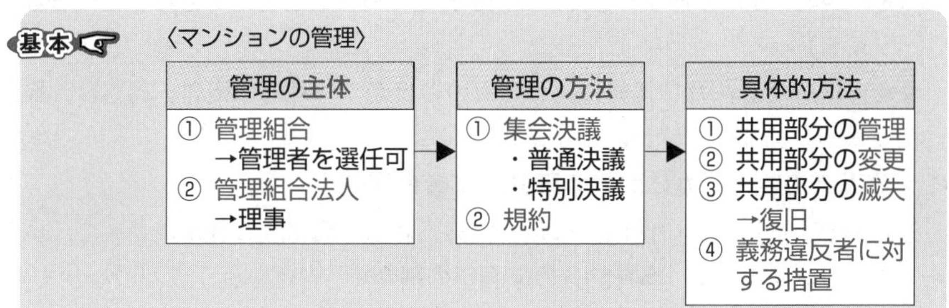

基本
〈マンションの管理〉
管理の主体
① 管理組合
→管理者を選任可
② 管理組合法人
→理事
管理の方法
① 集会決議
・普通決議
・特別決議
② 規約
具体的方法
① 共用部分の管理
② 共用部分の変更
③ 共用部分の滅失
→復旧
④ 義務違反者に対する措置

(2) 管理者 (25条〜)

管理組合において意思決定した事項を, 効率的に執行するために置かれる機関が「**管理者**」です。

① 管理者の選任及び解任

区分所有者は, 規約に別段の定めがない限り, 集会の普通決議(区分所有者及び議決権の各過半数)によって, 管理者を選任し, または解任することができます。

メモ
管理者は, 区分所有者以外の者でも, 管理会社などの法人でも可。また, 規約により, 特定の者を管理者とすることもできる。実際には, 管理組合の理事長が, 区分所有法上の「管理者」とされることが多い。なお,「**過半数**」とは, 1／2を超えること。つまり,「区分所有者の数及び議決権の各過半数」とは,「双方ともに過半数が必要」という意味である。また，区分所有者の数は，１人で複数の専有部分を所有している場合，区分所有者の数としては１人として計算する。いわゆる「頭数」を数えればよい。

また，管理者に，不正な行為その他その職務を行うに適しない事情があるときは，各区分所有者は，裁判所に解任を請求できます。

②　管理者の権限

管理者には，次のような権利・義務があります。

ⅰ）共用部分，建物の敷地，附属施設を保存し，集会の決議を実行し，規約で定めた行為をする権利を有し，義務を負うこと
ⅱ）その職務に関し，区分所有者を代理すること，及び，損害保険金等につき，代理して請求し，受領すること
ⅲ）規約または集会の決議により，その職務に関し，区分所有者のために，原告または被告となること（→区分所有者への通知必要）
ⅳ）規約に定めがあるときは，共用部分を所有することができること（管理所有）

なお，区分所有法及び規約に定めるもののほか，管理者の権利・義務は，**委任**に関する規定に従わなければなりません。

③　管理者の管理行為に関する区分所有者の責任

管理者が，その職務の範囲内において第三者との間にした行為について，区分所有者は，原則として，**専有部分の床面積の割合**で，責任を負うことになります。

（3）管理組合法人（47条～）

①　法人化

管理組合は，いわゆる任意団体扱いで法人格がないので，例えば，財産の管理や修繕の注文などについては，管理組合代表者の個人名で行わなければならないなど，不便なことが多くあります。そこで，便宜を図るために，**管理組合の法人化**という手段が設けられています。

②　法人化の要件

管理組合は，区分所有者及び議決権の**各３／４以上の多数**による集会の決議（**特別決議**）により，法人となる旨・名称・事務所を定め，かつ，主たる事務所の所在地で登記をすることにより，**法人**となることができます。

管理組合法人には，理事・監事が置かれ，業務執行・業務監査を行います。

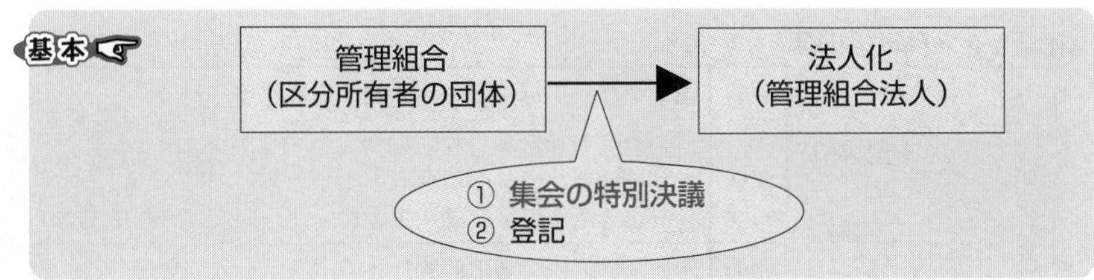

5 集会

建物等の管理に関する重要な事項は，**集会の決議**によって決定されます。その意味で，集会は，区分所有者の団体の**最高意思決定機関**です。

（1）集会の招集 (34条～36条)

① 集会招集権・集会招集請求権

集会は，**少なくとも年１回**，管理者が招集しなければなりません。

また，**区分所有者の１／５以上**で**議決権の１／５以上**を有する者は，会議の目的事項を示して，管理者に集会の招集を請求できます。管理者が招集しないとき，または管理者がいない場合で，その**定数を有する者**は，**自ら集会を招集**することができます。

メモ
この定数（1／5）は，規約で減ずることができる。つまり，集会を招集しやすくする趣旨である。

② 招集の通知

集会の招集の通知は，会議日より**少なくとも１週間前**に，会議の目的たる事項（議事）を示して，各区分所有者に発しなければなりません。なお，この期間は，規約で伸縮することができます。

メモ
専有部分を数人が共有する場合の招集の通知は，共有者により議決権を行使すべきと定められた者（その者がないときは共有者の１人）に対してすればよい。

③ 招集手続の省略

区分所有者**全員の同意**があれば，招集の手続を経ないで，集会を開くことができます。

〈集会の招集〉

招集権者	原則	管理者が，少なくとも年１回，招集する
	例外	ｉ）管理者が招集しない場合 ⅱ）管理者がいない場合 →区分所有者及び議決権の各１／５以上の者が招集可
招集通知	原則	１週間前に，会議の目的たる事項を示して，発信する
	例外	ｉ）規約によって招集期間の伸縮可 ⅱ）全員の同意があれば，招集手続を省略して，集会を開催可

（2）決議事項の制限（37条）

集会においては，規約に別段の定めがないときは，あらかじめ通知した事項についてのみ決議することができます。

メモ
特別決議を要する事項については，必ずあらかじめ通知を行うことが必要。

（3）議決権（38条～40条）

①　決議要件

集会の議事は，区分所有法または規約に別段の定めがないときは，区分所有者及び議決権の各過半数で決します（**普通決議**）。

そして，議決権は，規約に別段の定めがない限り，専有部分の床面積の割合によります。

メモ
この「規約の定め」としては，「１戸１議決権」という定めが代表的である。

また，専有部分を**数人が共有**する場合は，議決権を行使する者を**１人**定めなければなりません。

②　議長（41条）

集会においては，原則として，管理者または集会を招集した区分所有者の１人が，議長となります。

メモ
規約の別段の定め，または，別段の決議があれば，上記の者以外を議長とすることも可能である。

③ 行使方法

i）集会には，原則として，区分所有者自身が出席して議決権を行使します。ただし，議決権は，書面または代理人により行使することもできます（書面投票制度・代理人による投票）。

メモ

書面による議決権の行使：いわゆる「書面投票制度」のこと。集会に出席せず，集会の会日前に，議案についての賛否を記載した書面を，集会の招集者に提出して議決権を行使する。なお，集会自体は，実際に開催される。

ii）区分所有者は，規約または集会の決議により，書面による議決権の行使に代えて，電磁的方法（コンピューターネットワークを利用する方法）によって，議決権を行使することができます。

メモ

電磁的方法：電子メール・Webによる投票など，コンピューターネットワークを利用するなどの方法で法務省令で定めるもの。集会自体は実際に開催され，その集会に出席しないで投票できる点は，前述 i）「書面投票制度」と同様である。

④ 集会を開催しないで行う決議（45条）

③と異なり，実際に集会を開催することなく，書面または電磁的方法により，集会決議を行うこともできます。

i）決議方法が書面または電磁的方法によることについて，区分所有者全員の承諾があるとき

集会を開催せずに，書面または電磁的方法により決議することについて，区分所有者**全員の承諾**があるときは，書面または電磁的方法による決議をすることができます。

メモ

この方法により，区分所有者が全国に存在するような，例えば，リゾートマンションの場合の，いわゆるバーチャル集会決議などに利用できる。なお，決議自体は，通常の多数決により成立する。

ii）決議内容について，区分所有者全員の，書面または電磁的方法による合意があるとき

決議内容について，区分所有者全員の書面または電磁的方法による**合意**があったときは，集会の決議があったとみなされます。

理解 〈電磁的方法と集会決議〉

実際に集会が開催される場合	書面による行使に代えて，電磁的方法により議決権を行使（＝投票）できる	
実際には集会が開催されない場合	決議方法を電磁的方法によることについて，全員の承諾がある場合	電磁的方法による決議が可能
	決議内容について，電磁的方法により，全員の合意がある場合	集会決議があったとみなされる

（4）議事録，書面決議にかかる書面，規約の保管・閲覧 (33条，42条，45条)

①　議事録の作成

議長は，集会の議事について，書面または電磁的方法により，議事録を作成しなければなりません。また，議事録が書面で作成されているときは，議長及び集会に出席した区分所有者の２人（計３人）が，これに署名をしなければなりません。

②　保管と閲覧

これらの書面の保管・閲覧については，次のとおりです。

なお，保管場所は，建物内の見やすい場所に掲示しなければなりません。

理解 〈議事録の保管等〉

	議事録	書面決議にかかる書面	規　約
保　管	・原則，管理者が保管 ・管理者がないときは，（建物を使用している区分所有者またはその代理人で）規約または集会の決議で定める者が保管する		
閲　覧	利害関係人の請求があるときは，正当な理由がある場合を除き，閲覧を拒めない		
電磁的記録について	・電磁的記録により作成し，保管できる ・各保管場所において，閲覧させる必要がある		

（5）占有者の意見陳述権 (44条)

専有部分の借主など，区分所有者の承諾を得て**専有部分を占有する者**は，集会の決議事項に利害関係を有する場合には，**集会に出席**して**意見を述べる**ことができます。

ただし，**議決権**を行使することは**できません**。

（6）集会の決議及び規約の効力（46条）

集会の決議及び規約は，区分所有者の**特定承継人**に対しても，その効力を生じます。

また，専有部分の賃借人などの**占有者**は，建物やその敷地，附属施設の使用方法につき，区分所有者が集会の決議または規約に基づき負う義務と同一の義務を負います。

メモ

つまり，集会決議・規約は，「後」から来た者にも効力が及ぶ，ということ。

6 規約（30条～）

建物等の管理に関する定型的・日常的事項についてまで，逐一集会を開催することは妥当ではありませんので，集会の決議に代わるものとして，**規約**として定めておくことが便宜です。

設定する場合，規約は，書面または電磁的記録により作成されます。

メモ

- すなわち**規約**とは，区分所有建物を維持・管理し，円滑に共同生活を営むために，区分所有者が自主的に定めるルールである。
- ただし，規約の設定は法的な義務ではない。
- 規約の保管・閲覧については，集会議事録等の保管・閲覧の項（前出一覧表，前ページ）参照のこと。

（1）規約の設定・変更・廃止（31条）

規約の設定・変更・廃止は，区分所有者及び議決権の各３／４以上の多数による集会の決議（**特別決議**）によって行います。この特別決議要件は，**増減することはできません**。

また，規約の設定・変更・廃止が，一部の区分所有者の権利に**特別の影響**を及ぼすときは，その**承諾**を得なければなりません。

基本

規約の設定・変更・廃止	・区分所有者及び議決権の各３／４以上の特別決議による ・一部の区分所有者の権利に特別の影響を及ぼすときは，その承諾が必要

プラスα

一部共用部分に関する事項で区分所有者全員の利害に関係しない規約の設定・変更・廃止を区分所有者全員で行う場合に，一部共用部分の区分所有者の1／4を超える者，または，その議決権の1／4を超える議決権を有する者が反対したときは，当該規約の設定・変更・廃止は不可。

（2）公正証書による規約の設定 (32条)

例えば，分譲業者など，最初に建物の専有部分の全部を所有する者は，**公正証書**によって，**管理規約**を設定することができます。

メモ

なお，公正証明による管理規約に定めることができる事項は，次のものに限定されている。

ⅰ）規約共用部分に関する定め

ⅱ）敷地の権利関係に関するア）～ウ）の定め

ア）規約敷地

イ）専有部分と敷地利用権の分離処分の禁止の解除

ウ）各専有部分に対応する敷地利用権の割合

（3）規約の保管・閲覧 (33条)

① 規約は，**管理者が保管**します。管理者がないときは，建物を使用している区分所有者，または，その代理人で規約または集会の決議で定める者が保管しなければなりません。

② 規約を保管する者は，**利害関係人**の請求があったときは，正当な理由がある場合を除いて，規約の閲覧を**拒むことができません**。

（4）規約の効力

前述5（6）「集会の決議及び規約の効力」の項を参照のこと。

7 共用部分の管理・変更

専有部分の保存・管理・変更は，自己の費用負担のもと，各区分所有者が行います。では，共用部分についてはどうでしょうか。

（1）共用部分の管理（18条）

共用部分の管理方法など，管理に関する事項は，集会の普通決議で決します。ただし，**保存行為**は，各共有者が**単独**で行うことができます。

例 廊下・階段に夜間灯を設置する，集会室に火災保険を付保する場合など

メモ

・共用部分につき損害保険契約をすることは，管理行為とみなされる。

・「管理・保存行為」に関しては，規約で別段の定めをすることができる。

（2）共用部分の変更（17条）

①　原則（重大変更）

共用部分の変更（その形状または効用の著しい変更を伴わないもの（＝軽微変更）を除く）は，区分所有者及び議決権の各３／４以上の多数による集会の特別決議で決します。

ただし，この区分所有者の定数は，**規約で過半数まで減ずる**ことができます。

メモ

階段室をエレベーターに変更する場合など。例えば，規約により「区分所有者の過半数，かつ，議決権の３／４以上」などとすることができるが，議決権については，規約でも減ずることができない。

②　軽微変更

その形状または効用の著しい変更を伴わない変更（軽微変更）は，集会の普通決議で決する。

メモ

例 外壁を塗り直す，給排水管について大規模修繕をする場合など。

・軽微変更について，規約で別段の定めをすることができる。

理解 〈共用部分と集会決議〉

<table>
<tr><td rowspan="2">管理行為</td><td>保存行為</td><td>単独でできる</td><td rowspan="3">規約の定めは可</td></tr>
<tr><td>原　則</td><td rowspan="2">普通決議による
（区分所有者及び議決権の各過半数）</td></tr>
<tr><td rowspan="2">変更行為</td><td>軽微変更</td></tr>
<tr><td>重大変更</td><td colspan="2">・特別決議による（区分所有者及び議決権の各３／４以上）
・「区分所有者の定数」は，規約で過半数まで減ずることができる</td></tr>
</table>

③　**共用部分の管理・変更が特別の影響を与える場合**

保存行為を除き，共用部分の管理または変更が，専有部分の使用に特別の影響を与えるときは，その専有部分の所有者の承諾を得なければなりません。

例　共用部分の変更により，日照・通風に影響があるような場合など

8 復旧・建替え

災害などによりマンションの建物の一部が滅失し，共用部分の変更行為のみでは従前の機能を取り戻すことができない場合には，多額の費用がかかることでもあり，「復旧」または「建替え」の手続をする必要があります。

メモ

建物が全部滅失した場合は，そもそも区分所有法の適用がなくなるため，土地の共有者等による区分所有建物の再建築は，被災区分所有建物の再建等に関する特別措置法（**被災マンション法**）に基づく「**再建決議**」によることとなる。

自己の専有部分の復旧は，一部滅失の規模にかかわらず，自己費用のもと単独で可能ですが，共用部分の復旧は次のような手続によって行われます。

（１）小規模滅失の復旧（61条）

建物の価格の１／２以下に相当する部分が滅失（＝小規模滅失）した場合の復旧については，次の２つの方法があります。

①　各区分所有者は，**単独**で，自己の専有部分及び共用部分の復旧をすることができます。この場合に，共用部分を復旧した者は，他の区分所有者に対し，その持分に応じ，費用の償還を請求できます。

②　集会において，区分所有者及び議決権の**各過半数**によって，滅失した共用部分を復旧する旨の決議をすることができます。

メモ

・復旧決議の要件は，普通決議（過半数の決議）である。
・復旧決議（または建替え決議）があった後は，共用部分の単独復旧はすることができず，決議による復旧（または建替え）をすることになる。
・小規模滅失の復旧については，規約により，上記とは別の定めをすることができる。

（2）大規模滅失の復旧（61条）

建物の価格の1／2を超える部分が滅失（＝**大規模滅失**）した場合は，集会において，区分所有者及び議決権の**各3／4以上**の決議により，共用部分を復旧することができます。

メモ

大規模滅失の場合の共用部分の復旧は，**決議による復旧に限られる。**単独復旧は認められない。

なお，復旧決議に賛成した区分所有者以外の区分所有者は，賛成した区分所有者（または買取指定者）に対し，建物及び敷地を**時価で買い取るように請求**することができます。

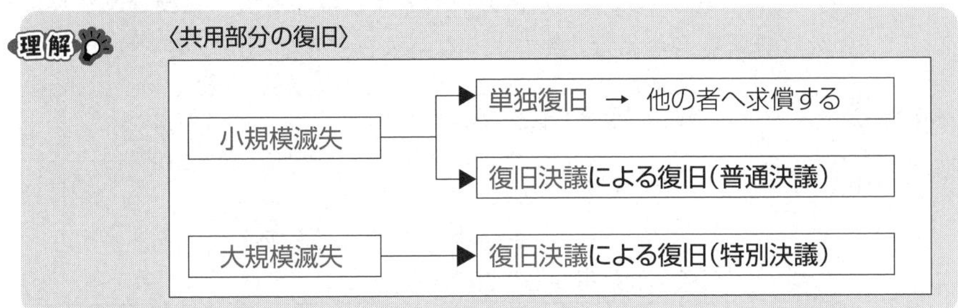

（3）建替え決議（62条，63条）

集会において，区分所有者及び議決権の**各4／5以上の多数**で，建物を取り壊し，かつ，建物の敷地に新たに建物を建築する旨の決議（**建替え決議**）をすることができます。

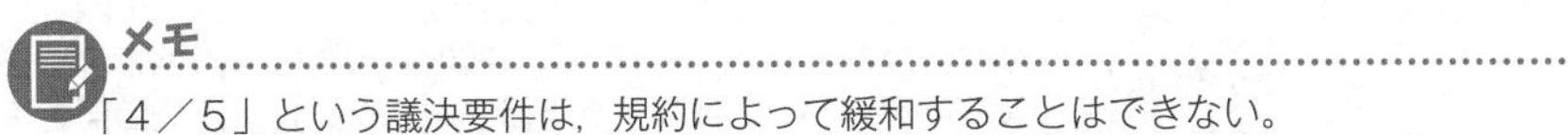

メモ

「4／5」という議決要件は，規約によって緩和することはできない。

建替え決議に賛成した区分所有者等は，建替えに参加しない者に対し，その専有部分と敷地を売り渡すよう請求することができます。また，建替え決議を目的にした集会の招集については，会日の少なくとも2カ月前に招集通知を発しなければなりません。ただし，「2カ月」という期間は，規約で伸長することができます。

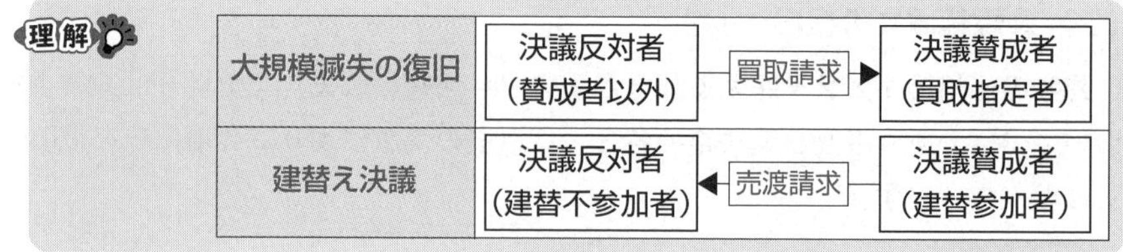

9 義務違反者に対する措置（6条，57条～60条）

区分所有者及び専有部分の占有者（賃借人等）は，建物の保存に有害な行為その他建物の管理または使用に関し，区分所有者の共同の利益に反する行為をしてはなりません。この義務に違反した区分所有者または占有者（**義務違反者**）に対しては，他の区分所有者等には，次のような請求をする権利が認められています。

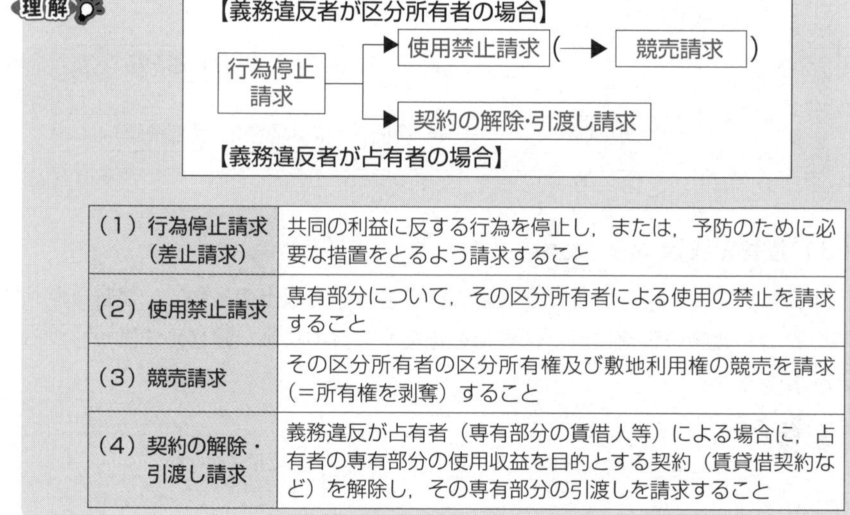

（1）行為停止請求（差止請求）	共同の利益に反する行為を停止し，または，予防のために必要な措置をとるよう請求すること
（2）使用禁止請求	専有部分について，その区分所有者による使用の禁止を請求すること
（3）競売請求	その区分所有者の区分所有権及び敷地利用権の競売を請求（＝所有権を剥奪）すること
（4）契約の解除・引渡し請求	義務違反が占有者（専有部分の賃借人等）による場合に，占有者の専有部分の使用収益を目的とする契約（賃貸借契約など）を解除し，その専有部分の引渡しを請求すること

(1)共同の利益に反する行為の停止等の請求(行為停止請求・差止請求)(57条)

区分所有者または占有者が，建物の保存に有害な行為その他建物の管理または使用に関して共同の利益に反する行為をした，または，そのおそれがある場合は，他の区分所有者の全員または管理組合法人は，区分所有者の共同の利益のため，その行為を**停止**し，その行為の結果を**除去**し，または，その行為の予防のために**必要な措置を執ることを請求**することができます。

ただし，訴訟を提起するには，**集会の普通決議**による必要があります。

(2) 専有部分の使用禁止請求 (58条)

区分所有者の義務違反の程度が著しいために，共同生活上の障害が著しく，**(1)**の措置では共同生活の維持を図ることが困難な場合は，他の区分所有者の**全員**または**管理組合法人**は，集会において，区分所有者及び議決権の各3／4以上の**特別決議**により，訴えをもって，当該区分所有者による**専有部分の相当期間の使用禁止**を請求することができます。

(3) 区分所有権の競売請求 (区分所有権の剥奪) (59条)

区分所有者の義務違反の程度が著しいために，共同生活上の障害が著しく，他の請求によっては共同生活の維持を図ることが困難な場合は，他の区分所有者の**全員**または**管理組合法人**は，集会において，区分所有者及び議決権の各3／4以上の**特別決議**により，訴えをもって，当該区分所有者の**区分所有権及び敷地利用権の競売**を請求することができます。

(4) 契約の解除・占有者に対する引渡し請求 (60条)

占有者（専有部分の賃借人等）に対しても，その義務違反の程度が著しいために他の方法によっては共同生活の維持を図ることが困難であるときは，区分所有者の**全員**または**管理組合法人**は，集会において，区分所有者及び議決権の各3／4以上の**特別決議**により，訴えをもって，**占有者の専有部分の使用・収益を目的とする契約を解除**し，その**専有部分の引渡し**を請求することができます。

なお，上記**(2)**～**(4)**の特別決議によって請求する場合は，その相手方である義務違反者に対しては，弁明の機会を与えなければなりません。

メモ

暴力団がマンションの１室を組事務所として賃借し，区分所有者の共同の利益に著しく反する行為を行ったとして，賃貸借契約の解除・明渡しの請求を認めている（判例）。

まとめ

理解

〈義務違反者に対する措置〉

請求の内容	裁判	集会決議
行為停止請求	ｉ）裁判外でも可能 ⅱ）裁判による場合　→	普通決議が必要
使用禁止請求	必要 （必ず訴えをもって行う）	必要 （特別決議）
競売請求		
契約の解除・引渡し請求		

〈決議要件等〉

必要数	決議事項
単　独	・共用部分の保存行為 ・小規模滅失の単独復旧 ・裁判所への管理者の解任請求
１／５以上	集会の招集請求
１／４超	一部共用部分の規約に対する反対
過半数 （原　則）	・共用部分の管理 ・共用部分の軽微変更 ・管理者の選任・解任 ・小規模滅失の復旧　　等
３／４以上	・共用部分の変更 ・規約の設定・変更・廃止 ・管理組合法人の設立 ・大規模滅失の復旧 ・義務違反者に対する使用禁止請求　　等
4/5以上	・建替え決議
全員の同意	・再建築 ・集会の招集手続の省略 ・決議を書面または電磁的方法によって行うことに対する承諾 ・書面による全員の合意 ・電磁的方法による全員の合意

4 不動産登記法

ウォームアップ

例えば，私たちは，建物を新築したときには所有権の保存**登記**をします。銀行からお金を借り入れれば，建物に**抵当権**を設定して，その登記をしますし，その後返済し終わったら抵当権の**抹消登記**の申請をします。また，その建物を売買したときには，**所有権の移転登記**を行います。

このように，不動産を**特定**し，その不動産に関する目に見えない権利関係を**見えるものにして公示**する目的で，不動産登記制度が整えられました。

さらに，登記制度は，物の二重売買などがあったときに，権利者が，自己が真の権利者であることを第三者に対して主張するための手段として利用されています（対抗要件制度）。

1 不動産登記制度

（1）「不動産登記制度」とは（1条）

不動産登記とは，権利の保全を図り，取引の安全と円滑に資することを目的に，**登記簿**に，**不動産の物理的現況**と**権利関係**を忠実に反映させるための制度をいいます。

（2）登記することができる権利等（3条）

登記は，不動産（土地・建物）の**所在などの表示**，及び，不動産に関する**権利**のうち，所有権，地上権，永小作権，地役権，先取特権，質権，抵当権（根抵当権），賃借権，配偶者居住権，採石権（採石法）の保存等（保存，設定，移転，変更，処分の制限，消滅）について行うことができます。

メモ

物権でも，占有権，留置権，入会権については登記することができない。逆に，債権は原則として登記できないが，不動産**賃借権は登記できる**。

（3）登記所（6条～）

登記の事務は，不動産の**所在地を管轄する登記所**が行います。

メモ

登記所とは，法務局・地方法務局の本支局・出張所のこと。不動産（土地）が2以上の登記所の管轄区域にまたがる場合は，法務大臣，法務局長，または地方法務局長が，管轄登記所を指定する。

（4）登記の種類

登記の内容によって分類した主な登記は，次のとおりです。

理解

記入登記	新たに生じた登記事項により，初めて登記簿に記録する登記 例 所有権保存登記，所有権移転登記，抵当権設定登記
変更登記	登記事項に変更が生じた場合に，当該登記事項を変更する登記 例 登記名義人の表示の変更登記
更正登記	登記事項にはじめから錯誤・遺漏があった場合に，当該登記事項を訂正する登記
抹消登記	登記原因が無効または登記した権利が消滅した場合に，それまでの登記を抹消する登記
回復登記	登記記録の滅失や不適法な抹消によりいったん滅失した登記を回復するための登記

2 登記記録等（11条～）

登記は，**登記官**が，登記簿に登記事項を記録することによって行います。そして，登記記録は，**表題部**及び**権利部**に区分して作成します。

用語 ・**登記簿**：登記記録が記録される帳簿のこと。磁気ディスクで調製する

・**登記記録**：一筆の土地または一個の建物ごとに作成される電磁的記録（電子的方式，磁気的方式その他人の知覚によっては認識することができない方式で作られる記録で，電子計算機による情報処理の用に供されるもの）のこと

（1）表題部

① **表題部**とは，登記記録のうち，**表示に関する登記**が記録される部分です。**不動産の物理的状況を記録**することによって，その不動産の**同一性を表示**することが目的です。

〈建物の登記簿の例〉

東京都特別区南都町１丁目２０２　　　　全部事項証明書　　　（建物）

表題部（主である建物の表示）		調製	余白	不動産番号	0000000000000
所在図番号	余白				
所在	特別区南都町一丁目　２０２番地			余白	
家屋番号	２０２番			余白	
①種類	②構造	③床面積　㎡		原因及びその日付〔登記の日付〕	
居宅	木造かわらぶき２階建	１階　８０：００ ２階　７０：００		令和６年５月１日新築 〔令和６年５月７日〕	

表題部（附属建物の表示）				
符号	①種類	②構造	③床面積　㎡	原因及びその日付〔登記の日付〕
1	物置	木造かわらぶき平家建	３０：００	〔令和６年５月７日〕
所有者	特別区南都町一丁目４番４号　民務五郎			

登記事項（登記記録として登記すべき事項）は，次のとおりです。

〈登記事項〉

土地の表示に関する登記	不動産番号，地図番号，筆界特定，所在，地番（一筆の土地ごとに付す番号），地目（土地の用途による分類），地積（一筆の土地の面積），登記原因，所有者の住所，氏名　　等
建物の表示に関する登記	不動産番号，所在図番号，所在，家屋番号（１個の建物ごとに付す番号），建物の種類（主たる用途），構造，床面積，登記原因，所有者の住所，氏名　　等

プラスα

- **地目**は，田，畑，宅地，山林，原野，公園，雑種地などに区分されて定められる。
- **建物の種類**は，居宅，店舗，共同住宅，事務所，旅館，料理店，工場，倉庫，車庫などに区分して定められる。
- **不動産番号**：不動産を識別するために，一筆の土地または一個の建物ごとにその表題部に記録される。
- なお，土地・建物の**評価額**は，**登記されない**ことに注意。

②　**表題登記**とは，表示に関する登記のうち，当該不動産について表題部に最初にされる登記のことです。そして，**表題部所有者**とは，所有権の登記がない不動産の登記記録の表題部に，所有者として記録されている者をいいます。なお，表題部所有者の住所・氏名は，権利部甲区に所有権の登記がされると，抹消されます。

(2) 権利部

権利部とは，登記記録のうち，**権利に関する登記**が記録される部分です。甲区及び乙区に区分されます。

甲区には，**所有権**に関し，所有権の保存，移転等が記録され，**乙区**には，**所有権以外の権利**に関し，地上権，地役権，抵当権，賃借権の設定の登記等が記録されます。また，それらの仮登記や登記名義人（登記記録に「権利者」として記録されている者）の氏名，住所の変更等も記録されます。

メモ

権利部には，登記申請の受付の年月日，受付番号のほか，権利の順位を明らかにするため順位番号が登記され，また，登記の目的，登記原因とその日付が記録される。例えば，売買契約に基づいて所有権移転登記をする場合，登記の目的は所有権移転であり，登記原因は「売買」となる。

〈甲区・乙区の例〉

権利部（甲区）（所有権に関する事項）			
順位番号	登記の目的	受付年月日・受付番号	権利者その他の事項
1	所有権保存	平成２０年１０月１５日 第６３７号	所有者　特別区南都町一丁目１番１号 甲　野　太　郎
2	所有権移転	令和６年５月７日 第８０６号	原因　令和６年５月７日売買 所有者　特別区南都町一丁目４番４号 民　務　五　郎

権利部（乙区）（所有権以外の権利に関する事項）			
順位番号	登記の目的	受付年月日・受付番号	権利者その他の事項
1	抵当権設定	令和６年５月７日 第８０７号	原因　令和６年５月７日金銭消費貸借同日設定 債権額　金4,０００万円 利息　年２．６０％（年３６５日日割計算） 損害金　年１４．５％（年３６５日日割計算） 債務者　特別区北都町一丁目４番４号 民　務　五　郎 抵当権者　特別区北都町三丁目３番３号 株　式　会　社　南　北　銀　行 （取扱店　南都支店） 共同担保　目録(あ)第２３４０号

共同担保目録			
記号及び番号	(あ)第２３４０号	調製	令和６年５月７日
番号	担保の目的である権利の表示	順位番号	予備
1	特別区南都町一丁目　２０２番の土地	1	余白
2	特別区南都町一丁目　２０２番地　家屋番号　２０２番の建物	1	余白

〈法務省 HP より〉

メモ

・**共有の登記**：その共有持分を登記する。共有物分割禁止の定めがあるときは，その定めを登記する。

・**地役権の登記**：地役権者の氏名・住所の登記は不要。なお，要役地に所有権の登記がないときは，承役地に地役権の設定の登記をすることができない。

・**賃借権の登記**：賃料，その支払時期，存続期間の定め，敷金があるときはその旨などを登記する。

・**抵当権の登記**：利息に関する定めがあるときは，その定めを登記する。

（3）地図等（14条）

登記所には，地図及び建物所在図が備え付けられています。

① 地図は，一筆または二筆以上の土地ごとに作成し，各土地の区画を明確にし，地番を表示します。

メモ

登記所には，地図が備え付けられるまでの間，これに代えて，地図に準ずる図面を備え付けることができる（いわゆる「公図」）。

② 建物所在図は，一個または二個以上の建物ごとに作成し，各建物の位置及び家屋番号を表示します。

メモ

地図，建物所在図，地図に準ずる図面は，電磁的記録に記録することができる。

（4）登記の申請の受付（19条）

登記官は，登記申請情報が登記所に提供されたときは，その申請情報に係る登記の申請の受付をしなければなりません。申請の受付がされると，その申請には受付番号が付されます。

用語 **申請情報**：不動産を識別するために必要な事項，申請人の氏名，登記の目的などのこと

（5）登記した権利の順位（4条）

① 原則

同一の不動産について登記した権利の**順位**は，原則，登記申請の**時期の前後**によります。登記の前後は，登記記録の同一の区（甲区・乙区）にした登記相互間

については順位番号で，別の区にした登記相互間については受付番号によって決まります。

② **例外**

不動産保存の先取特権や不動産工事の先取特権は，抵当権の後に登記をしても，抵当権に優先します。

③ **同一の不動産に関し２以上の申請がされた場合**

同一の不動産に関して２以上の申請がされ，その前後が明らかでない場合は，これらの申請は，**同時にされた**とみなされます。

プラスα

登記の申請方法が，オンライン，窓口・郵送と３通りあるので，申請の受付が同時に行われる可能性がある。

- 同一の不動産に関し同時に２以上の申請がされたときは，同一の受付番号が付される。
- 同一の不動産に関し権利に関する登記の申請が２以上あったときは，登記官は，これらの登記を，受付番号の順序に従ってしなければならない。
- なお，同一の不動産に関し同時に２以上の申請がされた場合で，申請に係る登記の目的である権利が相互に矛盾するときは，その登記の申請は双方共に却下される。

（6）登記事項の証明等（登記簿等の公開。119条～）

不動産登記制度は，その目的が，不動産の物理的状況と権利関係を公示することですので，登記事項は，**一般に公開**されなければなりません。

① **登記事項証明書の交付等**（119条）

誰でも，登記官に対して，手数料を納付して，**登記事項証明書**（登記記録に記録されている事項の全部または一部を証明した書面）の交付を請求することができます。

プラスα

- **登記事項証明書**には全部事項証明書，現在事項証明書，所有者証明書などの種類がある。従来の登記簿の謄本・抄本に相当する。
- **登記事項証明書の交付の請求**は，管轄登記所の登記官に対して行うが，管轄登記所以外の登記所の登記官に対してもすることができる。また，電子情報処理組織（インターネット）を使用して，交付請求の際指定した登記所において直接または送付の方法（郵送）によって交付するよう請求できる（オンライン申請）。

暗記 〈登記事項証明書の交付請求〉 ○：できる ×：できない

請求の方法	交付を受ける方法	
	登記所で直接交付	郵送
登記所へ直接請求	○	○
インターネット（オンライン申請）	○	○
登記所のコンピュータ（端末）に入力	○	×

② 登記事項要約書の交付

誰でも，登記官に対して，手数料を納付して，**登記事項要約書**（登記記録に記録されている事項の概要を記載した書面）の交付を請求することができます。

プラスα

- **登記事項要約書**には，登記事項証明書と異なり，登記官の認証文，作成年月日の記載がない。
- **登記事項要約書**は，従来の「登記簿の閲覧制度」の代替なので，登記されている登記所への「直接請求→直接交付」のみが認められ，郵送の請求は不可。
- 登記事項証明書・登記事項要約書のいずれも，交付の請求にあたって，**利害関係は不要**（つまり「何人も」請求できる）。

③ 地図の写しの交付・閲覧（120条）

誰でも，登記官に対して，手数料を納付して，**地図等の写し**（電磁的記録に記録されているときは，当該記録された情報の内容を証明した書面）の交付の請求，及び，**地図等の閲覧**を請求することができます。

メモ

附属書類の写しの交付・閲覧（121条）：一定の登記簿の附属書類についても，同様な写しの交付請求・閲覧請求の制度がある（例えば，申請情報・登記原因情報の閲覧制度）。なお，附属書類の閲覧請求については，土地所在図等（土地所在図，地積測量図，建物図面，各階平面図）以外については，正当な理由があると認められる部分に限られる。

（7）登記記録等の保存，閉鎖登記記録

① 登記記録，地図，建物所在図は，永久に保存されます。

② 閉鎖登記記録には，次のように**保存期間**があります。

基本

土地に関する閉鎖登記記録	閉鎖した日から50年間
建物に関する閉鎖登記記録	閉鎖した日から30年間

用語 **閉鎖登記記録**：土地または建物の滅失などの事情で，前に記録した登記記録を閉鎖すること

3 登記の申請の原則

（1）申請主義の原則（16条，28条）

登記は，原則として，当事者の申請に基づいて行われます。

① **表題登記の申請義務**（36条，37条，47条，51条）

i）表題登記については，所有者等に登記の申請義務があります。すなわち，例えば，埋立てなどによって新たに生じた土地や表題登記がない土地の所有権を取得した者や，新築した建物または区分建物以外の表題登記がない建物の所有権を取得した者は，その**所有権の取得の日から1カ月以内**に，**表題登記**を申請しなければなりません。

また，地目・地積の変更や，増築による床面積の変更などによって建物の表示に関する登記事項に変更が生じたときは，表題部所有者または所有権の登記名義人は，その**変更が生じた日から1カ月以内**に，**変更の登記**を申請する必要があります。

メモ
・必要な登記の申請をしない場合には罰則がある（10万円以下の過料）。
・土地・建物が滅失したときも，同様に，その滅失の日から1カ月以内に，滅失の登記を申請しなければならない。

ii）ただし，表題部の変更の登記の申請が放置されている場合のように，例外的に，登記官の職権による登記が認められることもあります。

メモ
建物の分割・区分・合併など，当事者の意思に従って登記がされるべき場合には，登記官が職権ですることはできない。

原則	登記は，当事者の申請または官公署の嘱託がなければ，することができない
例外	登記官の職権でできる場合もある　**例** 表題登記

② **権利の登記の申請**

物権変動が生じた場合の権利に関する登記の申請については，原則として申請

義務はありません。したがって，申請期間の定めもありません。

ただし，相続登記は，申請義務はあります。

③ 相続登記の申請義務（76条の2，76条の3）

相続によって不動産の所有権を取得した相続人（遺贈によって取得した相続人も含む）は，自己のために相続の開始があったことを知り，かつ，当該所有権を取得したことを知った日から3年以内に，所有権の移転登記を申請しなければなりません。正当な理由なく登記申請を怠ったときは，10万円以下の過料に処せられます。

上記の相続登記の申請義務を負う者は，登記官に対し，①登記簿上の所有者(所有権の登記名義人）について相続が開始したこと，及び②自らがその相続人であることを申し出ることができ，この申出をすれば相続登記の申請義務を履行したものとみなされます。

④ 代理人による登記，代理権の不消滅（17条）

登記の申請は，登記を申請する者から委任を受けた代理人（司法書士など）もすることができます。なお，その権限は，本人の死亡によっては消滅しません。

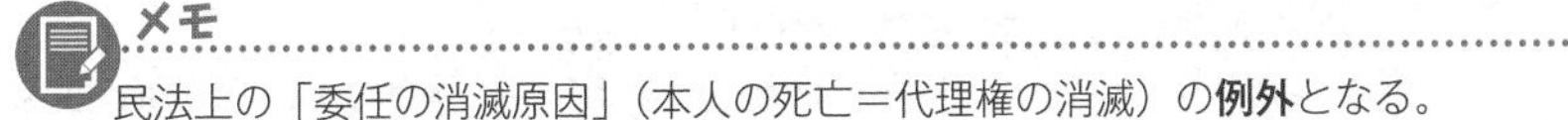

メモ

民法上の「委任の消滅原因」（本人の死亡＝代理権の消滅）の**例外**となる。

（2）共同申請主義の原則（60条）

① 権利に関する登記の申請は，原則として，登記権利者及び登記義務者が共同してしなければなりません。登記によって不利益を受ける者を登記申請の当事者とすることによって，登記の真正を担保する趣旨です。

用語 **登記権利者**：権利に関する登記をすることによって，登記上，直接に利益を受ける者のこと。売買なら買主，抵当権設定登記なら被担保債権の債権者（抵当権者）となる

登記義務者：権利に関する登記をすることによって，登記上，直接に不利益を受ける登記名義人のこと。売買であれば売主，抵当権設定登記であれば抵当権設定者となる

理解

原 則	登記権利者と登記義務者の共同申請
例 外 （単独申請）	所有権の保存登記，相続による登記，判決による登記，仮登記の場合の簡易な手続等

② ただし，次の場合には，**登記権利者**（登記名義人）が**単独**で申請します。

ⅰ）性質上登記義務者が存在しない場合（性質上，当然に単独申請）

・所有権の保存登記（はじめてする所有権の登記）
　例 建物を新築した場合
・相続による登記（登記義務者に相当する者がすでに死亡）
・法人の合併による権利の登記
・相続人に対する遺贈による所有権移転登記
・登記名義人の表示に関する変更の登記
　例 住所変更，婚姻による姓名の変更

ⅱ）単独申請でも登記の真正を担保できる場合

判決による登記	登記義務者が登記申請に協力しない場合，登記を移転せよという旨の確定判決（給付判決）により，登記権利者が単独で申請できる →判決は，執行力のある確定した給付判決（被告に「〜せよ」と命ずる判決）でなければならない
仮登記の場合の簡易な手続	・仮登記の場合も共同申請が原則 （なお，登記識別情報の提供（登記済証の提出）は不要） ・仮登記の登記権利者の単独申請が可能な場合 ア）仮登記義務者の承諾があるとき イ）仮登記義務者の承諾がない場合でも，裁判所による仮登記を命ずる処分があるとき

メモ

・**不動産の収用**による所有権の移転の登記は，起業者が単独で申請することができる。
・**表示に関する登記**（例 建物を新築，増築した場合）は，表題部所有者または登記名義人の単独申請となる。

ⅲ）相続人及び一般承継人による申請の場合（30条，62条）

次の**ア）イ）**の場合に，相続，その他の一般承継が生じたときは，相続人，その他の一般承継人は，その登記を申請できます。

ア）表題部所有者または所有権の登記名義人が表示に関する登記の申請人となる場合

イ）登記権利者，登記義務者または登記名義人が権利に関する登記の申請人となる場合

理解 〈権利に関する登記と表示に関する登記の比較〉

権利に関する登記	表示に関する登記
申請義務なし（相続登記を除く）	申請義務あり（罰則あり）
登記時期の制限なし（相続登記を除く）	登記の変動発生後１カ月以内
登記官には形式的審査権のみ	登記官に実質的審査権あり （職権登記も可）
共同申請が原則	単独申請
オンライン申請または書面申請，郵送も可 （口頭による申請は，一切認められない）	

4 登記手続

（１）登記の申請の方法（18条）

登記の申請は，次のいずれかの方法によって，登記の申請に**必要な情報**（申請情報，添付情報，登記識別情報）を**登記所に提供**して行います。

理解

オンライン申請	・電子情報処理組織（インターネット）を使用する方法 ・申請情報・添付情報には，電子署名及び電子証明書が必要
書面による申請	・申請情報を記載した書面に，添付情報を記載した書面を添付して提出する ・申請情報を記録した磁気ディスクでも可 ・①書面（磁気ディスク）を登記所に出頭して提出する方法と，②郵送によって提出する方法とがある

メモ

・申請情報とは，不動産を識別するために必要な申請人の氏名・登記の目的などの情報のこと。申請情報は，登記の目的（所有権の移転，抵当権設定，賃借権設定など）及び登記原因（売買，贈与，相続など）に応じ，１つの不動産ごとに作成して提供しなければならない。

・ただし，同一の登記所の管轄区域内にある２以上の不動産について申請する場合は，登記の目的及び登記原因及びその日付が同一であるときは，１つの申請情報によって申請できる。一戸建て住宅の売買を考えるとよい。

（2）申請情報の内容

登記の申請は，次の内容を登記所に提供して行います。

i）申請人の氏名（名称）・住所 ii）代理人によって申請する場合は，代理人の氏名（名称）・住所 iii）登記の目的 iv）登記原因とその日付 v）土地の場合：所在地，地番，地目，地積等 　　建物の場合：所在地，家屋番号，建物の種類・構造・床面積等 vi）登記識別情報を提供することができない場合は，その理由　　等

メモ

「**v）土地・建物の場合**」の「所在地等」は，不動産識別事項（不動産を識別するために必要な事項で不動産番号のこと）を申請情報の内容としたときは，情報の提供は不要。

（3）登記識別情報による本人確認

例えば，売買による所有権の移転登記の申請においては，**登記義務者**（**売主**）が本人であるか否かの確認が必要です。

オンライン申請の場合は，申請人の本人確認の制度として，従来の登記済証（いわゆる「権利証」）に代えて，登記識別情報を用います。

用語 **登記識別情報**：権利の保存・設定・移転登記など，登記名義人が登記を申請する場合に，その登記名義人自らが登記を申請していることを確認するために用いられる情報で，数字とアルファベットの12桁の組合せ（例 174−A23−CBX−53G）となる

登記名義人が前回の登記申請において取得した登記名義人固有の識別情報（登記識別情報）を，原則として，登記義務者として申請すべき次回の登記申請において提供します。

①　登記識別情報の通知（21条）

登記官は，その登記をすることによって申請人自らが登記名義人となる場合において，登記を完了したときは，申請人に対して速やかに，登記識別情報を通知しなければなりません。

・**登記識別情報の非通知希望制度**：申請人が，あらかじめ登記識別情報の通知を希望しない旨の申出をした場合は，登記官による通知は不要。

・**登記識別情報の有効証明制度**：登記名義人（その一般承継人）は，登記官に対して，登記識別情報が有効であることの証明を請求できる。

② 登記識別情報の提供（22条）

登記権利者と登記義務者が，共同して権利に関する登記の申請をする場合には，申請人は，その申請情報と併せて，登記義務者の登記識別情報を提供しなければなりません。

・ただし，前記登記識別情報の通知を希望しないなど，申請人が登記識別情報を提供しないことにつき，正当な理由がある場合は，提供不要となる。

・**登記識別情報の提供ができない場合の本人確認**：
登記識別情報の提供ができない場合，登記官は，登記義務者（登記名義人）に対して，あらかじめ，登記申請の内容が真実である旨の申出をすべき通知（事前通知）を行い，この申出を持って登記を実行する（「事前通知制度」）。

・**資格者代理人による本人確認制度**：
司法書士等の一定の資格者が代理人となって登記申請する場合で，登記官が，登記義務者であることを確認するために必要な情報の提供を受け，かつ，その内容を相当と認めるときは，事前確認を経ないで登記することが可能。資格者代理人は，不実の登記を出現させないようにする職責上の義務を負うからである。

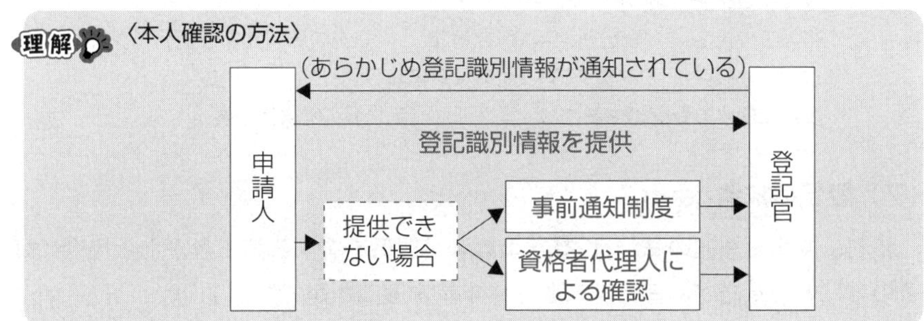

（4）登記官による本人確認（24条）

登記官は，申請人となるべき者以外の者が申請していると疑うに足る相当な理由があると認めるときは，申請人の**申請権限の有無**を調査しなければなりません。

（5）添付情報

登記申請にあたっては，さらに，前述の**申請情報**と併せて，次の各情報（**添付情報**）を登記所に提供しなければなりません。

i）代理人によって登記を申請する場合……代理人の権限を証する情報
ii）一般承継人として登記を申請する場合……相続等の一般承継があったことを証する情報（市町村長・登記官等の公務員が職務上作成したもの）
iii）権利に関する登記をする場合……登記原因証明情報
iv）権利に関する登記をする場合で，登記原因について第三者の許可・同意・承諾を要するとき……それらを証する情報
v）抹消登記，仮登記を本登記とする場合……登記上利害関係を有する者等の承諾を証する情報，または，それに対抗できる裁判があったことを証する情報　　等

（6）登記原因証明情報の提供（61条）

権利に関する登記を申請する場合，申請人は，保存登記や確定判決による登記などを除き，オンライン申請・書面申請を問わず，その申請情報と併せて，登記原因を証する情報（**登記原因証明情報**）を提供する必要があります。登記原因が真実であることを確保するためです。

プラスα

・**登記原因証明情報の例**（売買の場合）：
当事者の氏名，不動産の表示（所在地など），登記の原因となる契約を具体的に明示（例「○月○日売買」「同日所有権が移転」）など。
・**表示に関する登記**の申請には，登記原因証明情報の提供は**不要**。

（7）登記の抹消（68条）

権利に関する登記の抹消は，登記上の利害関係を有する第三者がある場合には，その第三者の承諾があるときに限り，申請することができます。

メモ

・職権により登記が抹消される場合もある。
・所有権の登記の抹消：**所有権の登記の抹消**は，所有権の移転の登記がない場合は，所有権の登記名義人が**単独**で申請することができる。
・買戻しの特約の登記は，契約の日から10年を経過したときは，登記権利者が単独で当該登記の抹消を申請することができる。

(8) 登記完了証

登記申請をして登記が完了すると，登記所（法務局）から登記完了証が交付されます。登記完了証は，申請した登記が完了したことを証する書面ですが，登記完了証自体には法的な効力はありません。書面申請では，郵送料の負担をすれば郵送で交付してもらえます。オンライン申請では，インターネット上からダウンロードできます。

5 所有権の保存の登記

(1) 所有権の保存の登記とは

はじめて行う所有権の登記を，**所有権の保存の登記**といい，これにより**権利部**が開設されます。

(2) 登記申請をすることができる者 (74条)

所有権の保存の登記を行うことができるのは，次の者のみで，これ以外の者は，申請することができません。

① **表題部所有者（表題部に自己が所有者として記録されている者）**
② **表題部所有者が死亡した場合の相続人，その他の一般承継人**
③ **所有権を有することが確定判決によって確認された者**
④ **収用によって所有権を取得した者**
⑤ **区分建物の場合で，表題部所有者から所有権を取得した者**

プラスα

・③で必要な「判決」は，不動産が申請者の所有である旨が証明される趣旨の判決であればよく，必ずしも給付判決でなくてもよい。
・⑤の具体例は，マンションの分譲業者から譲渡の証明を受けたマンションの購入者が行う場合であるが，この方法は，区分所有建物以外では適用不可。なお，敷地権付き区分建物であるときは，敷地権の登記名義人の承諾を得なければならない。

6 付記登記

(1)「付記登記」とは(4条)

付記登記とは,**権利に関する登記**のうち,すでにされた登記(**主登記**)について行う,その登記の変更・更正,または,所有権以外の権利について移転あるいは権利の保存等をするもので,**すでにされた権利に関する登記と一体のものとして公示**する必要があるものをいいます。

プラスα

・付記登記は,**主登記との同一性を保持**する場合,または,付記登記によって表示される権利が**主登記と同一順位を有することを明示**する場合になされる。

例 買戻の特約の登記,抵当権の変更の登記,登記名義人の表示に関する変更の登記など

・権利の変更・更正の登記は,登記上の利害関係を有する第三者の承諾がある場合及び当該第三者がない場合に限り,付記登記によってすることができる。

(2)付記登記の順位

付記登記の順位は,**主登記の順位**により,また,同じ主登記に係る付記登記の順位は,その**前後**によります。

7 仮登記

(1)「仮登記」とは

仮登記とは,本登記をするのに必要な手続上・実体法上の要件を**具備しない場合**に,将来,その要件が備わったときにするべき本登記の登記簿上の順位を確保しておくために,あらかじめ行われる,いわば**予備的な登記**です。

(2)仮登記ができる場合(105条)

仮登記は,次の場合にすることができます。

① **物権保全の仮登記**(1号仮登記)

実体法上は登記すべき権利変動がすでに生じていながら,登記所に対して提供しなければならない一定の情報を提供することができないときに,することができます。

例 登記識別情報を提供することができないとき，登記申請に必要な添付情報を提供することができないとき，等

② **請求権保全の仮登記**（2号仮登記）

権利変動はまだ生じていない段階で，将来その権利変動を生じさせる請求権を保全するときに，することができます。

例 売買の予約をした場合に，その予約完結権を保全するために仮登記をするとき，等

（3）仮登記とその対抗力，仮登記に基づく本登記の順位（106条）

仮登記の効力は，本登記の順位を保全するだけのものであり（順位保全効），対抗力はありません。

なお，仮登記がされた後，仮登記に基づく本登記がされると，本登記の順位は**仮登記の順位**によります。

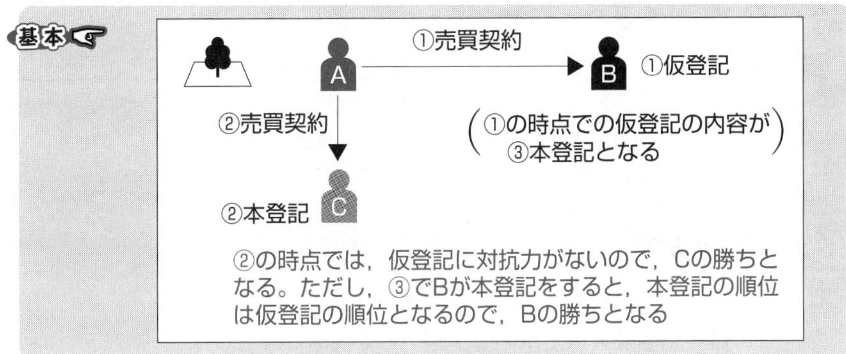

（4）仮登記の申請方法（107条，108条）

仮登記も，原則として，**共同申請**で行います。

基本

原　則	仮登記権利者と仮登記義務者の共同申請 （登記識別情報の通知は不要）
仮登記権利者が単独申請できる場合	① 仮登記義務者が仮登記することを承諾した場合 →その旨の承諾を証する情報の添付が必要 ② 仮登記を命ずる処分があるとき

仮登記が登記されると，次のように，本登記をすることができる「余白」が設けられることになります。

理解

権利部（甲区）	（所有権に関する事項）		
順位番号	登記の目的	受付年月日・受付番号	権利者その他の事項
(4)	（略）		
5	所有権移転請求権 仮登記	令和６年７月10日 第12345号	原因　令和６年７月７日売買予約 権利者　神奈川県横浜市栄区〇〇　B
	余白	余白	余白
6	所有権移転	令和６年９月19日 第23456号	原因　令和６年９月10日売買 権利者　神奈川県平塚市□□　C

（5）仮登記に基づく本登記（109条）

所有権に関する仮登記に基づく本登記は，登記上の利害関係を有する第三者がある場合には，当該第三者の承諾があるときに限り，申請することができます。

プラスα

・その第三者の承諾を証する情報，または，その第三者に対抗できる裁判があったことを証する添付情報の提供が必要となり，この申請に基づいて登記をするときは，登記官は，職権で，その第三者の権利に関する登記を抹消しなければならない。

（6）仮登記の抹消（110条）

仮登記の抹消も，原則として，**共同申請**です。

ただし，**仮登記名義人**は，**単独**で抹消申請ができますし，また，登記上の**利害関係人**も，**仮登記名義人の承諾**がある場合，または，これに対抗することのできる裁判があった場合には，**単独**で，抹消請求をすることができます。

8 表示に関する登記

表題部に記録する登記を，**表示に関する登記**といいます。

（1）登記の対象

不動産登記の対象となるのは，**土地**と**建物**です。

① **土地**

不動産登記法による登記の対象となる土地は，**所有権の対象**となりうるものでなければなりません。したがって，海面（公有水面）下の土地などは登記できません。

② **建物**

建物とは，屋根・周壁またはこれに類するものを有し，土地に定着した建造物であって，その目的とする用途に供しうる状態にあるものをいいます。

メモ

建築途上の建物について，単に切組みを済ませて，降雨をしのぎうる程度の屋根をふいただけでは，未だ建物と認めることはできない。一方，屋根及び周壁を有し土地に定着する一個の建造物として存在するに至ったときは，床及び天井を備えていなくても建物として登記できるとされる（判例）。

（2）職権による登記，登記官による調査（28条，29条）

表示に関する登記は，**登記官**が，**職権**ですることができます。また，登記官は，表示に関する登記の申請があった場合，及び，職権で登記する場合に，必要があると認めるときは，その不動産の表示に関する事項を調査することができます。

（3）表題部所有者に関する変更の登記等（31条，32条，33条）

① **表題部所有者の氏名・名称または住所の変更・更正の登記**

申請することができるのは，**表題部所有者のみ**です。

メモ

表題部所有者の氏名・住所等については，そもそも変更の登記等の申請の義務はない。

② **表題部所有者の変更の登記**

不動産について所有権の保存の登記をした後にはじめて，その所有権の移転の登記の手続をするのでなければ，表題部所有者の変更の登記をすることはできません。

③ **表題部所有者の更正の登記**

不動産の所有者とその不動産の表題部所有者とが異なる場合に行う当該表題部所有者についての更正の登記を申請できるのは，当該不動産の**所有者のみ**です。

メモ

この場合，当該不動産の所有者は，当該表題部所有者の承諾を得ることが必要とされる。

（4）土地の分筆または合筆の登記（39条）

土地の**分筆の登記**とは，一筆の土地として登記されている土地を分割して，数筆の土地として登記することをいい，**合筆**は，その逆のことをいいます。

① **分筆・合筆の登記の申請**

分筆または合筆の登記を申請できるのは，**表題部所有者**または**所有権の登記名義人のみ**です。

② **職権による分筆・合筆の登記**

登記官は，分筆の申請がない場合であっても，一筆の土地の一部が別の地目となり，または，地番区域を異にするに至ったときは，**職権**で，その土地の分筆の登記をしなければなりません。

また，登記官は，表題部所有者等からの申請がない場合であっても，**地図を作成**するために必要がある場合は，表題部所有者または所有権の登記名義人の**異議がないときに限り**，**職権**で，分筆または合筆の登記をすることができます。

（5）合筆の登記の制限（41条）

次の土地の合筆の登記は，することができません。

i）隣接していない土地
ii）地番区域の異なる土地
iii）地目の異なる土地
iv）所有者（表題部所有者，または，所有権の登記名義人）を異にする土地
v）所有者（表題部所有者，または，所有権の登記名義人）が同じでも，相互に持分を異にする土地
vi）所有権の登記のない土地と所有権の登記のある土地
vii）所有権以外の権利が登記されている土地
→ただし，共同抵当となっている隣接地を合筆する場合など，その権利の登記の目的，登記原因とその日付，受付番号が同一であれば，可能

・これらの制限は，（ア）一筆の土地の性質（地目）は同じでなければならないこと，（イ）一筆の土地について，積極的に共有関係を成立させないようにすること，（ウ）原則として，土地の一部に抵当権など権利の設定はできないこと，などの理由に基づく。

・合筆と異なり，所有権以外の権利が登記されている土地の分筆は可。

例 抵当権付きの土地の分筆。地役権付きの土地の分筆

（6）建物の分割，合併の登記（54条）

建物の**合併の登記**とは，「数個の建物」として登記されている建物を登記記録上合併して，一個の建物として登記することをいい，また，建物の**分割の登記**とは，その逆で，一個の建物として登記されている建物を登記記録から分割して，数個の建物として登記することをいいます。

メモ

建物の「合併」と「合体」の違い：

建物の合併と似た概念に建物の合体がある。建物の**合体**とは，物理的に複数の建物を一個の建物にすることであり，**建物の合併**とは，建物の物理的形状は変更しないで，登記簿上，一個の建物として登記することをいう。

① 登記の申請

建物の分割・合併の登記を申請することができるのは，表題部所有者または所有権の登記名義人**のみ**です。登記官が職権で行うこともできません。

② 建物の合併の登記の制限（56条）

次の建物の合併の登記は，することができません。

ⅰ）共用部分である旨の登記・団地共用部分である旨の登記がある建物
ⅱ）所有者（表題部所有者，または，所有権の登記名義人）を異にする建物
ⅲ）所有者（表題部所有者，または，所有権の登記名義人）が同じでも，相互に持分を異にする建物
ⅳ）所有権の登記がない建物と所有権の登記がある建物
ⅴ）所有権以外の権利が登記されている建物
→ただし，その権利の登記の目的，登記原因とその日付，受付番号が同一であれば，可能

9 区分建物の登記

区分建物については，一棟の建物の表題部，一棟の建物を区分した各区分建物（専有部分）ごとの表題部・権利部により，登記記録が作成されます。

メモ

専有部分が，一棟の建物の中で占める位置関係や，他の専有部分との関係を，登記簿上明らかにするためである。

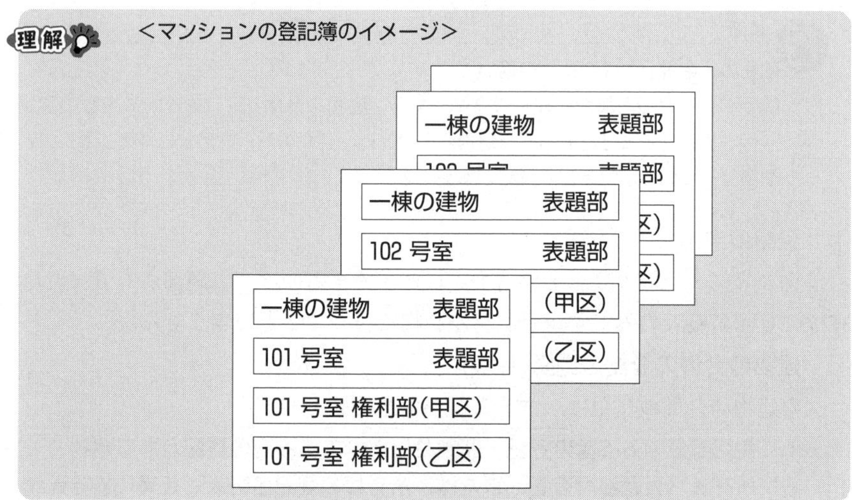

（1）区分建物についての建物の表題登記の申請（一括申請）(48条)

区分建物が属する一棟の建物が新築された場合，その所有者は，1カ月以内に表題登記を申請しなければなりません。そして，表題登記の申請は，新築された一棟の建物に属する他の区分建物についての表題登記の申請と，併せてしなければなりません。つまり，全ての専有部分の，表示に関する登記（表題登記，表題部の変更登記）の申請は，同時に行う必要があるということです。

なお，この場合，区分建物の所有者は，他の区分建物の所有者に代わって，当該他の区分建物についての表題登記を申請することができます。

（2）共用部分である旨の登記（58条）

区分所有法により**規約共用部分**とされたものは，**共用部分である旨の登記**をすることができます。この場合は，表題部の「原因及びその日付」欄に記録することとなります。

メモ

・共用部分である旨の登記を申請できるのは，共用部分である旨の登記をする建物の表題部所有者または所有権の登記名義人に限られる。
・共用部分である建物に所有権等の登記以外の権利に関する登記があるときは，その権利の登記名義人の承諾がなければ，申請は不可。

（3）敷地権である旨の登記

①「敷地権」とは（55条，73条）

区分所有法上，専有部分とその敷地利用権とは，原則として，分離処分することができません（区分所有法22条）。不動産登記法も，登記された専有部分と分離して処分することができない敷地利用権を「**敷地権**」といい，区分建物の表題部にその表示を登記し，さらに目的たる土地の登記記録に，敷地権である旨の登記をして，分離処分できない権利であることを公示するとしています（一体性の原則）。

② 敷地権である旨の登記（46条）

表示に関する登記のうち，区分建物に関する敷地権について，表題部に最初に登記をするときは，敷地権の目的である土地の登記記録について，登記官の**職権**により，登記記録中の所有権，地上権その他の権利が敷地権である旨の登記がされます。

③ 敷地権付き区分建物に関する登記等（73条）

ｉ）一体的登記の効力

敷地権付き区分建物についての所有権または担保権（一般の先取特権・質権・抵当権）に係る権利に関する登記は，原則として，敷地権である旨の登記をした土地の敷地権についてされた登記として，効力を有します。

ⅱ）登記の制限

そして，敷地権である旨の登記をした土地には，敷地権の移転の登記または敷地権を目的とする担保権に係る権利に関する登記をすることができません。

メモ

ただし，その土地が敷地権の目的となった後にその登記原因が生じたもの，または敷地権についての仮登記・質権・抵当権に係る権利に関する登記で，その土地が敷地権の目的となる前に登記原因が生じたものは，登記できる。

また，敷地権付き区分建物には，当該建物のみの所有権の移転を登記原因とする所有権の登記，または，当該建物のみを目的とする担保権に係る権利に関する登記をすることができません。

メモ

ただし，その建物の敷地権が生じた後にその登記原因が生じたもの，または，その建物のみの所有権についての仮登記，その建物のみを目的とする質権・抵当権に係る権利に関する登記で，その建物の敷地権が生ずる前に登記原因が生じたものは，登記できる。

第2編

宅建業法

宅建業法は、宅建業者にとって〝憲法〟であるのと同時に、受験者にとっては「最大の得点源」である。非常に重要な法律であるものの、条文はわずか86条、内容も比較的平易である。土地・建物を扱う「プロ」を目指す以上、ここでは高得点を狙えるよう、しっかり学習に取り組んでほしい。

理解のポイントは、「いかに消費者の利益を守るか」、ここに尽きる。

第1章 総　則

データ　【直近12年間の出題実績＆攻略法】

項目	H25	H26	H27	H28	H29	H30	R1	R2	R3	R4	R5	R6	重要度
宅建業とは		●	●			●	●		●	●	●		A
宅建業の免許	●	●	●	●	●	●	●	●	●		●	●	S
宅建士	●			●	●	●	●	●	●	●	●	●	S
営業保証金	●	●	●	●	●	●		●	●	●	●	●	S
保証協会制度	●	●		●	●	●	●	●	●	●	●	●	S

「宅建業とは」のテーマは，“用語の定義”として出題される。毎年の出題ではないが，宅建業法を理解するうえで重要な知識である。「宅建業の免許」「宅建士」の出題は各１～２問，「営業保証金」「保証協会」は各１問，この章（総則全体）では概ね合計５～６問の出題である。

「宅建業の免許」「宅建士」は，それぞれの内容の理解とともに，両者を比較してその違いを押さえることが重要だ。なお，この点は，「営業保証金」と「保証協会」についても同様である。

1「宅地建物取引業」とは

ウォームアップ

法律を理解するには，法の目的・趣旨とともに**定義**も大切なポイントです。特に宅建業法では，「宅建業に該当する行為をするときには宅建業の免許が必要」という前提から出題されます。また，「宅建業に該当しなければ，そもそも宅建業法の規制は一切受けない」ことを理解しているかどうかも，しばしば問われます。

「**宅地**・**建物**とは何か」「**取引**とはどのような行為か」「**業**とはどういうことか」の３点が特に重要で，まず，これらを押さえていきましょう。

1 宅建業法の目的（1条）

宅建業法は，宅建業者の相手方となる**一般消費者の利益を保護**することを，その目的としています。

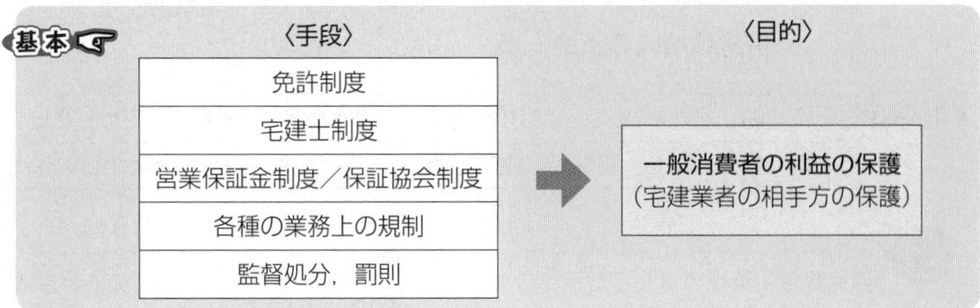

メモ

- **試験対策について**：宅建業法の目的からみて，宅建本試験で「一般消費者を**宅建業者より保護**する選択肢」が出題された場合，その選択肢は，**正しい確率**が極めて「**大**」である。
- 本書では，適宜「宅地建物取引業法→**宅建業法**」「宅地建物取引業→**宅建業**」「宅地建物取引業者→**宅建業者**ないし，単に**業者**」「宅地建物取引士→**宅建士**」という。

2 用語の定義（2条）

宅建業にあたる行為を行う場合は，**宅建業の免許**を取得しなければなりません。

メモ

無免許営業及び業者の名義貸しには，宅建業法上，「3年以下の懲役，もしくは300万円以下の罰金またはこれの併科」という重い罰則がある。

宅建業とは，「**宅地**」「**建物**」の「**取引**」を「**業**」として行う行為をいいます。以下，その意味を確認します。

（1）「宅地・建物」とは

① 土地であれば，すべてが「宅地」というわけではありません。宅建業法では，次の**ア）イ）**の土地を「宅地」と定義づけて，規制の対象としています。

ア） 第1に，「**建物の敷地に供せられる土地**」であり，次の2種類です。

i）現に建物が存在する土地 **ii）将来，建物を建築する予定で取引される土地**

例　翌年に別荘を建築する予定で売買される現在の山林は，「宅地」である。

イ） 第2に，「**用途地域内の土地**」は，原則として宅地です。

原　則	「建物の敷地」以外の土地でも，用途地域内であれば「宅地」である
例　外	ただし，現況が「道路・公園・河川・広場・水路」である場合を除く

メモ

・**用途地域**：種類の異なる土地利用の混在を防ぐために設けられる地域のこと。本書第3編第1章33（2）「用途地域」を参照のこと

・用途地域内の土地は，現況が道路などの場合を除き，建物が建築されることが想定されているから，宅建業法上「宅地」と扱うこととしたのである。

・「例外」の覚え方：『**ど**（道路）・**こ**（公園）・**か**（河川）の**広場**は「宅地」でない』

〈宅地とは〉 **① 建物の敷地は，当然に「宅地」** **② そうでなくても，原則として，用途地域内の土地は「宅地」である。** **ただし，「道路・公園・河川・広場・水路」は宅地でない**

メモ

結局，宅建業法上，土地は「宅地」と，「宅地以外」に分けられ，**「宅地以外」の土地の取引**に，免許は不要となる。

例　・「用途地域外の山林を，山林として取引」＝「宅地以外の土地の取引」→免許不要
・「将来，道路の敷地にする目的で，用途地域内の農地を取引」＝「宅地の取引」→免許必要

② 「**建物**」とは，居住，営業，工場，倉庫などの目的で利用される土地に定着した工作物で，屋根・柱・壁がある，一般的なものをいいます。

ただし，ここでは，**宅建業の対象**となるものも含まれるので，本来なら「建物の一部」である，例えば，区分所有されていないマンションやアパートの「○○号室」も，「建物」とされます。

(2)「取引業」とは

① 取引

「取引」とは，**自ら当事者として売買・交換**をすること，または，**売買・交換・貸借**の**代理・媒介**をすることをいいます。

基本

「取引」とは，表中「○」の８つの態様の，いずれかの行為

○：「取引」
×：「取引」でない

取引態様	売買	交換	貸借
自ら当事者	○	○	×
代　理	○	○	○
媒　介	○	○	○

メモ

・**媒介**：いわゆる仲介のこと。仲介するのみで，契約を締結するかどうかは依頼者が決定する。なお，「代理」は契約締結権限がある。

・「自ら当事者」であっても「自らが**貸借**の当事者となること」（アパート・マンションの貸主・借主となること）は，「取引」では**ない**（上の表「×」）。→貸家業に宅建業法の適用はない。

・その他**取引にあたらない例**：建物を一括して借り上げて転貸する行為（いわゆる「サブリース」），建築や宅地造成の請負業，マンション管理業，など。

② 業

業とは，「社会通念上，事業の遂行とみることができる程度に行うこと」をいいます。言い換えれば，「不特定多数を相手に，反復継続して行うこと」です。

メモ

・「業」か否かは，このほか，転売目的（営利目的）か，自己使用目的かなどにより，総合的に判断される。なお，営利を目的とする場合は事業性が高いが，「営利目的ではないから業でない」とはいえない。

例
・宗教法人・学校法人のみを相手に取引→相手が不特定多数→業にあたる
・自社の社員や自校の学生のみを相手に取引→相手が特定→業ではない
・破産管財人が，破産財団の換価のために反復継続して売買→法の下，裁判所の監督の下に行われる→営利目的でない→業ではない
・１回限りの取引→反復継続性がない・事業性が低い→業ではない

理解 〈免許は必要か〉

具体例	免許が必要なのは
① Aが，自己が建築したマンションの分譲の代理・媒介を，一括してBに依頼した	AとB
② Cが，自己が建築したマンションを，一括してDに売却し，Dが分譲した	D

プラスα

・①：Aの行為は「自ら当事者」として反復継続して売買を行うことであり，業にあたる。また，Bの行為も，売買の「代理・媒介」を反復継続して行うこととして，業にあたる。したがって，AB双方の行為は，免許が必要とされる。

・②：Dの行為は「自ら当事者」として反復継続して売買を行うことであり，業にあたる。しかし，Cの行為は，自ら建築した建物を1回限りで売買することであり，反復継続性がなく，業にあたらない。したがって，免許が必要なのはDのみであり，Cは不要である。

（3）「宅建業者」とは

免許を受けて宅建業を営む者を，**宅建業者**といいます。

原　則	宅建業を営むには，免許が必要
例　外	宅建業を営むについて，免許を受けなくてもよい場合 ⅰ）国・地方公共団体等 ⅱ）信託会社等：国土交通大臣への届出により，大臣の免許を受けた業者とみなされる（みなし業者）

メモ

・国等（ⅰ）には，宅建業法の**適用自体がない**。

・みなし業者（ⅱ）には，宅建業法の**免許に関する規定の適用がない**。

・紛らわしい例として「国以外の者が，**国等**が行う宅地分譲の販売の**代理**・**媒介**を行う場合は，原則どおり，免許が必要」がある。

(4)「事務所」とは

宅建業法上，**事務所**とは，次の場所をいいます。

① 本店（主たる事務所）
② 宅建業を営む支店（従たる事務所）
③ 継続的に業務を行うことができる施設を有する場所で，宅建業に係る契約締結権限を有する使用人が置かれている場所

メモ

・③「**契約締結権限を有する使用人**」：支配人・支店長などのこと
・③は，つまり支配人・支店長などが置かれている営業所・出張所などのこと。なお，**土地に定着**する必要があるので，テント張りの施設などは「**案内所**」にはなり得ても，事務所とはならない。

〈事務所のポイント〉
① 本店は，宅建業を営んでいなくても事務所である
② 宅建業を営んでいない支店は，宅建業法上の事務所ではない

2 宅建業の免許

ウォームアップ 宅建業の免許は，**一定の基準**（欠格事由。後述2，4「免許の基準」参照）に**該当しなければ**，受けることができます。ここでは，いわば「免許の一生」（免許の申請→変更→廃業）を中心に，学習します。

1 免許の種類（3条）

免許の種類は，事務所の所在地によって，２種類に分かれます。

基本☞

① 都道府県知事の免許	1つの都道府県内に事務所を設置する場合
② 国土交通大臣の免許	2つ以上の都道府県内に事務所を設置する場合

メモ

- 知事免許でも，営業活動は全国的に行える。
- この都道府県知事と国土交通大臣を，**免許をする者**という意味で，「**免許権者**」ということがある。
- 免許されると免許証が交付されるが，その**記載事項に変更**が生じたときは，免許証を添え，業者名簿の変更の届出（後述5（3）参照）と併せて，**書換え交付**を申請する。
- 免許証を亡失等したときは**再交付**の申請を，免許の取消し等があったときは**免許証の返納**をしなければならない。

基本☞

免許証を亡失・滅失・汚損・破損	再交付を申請
免許換えによる免許の失効，免許の取消し，廃業等の届出，亡失した免許証を発見	免許証を返納

2 免許の基準（5条）

宅建業の免許は，申請すれば**一定の免許拒否の事由**（**欠格事由**）に該当しない限り，受けることができます。この免許拒否の事由を，「**免許の基準**」といいます（宅建士の「登録の基準」とともに後述**4**参照）。

3 免許の有効期間とその更新（3条）

（1）免許の有効期間

免許の有効期間は，５年です。

（2）更新

有効期間の**満了後も引き続き営業**する者は，**免許の更新**を申請しなければなりません。**更新申請**の時期は，有効期間の**満了日の90日前から30日前**までとなります。

従前の免許の有効期間の満了の日までに，免許の更新の申請について処分がされないときは，その処分がされるまでの間は，従前の免許は有効となります。

この場合で，免許の更新がされたときは，その免許の有効期間は，従前の免許の有効期間の**満了日の翌日から起算**されます。

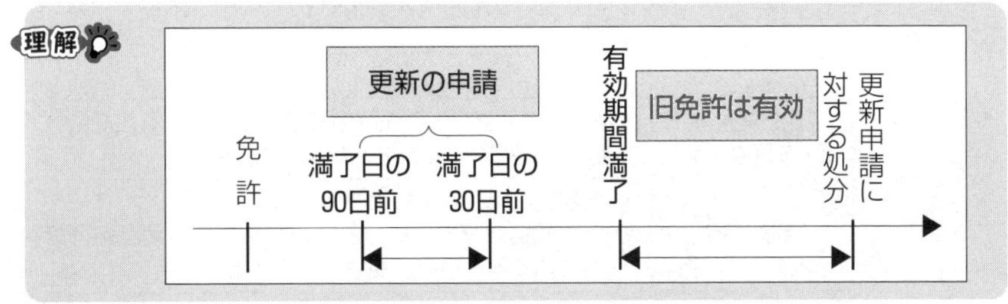

メモ

・業務停止処分の期間中でも，免許の更新の申請は可能

4 免許の条件（3条の2）

免許権者は，新規免許や更新の免許をする場合，条件を付すことができます。

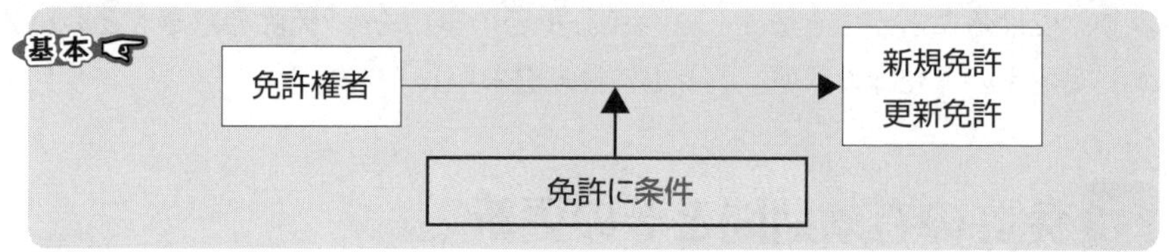

メモ

条件は，必要最小限度のものに限り，かつ，不当な義務を課すものであってはならない。

条件の例：免許の更新にあたり，宅建業の実績のない者に対して宅建業取引状況報告書を提出させること，暴力団の構成員を役員等としないこと等

条件違反：免許権者は，その免許を取り消すことができる（**任意的免許取消し**）。なお，「必ず」（必要的）取り消すわけではない。

5 宅建業者名簿（8条）

免許がされると，宅建業者名簿に，**一定の事項**が登載されます。

（1）業者名簿の備付け

業者名簿は，国土交通省及び各都道府県に備え付けられます。なお，業者名簿は，一般の閲覧に供せられます。

基本

国土交通省（地方整備局等）	大臣免許の業者（大臣免許の業者とみなされる信託会社等を含む）に関する事項を，**大臣**が登載する
都道府県	① 各都道府県知事免許の業者に関する事項 ② その都道府県内に主たる事務所を有する大臣免許の業者に関する事項を，**知事**が登載する

（2）名簿への登載事項

業者名簿には，次の事項が登載されます。

メモ
次の表中の③④⑥については,「住所」は不要であることに注意。

暗記

登載事項	変更の届出
① 免許証番号・免許年月日	不要
② 商号または名称	必要
③ 法人の場合は,役員(役員には,監査役や非常勤の場合を含む)の氏名。政令で定める使用人(支店長等)があるときには,その者の氏名	
④ 個人の場合はその者の氏名。政令で定める使用人(支店長等)があるときには,その者の氏名	
⑤ 事務所の名称・所在地	
⑥ 取引一任代理等の認可を受けているときは,その旨	不要
⑦ 指示または業務停止の処分があったときは,その年月日・内容	
⑧ 宅建業以外の兼業の種類	

(3) 業者名簿の変更の届出

業者は,業者名簿への登載事項(表中②~⑤)に変更があったときは,30日以内に,その旨を,**免許権者に届け出**なければなりません(**変更の届出**)。

メモ
・違反:50万円以下の罰金

6 免許換え (7条)

免許換えとは,**事務所の増設・廃止**等に基づき,**免許権者を変更**すべきことをいいます。

基本

事務所の廃止・移転・増設 ⬇ 免許権者の変更

新たに免許を受けなければならない

（1）免許換えをしなければならない場合

免許換えは，次の場合に行わなければなりません(免許換えの手続は**必要的**)。

理解

大臣免許	→	A県知事免許	(事務所を全部A県内に置く場合)
A県知事免許	→	B県知事免許	(事務所を全部B県内に置く場合)
A県知事免許	→	大臣免許	(事務所を2以上の都道府県に置く場合)

（2）免許換えの効果

免許換えは，端的にいえば，新規免許の申請です。したがって，

① 免許換え後の**有効期間は**，免許換えより5年となります。

② 申請手続は，新たに免許を受けようとする**免許権者**に対して行います。

③ 免許換えにより新たな免許を受けると，従前の免許は**失効**します。

④ 免許換えの申請があった場合で，従前の免許の有効期間が**満了**したときでも，新たな免許の処分があるまでの間，**従前の免許**は，**なお効力を有します**。

メモ

免許換えの手続後，新免許権者は，従前の免許権者に，その旨を通知する。

（3）免許換えをしない場合

必要な免許換えをしないと，免許は**必ず**取り消されます(**必要的**免許取消事由)。

基本

必要な免許換えをせず，新たな免許を受けていない

必要的免許取消し

7 廃業等の届出ほか

以下は，免許の効力が失われる場合です。

（1）廃業等の届出 (11条)

次の①～⑤の事由が生じたときは，免許は失効します。

また，①～⑤の届出義務者は，**30日以内**（**「①死亡」の場合は，その事実を知った日から30日以内**)に，その旨を免許権者に届け出なければなりません。

暗記

届出が必要な場合	届出義務者	免許失効時期
① **死亡**(個人業者)	相続人	死亡時
② **合併**により消滅(法人業者)	消滅した法人の代表役員	合併時
③ **破産**手続開始の決定	破産管財人	届出時
④ **解散**(合併・破産手続開始の決定以外)	清算人	届出時
⑤ **廃業**	業者であった個人,または業者であった法人の代表役員	届出時

→「30日」以内に届出 → 免許権者

(2) 免許の失効

(1) を含め,次の場合にも免許は失効します。

① 更新なく,免許の有効期間が満了したとき
② 免許換えにより,新免許を取得したとき
③ 廃業等の届出(上記(1)③④⑤)をしたとき
④ 業者が死亡・合併により消滅したとき(上記(1)①②)
⑤ 免許取消処分を受けたとき

(3) 免許の失効と取引の結了 (76条)

免許が失効すると,その者は宅建業者ではなくなるので,宅建業の「取引」を新規に行うことはできません。ただし,宅建業者であったときに行った「取引」については,取引の相手方を保護するために,免許失効後も,宅建業者として扱われる場合があります。

基本

原 則	免許失効後は,業者として取引できない
例 外	免許失効後も,業者であった者またはその一般承継人(相続人など)は,その業者が締結した契約に基づく**取引を結了する目的の範囲内**で,なお業者と**みなされる**

メモ

すでに締結した契約について,物件の引渡し・登記移転など業者としての義務を負うが,一方で,債権者として代金請求などの権利を行使できる。宅建業者として行うので,業法上の義務違反に対しては,宅建業法上の罰則を受けることもある。

8 宅建業の免許の性質（一身専属性）

（1）免許の譲渡の禁止

免許を受けた者は，その免許を他の者に譲渡できません。また，個人業者の免許が，相続により相続人に承継されるということもありません。

個人営業の宅建業者が法人成りする場合も，**法人として新規の免許取得**が必要です。

メモ

例えば，個人業者であるAがB社を設立して代表取締役に就任し，B社が宅建業を営むには，B社としての免許が必要である。

（2）既に免許を受けている業者（法人）が合併した場合

基本

① 新設合併	新設法人が新たに免許を取得する
② 吸収合併の場合で，存続法人に免許なし	存続する法人が新たに免許を取得する（吸収された法人の免許は失効する）

① A社とB社（共に免許あり）が合併してC社となる場合（新設合併）は，C社が，新規に免許を取得することになります。

② D社が免許のあるE社を吸収する場合（吸収合併）で，D社に免許がないときは，D社は，新規に免許を取得する必要があります。

理解

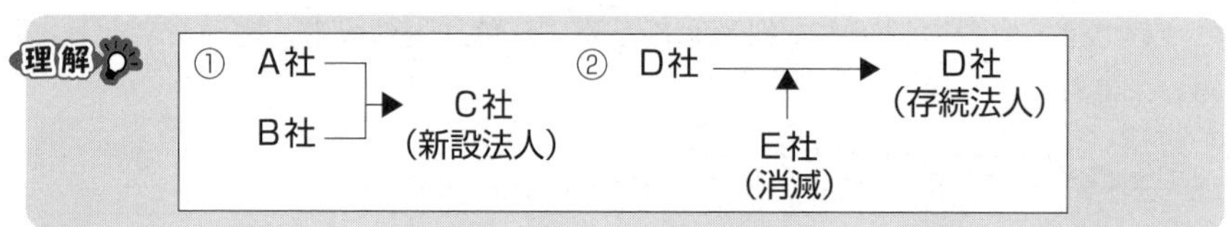

メモ

①のA社・B社，②のE社は，それぞれの会社の代表役員が，廃業等の届出（合併により消滅した旨の届出）をすることになる（前述7（1）「廃業等の届出」参照）。

3 宅地建物取引士

ウォームアップ **宅地建物取引士**とは，資格試験に**合格**し，知事の**登録**を受け，**宅地建物取引士証の交付**を受けている者をいいます。ここでは，宅建士登録と宅建士証を中心に，知識を整理しておきましょう。登録の基準（欠格事由）については，次項4で述べます。

1 宅建士

宅地建物取引士（**宅建士**）とは，**試験に合格**し，**知事の登録**を受け，登録をしている知事から**宅地建物取引士証**（**宅建士証**）**の交付**を受けている者のことです。登録の申請は，合格した試験を行った知事に対して行います。

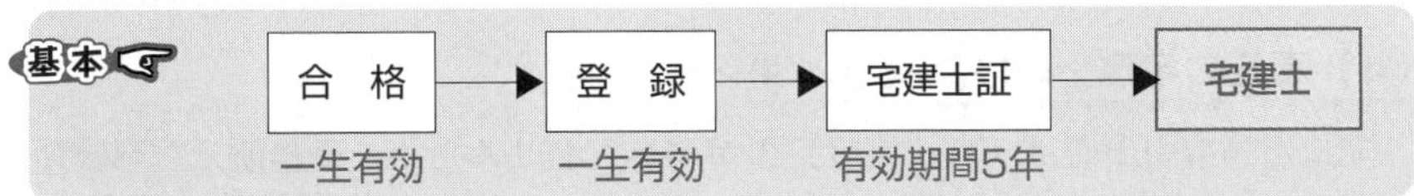

（1）宅建士の種類

宅地建物取引士は，事務所等への設置に関し，次の２種類に分類できます。

基本

① 専任の宅地建物取引士	事務所等ごとに**専任**の状態で設置される**成年者**である宅地建物取引士
② 一般の宅地建物取引士	それ以外の宅地建物取引士

（2）「専任」とは

専任とは，宅建業を営む事務所に「常勤」して，もっぱら当該事務所の宅建業の業務に従事することです。ITの活用等により事務所以外の場所でいわゆるテレワークにより業務に専念する場合を含みます。**兼業**は原則として**禁止**され，また，２つの事務所の専任の宅建士を兼任することも，他の法令に基づく専任者との兼任もできません。

・兼業・兼務については，他の業種の業務量等を考慮して宅建業専任と認められる場合の他は「専任」といえない。

・なお，賃貸住宅管理業における「業務管理者」とは兼任可。

・監査役を，専任の宅地建物取引士として選任することはできない。

（3）宅建士の事務

宅地建物取引士としてすべき**事務**は，以下の3つです。

① 重要事項の説明

② 重要事項説明書への記名

③ 契約成立後遅滞なく交付すべき書面（37条書面）への記名

・事務の内容に，専任の宅地建物取引士か一般の宅地建物取引士かによる違いはない（専任でない宅建士も①～③を行える）。

・宅地建物取引士以外の者が①～③の行為を行っても，あらためて再度，宅地建物取引士が行わなければならない。

（4）専任の宅建士の設置（31条の3）

宅地建物取引業者は，上記（3）の事務を行わせるため，**事務所**及び**事務所以外の一定の場所**（「**事務所等**」）ごとに，一定数の，成年者である専任の宅地建物取引士（「**専任の宅建士**」）を置かなければなりません。

・専任の宅建士は，原則として，成年者でなければならない。

・事務所以外の場所で，契約の締結を行わず，契約の申込みも受けない場合（物件の案内のみ行う案内所など）は，宅建士の設置は不要。

① 事務所	業務に従事する者の人数に対して，1／5以上の割合となる数の専任の宅建士を設置（「5人に1人以上」）
② 事務所以外の場所（案内所等）	次のア．～ウ．の場所において，取引に係る契約を締結し，または契約の申込みを受けようとするときは，1人以上の専任の宅建士を設置

「② 事務所以外の場所」で宅建士を1人以上設置すべき場所 ⬇ 契約の締結・申込みを受ける場合	ア．継続的に業務を行うことができる施設を有する場所で，事務所以外のもの （臨時出張所等の「事務所」以外で，契約締結権限を有する使用人は常駐しない施設）
	イ．一団の宅地・建物の分譲を行う案内所 （継続的に業務を行うことは予定していないが，一定期間にわたって業務が行われる施設。モデルルーム・駅前案内所等を含む）
	ウ．業務に関し，展示会その他これらに類する催しを実施する場所 （名称のいかんを問わず，展示会，説明会，不動産フェスティバル，不動産フェア等の各会場等を指す。いわゆる展示会場など）

メモ

・「**一団**」：**宅地**の場合は**10区画**以上，**建物**の場合は**10戸**以上をいう。
・一般管理部門の従業者も，原則として，「業務に従事する者」の数に含まれる。

（5）業者または役員が宅地建物取引士である場合の特例

専任の宅建士の設置については，個人業者で本人が宅建士である場合，及び法人業者でその役員が宅建士である場合に，特例として，**設置義務の緩和**が認められています。

① 個人業者で,かつ,自身が宅建士 ② 法人業者の役員が宅建士	→	その者が自ら主として業務に従事する事務所等では,その者は,その事務所等における成年者である専任の宅建士とみなされる

プラスα

具体的には，「5人に1人以上」という場合の「1人」としてカウントできる。
・兼業等の場合で，本来は専任の要件を満たすことができない態様でも，個人業者本人が宅建士である場合，及び，法人業者でその役員が宅建士である場合には，「専任」と認められる。
・本来は専任の宅地建物取引士となることができない未成年者の宅建士でも，個人業者または法人業者の役員の場合は，「専任」となることができる。

（6）専任の宅建士の設置要件への適合措置

既存の事務所等が，専任の宅地建物取引士の設置要件に違反するに至ったときは，**2週間以内**に，宅建業法の規定に適合させる措置を講じなければなりません。

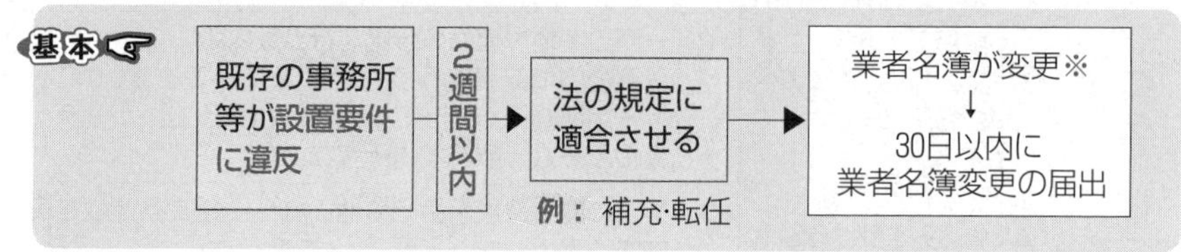

メモ

- **図中**「※」：適合措置の結果として，業者名簿登載事項中の「専任の宅地建物取引士の氏名」が変更となるので，業者は，30日以内に，業者名簿変更の届出が必要となる。
- ２週間以内に是正なし→業務停止処分や，罰則（100万円以下の罰金）がある。

2 登録の基準（欠格事由）

宅地建物取引士の登録も，宅建業の免許と同様，申請すると一定の**登録拒否の事由**（**欠格事由**）に該当しない限り，受けることができます。

その，登録を拒否される事由が「**登録の基準**」です（「**免許の基準**」とともに後述**4**参照）。

3 資格登録簿（18条）

宅地建物取引士の登録は，都道府県知事が，資格登録簿へ一定事項を登載して行います。なお，資格登録簿は公開されません。

メモ

- 試験合格後何年経過しても登録は可能。ただし，登録には，**2年以上の実務経験**または**登録実務講習の修了**が必要。
- 登録に有効期間の定めはなく，一度登録を受けると，消除されない限り，**一生有効**
- 登録消除後の**再登録**の申請は，**試験を行った知事**に対して行う。

（1）登載事項

資格登録簿登載事項のうち，必ず覚えておかなければならないものは，次の4つです。

① 氏名，生年月日，住所
② 本籍・国籍（日本の国籍を有しない場合），性別
③ 実務経験に関する事項
i）2年以上の実務経験を有する者については，実務経験の期間・その内容，従事していた宅建業者の商号・名称，免許証番号
ii）2年以上の実務経験を有する者と同等以上の能力を有すると認められた者（登録実務講習修了者）については，認定の内容・年月日
④ 宅建業者の業務に従事する者にあっては，宅建業者の商号（名称）・免許証番号

登載事項が変更

（2）変更の登録

資格登録簿の登載事項に変更があったときは，**遅滞なく**，変更の登録を申請しなければなりません。

例 住所の移転（引っ越し），婚姻による姓・本籍の変更，勤務先の変更（他の宅建業者への転職），勤務先の宅建業者が免許換え（＝免許証番号が変更），勤務先の宅建業者が商号変更をした，など

4 宅地建物取引士証（22条の2）

登録を受けると，次は，宅地建物取引士証の交付を申請することができます。

（1）法定講習の受講義務

宅地建物取引士証の交付を受けようとする者は，登録している都道府県**知事が指定する講習**（法定講習）で，交付の申請前**6カ月以内**に行われるものを受講しなければなりません。

ただし，試験に合格した日から**1年以内**に交付の申請をする者は，**受講不要**です。

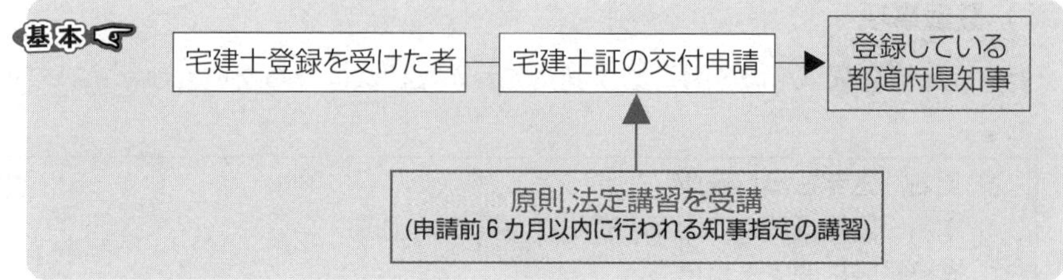

（2）有効期間と更新

① 宅地建物取引士証の有効期間は，５年です。

② 有効期間は，更新することができ，更新により交付される宅地建物取引士証の有効期間も，５年となります。

なお，宅建士証の交付を受ける前に「法定講習」の受講義務があります。それは，新規に宅建士証の交付を受ける場合（前述 **（1）**）と同様です。

メモ

・更新後の宅建士証は，従前の宅建士証と引換えに交付される。

・有効期間が経過し，更新がないと，宅建士証の効力は失効するが，登録はそのまま有効。

・事務禁止期間中でも，宅建士証の更新の手続は可能。

（3）宅建士証の記載事項

① 宅地建物取引士の氏名・住所・生年月日

② 登録番号・登録年月日

③ 宅地建物取引士証の交付年月日

④ 有効期間の満了日

メモ

宅建士証上の宅建士の氏名は旧姓を併用できる。この場合，旧姓が併記された宅建士証の交付を受けた後，宅建士の業務において旧姓を使用できる。

（4）宅建士証の書換え

① 原則

宅地建物取引士は，その氏名または住所を変更したときは，資格登録簿に関する変更の登録の申請とあわせて，宅建士証の書換え交付を申請しなければなりません。

メモ

・宅建士証用証明写真を添付して申請する。

・書換え後の宅建士証の交付は，従前の宅建士証と**引換えに交付**される。

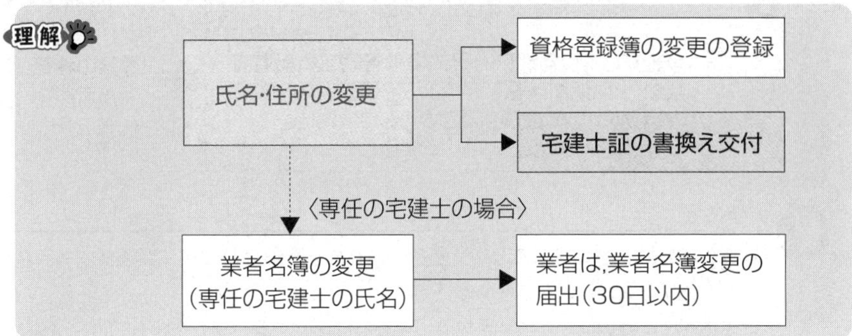

メモ

勤務先は，宅建士証の記載事項ではないので，変更（転職）をしても宅建士証の書換えは不要だが，資格登録簿の登載事項なので，変更（転職）すると「変更の登録」（前々ページ参照）が必要となる。

② 例外（住所変更の場合）

住所「のみ」の変更の場合は，現に有する宅建士証の裏面に変更後の住所を記載することで，代替できます。

メモ

・資格登録簿の「変更の登録」も必要（宅建士の住所は資格登録簿の登載事項）。

・業者名簿の「変更の届出」は不要（宅建士の住所は業者名簿の登載事項でない）。

・宅建士証用の証明写真の添付は不要。

（5）宅建士証の再交付

宅地建物取引士は，宅建士証を亡失，滅失，汚損，破損等したときは，その再交付を申請できます。

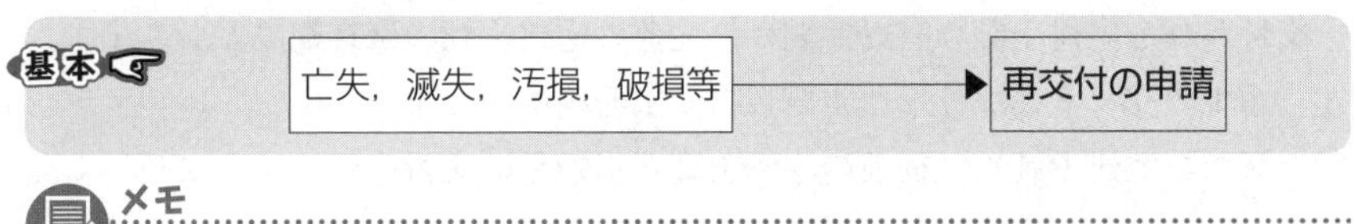

メモ

汚損・破損による再交付には，その宅建士証と引換えに交付される。

5 登録の移転（19条の2）

登録の移転とは，登録している都道府県知事を変更することをいいます。宅建業の業務に関連する，次の①②**の場合にのみ**，することができます。

登録を受けている者
↓
登録をしている都道府県知事の管轄する都道府県以外の都道府県に所在する宅建業者の事務所の業務に　①　従事するとき　　または
②　従事しようとするとき

➡

登録の移転が可能

プラスα

・登録の移転は任意（することができる）のため，転勤など業務に関連性がある場合でも，必ずしなければならないわけではない。

・勤務地が「A県内」から「B県内」に変わる（転勤する）場合を含む。

・単なる住所変更は，業務関連性がないので，登録の移転の手続はできない（ただし，住所は資格登録簿の登載事項なので，「変更の登録」は必要。また，宅建士証について書換えの申請が必要）。

・宅建士資格者（資格登録はしているが，宅建士証の交付を受けていない者）も，業務関連性があれば，登録の移転は可能。

（1）手続

登録の移転は，現に登録をしている**都道府県知事を経由**して，移転しようとする都道府県知事に対して申請します。

メモ

事務の禁止処分を受けている期間中は，登録の移転の手続はできない。

（2）登録移転手続と宅地建物取引士証

①　登録の移転がされると，**従前の宅建士証**は効力を失います。

②　登録の移転の申請とともに新たな宅建士証の交付申請を行った場合，新たに交付される宅建士証の**有効期間**は，従前の宅建士証の**残存期間**となります。

③　新規の交付と異なり，法定講習の**受講義務**はありません。

④　新たな宅建士証は，従前の宅建士証と**引換えに交付**されます。

まとめ

暗記 〈新宅建士証の交付と法定講習の受講義務〉

① 原　則：	交付前に法定講習の受講義務あり
② 受講不要な場合：	ア）合格後１年以内 イ）登録の移転により交付を受ける場合

6 死亡等の届出 (21条)

登録を受けている者が，次の①～③に該当した場合は，①～③の届出義務者は，**その日（死亡のときは，その事実を知った日）から30日以内に**，その旨を，登録をしている都道府県知事に届け出なければなりません。

暗記

届出が必要な場合	届出義務者		
① 死亡した場合	相続人	「30日」以内に届出 →	登録権者
② 心身の故障により宅建士の事務を適正に行うことができない者に該当した場合	本人，法定代理人，同居の親族		
③ ②以外の欠格事由（破産手続開始の決定等）に該当した場合	本人		

メモ

・この届出があると，その者の資格登録は消除される（次項7参照）。

・破産手続開始の決定について：**業者**について破産手続開始の決定があった場合には「破産管財人が免許権者に届け出る」こととの違いに注意。

・登録消除処分を受けたときや本人から登録消除の申請があったときは，この届出は不要（次項7参照）。

7 登録の消除（22条）

次の場合には，宅建士資格登録は消除されます。

① 登録消除処分を受けたとき ② 本人から登録消除の申請があったとき ③ 死亡等の届出があったとき ④ 宅建士の死亡の事実が判明したとき ⑤ 不正受験により合格が取り消されたとき

メモ

・②～⑤の場合，登録知事は登録を消除しなければならない（必要的）。

・宅建士証の有効期間が過ぎただけでは，登録が消除されることはないことに注意。

8 宅地建物取引士証の返納義務・提出義務・提示義務（22条の2，22条の4）

（1）返納義務

宅地建物取引士でなくなったときは，宅建士証を，速やかに「**返納**」しなければなりません。

① 登録が消除されたとき
② 宅建士証が効力を失ったとき
→ 速やかに返納 → 交付を受けた都道府県知事

メモ

・返納義務に違反→罰則（10万円以下の過料）

・再交付後に亡失した宅建士証を発見→発見した宅建士証の返納義務あり。ただし，例外的に，罰則はない。

（2）提出義務

事務禁止処分を受けたときは，宅建士証を，交付を受けた都道府県知事に，速やかに「**提出**」しなければなりません。

メモ

・「提出」の場合は，処分期間経過後，請求により返還を受けることができる。

・事務禁止処分をした都道府県知事と宅建士証の交付を受けた知事が異なる場合にも，交付を受けた知事に提出する。

・提出義務に違反→罰則（10万円以下の過料）

（3）提示義務

宅地建物取引士証を，取引の相手方に「提示」しなければならない場合は，次のとおりです。

① 取引関係者から請求があったとき ② 重要事項を説明するとき	提　示	→ 取引の相手方

メモ

・宅建士証の提示にあたり，その住所欄にシールを貼ったうえで提示してもよい。プライバシー保護の観点による。

・②の**重要事項の説明**の際の提示義務違反には**罰則**（10万円以下の過料）があるが，①取引関係者からの請求にもかかわらず，宅建士証を提示しない場合には，罰則の適用はない。

・なお，重要事項を説明する場合でも，その相手方が宅建業者である場合には，相手方から請求のない限り，宅建士証の提示義務はない。

ま と め

〈宅建業法上の過料――この３つを必ず覚えること〉

宅建士証
① 返納義務違反
② 提出義務違反
③ 提示義務違反
（重要事項説明の場合）

いずれも10万円以下の過料

9 信用失墜行為の禁止（15条の２）

宅建士は，宅地建物取引の専門家として専門的知識をもって重要事項の説明等を行う責務を負っており，宅地建物取引士の信用を傷つけるような行為をしてはなりません。

ここで宅地建物取引士の信用を傷つけるような行為とは，宅建士の職責に反し，または職責の遂行に著しく悪影響を及ぼすような行為で，宅地建物取引士としての職業倫理に反するような行為であり，職務として行われるものに限らず，**職務に必ずしも直接関係しない行為や私的な行為も含まれる**点に注意します。

4 免許の基準と登録の基準

ウォームアップ
宅地建物取引業の**免許**と宅地建物取引士の**登録**は，いずれも，申請すれば，原則，受けることができます。ただし，宅建業者・宅建士として**ふさわしくない者**は，**排除**されなくてはなりません。「免許の基準」「登録の基準」はそのための仕組みであり，実質的には「**免許拒否の基準**」「**登録拒否の基準**」として機能しています。

1 免許の基準（5条）

国土交通大臣・都道府県知事は，免許を受けようとする者が，次の事由（〔Ⅰ〕～〔Ⅲ〕，①～⑮）のいずれかに該当するときは，免許を与えることができません。宅地建物取引業者としてふさわしくない者を，最低限排除しようとする趣旨に基づきます。

免許の基準は，大きく，次のように分類されます。

基本

免許の基準	実質的基準	〔Ⅰ〕 免許を申請した個人または法人自身が，宅建業者としてふさわしくない場合	①～⑩
		〔Ⅱ〕 免許申請者に対して影響力のある者が，宅建業者としてふさわしくないので，免許しない場合	⑪～⑬
	形式的基準	〔Ⅲ〕 申請書類等に不備がある場合	⑭⑮

実質的基準

〔Ⅰ〕免許を申請した個人または法人自身が，業者としてふさわしくない場合

〈業者としての能力に欠ける場合〉

① **破産手続開始の決定を受けて復権を得ない者**

メモ

・財産の処分能力・管理能力に欠けるため，免許不可となる。

・**復権**：破産手続開始の決定によって失った法律上の資格を回復するための破産法上の手続のこと。復権があると，各種の資格制限は解除され，５年間待機（後述③以下参照）することなく，すぐに宅建業の免許を受けることができる。

② **心身の故障により宅地建物取引業を適正に営むことができない者として国土交通省令で定めるもの**

メモ

成年被後見人（後見開始の審判を受けた者），被保佐人（保佐開始の審判を受けた者）を一律に宅地建物取引業から排除することなく，心身の故障等の状況を個別的に審査（個別審査）し，必要な能力の有無を判断する。

〈重大な宅建業法違反がある場合――５年間の待機事由・その１〉

③ **次のア．イ．ウのいずれかに該当したことを理由に，免許取消処分を受け，その日から５年を経過しない者**

ア．不正な手段により免許を受けたとき
イ．業務停止処分事由に該当し情状が特に重いとき
ウ．業務停止処分に違反したとき

メモ

５年間の待機事由：一定の重大な法令違反を理由に，**５年間免許が受けられない場合**のこと

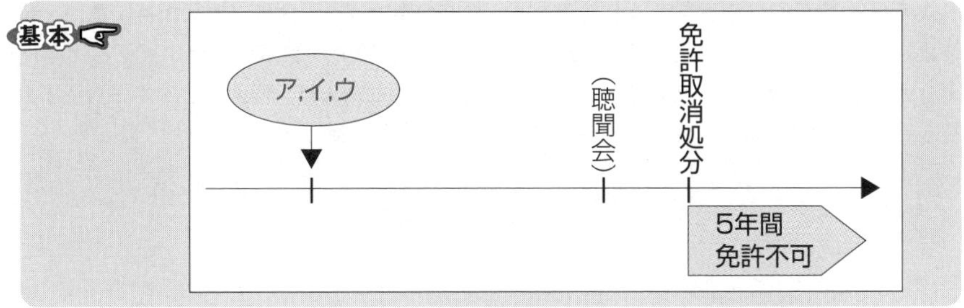

④ 前記③の理由（ア，イ，ウ）で免許の取消処分を受けた者が法人であるときは，免許取消しの聴聞の期日及び場所の公示の日前60日以内にその法人の「役員」であった者で，取消しの日から５年を経過しないもの

基本☞

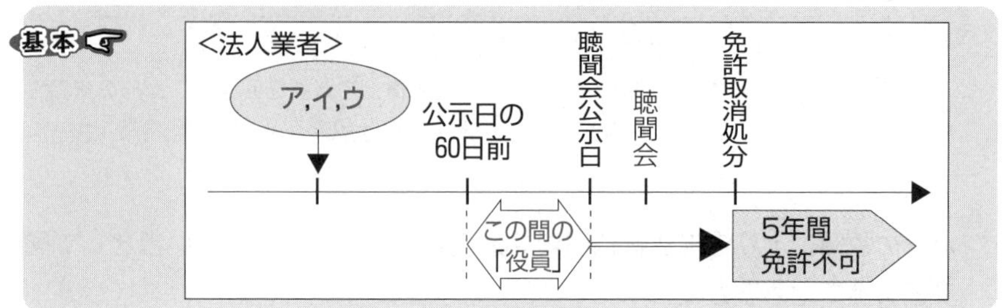

メモ

・法人が違反行為（**ア**，**イ**，**ウ**）を行った場合に，当該法人の業務執行に対する支配力を有する者を，法人とともに免許欠格としようとする趣旨である（**連座規定**）。

・ここでいう「**役員**」とは，取締役，執行役またはこれに準ずる者をいい，相談役，顧問などの名称を問わず，法人に対し**実質的に支配力を有する者**をいう。その法人の業務執行に影響力があるか否かがポイント。なお，形式上，監査役は含まれないが，相当数の株式を持つ株主は含まれる。

・「**政令で定める使用人**」**も欠格か否か**：

前記の理由（**ア**，**イ**，**ウ**）に該当し免許取消処分となった法人の支店長などの政令で定める使用人は，「役員」（＝取締役・執行役等）ではないので，それだけでは免許・登録の欠格者とはならない。したがって，その者は，個人として免許を受けられるし，宅建士登録も可能であって，さらに，その者を役員・支店長などとした法人も，新規に免許を受けることができる。

まとめ

次の理解の図の宅建業者Ａに「**ア**，**イ**，**ウ**」の事由（不正免許・情状が特に重い・業務停止処分に違反）が生じると，免許は必ず取り消され（必要的免許取消処分），その後５年間は再び免許を受けられない。その場合に，Ａの役員や政令使用人は，個人として免許や宅建士登録を受けられるか，また，それらを雇用する法人は，免許が受けられるか。

理解

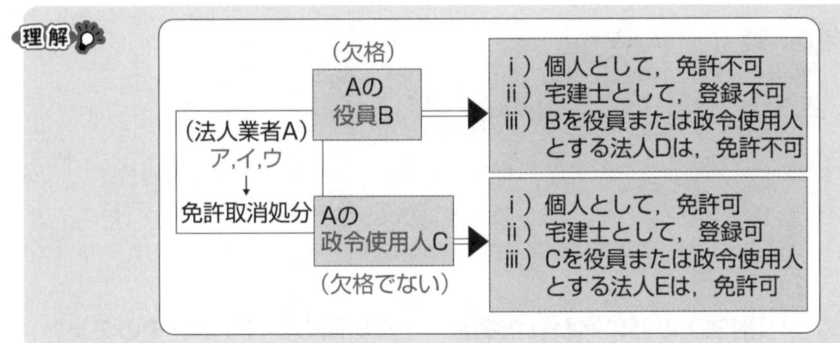

⑤ 前記③の理由（ア，イ，ウ）に該当し，免許の取消処分の聴聞の期日等が公示された日から，その処分をする，またはその処分をしないことを決定する日までの間に，合併及び破産手続開始の決定を受けたこと以外の理由による法人の解散や，廃業の届出があった者（解散・廃業につき相当の理由がある者を除く）で，その届出の日から５年を経過しないもの

メモ

業者が，偽装解散等により，③に該当することを免れようとするのを防止する趣旨である。

基本

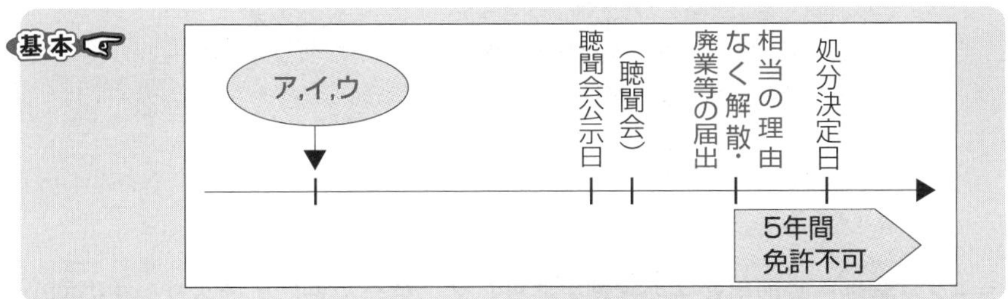

⑥ 前記③の理由（ア，イ，ウ）に該当し，免許の取消処分の聴聞の期日等の公示の日から，その処分をする，または，その処分をしないことを決定する日までの間に，合併により消滅した法人または合併及び破産手続開始の決定を受けたこと以外の理由による解散や，廃業の届出があった法人（合併・解散・廃業について相当な理由がある法人を除く）の，その公示の日前60日以内に役員であった者で，消滅または届出の日から５年を経過しないもの

メモ

偽装解散等により，③に該当することを免れようとした法人の「役員」も，その法人に連座させ，免許欠格とする趣旨である。

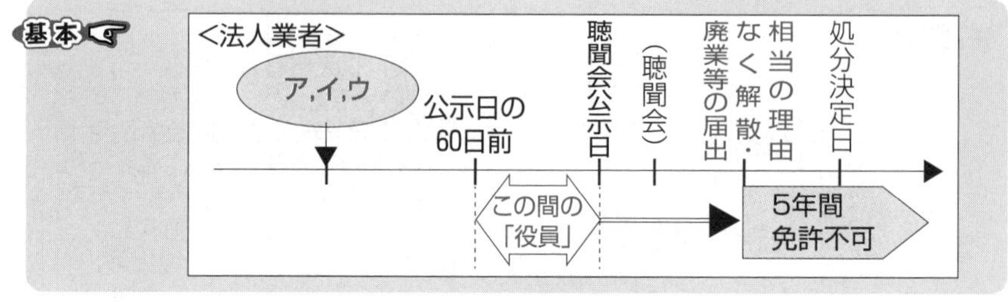

〈刑法上の罪に問われた場合――5年間の待機事由・その2〉

⑦－1　禁錮以上の刑に処せられ，その刑の執行を終わり，または刑の執行を受けることがなくなった日から５年を経過しない者

- **禁錮以上の刑**：死刑，懲役刑，禁錮刑の３つ。
- **恩赦法による恩赦の種類**：大赦，特赦，減刑，刑の執行の免除，復権の５種類
- 「**刑の執行を受けることがなくなる場合**」：恩赦法による刑の執行の免除があった場合と，大赦，特赦を受けた場合がある。
  - ⅰ）恩赦法による刑の執行の免除→免除後５年を経過しないと免許を受けられない
  - ⅱ）恩赦法の大赦・特赦があった場合→すぐに免許を受けられる
- 「執行猶予期間中」とは，刑の執行を現に受けていることと同義であるので，禁錮以上の刑で執行猶予中は，免許を受けられない。なお，執行猶予期間が満了すれば，すぐに免許を受けられる。
- 控訴中や上告中（裁判中）の場合は，現に刑を受けていないので，その時点では免許を受けられる（後に禁錮以上の刑が確定すると，免許は取り消される)。

⑦－2　宅地建物取引業法の規定に違反して，罰金の刑に処せられ，その刑の執行を終わり，または刑の執行を受けることがなくなった日から５年を経過しない者

⑦－3　傷害罪（刑法204条），**現場助勢罪**（刑法206条），**暴行罪**（刑法208条），**凶器準備集合及び結集罪**（刑法208条の２），**脅迫罪**（刑法222条），**背任罪**（刑法247条），**暴力行為等の処罰に関する法律の罪を犯し，または暴力団員による不当な行為の防止等に関する法律の規定に違反して，罰金の刑に処せられ，その刑の執行を終わり，または刑の執行を受けることがなくなった日から５年を経過しない者**

宅建業法違反者・暴力的な犯罪を犯した者を宅建業から排除するとともに，依頼者の信頼を裏切る行為を行った背任者も排除する趣旨である。

まとめ

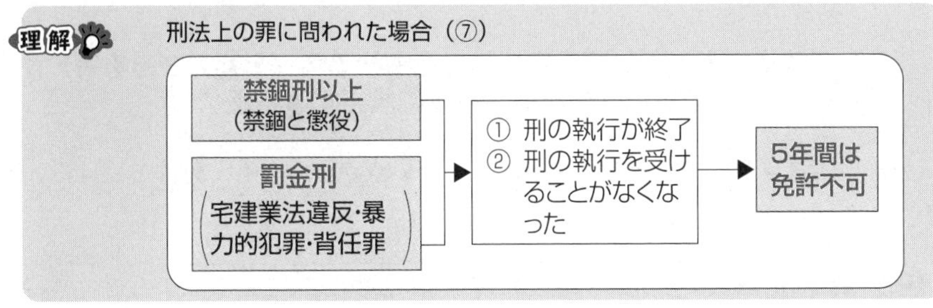
理解
刑法上の罪に問われた場合（⑦）
禁錮刑以上
（禁錮と懲役）
罰金刑
（宅建業法違反・暴力的犯罪・背任罪）
① 刑の執行が終了
② 刑の執行を受けることがなくなった
5年間は免許不可

メモ

・「**5年間の待機事由**」となる**罰金刑**：『宅建業法違反，暴行罪，脅迫罪，傷害罪，背任罪』の5つは，最低限覚えよう。あとは「**暴力的犯罪**」と覚えるだけでよい。

・**刑法上の罰則の種類**（裁判によって科される）：（重い順に）死刑←懲役←禁錮←罰金←科料

・**行政罰**（行政によって課される）：過料

・**罰金・科料・過料**：金銭罰のこと。うち，科料・過料は，免許・登録の欠格事由とならない。

〈暴力団員等――5年間の待機事由・その3〉

⑧ **暴力団員等（暴力団員による不当な行為の防止等に関する法律に規定する暴力団員または暴力団員でなくなった日から5年を経過しない者）**

〈前記①～⑧を補完する規定〉

⑨ **免許の申請前5年以内に，宅地建物取引業に関して，不正または著しく不当な行為をした者**

⑩ **宅地建物取引業に関して，不正または不誠実な行為をするおそれが明らかな者**

メモ

・⑨⑩は，①～⑧に直接該当しないが業者免許を受けるのにふさわしくない者を排除するための，いわば補完的な規定である。

・例えば，法令の規定上直接⑧⑬に該当しない場合でも，免許を受けようとする本人，その役員，事務所を代表する使用人等がいわゆる暴力団の構成員・準構成員などである場合には，⑨または⑩に該当するとして免許しない，とすることができる。

〔Ⅱ〕免許申請者に対して重要な地位を占める者（影響力がある者）が前記免許の基準①～⑩に該当する場合

免許申請者自身に業者としてふさわしくない点がなくても，免許を受けることができない場合があります。

基本

ⅰ）未成年者の法定代理人が，宅建業にかかわる者としてふさわしくない場合 ➡ ⑪
ⅱ）役員・支店長など，業者の重要な地位にある者が，宅建業にかかわる者としてふさわしくない場合 ➡ ⑫
ⅲ）暴力団員等が，その事業活動を支配する者 ➡ ⑬

⑪ 営業に関して成年者と同一の行為能力を有しない未成年者が申請した場合で，その法定代理人が，①～⑩のいずれかに該当する場合

未成年者は，原則として免許を受けることができますが，その**法定代理人**が**免許の欠格事由**（①～⑩）**に該当**する場合には，その未成年者に**免許はされない**，ということです。

ただし，その未成年者に，次のように「**営業に関して成年者と同一の行為能力**」があれば，その**法定代理人にかかわらず**，免許は受けられます。

基本

〈「成年者と同一の行為能力」とは〉

法定代理人の営業許可あり

営業に関し成年者と同一の行為能力あり

メモ

・成年者と同一の行為能力を**有しない未成年者**は，**法定代理人**が免許の基準①～⑩に**該当**していると，免許を**受けられない**。

・成年者と同一の行為能力を**有する未成年者**は，**自分自身**が免許の基準①～⑩に**該当しない限り**，免許が受けられる。

まとめ

〈未成年者と免許〉

成年者と同一の行為能力を有しない未成年者	本人及び法定代理人の双方について審査する
成年者と同一の行為能力を有する未成年者	本人のみについて審査する（法定代理人について審査しない）

⑫ 法人が申請した場合で，役員または政令で定める使用人が，①～⑩のいずれかに該当する場合。個人が申請した場合で，政令で定める使用人が①～⑩のいずれかに該当する場合

いずれも**免許は受けられません。**

メモ

・ここでの「役員」は④の「役員」と同じ意味である。また，「政令で定める使用人」は，事務所の代表者，支店長，営業部長等のこと。

・免許を申請した法人または個人の業務を実際に行うのは，役員であり支店長などである以上，その役員などに免許欠格事由があれば，その法人・個人に免許をすることができないのは当然である。

⑬ 暴力団員等が，その事業活動を支配する者

暴力団員等の反社会的勢力にその事業活動が支配されている者は，免許を受けられません。

形式的基準

〔Ⅲ〕申請書類等に不備がある場合

⑭ 事務所について専任の宅地建物取引士の設置要件を欠く場合

⑮ 免許申請書・添付書類中の重要な事項に虚偽の記載があり，または重要な事実の記載が欠けている場合

上記⑭⑮は，いずれの場合も，**免許は受けられません。**

2 登録の基準（欠格事由）(18条)

宅建試験に合格した者でも，次の①～⑤に該当する場合は，宅建士としての資格登録を受けることができません。

① 宅地建物取引業に係る営業に関し，成年者と同一の行為能力を有しない未成年者

成年者と同一の行為能力を**有しない未成年者**の場合は，原則として，登録を**受けられません**。この点，「免許」の場合と異なります。

メモ
「免許」では，成年者と同一の行為能力を有しない場合でも，法定代理人が免許の基準に該当しなければ，免許を受けられる。

〈未成年者と宅建士資格登録〉

原　則	未成年者は，登録を受けられない
例　外	成年者と同一の行為能力を有する場合は，登録可 （法定代理人の営業許可がある場合）

まとめ

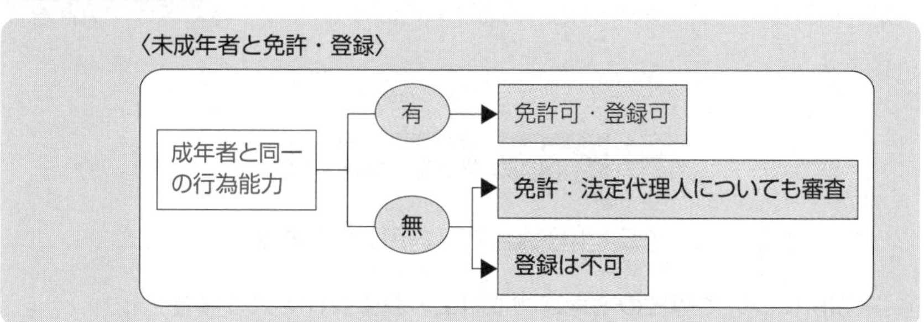

② 前記「免許の基準」の①～⑧に該当する場合（免許と共通）

「**免許の基準**」の①～⑧に該当する場合には，免許を受けることができず，同様に，宅建士の登録も受けることができません。

まとめ

イ）免許の基準①②（破産手続開始の決定を受けて復権を得ない者，心身の故障により宅地建物取引士の事務を適正に行うことができない者として国土交通省令で定めるもの）

ロ）免許の基準③～⑥（不正免許など重要な宅建業法違反行為による免許取消処分・相当な理由のない廃業届などから５年が経過しない者，及び，そのような法人業者の「役員」）

ハ）免許の基準⑦（禁錮以上の刑・一定の罪を犯して罰金刑を受け，または，その刑の執行が終了したときから５年が経過しない者）

ニ）免許の基準⑧（暴力団員等）

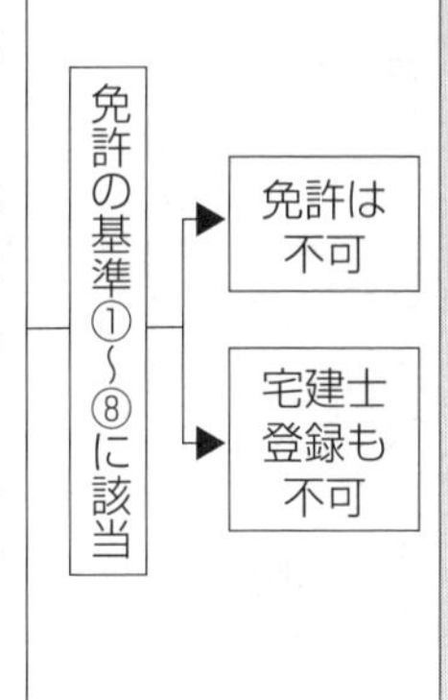
免許の基準①～⑧に該当
免許は不可
宅建士登録も不可

メモ

「免許の基準」で「宅建業を適正に営むことができない者」は，「登録の基準」でも，「宅建士の事務を適正に行うことができない者」となるということである。

〈宅建士の登録特有の欠格事由〉

③ **宅地建物取引士が，次のいずれかの理由で登録消除処分を受けた場合で，その処分の日から５年を経過しない者**

ア）不正登録
イ）不正手段による宅地建物取引士証の取得
ウ）事務禁止処分事由に該当し，情状が特に重い
エ）事務禁止処分違反

また，宅建士資格者が，次のいずれかの理由で登録消除処分を受けた場合で，その処分の日から５年を経過しない者

オ）不正登録
カ）宅建士としてすべき事務を行い，情状が特に重い

メモ

登録消除処分を受けた場合，５年間は再登録不可。

④ ③の理由ア）～カ）による登録消除処分の聴聞の期日及び場所が公示された日から，当該処分をする日または処分をしないことを決定する日までの間に，相当の理由なく登録の消除を申請した者で，当該登録が消除された日から５年を経過しないもの

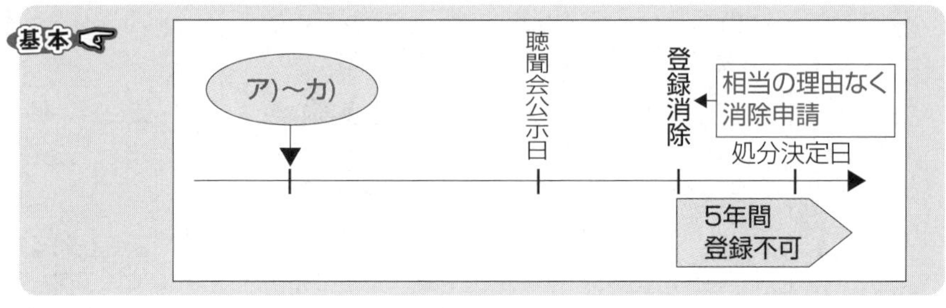

メモ
相当な理由なく登録消除の申請をした場合も，５年間は再登録不可。

⑤ 宅地建物取引士としてすべき事務の事務禁止処分を受け，その禁止期間中に本人の申請に基づく登録の消除処分がされ，まだその事務禁止期間が満了していない者

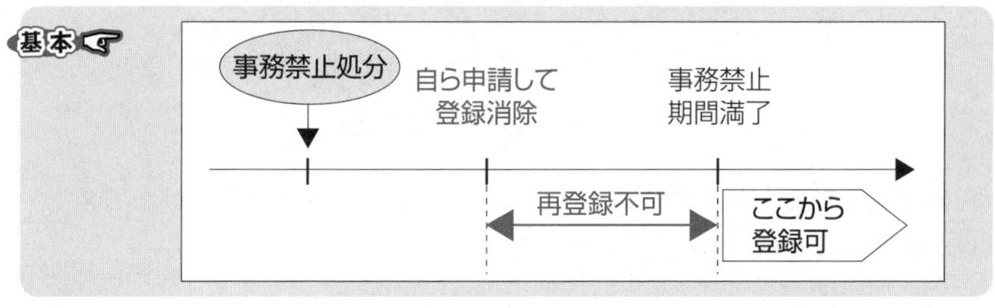

メモ
事務禁止処分期間中は，再登録が不可。

まとめ

理解 〈業者免許と宅建士の登録の異同〉

業者免許	宅建士の登録
① 免許権者：国土交通大臣 都道府県知事 ② 免許の効力：全国的 有効期間５年 ③ 免許の更新：有効期間の満了日の90日前から30日前までに申請	① 登録権者：都道府県知事 （最初の登録は試験に合格した知事） ② 登録の効力：全国的 登録は一生有効 宅建士証の有効期間は５年 ③ 宅建士証の更新：申請前６カ月以内に法定講習の受講義務
〈業者名簿〉 ① 登載事項（免許申請書記載事項） ⅰ）免許証番号，免許年月日 ⅱ）商号・名称 ⅲ）（法人）役員の氏名 （個人）その者の氏名 ⅳ）政令使用人の氏名 ⅴ）事務所の名称・所在地 ⅵ）専任宅建士の氏名 ⅶ）兼業の種類 ② 変更の届出：必要的 30日以内	〈資格登録簿〉 ① 登載事項（登録申請書記載事項） ⅰ）氏名・生年月日・住所 ⅱ）本籍・国籍，性別 ⅲ）実務経験に関する事項 ⅳ）業務に従事する業者名・免許証番号　等 ② 変更の登録：必要的 遅滞なく
〈免許換え〉 （事務所の移転等によって，免許権者が変更となる場合） ① 必要的 ② 免許換え後の免許＝新規免許 →有効期間は５年 ③ 新規免許と同様の申請手続	〈登録の移転〉 （登録している知事の都道府県以外の都道府県内の業者の事務所の業務に従事しようとするとき） ① 任意的 ② 交付申請による新宅建士証発行 →有効期間は残存期間（講習受講は不要） ③ 現に登録を受けている知事を経由して申請する ④ 事務禁止処分期間中は，申請不可

業者免許	宅建士の登録
〈廃業等の届出〉 ① 届出事由と届出義務者 ｉ）死亡：相続人 ⅱ）合併：消滅した法人の役員 ⅲ）破産：破産管財人 ⅳ）解散：清算人 ｖ）廃業：その本人／役員 ② 届出期間：その日から30日以内 （死亡の場合→ 相続人が知った日から30日以内）	〈死亡等の届出〉 ① 届出事由と届出義務者 ｉ）死亡：相続人 ⅱ）心身の故障により宅建士の事務を適正に行うことができない場合：本人，法定代理人，同居の親族 ⅲ）その他の登録欠格事由に該当：本人※１ ② 届出期間：その日から30日以内 （死亡の場合→ 相続人が知った日から30日以内）
〈免許の失効〉 ① 免許失効の事由 ｉ）有効期間の満了 ⅱ）免許取消処分 ⅲ）免許換えがあった場合の従前の免許 ⅳ）廃業等の届出 ｖ）個人業者の死亡 ⅵ）法人業者が合併により消滅 ② 免許失効後の行為が違法とならない場合 ｉ）業者であった者，またはその一般承継人 →締結した契約に基づく取引を結了する目的の範囲内で，なお業者とみなされる ⅱ）免許更新の申請があった場合で，従前の免許の満了時までに，その申請に基づく処分がされないとき →従前の免許は，有効期間満了後も，その処分がされるまでの間は，なお有効	〈登録の消除〉（消除事由）※２ ｉ）登録消除処分 ⅱ）登録消除の申請 ⅲ）死亡等の届出 ⅳ）死亡の事実の判明 ｖ）不正受験による合格の取消し プラスα ※１：破産手続開始の決定を受けた場合も本人が届出 ※２：宅建士証の有効期間の徒過のみで登録が消除されることはない

5 営業保証金と保証協会

ウォームアップ

宅建業者と取引して**損害が発生**した場合に，その損害は，直接その業者に対して請求するのが本筋です。しかし，弁済できないなど，万一の事故に備えて，業者が一定額をあらかじめ供託所に預けておき（営業保証金制度），あるいは，業者が団体を作って一定額について団体的に保証するようにすると(保証協会制度)，業者の取引の相手方は**より保護**されることになります。

そこで，宅建業者は，免許を受けた後，**営業保証金を供託**するか，または宅地建物取引業保証協会（「**保証協会**」）**に加入**しないと，**事業を開始できない**こととして，業者と取引をした相手方を保護することにしたのです。

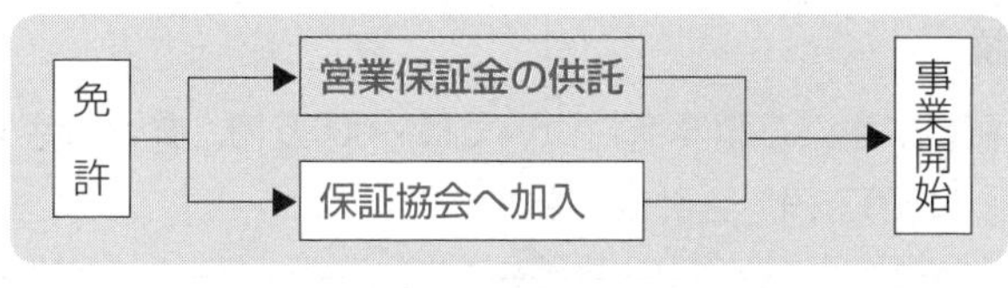

I 営業保証金制度

1 営業保証金制度 (25条～)

宅地建物取引業者は，事業の開始にあたって，**営業保証金を供託**しなければなりません。

取引の相手方（宅建業者を除く）が，その取引により損害を受けた場合は，供託所に対して，その損害額に相当する額の還付（弁済）を請求することができるとして，取引から生じた**損害の支払を補填**（ほてん）し，**取引の相手方の利益の保護**を図っています。

メモ

・営業保証金を供託しなければならないのは，**保証協会に加入しない場合**(後述Ⅱ参照)である。
・還付される額は，供託されている額が上限となる。

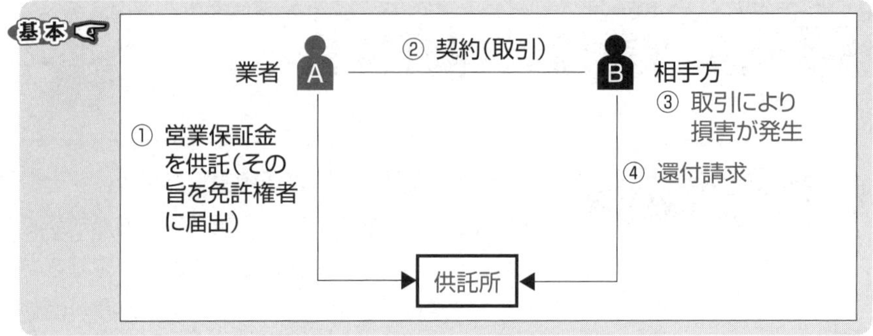

2 営業保証金の供託 (25条)

供託額等は，以下のとおりです。

(1) 供託額

供託する額は，主たる事務所については**1,000万円**，従たる事務所については1事務所ごとに**500万円**の合計額となります。

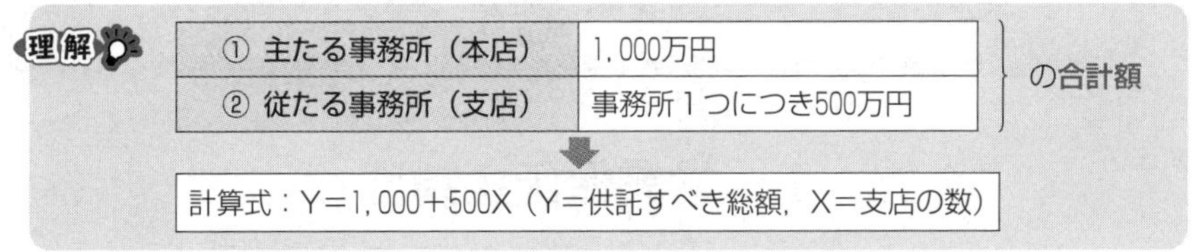

① 主たる事務所（本店）	1,000万円
② 従たる事務所（支店）	事務所1つにつき500万円

の合計額

計算式：Y＝1,000＋500X（Y＝供託すべき総額，X＝支店の数）

(2) 供託場所

営業保証金の供託は，「主たる事務所の最寄りの供託所」に行います。供託額の計算上，従たる事務所（支店）にかかる営業保証金についても，すべて，主たる事務所の最寄りの供託所に供託します。

メモ

供託所：供託事務を取り扱う国の機関のこと。金銭・有価証券の供託については，「法務局」に対して行う。

(3) 供託物

供託は，金銭のほか，一定の有価証券で行うことができます。

ただし，有価証券で供託する場合は，次のように，その種類に応じて，**減額評価**される場合があります。

有価証券を営業保証金に充てる場合の評価額	
① 国債	券面額どおり100%評価
② 地方債・政府保証債	券面額の90%評価
③ その他の債券	券面額の80%評価

メモ

手形・株券で供託することはできない。

3 供託の届出と営業の開始 (25条，26条)

(1) 供託した旨の届出

供託を行った場合，宅建業者は，供託物の受入れの記載のある供託書の写しを添付して，その旨を**免許権者に届け出**なければならず，この届出の後でなければ，事業を開始することはできません。

メモ

本店と支店で事業を開始するとして免許を受けた場合は，「全事務所分の供託」＋「届出」の双方がないと，事業開始できない。

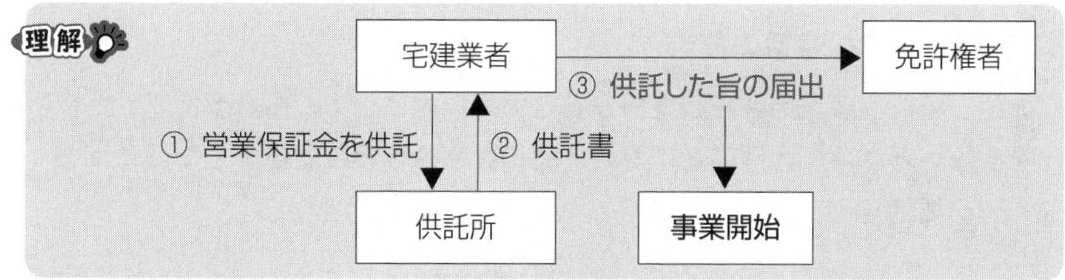

(2) 事務所を増設した場合

事務所を**増設**した場合も，**増設事務所分の営業保証金を供託**し，**免許権者に届出**をした後でなければ，増設した事務所において事業を開始できません。

メモ

・新たに事務所を増設した場合は，増設した１事務所ごとに500万円を追加的に供託する。
・**事務所の増設**：
　ｉ）事務所の増設により免許権者が変更の場合→免許換え
　ii）事務所を増設しても免許権者に変更なし→業者名簿変更の届出
・前記（１）（２）とも，**届出の前**に事業を開始した場合は，業務停止処分・罰則あり（６カ月以下の懲役もしくは100万円以下の罰金，またはその併科）。

まとめ

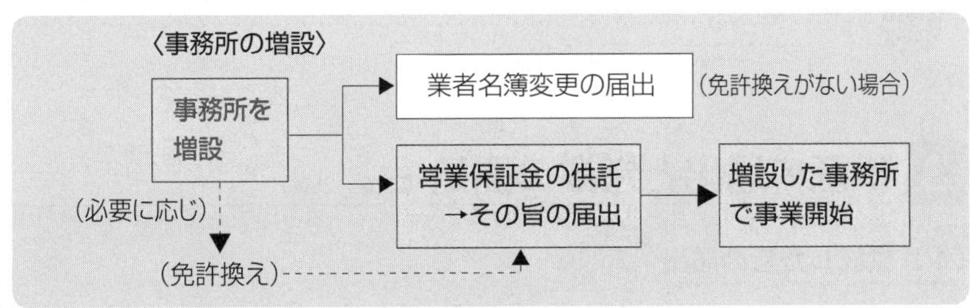

4 供託をしないときの措置（25条）

宅建業者が，免許は受けたものの，営業保証金の供託やその旨の届出をしない場合には，その業者の免許は，最終的には，取り消されることとなります。

（１）届出をすべき旨の催告

まず，免許権者が**免許をした日から３カ月以内**に，その業者が供託した旨の届出をしないときは，当該業者に対し，届出をすべき旨の**催告**をしなければなりません（**必要的**）。

（２）任意的免許取消し

その**催告が到達した日から１カ月以内**に，業者が供託した旨の届出をしない場合には，免許権者は，免許を**取り消すことができます**（**任意的免許取消処分**）。

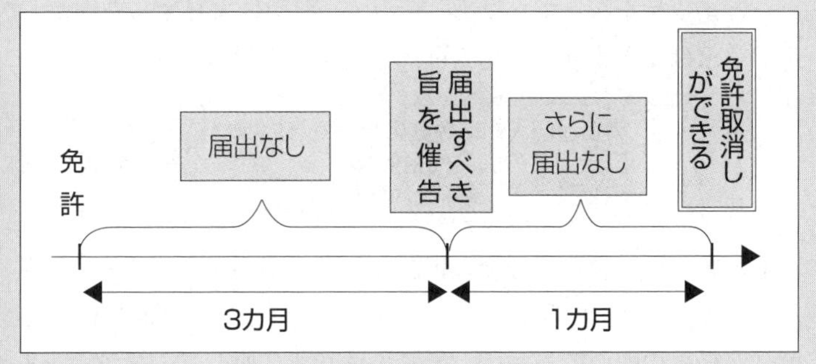

メモ

免許の1年後の必要的取消し：
免許を受けてから1年以内に事業を開始しなかったときは，免許権者は，その免許を，**必ず**取り消さなければならない。また，引き続いて1年以上事業を休止した場合も同様。

5 還付と補充供託 (27条，28条)

（1）還付

宅建業者と取引をして損害を受けたなど，宅建業者と宅建業に関し**取引をした者**（宅建業者を除く）は，その**取引により生じた債権**に関し，宅建業者が供託した営業保証金から**還付**（弁済）を受ける権利を有します。

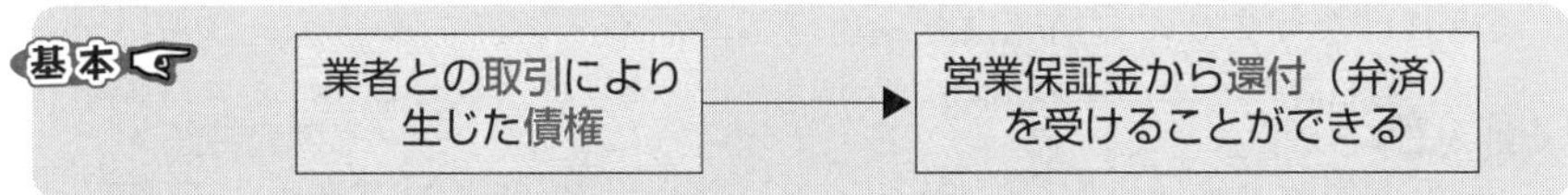

万が一損害が生じても，後に還付請求することによって，損害の全部または一部が補填されます。なお，取引の相手方から宅建業者が除かれているので，**宅建業者相互間の取引**の場合には，この還付請求は**できません**。

メモ

- **取引により生じた債権**：手付金返還請求権，代金返還請求権，取引に伴う損害賠償請求権など。
- 還付請求の手続の際には，供託物払渡請求書（債権額・債権発生の原因等を記載した書類）の提供が必要。

① たとえ債権を持っていても，それが「**取引により生じた債権**」でない場合は，還付請求はできません。例えば，次のような場合です。

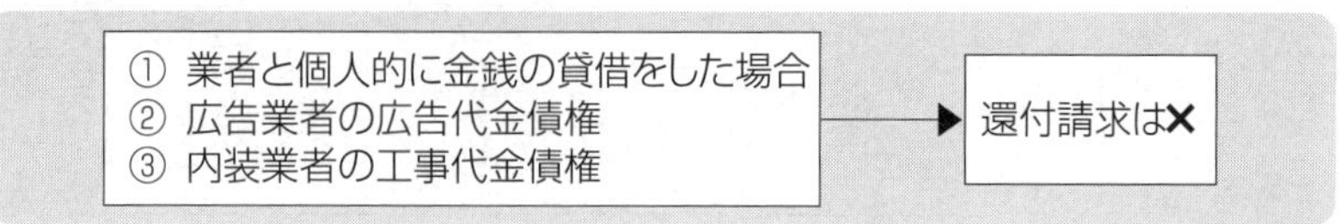

② 宅建業者は，営業保証金の供託をした旨の届出をするまでは営業できませんが，これに違反して取引をし，債権が，供託した旨の届出前に生じた場合でも，免許取得後の取引であれば，所定の供託所に対して，還付請求をすることができます。

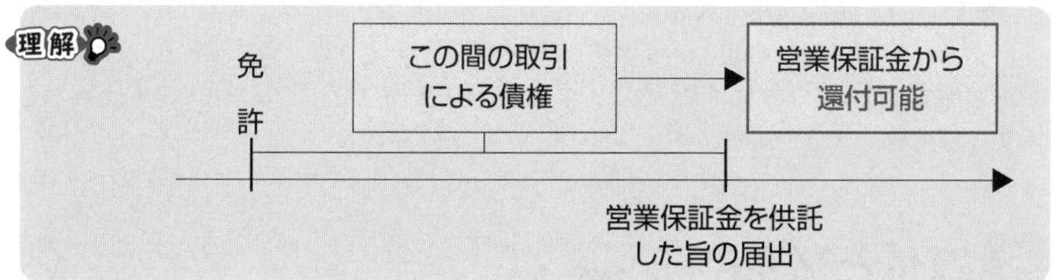

（2）補充供託

営業保証金の制度は，取引の相手方を保護するために，常時，一定額を供託所に預けておく制度です。したがって，還付があって業者が供託すべき供託金の額が不足した場合は，宅建業者は，還付された額に相当する額を，**あらためて供託**しなければなりません（補充供託義務）。

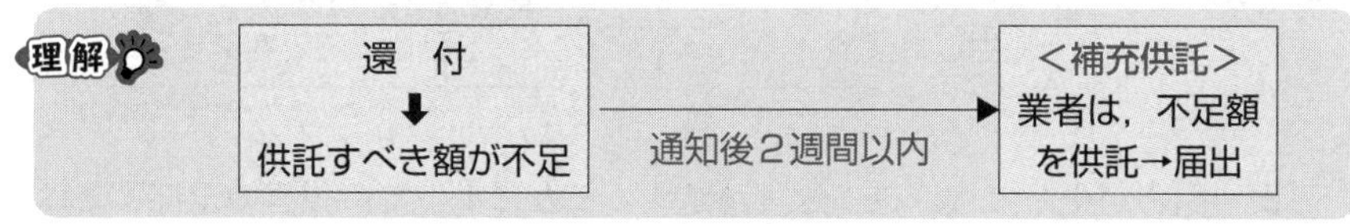

すなわち，宅建業者は，**免許権者から通知を受けた日**から**2週間以内**に不足額を供託し，その旨を，その後**2週間以内**に，供託物受入れの記載のある供託書の写しを添えて，**免許権者に届け出**なければなりません。

メモ
補充供託義務違反は，業務停止処分事由に該当する。

理解

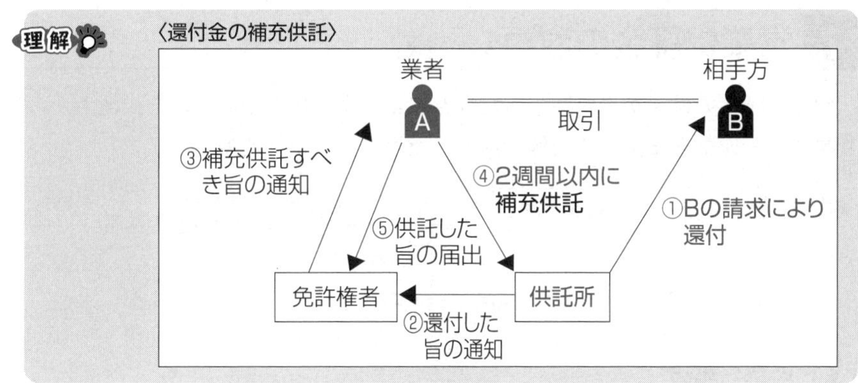

6 営業保証金の保管替え等 (29条)

営業保証金は，主たる事務所の最寄りの供託所に供託します。したがって，業者が，主たる事務所の移転により，その最寄りの供託所が変更した場合には，営業保証金の供託所も変更しなければなりません。これを，**営業保証金の保管替え等**といいます。

そのための手続は，**金銭のみ**で営業保証金を供託していた場合と，**有価証券を含んで供託**していた場合で，次のように異なります。

理解

① 金銭のみで供託していた場合（「保管替え」）	遅滞なく，費用を予納して，現に供託している供託所に対し，移転後の主たる事務所の最寄りの供託所への「保管替え」を請求できる
② 金銭と有価証券，または有価証券のみで供託していた場合	・遅滞なく，移転後の主たる事務所の最寄りの供託所に，いったん新たに供託しなければならない ・この結果，一時期において「二重供託の状態」が生じる。その後，前の供託所から営業保証金を取り戻す ・この取戻しには，公告の手続は不要

メモ

・つまり，「**保管替え**」とは，帳簿上の決済により営業保証金を移転すること。

・**保管替え等の届出**：①②が完了→業者は，遅滞なくその旨を免許権者に届け出る。

7 営業保証金の取戻し (30条)

営業保証金の供託が不要になった場合には，業者は，その金額を供託所から取り戻すことができます。**宅建業を廃業**した場合などが，典型例です。

営業保証金を供託しておく必要がなくなった → 営業保証金の取戻し

用語 **取戻し**：供託した物を，供託した者が供託所から返してもらうこと

(1) 取戻し事由

供託しておいた営業保証金を**取り戻す**ことができるのは，次の場合です。

理解

① 免許の効力が失われた場合 ア．免許を更新しなかったとき イ．個人業者が死亡，法人業者が合併により消滅したとき ウ．廃業，破産手続開始の決定を受けた，解散の各届出があったとき エ．免許が取り消されたとき
② 供託すべき額が少なくなった場合 オ．一部の事務所を廃止→営業保証金の超過額が生じたとき
③ 相手方が，他の供託所から還付を受けることができる場合 カ．金銭と有価証券または有価証券のみで供託した業者が，主たる事務所を移転したことにより，新たに移転後の供託所に供託(二重供託)をしたとき →従前の供託所から供託金を取り戻す キ．保証協会の社員となったため，営業保証金の供託を免除されたとき →相手方は，保証協会の弁済業務保証金より還付を受けられる

メモ

・免許を取り消された場合でも，営業保証金を取り戻せる。

・免許取消しの場合を含めて，免許が失効しても，当該業者であった者またはその相続人等の一般承継人は，当該業者がすでに締結した契約に基づく取引を結了させるまでの間は，(業者とみなされるので) 営業保証金の取戻しは不可。

(2) 取戻しの手続

① 原則――公告 (取戻し公告。公告期間6カ月以上が必要)

営業保証金の取戻しは，還付請求権を有する者に対し，6カ月以上の一定期間内に**申し出るべき旨を公告**し，その期間内に還付請求権の申出がなかった場合でなければ，することができません。

メモ

取戻し公告：取戻しをしようとする業者が，自ら官報に，商号等一定の事項を公告して行う。公告した場合は，遅滞なく，免許権者にその旨を届け出る。

② 例外――公告不要の場合

営業保証金を取り戻すことができる**事由が発生した時から10年が経過**したときは，公告をせずに，取戻しをすることができます。また，前出 理解 の表中③の場合も，他の供託所から還付を受けられる場合なので，同様に，公告は不要です。

まとめ

理解 〈営業保証金の取戻しの方法〉

原則	６カ月以上の公告期間が必要（取戻し公告）
例外	即座に取戻し可（公告不要） ① 取戻し事由の発生後10年経過した場合 ② 主たる事務所の変更により最寄りの供託所が変更した場合で，新しい主たる事務所の最寄りの供託所に新たに供託（二重供託）した場合 ③ 保証協会へ加入した場合（＝保証協会の社員となった場合）

Ⅱ 保証協会制度

1 保証協会への加入（64条の４）

業者は，**営業保証金を供託**するか，または**保証協会に加入**するか，そのどちらかをしなければ，宅建業の業務を行うことができません。

プラスα

・**「保証協会」とは**：弁済業務その他の業務を確実に行うことができる者として国土交通大臣が指定する法人のこと（一般社団法人）。

・社団法人の構成員のことを社員といい，構成員となること（加入すること）を社員になるという。現在，保証協会として，（公社）全国宅地建物取引業保証協会と（公社）不動産保証協会の２つが指定されている。社員は宅建業者のみで構成される（加入できるのは宅建業者のみ）。なお，業者は，一方の協会に加入すると，他方には加入できない。保証協会に加入すると，営業保証金の**供託義務を免除**される。

（1）分担金の納付義務（64条の９）

保証協会の社員となる（加入する）場合と，保証協会の社員が支店を増設する場合には，社員たる業者は，**弁済業務保証金分担金**（以下「**分担金**」）を保証協会に納付しなければなりません。納付は，**金銭**で行います。

メモ
新たに社員が加入・退会した場合，保証協会は，その旨を社員の免許権者に報告する。

①　納付期限

基本

新たに加入しようとする者	加入しようとする日まで
社員となった後，支店を増設した者	増設した日から２週間以内

メモ
新規加入の場合は事前納付だが，既存社員が支店を増設する場合には，分担金の納付は事後でよい点に注意。

②　分担金の額

分担金の額は，主たる事務所について**60万円**，従たる事務所１カ所ごとに**30万円**の合計額となります。

① 主たる事務所（本店）	60万円
② 従たる事務所（支店）	事務所１つにつき30万円

計算式：Z＝60＋30X（Z：納付すべき分担金の総額，X：支店の数）

メモ
新たに事務所を増設した場合は，増設１事務所ごとに30万円を供託する。

2 保証協会の弁済業務制度（64条の８）

弁済業務制度とは，業者が，分担金を保証協会に納付し，保証協会はその納付額と同額を，**弁済業務保証金**として指定供託所に**供託**しておき，社員である業者が取引の相手方に損害を与えたときは，その相手方（宅建業者である場合を除く）は，保証協会が供託した保証金から**還付**（弁済）を受けられる仕組みです。

(1) 弁済業務保証金の供託義務 (64条の7)

保証協会は，社員から分担金の金銭納付を受けたときは，**1週間以内**に，納付額相当額の**弁済業務保証金**を，**金銭または有価証券**で，法務大臣及び国土交通大臣の指定する供託所（指定供託所，つまり，**東京法務局**）に供託しなければなりません。

基本

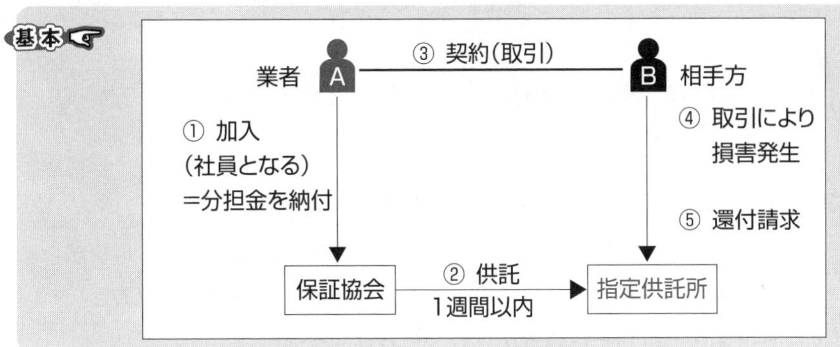

(2) 弁済業務保証金の還付 (64条の8)

社員である業者と**取引をした者**（その業者が**社員となる前に取引をした相手方**を含み，宅建業者である場合を除く）は，その取引から生じた債権につき，保証協会が供託した弁済業務保証金から，次のように**還付**（弁済）を受けることができます。

基本

① 還付額の上限	・業者が社員でないとしたならば，その者が供託しなければならない営業保証金の額に相当する範囲内 ・上限額は，「1，000万円＋500万円×支店の数」
② 保証協会の認証	還付請求権を行使しようとする者は，保証協会の「**認証**」を受けなければならない

メモ

・保証金制度によって取引の相手方が還付（弁済）を受けられる**上限額**は，営業保証金の供託をしている場合も，保証協会に加入している場合も，結局，**同額**となる。

・協会加入前の取引に基づき還付（弁済）が行われることによって，弁済業務の円滑な運営に支障が生ずるおそれがある場合，保証協会は，その社員に対して，担保の提供を求めることができる。

・認証額には上限があるので，還付請求権者が複数いる場合の認証は，いわば，「早いもの勝ち」，つまり，認証の申出書の受理の順序により認証する。

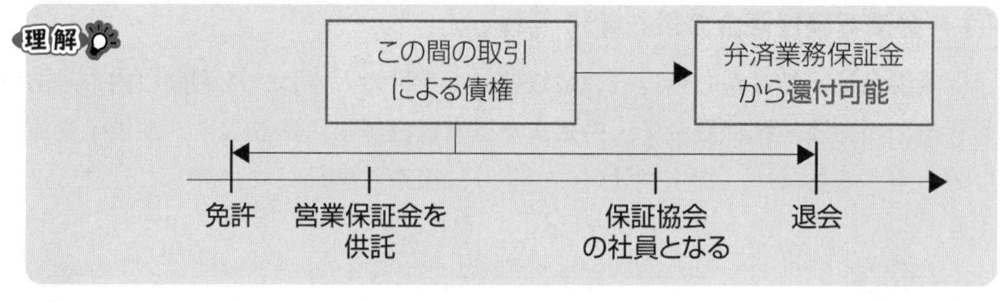

メモ
・その業者が社員となる前に取引した相手方も，弁済業務保証金から還付を受けられる点に注意。

(3) 還付による不足額の供託（補充供託）(64条の8)

還付が行われると，保証協会が供託している弁済業務保証金に不足額が生じますが，その補塡は，還付の対象となった債権に係る取引の相手方である（つまり，還付の原因を作った）**宅建業者**が行わなければなりません。

そこで，還付請求権の行使があったときは，まずは供託所から国土交通大臣に，次に，国土交通大臣から保証協会に，という順で，還付した旨の通知がなされます。

そして，保証協会は，国土交通大臣から還付した旨の通知を受けた日から**2週間以内**に，還付額と同額の弁済業務保証金を供託することになります。

メモ
制度の「建て前」として，まずは，保証協会が，還付による不足額を，弁済業務保証金として供託する。

(4) 社員の還付充当金の納付 (64条の10)

還付請求権の行使があったときは，**保証協会**は，当該還付に係る社員に対し，還付充当金を保証協会に納付すべきことを**通知**し，通知を受けた者は，通知があった日から**2週間以内**に，還付充当金を保証協会に**納付**しなければなりません。

用語 **還付充当金**：業者が保証協会に納付すべき，還付された額に相当する金銭のこと

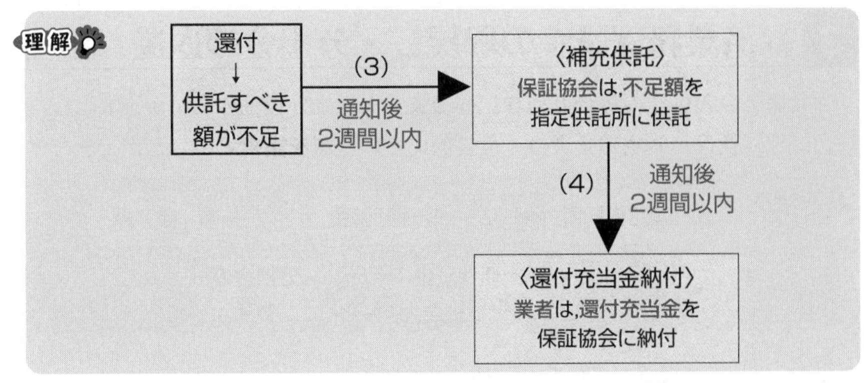

(5) 納付できない場合

社員は，還付充当金等の納付義務に違反すると，保証協会の社員たる地位を失います。その後は，1週間以内に営業保証金を供託しないと，宅建業の業務を行うことができません。

(6)「準備金」と「特別分担金」(64条の12)

還付額が多額にわたり，弁済業務保証金に不足が生じる場合への対処方法です。

① 弁済業務保証金準備金（準備金）

万が一社員から還付充当金が納付されない場合に備えて，**弁済業務保証金準備金**が積み立てられていますが，保証協会は，それを弁済業務保証金として供託することができます。

② 特別弁済業務保証金分担金（特別分担金）

準備金から充当しても，弁済業務保証金になお不足が生ずるときは，全社員に対して**特別弁済業務保証金分担金**の納付が通知されます。社員は，この通知を受けた日から**1カ月以内**に，特別分担金を納付しなければなりません。

社員は，この特別分担金の納付ができない場合，社員たる地位を失います。

3 弁済業務保証金の取戻し・分担金の返還 (64条の11)

営業保証金の供託の場合と同様，弁済業務保証金分担金の納付が不要となった場合には，社員たる宅建業者は，最終的にその**返還を請求**することができます。

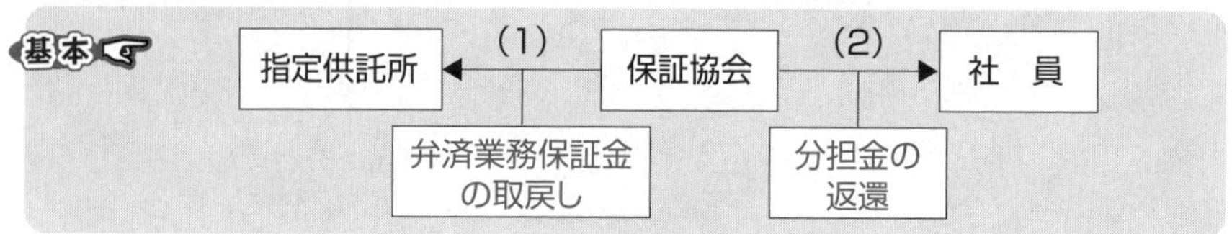

（1）弁済業務保証金の取戻し

まずは，保証協会が，供託所から，**超過している分**の弁済業務保証金を取り戻します。

すなわち，保証協会は，①**社員が社員の地位を失ったとき**は，その社員が納付した分担金の額に相当する額の弁済業務保証金を，また，②**社員がその一部の事務所を廃止**したときは，その社員が納付すべき分担金の額を超過している額に相当する額の弁済業務保証金を，それぞれ取り戻すことができます。

（2）分担金の返還

その後，保証協会は，社員であった者に対して，次のように**分担金を返還**します。

基本

原則	社員でなくなったときは，保証協会による「公告」が必要 →還付請求権を有する者に対して，6カ月以上の公告期間（保証協会の認証を受けるべき旨の公告）が必要
例外	一部の事務所の廃止の場合は，公告不要（＝即時返還）

メモ

保証協会が，社員たる地位を失った者に対し債権を有する場合は，その弁済完了後，分担金を返還する。

4 社員の地位の喪失 (64条の15)

業者は，社員の地位を失った場合，地位を失った日から**1週間以内**に，営業保証金の供託をし，その旨を免許権者に届け出なければ，業務を行うことができません。

この供託をしないと，業務停止処分となります。

メモ

社員がその地位を失った場合，保証協会は，その旨を社員の免許権者に報告する。

5 保証協会のその他の業務 (64条の3)

保証協会は，弁済業務を含め，次の業務を行います。

理解

必須業務 （保証協会が，適正かつ確実に実施すべき業務）	任意業務
① 取引に関する苦情の解決 ② 研修の実施（宅建士等に対する研修） ③ 弁済業務	④ 一般保証業務 ⑤ 手付金等保管事業 ⑥ 業界団体が行う宅建士等に対する研修の実施費用の助成 ⑦ 宅建業の健全な発達を図るために必要な業務

プラスα

- ① **取引に関する苦情の解決**：保証協会は，社員の取り扱った取引に関する苦情について解決の申出があったときは，その相談に応じ，必要な助言をし，事情を調査し，その社員に対し苦情の内容を通知して迅速な処理を求めなければならない。また，保証協会は，苦情の申出・その解決の結果について社員に周知させなければならない。
- ④ **一般保証業務**：社員である宅建業者との契約により，その業者が受領した支払金・預り金の返済債務等について，連帯して保証する業務。
- ⑤ **手付金等保管事業**：社員である宅建業者との契約により，工事完了後の宅地・建物の売買で業者自ら売主となるものについて，業者を代理して手付金等を受領し，これを引渡し等があるまでの間保管する事業（第2章26「手付金等の保全措置」参照）。
- 任意業務のうち，④⑤⑦に関しては国土交通大臣の承認が必要である。

第2章 業務上の規制

1 一般的規制

データ 【直近12年間の出題実績＆攻略法】

項目	H25	H26	H27	H28	H29	H30	R1	R2	R3	R4	R5	R6	重要度
広告，契約締結時期，他	●	●	●	●	●	●	●	●	●	●	●	●	S
媒介契約の規制	●	●	●	●	●	●	●	●	●	●	●	●	S
重要事項説明	●	●	●	●	●	●	●	●	●	●	●	●	S
37条書面（契約書面）	●	●	●	●	●	●	●	●	●	●	●	●	S

「媒介契約」「重要事項説明」「37条書面」からは，各２問出題されると考えてよい。それぞれの書面の記載事項を比較する問題の出題もあることから，各書面の記載事項は暗記しておこう。

「誇大広告等の禁止」「広告開始時期」「契約締結時期」「供託所の説明」は，それぞれ単体で１問の出題や，他の業務上の規制と組合せでの出題もある。いずれも必ず正解しなければならない重要テーマで，目標は「全問正解」。

ウォームアップ

一般的規制は，**広告**及び**契約締結時期**に関するものと，**三大書面**（**媒介契約書**・**重要事項説明書**・**契約書面**）に関するものが，主たる内容です。

特に，三大書面についての知識は**最重要ポイント**。「重説」「契約書」は宅建士の事務に直接かかわる項目です。とりわけ，これらの書面に記載されるべき事項は，試験対策上，必ず暗記しなければなりません。

1 誇大広告等の禁止（32条）

広告は，一般消費者が物件と出合う最初の機会です。その情報は，正確なものでなければならず，当然ながら，業者が行う誇大広告・虚偽の広告は禁止されます。

物件自体，権利関係，あるいは，取引条件に関する事実について，著しく事実に相違する表示や，実際のものよりも**著しく優良・有利**であると人を**誤認**させるような表示はすることができません。

①所在　②規模　③形質（土地の地目・建物の構造等）
④現在もしくは将来の利用の制限（法令による建築制限・賃借権による制限等）⑤現在もしくは将来の環境
⑥現在もしくは将来の交通その他の利便
⑦代金・借賃等の対価の額と支払方法
⑧代金・交換差金に関する金銭の貸借のあっせん

→ ・著しく事実に相違する表示
・実際のものよりも著しく優良・有利であると人を誤認させるような表示
→ 禁　止

プラスα

- 上記①～⑧以外の事項は，誇大広告等の禁止の対象外。例えば，取引態様の明示義務に違反した場合（「媒介」なのに「売主」と表示など）でも，誇大広告等禁止違反とはならない。
- 広告の方法は不問（例えば，インターネット広告)。「事実を表示しない」方法による場合も，違反となる。
- 消費税額の表示は，消費税額を明示せずに広告しても，消費税額を含む総額の取引価格を明示すればよい。
- 誇大広告・虚偽広告は，**すること自体が違反**。相手が誇大広告であることを知っていても，また，取引が不成立で実害が発生しなくても，違反。
- いわゆる「おとり広告」は，誇大広告等の禁止に違反。
- 本条違反は，業務停止処分事由となり，罰則もある→6カ月以下の懲役，もしくは100万円以下の罰金，またはこれの併科。

2 広告開始時期の制限・契約締結等の時期の制限(33条，36条)

工事の完成に直接に必要な法令上の許可等を受けていない物件が**広告**され，さらに進んで，**契約の締結**にまで至ると，最終的に許可等がないために工事が未完成に終わり，または，完成しても，広告や契約の内容と異なる物件ができ上がってしまうことになり，結果として，買主等が多大な損害を受けることになります。

そこで，**未完成物件**について，トラブルを**未然に防止**するために，**広告の開始時期**，及び，**契約の締結時期**について，次のような規制をすることとしました。

すなわち，宅建業者は，宅地の造成または建物の建築に関する**工事の完了前**においては，これらの開発行為の許可や建築確認，その他法令に基づく許可等の処分で政令で定めるものがあった後でなければ，その宅地，建物に関し，**業務に関する広告**，及び，**売買・交換に関する取引**をしてはなりません。

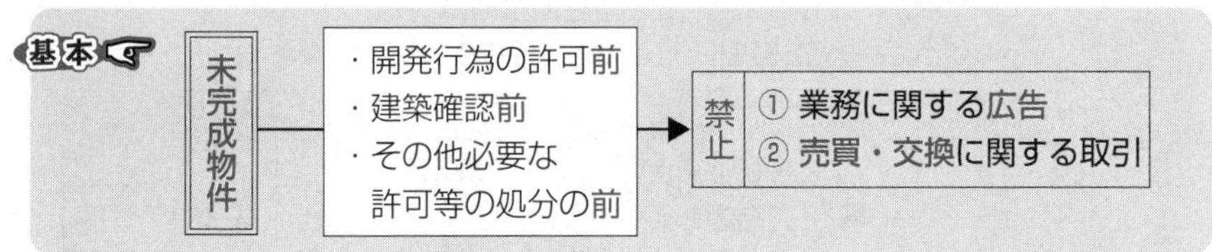

プラスα

以下の点に注意。

・必要な許可等の行政手続は，終了していなければならない。

例 ・「建築確認申請中」→×（広告・売買契約不可）

・「将来売り出し予定」などと表示する予告広告→×

・対象となる許可等は，未完成物件に係る工事が完成するのに「直接必要な」許可等である。開発許可・建築確認など，当該許可等がなければ工事に着工できない，とされるものが多い。

・建築協定の認可は，広告対象の建物等が完成するにつき直接必要ではないので，認可が下りる前でも広告はできる。国土法上の事前届出についても同様（届出前の広告可）。

・「広告開始時期の制限」がすべての取引態様での広告を制限するのに対し，「契約締結等の時期の制限」は，貸借の代理・媒介を制限しない点で，両者は異なる。したがって，例えば，建築確認前の賃貸マンションについて貸借の媒介・代理をして賃貸借契約を締結することは，禁止されない。

3 取引態様の明示義務 (34条)

取引態様が異なると，業者の法律上の地位や権限が異なり（例えば，代理なら契約締結権限あり），注文者にとっては報酬を支払うべきか否か，また，支払う場合も，その相手や額が異なることになります。

そこで，宅建業者は，取引にかかる①**広告をするとき**や，取引に関する物件に関して②**顧客から注文を受けたとき**は，取引態様の別を明示しなければなりません。

用語 **取引態様**：自己が契約の当事者となって売買・交換を成立させるか，売買・交換・貸借の代理・媒介をするかの別のこと

メモ
- 広告を見た顧客から注文を受けた場合にも，再度，取引態様を明示しなければならない。
- 取引の途中で取引態様に変更があった場合も，同様。
- 「取引態様の明示」は，口頭で可。

4 媒介及び代理契約の規制 (34条の２，34条の３)

（１）書面の交付義務（媒介契約の内容の書面化）

宅建業者は，宅地・建物の売買または交換の媒介の契約（**媒介契約**）を締結したときは，遅滞なく，後出（４）の事項を**記載した書面**を作成して，**宅建業者自らが記名押印**し，**依頼者に交付**しなければなりません。

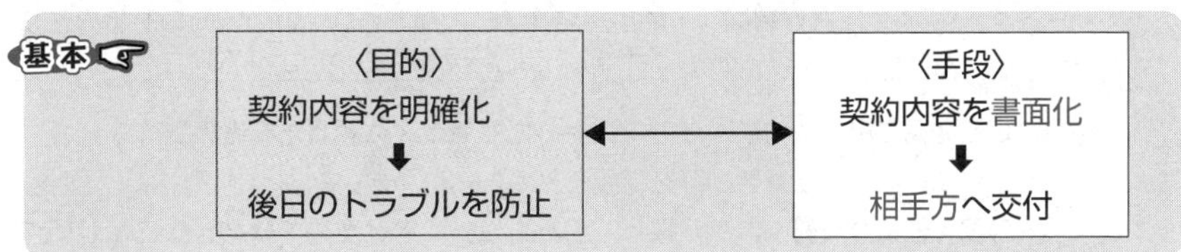

メモ
- 上記書面の交付に代えて，依頼者の承諾を得て，電磁的方法により提供することができる。

プラスα

媒介契約：物件の売主（依頼者）と宅建業者との間の「買主を探索する」旨の契約のこと。口頭で成立し（諾成契約），契約内容も不明確なことがあり，依頼者と業者との間に報酬額等を巡り，紛争が生じることが多いため，書面により契約内容を明確化するように規制された。

代理契約の規制：売買・交換の代理を依頼する契約についても，媒介契約の規定を準用する。なお，貸借を代理・媒介する契約には，この規制は適用されない。宅建業法上書面化も交付も義務づけられていない。

媒介契約を締結した宅建業者は，その媒介契約の目的物である宅地または建物の売買または交換の申込みがあったときは，遅滞なく，その旨を依頼者に報告しなければなりません。

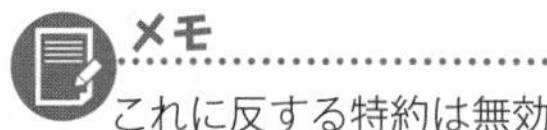

メモ

これに反する特約は無効。

（2）媒介契約の種類

依頼者が，同一物件について，代理・媒介を，他の業者に**重ねて依頼できるか否か**で，大きく一般**媒介契約**と専任**媒介契約**の２つに分かれます。

理解

一般媒介契約	**明示型**	同じ物件につき，依頼者が，他の業者に重ねて代理・媒介を依頼できるが，その依頼先の明示が必要なもの
	非明示型	同じ物件につき，他の業者に重ねて代理・媒介を依頼でき，かつ，その依頼先の明示は不要であるもの
専任媒介契約	**専任媒介契約**	同じ物件につき，他の業者に重ねて代理・媒介を依頼できないが，依頼者が自分で発見した相手と契約を成立させても（自己発見取引），媒介契約違反とはならないもの
	専属専任媒介契約	同じ物件につき，他の業者に重ねて代理・媒介を依頼できず，かつ，業者の探した相手方以外の者と契約を締結することができない旨の特約のある専任媒介契約（自己発見取引も禁止される）

用語 **自己発見取引**：依頼者が自分で発見した相手と，依頼した業者の媒介を介さずに売買契約等を行うこと

専属専任媒介契約：業者が探した相手方以外の者と契約を締結することができないタイプの契約方式（＝自己が発見した相手と契約する場合も，その業者が媒介して行う）

媒介の依頼者にとって「有利な契約」はどれかといえば，例えば「専属専任媒介」の場合は「依頼できる業者は1社」であり，「自己発見取引は禁止」，つまり相手方を自己発見しても媒介業者の媒介にしなければならないなど，制約は多い。一方，「明示義務のない一般媒介」は，依頼者にとって行動の自由度は高いといえる。しかし，どの契約によるのが最も成約しやすいか，というと，やはり「専属専任」というべきであろう。成約すれば必ず報酬を受け取れるので，業者は，全力で買主を探索するはずだからである。

（3）専任媒介契約と一般媒介契約の違い

両者には，（2）のほか，さらに次のような違いがあります。

① 有効期間

媒介契約には，有効期間を定める必要があります。

専任媒介契約	一般媒介契約
・有効期間は3カ月が上限 ・3カ月より長い期間を定めたとき→3カ月に短縮 ・有効期間は，依頼者の申出により，更新できる ・以上は，専属専任媒介契約も同様	・有効期間の上限の定めはない ・自動更新の特約も有効

メモ

「依頼者の申出により」とは：自動更新の特約を排除する趣旨である。したがって，（専属）専任媒介契約の更新には，必ず依頼者の申出が必要。

② 業務処理状況の報告義務

専任媒介契約		一般媒介契約
専任媒介契約	2週間に1回以上	定期的な報告義務はない
専属専任媒介契約	1週間に1回以上	

メモ

この報告は，宅建業法上は口頭で可。

③ 相手方探索義務（レインズへの物件情報登録義務）

専任媒介契約の場合には，**レインズに物件情報を登録**するという形で，相手方（買主等）を積極的に探す義務があります。

理解

専任媒介契約	一般媒介契約
指定流通機構（レインズ）への登録義務あり ア）登録期間 ・専任媒介契約→契約締結の日から７日以内 ・専属専任媒介契約→契約締結の日から５日以内 （いずれも，媒介契約締結の当日，及び，業者の休業日は含まれない） イ）登録したときは，（指定流通機構が発行した）登録済証を依頼者に引き渡す（依頼者の承諾を得て，電磁的記録による提供も可） ウ）成約したときは，成約情報の通知義務あり	宅建業法上の 登録義務はない

メモ

・**レインズ**：「指定流通機構」のこと。全国の不動産物件情報を検索できる。各地域にあり，全国ネットワーク化されている。

・**成約情報**：登録番号，取引価格，成約年月日

・上記ア）～ウ）に反する特約→無効。

〈専任媒介契約と一般媒介契約〉

他の業者に重ねて依頼できるか				
他の業者に重ねて依頼できるか	YES	その業者名を明示すべきか	YES	明示義務のある一般媒介契約
			NO	明示義務のない一般媒介契約
	NO	自己発見取引が許されるか	YES	専任媒介契約
			NO	専属専任媒介契約

（4）媒介契約書面の記載事項

媒介契約書には，以下の事項を記載しなければなりません。

暗記

① **宅地または建物を特定するために必要な表示** ・土地であれば所在・地番・面積等 ・建物であれば所在・種類・構造・床面積等
② **価額または評価額** ・価額：売買物件の売出し額。評価額：交換物件の媒介依頼価額 ・価額等の根拠の明示義務：業者は，売買価額または評価額につき意見を述べるときは，根拠を明らかにしなければならない（口頭でもよい） ・意見の根拠：「価格査定マニュアル」（（公財）不動産流通推進センター）によるなど，合理的な説明がつくものであること。なお，そのための費用は，別途請求不可

③ **媒介契約の別** （当該宅地または建物について，依頼者が他の業者に重ねて売買または交換の媒介または代理を依頼することの許否，及び，これを許す場合の他の業者を明示する義務の存否に関する事項） ・要するに，「専任媒介契約」か，「専属専任媒介契約」か，「明示義務のある一般媒介契約」か，「明示義務のない一般媒介契約」かの別
④ **当該建物が既存建物であるときは，建物状況調査を実施する者のあっせんに関する事項** ・建物状況調査：既存建物の屋根・柱・床・外壁など構造耐力上主要な部分または雨水の浸入を防止する部分について一定の資格者が行う調査。この調査を１年以内に実施している場合は，重要事項説明において結果の概要として説明される ・建物状況調査を実施する者のあっせんの有無を記載する ・建物状況調査自体は義務ではないので，この調査を行うかどうかは任意 ・あっせんした場合でも，媒介報酬とは別にあっせんに係る料金は受け取れない
⑤ **媒介契約の有効期間，及び解除に関する事項**
⑥ **報酬に関する事項**
⑦ **指定流通機構への登録に関する事項** ・登録すべき事項：対象物件の所在・規模，売買すべき価額（交換の場合：評価額），対象物件に係る法令上の制限で主要なもの，当該宅地または建物の取引の申込みの受付に関する状況，専属専任媒介契約である場合はその旨，など。一般媒介契約の場合でも登録するか否かを記載し，登録する場合は，登録事項を記載する必要がある ・物件の所有者の氏名・住所は，登録しない
⑧ **依頼者が，媒介契約の内容に違反して，契約を成立させた場合の措置** ・次の３つの場合がある ⅰ）専任媒介契約・専属専任媒介契約で，依頼者が他の業者の媒介や代理により売買または交換の契約を成立させたときの措置 ⅱ）専属専任媒介契約において，依頼者が，売買または交換の媒介を依頼した業者が探索した相手方以外の者と売買または交換の契約を締結したときの措置 ⅲ）明示義務のある一般媒介契約において，依頼者が，明示していない他の業者の媒介または代理による契約を成立させたときの措置 ・具体的には，違約金や損害賠償額の定めである
⑨ **媒介契約が，国土交通大臣の定める標準媒介契約約款に基づくものであるか否かの別** ・標準約款を用いなくてもよいが，用いたか否かを記載すべし，という趣旨

メモ

本試験対策上，この表中①～⑨の，少なくとも**大項目**（太字の部分）は暗記すること。

5 重要事項の説明 (35条)

宅建業者は，契約が成立するまでの間に，取引の当事者（物件を取得し，または，借りようとする者）に対し，**宅建士**をして，**宅建業法35条**に規定される「**重要事項の説明**」をさせなければなりません。

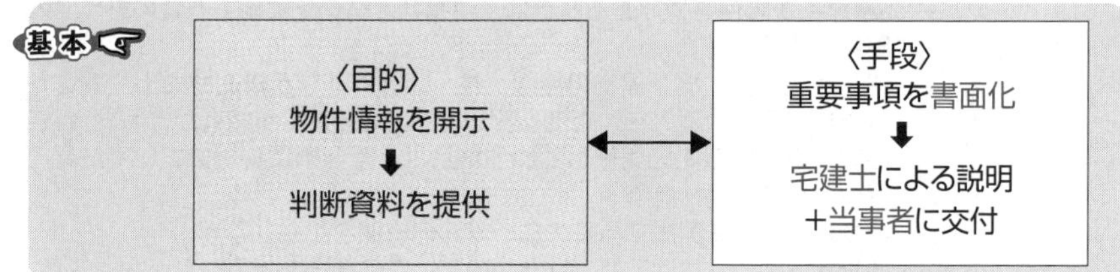
基本
〈目的〉
物件情報を開示
判断資料を提供
〈手段〉
重要事項を書面化
宅建士による説明
＋当事者に交付

取得する物件や取引条件についての「重要事項」を，当事者に事前に告知し，契約締結についての判断材料を与える趣旨であり，重要事項の説明は，**宅建士の最も重要な事務**といえます。

（1）重要事項の説明をすべき相手方等

理解

説明すべき相手方	・取引の当事者（宅地・建物を「取得し，または借りようとしている」者のこと）
説明すべき者	・宅建業者 ・ただし，宅建士によって，説明させなければならない ・説明を行う宅建士は，事務所等におかれるいわゆる専任の宅建士でなくてもよい ・説明の相手方が宅建業者の場合は，口頭での説明は不要
説明の時期	・契約が成立するまでの間（契約成立前）
説明の方法	・宅建士は，重要事項説明書に記名しなければならない ・宅建士は，その重要事項説明書を交付して説明する ・書面の交付に代えて，相手方等の書面または電磁的方法による承諾を得て，重要事項として説明すべき事項を電磁的方法により提供できる ・重要事項の説明をする際は，宅建士証を提示しなければならない ・宅建士証の提示の方法は，相手方に明確に示されれば，胸に着用するなどの方法でも可 ・説明の相手方が宅建業者の場合は，口頭での説明は不要（重要事項説明書の「交付」は必要）
説明の場所	・特に限定なし（事務所である必要はない）

プラスα

・**取引の相手方が宅建業者である場合**：重要事項の説明は書面の「交付」のみで足り，宅建士による口頭での説明を省略できる。重要事項の説明義務がないので，宅建士証の提示義務もない。なお，重要事項説明書への宅建士による記名は必要。

・**IT重説**：

重要事項の説明においては，テレビ会議などのITを活用することができる（直接対面しての重要事項の説明である必要はない）。ただし，宅建士の記名のある重要事項説明書をあらかじめ送付しておくこと，宅建士証を画面上で提示・確認すること，十分な品質の映像・音声により双方向でやりとりできる環境であること，などの条件を満たす必要がある。

・**監督処分・罰則**：

ｉ）重要事項の説明義務違反→指示処分事由，業務停止処分事由。情状が特に重ければ免許取消処分。なお，35条違反には，罰則はない。ただし，重要事項につき故意に事実を告げず，または不実のことを告げた場合には，重い罰則がある「重要な事実の告知義務違反（後述35（1）参照）」→２年以下の懲役・300万円以下の罰金，またはこれの併科

ⅱ）重要事項説明時の宅建士証の提示義務違反→指示処分事由，事務禁止処分事由。情状が特に重ければ登録消除処分。罰則→10万円以下の過料

・複数の業者が説明する義務を生じるときは，重要事項説明書を共同作成した旨，及び１業者の宅建士が代表して説明する旨を説明し，代表して１人が説明すればよい。ただし，万が一，説明内容に誤りがあった場合は，全業者の，いわば「共同責任」となる。

（2）説明すべき重要事項

重要事項の説明は，**少なくとも**，次の事項について**行われなければなりません**。

まずは，一般的に説明が必要な事項として，「**取引物件に関する事項**」及び「**取引条件に関する事項**」である①～⑬の説明が必要です。また，**マンション**（区分所有建物）について「**追加的に説明が必要な事項**」として，後出ア．～ケ．が，さらに，「**その他説明すべき事項**」として，後出ｉ）～xiv）が規定されています。

メモ

なお，35条に規定する**重要事項以外**であっても，業者の相手方等の判断に重要な影響を及ぼすこととなる事項については，取引上重要な事項として相手方等に説明しなければならず，故意に告げなかった場合や故意に不実のことを告げた場合には，「**重要な事実の告知義務違反**」（47条。業法上の罰則もあり。後述35（1）参照）に該当する点に注意。

暗記

○：説明が必要，×：説明が不要，△：法令による

説明すべき重要事項	売買・交換	貸借
〈取引物件に関する事項〉		
① 登記された権利の内容，登記名義人	○	○
② 法令上の制限	○	△：建物の場合
③ 私道負担	○	×：建物の場合
④ 生活関連施設（ライフライン）の整備状況	○	○
⑤ 未完成物件：完成時の形状・構造等	○	○
⑥ 既存建物：建物状況調査の結果の概要等	○	○：状況調査のみ
〈取引条件に関する事項〉		
⑦ 手付金・敷金等	○	○
⑧ 契約の解除	○	○
⑨ 損害賠償額の予定・違約金	○	○
⑩ 手付金等の保全	○	×
⑪ 預り金等の保全	○	○
⑫ ローン，ローン不成立の措置	○	×
⑬ 担保責任の履行に関する措置	○	×

〈取引物件に関する事項〉

①　登記された権利の内容，登記名義人

登記された権利の種類，内容，登記名義人または登記簿の表題部所有者の氏名

・登記簿に記録されている所有者は誰か，設定されている権利があるか（抵当権，借地権，借家権）などを説明する。

・登記された権利は，抹消予定のものであっても説明が必要。

メモ

登記申請の時期は，37条書面（**契約書面**，後述7参照）の記載事項であるが，重要事項としての説明義務はない。

②　法令上の制限

都市計画法・建築基準法その他の法令に基づく制限

・条例による制限を含む。

契約内容の別に応じて，説明すべき事項が異なる。例えば，建物の貸借の場合，都市計画法の開発許可，容積率・建蔽率などの法令に基づく制限の大部分について，説明は不要。

③ 私道負担

私道負担に関する事項

・負担がある場合，位置，使用料などその内容を説明する。負担がなければ「なし」と説明。なお，建物の貸借の場合は，説明不要。

④ 生活関連施設（ライフライン）の整備状況

飲用水・電気・ガスの供給施設，排水のための施設の整備状況

・上水・電気の供給元，都市ガスかLPガスか，公共下水か浄化槽かなどを説明する。
・これらの施設が整備されていない場合は，その整備の見通しと，整備についての特別の負担に関する事項を説明。

⑤ 未完成物件⇒完成時の形状・構造等

未完成物件の場合の，完成時における形状・構造等
ｉ）工事完了前の宅地については，宅地の造成工事の完了時における宅地に接する道路の構造と幅員
ⅱ）工事完了前の建物については，建築工事の完了時における建物の主要構造部・内装・外装の構造または仕上げ，設備の設置と構造

・未完成物件のときに説明する（完成物件については説明不要）。
・説明に必要なときは図面を交付して説明する。なお，図面を交付したときは，その図面に記載されている事項は，あらためて重要事項説明書に記載する必要はない。

⑥ 既存建物⇒建物状況調査の結果の概要，建築等に関する書類の保存状況

既存建物の場合，以下の事項
ｉ）建物状況調査（実施後１年以内のもの。ただし，鉄筋コンクリート造または鉄骨鉄筋コンクリート造の共同住宅等は実施後２年以内のもの）を実施しているかどうか，これを実施している場合におけるその結果の概要
ⅱ）（住宅の売買・交換に限り）設計図書，点検記録など建物の建築及び維持保全の状況に関する書類の保存の状況

・ⅱ）の書類は，例えば，建築確認済証，検査済証，建設住宅性能評価書（品確法）などの書類のこと。これらの有無の説明であり，内容までの説明は不要。
・いずれも，ｉ）実施の有無，ⅱ）保存の状況を照会し，判明しない場合は，その照会をもって調査義務を果たしたことになる。

〈取引条件に関する事項〉

⑦　手付金，敷金等

「代金・交換差金及び借賃」以外に授受される金銭の額と目的

・例えば，手付金，敷金，権利金，礼金，保証金等。

メモ

なお，代金・借賃そのもの，及び授受の時期については，「法令上説明すべき重要事項」とされていない。

⑧　契約の解除

⑨　損害賠償額の予定・違約金

⑩　手付金等の保全

・契約の解除に関する事項
・損害賠償額の予定または違約金に関する事項
・手付金等の保全措置の概要

・⑩は講ずるべき保全措置について説明すればよい。その内容については，後述2 6「手付金等の保全措置」参照。

⑪　預り金等の保全

支払金または預り金を受領する場合において，保全措置を講ずるかどうか，その措置を講ずる場合はその措置の概要

・保全措置を講じない場合は，講じない旨を告げれば足りる。

メモ

・次のものは，「支払金または預り金」とならないもの（したがって，説明不要）である。ⅰ）50万円未満の場合，ⅱ）保全措置が講じられている手付金等，ⅲ）登記以後に受領するもの，ⅳ）報酬

⑫　ローン，ローン不成立の措置

代金・交換差金に関する金銭の貸借（ローン）のあっせんの内容と，あっせんに係る金銭の貸借が不成立のときの措置

・例えば，ローン不成立の場合には契約は当然に解除される，などの特約を説明する。

⑬　担保責任の履行に関する措置

担保責任（宅地・建物が，種類または品質に関して契約の内容に適合しない場合におけるその不適合を担保すべき責任＝「契約不適合責任」）の履行に関し，保証保険契約の締結その他の措置を講ずるかどうか，講ずる場合の，その措置の概要

・例えば，構造耐力上主要な部分に欠陥がある場合など，担保責任（宅地・建物が，種類または品質に関して契約の内容に適合しない場合におけるその不適合を担保すべき責任＝「契約不適合責任」）に基づいて売主が損害賠償債務を負う場合に備えて，保険に加入する，保証金を供託する（住宅瑕疵担保履行法）などの措置を講ずるかどうか，講ずる場合のその措置の概要を，重要事項として説明する。

〈区分所有建物の場合の追加的説明事項〉

マンション等の区分所有建物の場合には，以下の事項を，**追加的に説明**する必要があります。

暗記

（○：説明必要，×：説明不要）

区分所有建物の追加的説明事項	売買・交換	貸借
ア．敷地利用権の種類と内容	○	×
イ．共用部分に関する規約（案）	○	×
ウ．専有部分の利用の制限に関する規約（案）	○	○
エ．専用使用権に関する規約（案）	○	×
オ．費用等減免規約（案）	○	×
カ．修繕積立金積立規約（案）・積立額	○	×
キ．通常の管理費用の額	○	×
ク．管理の委託先の氏名・住所	○	○
ケ．修繕実施状況の記録	○	×

メモ

・マンションの貸借について，ウ．（専有部分の利用の制限に関する規約（案））と，ク．（管理の委託先の氏名・住所）のみ追加的に説明する必要があり，他は説明は不要である点が重要。

・イ．共用部分，ウ．専有部分の利用制限，エ．専用使用権，オ．費用等減免，カ．修繕積立金については，規約がなく，かつ，その案もないときには，説明不要。

ア．当該建物を所有するための一棟の建物の敷地に関する権利の種類と内容

・敷地の面積として実測面積，登記簿上の面積などを記載する。

・敷地に関する権利の種類として，所有権，地上権，賃借権等がある。それぞれ区別して，その対象面積，存続期間も記載する。

・地代，賃料等区分所有者が負担する額も記載。

イ．共用部分に関する規約の定め（その案を含む）があるときは，その内容

・規約による共用部分：管理人室・集会室など。

ウ．専有部分の用途その他の利用の制限に関する規約（その案を含む）の定めがあるときは，その内容

・例えば，居住用に限る（事業用としての利用の禁止），フローリングへの張替工事の制限，ピアノ使用の禁止，ペットの飼育の制限など。

・貸借の場合も説明必要。

エ．当該一棟の建物またはその敷地の一部を特定の者にのみ使用を許す旨の規約（その案を含む）の定めがあるときは，その内容

・専用使用権は，駐車場，専用庭，バルコニー等に設定される。

・専用使用できる範囲，使用料の有無，有料の場合のその帰属先などを説明する。

オ．当該一棟の建物の計画的な維持修繕のための費用，通常の管理費用その他の当該建物の所有者が負担しなければならない費用を，特定の者にのみ減免する旨の規約（その案を含む）の定めがあるときは，その内容

・特に新築分譲マンションの場合，管理規約の案を分譲業者が策定し，これを後日管理組合が承認する，という場合が多いが，この規約のように購入者にとって不利な金銭的負担が定められている規約もあるので，その場合には，その内容を説明するとされている。

・中古の分譲マンションにも適用され得る。

カ．当該一棟の建物の計画的な維持修繕のための費用の積立てを行う旨の規約（その案を含む）の定めがあるときは，その内容と既に積み立てられた額

・いわゆる大規模修繕積立金，計画修繕積立金等の定めのこと。一般の管理費でまかなわれる通常の維持修繕は対象外。

・滞納があれば，その額も告知する。

キ．通常の管理費用の額

・通常の管理費用→共益費等の区分所有者が月々負担する経費。修繕積立金を含まない。

・滞納があれば，その額も告知する。

ク．当該一棟の建物及びその敷地の管理が委託されているときは，その受託者の氏名（商号または名称，管理業者として登録がある場合のその登録番号），及び住所（主たる事務所の所在地）

・管理の内容までは説明不要。ただし，管理委託契約の主たる内容もあわせて説明するのが望ましいとされている。
・貸借の場合も説明必要。

ケ．当該一棟の建物の維持修繕の実施状況が記録されているときは，その内容

・売買等の対象となる専有部分に係る維持修繕の実施状況の記録を含む。
・なお，この説明義務は，維持修繕の実施状況の記録が保存されている場合に限って課され，管理組合，売主等に記録の有無を照会のうえ，存在しないことが確認された場合は，その照会をもって調査義務を果たしたことになる（記録がない場合でも照会は必要）。

〈その他説明すべき重要事項〉

以上に加えて，業者の相手方等の**利益の保護**の必要性，及び，**契約内容の別**を勘案して，次の事項も説明する必要があります。

暗記

（○：説明必要）

その他説明すべき重要事項	宅地		建物	
	売買交換	貸借	売買交換	貸借
〈取引物件に関する事項〉				
ⅰ）造成宅地防災区域内にあるか否か	○	○	○	○
ⅱ）土砂災害警戒区域内にあるか否か	○	○	○	○
ⅲ）津波災害警戒区域内にあるか否か	○	○	○	○
ⅳ）「水害ハザードマップ」における所在地	○	○	○	○
ⅴ）（建物）石綿（アスベスト）の使用調査の内容			○	○
ⅵ）（建物）耐震診断の内容			○	○
ⅶ）住宅性能評価を受けた新築住宅である場合			○	
〈以下，貸借の場合〉				
ⅷ）台所，浴室，便所などの設備の整備の状況				○
ⅸ）契約期間及び契約の更新		○		○
ⅹ）定期借地権，定期建物賃貸借，終身建物賃貸借		○		○
xi）利用の制限		○		○
xii）敷金等契約終了時において精算する金銭の精算		○		○
xiii）管理の委託先		○		○
xiv）建物の取壊しに関する事項		○		

ⅰ）当該宅地または建物が造成宅地防災区域内にあるときは，その旨
ⅱ）当該宅地または建物が土砂災害警戒区域内にあるときは，その旨
ⅲ）当該宅地または建物が津波災害警戒区域内にあるときは，その旨
ⅳ）水防法に基づく「水害ハザードマップ」における当該宅地または建物の所在地

・ⅰ）～ⅳ）は，宅地・建物，売買・交換・貸借のいずれの場合も説明が必要。

・ⅳ）：水害（洪水，内水（雨水出水），高潮）ハザードマップにおける対象物件の概ねの位置を示す。「水害ハザードマップ」は水防法に基づき市町村が作成等する。市町村が作成等していない場合でも，市町村への照会は必要で，その照会をもって調査したこととされる。

ⅴ）当該建物について石綿（アスベスト）の使用の有無の調査の結果が記録されているときは，その内容
ⅵ）当該建物（昭和56年６月１日以降に新築工事に着手したものを除く）が耐震改修促進法に基づき建築士等による耐震診断を受けたものであるときは，その内容

・ⅴ），ⅵ）のいずれも，記録がない場合であっても，その有無について売主・所有者等への照会は必要。その照会をもって調査したこととされる。

・ⅴ），ⅵ）のいずれも，建物のみが対象。ただし，売買・交換・貸借のすべてに，調査・説明が必要。

・ⅵ）：耐震診断については，昭和56年６月１日以降着工の建物については，法令上，耐震診断に関する調査・説明義務はない。新耐震基準によって建築されているからである。

ⅶ）当該建物が品確法上の住宅性能評価を受けた新築住宅であるときは，その旨

・ⅶ）：新築住宅に関してのみ，説明義務がある。

ⅷ）台所，浴室，便所その他の当該建物の設備の整備の状況

・ⅷ）：建物の貸借についてのみ，説明が必要。付帯設備一覧表などにより説明される場合が多い。

ⅸ）契約期間及び契約の更新に関する事項
ⅹ）定期借地権，定期建物賃貸借，終身建物賃貸借に関する借家権を設定しようとするときは，その旨
ⅹⅰ）当該宅地または建物の用途その他の利用の制限に関する事項
ⅹⅱ）敷金その他いかなる名義をもって授受されるかを問わず，契約終了時において精算することとされている金銭の精算に関する事項

・ix）～xii）：貸借の場合のみ，説明が必要。
・ix）～xii）については，その旨の定めがなければ，「ない旨」を説明する。
・xii）：原状回復に係る事項を含む。

xiii）当該宅地または建物の管理が委託されているときの受託者の氏名（商号または名称，管理業者としての登録がある場合のその登録番号），及び住所（主たる事務所の所在地）

・xiii）：貸借の場合のみ，説明が必要。

xiv）契約終了時における当該宅地の上の建物の取壊しに関する事項を定めようとするときは，その内容

・xiv）：定期借地の場合は，「○年後に更地にて返還のこと」などを説明する。

〈割賦販売の特例〉

割賦販売の場合は，取引条件に関する事項として，次の事項も説明します。

a）現金販売価格
b）割賦販売価格
c）引渡しまでに支払う金銭（頭金等）の額と賦払金の額，その支払いの時期及び方法

メモ

割賦販売とは，代金を，目的物の引渡し後1年以上の期間にわたり，2回以上に分割して受領することを条件に販売すること（後述2「自ら売主規制」参照）。

6 供託所等の説明（35条の2）

宅地建物取引業者は，取引の相手方に対して，**契約が成立するまでの間**に，供託所等の説明をするようにしなければなりません。

メモ

・営業保証金や弁済業務保証金からの**還付請求の請求先を告知**する趣旨である。
・宅建業法上，説明は**口頭で可**。また，相手が宅建業者の場合，説明は不要。

基本 〈説明事項〉

保証協会の社員でない場合	営業保証金の供託先，その所在地
保証協会の社員である場合	社員である旨，保証協会の名称・住所・事務所の所在地，指定供託所・その所在地

7 契約書面の交付（37条）

宅建業者は，宅地・建物の売買・交換・貸借の契約が成立したときは，**遅滞なく**，成立した**契約内容を記載**した書面（**37条書面**）を，取引の関係者に対し交付しなければなりません。成立した契約内容を確認し，後日の争いを防ぐ目的です。

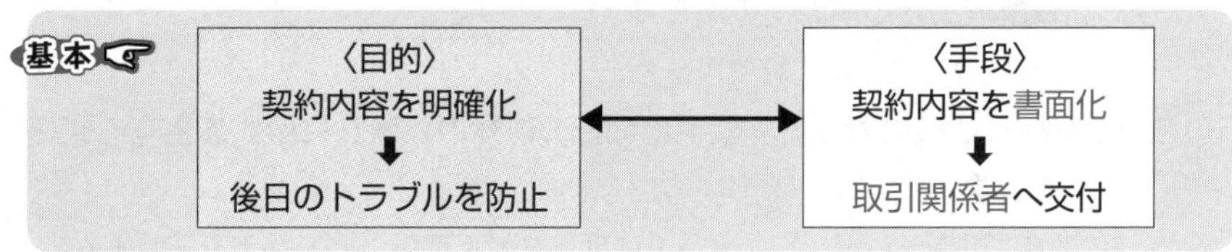
基本
〈目的〉
契約内容を明確化
後日のトラブルを防止
〈手段〉
契約内容を書面化
取引関係者へ交付

メモ

・この書面は，「契約成立後遅滞なく交付すべき書面」「契約書面」「37条書面」などと呼ばれるが，要は**契約書**のこと。実務的には，以下の**法定された記載事項をすべて記載した契約書**を作成し，その契約書が「**37条書面**」となる。

・書面の交付は，交付されるべき者の承諾を得て，電磁的記録により提供することができる。

（1）書面の交付時期等

37条書面は，契約後，**遅滞なく**交付しなければなりません。その交付の相手方は，要は，**契約の当事者**です。

基本

書面の交付時期	契約の成立後，遅滞なく	
交付の相手方	① 業者が契約当事者の場合	契約の相手方に交付
	② 業者が代理人の場合	依頼者と相手方に交付
	③ 業者が媒介した場合	契約の両当事者に交付

プラスα

・書面を交付すべき場所や交付をする者に，特に限定はない。

・交付義務は，交付される者が宅建業者であっても，また，相手方等の承諾・同意があっても，免除されない。

（2）記載事項

37条書面の記載事項には，**必ず記載されなければならない事項**（**必要的記載事項**）と，**契約で定められた場合には必ず記載されなければならない事項**（**任意的記載事項**）があります。

暗記

○：記載必要，×：記載不要，◎：重複あり

	〈売買の場合の必要的記載事項〉 （必ず記載）	（ア） 貸借	（イ） 35条書面との重複
（誰が）	① **当事者の氏名・住所** 契約当事者の氏名（法人のときは名称）・住所	○	重複なし
（何を）	② **物件（宅地・建物）を特定するための事項** 当該宅地の所在，当該建物の所在・構造等	○	重複なし
（いくらで）	③ **代金・借賃の額，支払時期** 代金・交換差金・借賃の額，支払の時期・方法 ・代金の額，交換差金の額，借賃の額がズバリ記載される点で，重要事項説明書と異なる	○	重複なし
（引渡し時期）	④ **物件の引渡し時期** 取引物件である宅地・建物の引渡しの時期	○	重複なし
（登記時期）	⑤ **登記申請時期** 移転登記の申請の時期	×	重複なし
（当事者双方確認事項）	⑥ **当事者の双方が確認した事項** （物件が既存の建物であるとき）構造耐力上主要な部分等の状況について，当事者の双方が確認した事項 ・「建物状況調査の結果の概要」が重要事項として説明された上で契約締結に至った場合のその結果の概要を記載するのが原則。なお，それ以外の場合は確認された事項は「無」として記載する	×	重複なし

〈売買の場合の任意的記載事項〉 （契約に定められた場合には，必ず記載）	（ア） 貸借	（イ） 35条書面との重複
⑦ **手付金・敷金等の定め** 代金・交換差金・借賃以外の金銭（手付金・権利金・敷金等）の授受の定めがあるときは，その額，授受の時期と目的	○	◎
⑧ **契約解除の定め** 契約の解除に関する定めがあるときは，その内容	○	◎
⑨ **損害賠償額の予定等の定め** 損害賠償額の予定または違約金の定めがあるとき	○	◎
⑩ **ローン，ローン不成立のときの措置** 代金または交換差金についての金銭の貸借（ローン）のあっせんの定めがある場合，そのあっせんによる金銭の貸借が成立しないときの措置	×	◎

〈売買の場合の任意的記載事項〉 (契約に定められた場合には，必ず記載)	(ア) 貸借	(イ) 35条書面 との重複
⑪ **危険負担の定め** 天災その他不可抗力による損害の負担（危険負担）の定めがあるときは，その内容 ・例えば，「物件の引渡しまでは売主が，引渡し後は買主が危険を負担する」旨の定めがある場合など	○	重複 なし
⑫ **担保責任の定め** 担保責任（宅地・建物の種類または品質に関して契約の内容に適合しない場合におけるその不適合の責任＝「契約不適合責任」）についての定めがあるときは，その内容 ・宅地・建物の構成部分，設備，仕上げ等について，その範囲・期間等の具体的内容を記載する ・例えば，「売主の担保責任の期間は，物件の引渡し後２年間とする」旨の定めがある場合など	×	
⑬ **担保責任の履行に関する定め** 担保責任（契約不適合責任）の履行に関し，保証保険契約の締結その他の措置についての定めがあるときは，その内容 ・例えば，保証保険契約を締結する場合の保険機関の名称・商号，保険期間，保険金額，契約内容に適合しないという場合（契約不適合）の範囲，など	×	◎
⑭ **公租公課の負担に関する定め** 取引物件である宅地・建物に係る租税その他公課の負担についての定めがあるときは，その内容 ・例えば，固定資産税額の負担について，契約後は相当額を買主が負担する旨の定めがある場合など	×	重複 なし

メモ

・試験対策としては，貸借の場合に記載不要なもの（上表の**(ア)**）と，重要事項の説明事項（35条）と重複するもの（**(イ)**）が重要。

・⑤⑥⑩⑫⑬⑭は，貸借の場合には記載は不要（表の×）。実際的な必要性がないからである。

・⑦～⑩と⑬は，重要事項説明書の記載事項と重複している（表の◎）。

〈記載事項についての考え方〉

・当事者が合意すべきもの（必要的記載事項）→合意の上，必ず記載

・特別に当事者が合意したもの（任意的記載事項）→「合意内容」を必ず記載

（3）宅地建物取引士の記名

宅建業者は，本条による書面（**37条書面**）を作成したときは，宅地建物取引士に記名させなければなりません。

メモ
重要事項を説明する宅建士と，37条書面に記名する宅建士は，必ずしも同じでなくてよい。また，37条書面を作成するのは，宅建士である必要はない。

（4）違反した場合

宅建業者は，本条の交付義務に違反すると，**50万円以下の罰金**に処せられます。

まとめ

暗記 〈「書面の記載事項」一覧〉

重要事項説明書（35条書面）		契約書面（37条書面）
〈取引物件に関する事項〉 ・登記された権利，登記名義人 ・法令上の制限 ・私道負担 ・生活関連施設(電気・ガス・上下水道）の整備状況 ・未完成物件→完成時の形状等 ・建物状況調査の結果の概要等 **〈取引条件に関する事項〉** ・代金・借賃以外の金銭(手付金・敷金等) ・契約の解除に関する事項 ・損害賠償額の予定・違約金 ・手付金等の保全措置 ・預り金等の保全 ・ローン不成立の場合の措置 ・担保責任の履行に関する措置 **〈区分所有建物の追加事項〉** ・敷地利用権の種類と内容 ・共用部分に関する規約 ・専有部分の利用の制限に関する規約 ・専用使用権に関する規約 ・費用等減免規約 ・修繕積立金規約・積立額 ・通常の管理費用の額	・管理の委託先 ・修繕の実施状況の記録 **〈その他の説明事項〉** ・造成宅地防災区域内か ・土砂災害警戒区域内か ・津波災害警戒区域内か ・水害ハザードマップにおける所在地 ・石綿使用の有無の調査記録 ・耐震診断の記録 ・住宅性能評価を受けた住宅か ・台所・浴室・便所等の設備 ・契約期間，契約の更新に関する事項 ・定期借地権，定期建物賃貸借等か ・利用の制限に関する事項 ・敷金等金銭の精算に関する事項 ・管理の委託先 ・建物の取壊しに関する事項 **〈割賦販売の場合〉** ・現金販売価格 ・割賦販売価格 ・引渡しまでに支払う金銭の額等	**〈必要的記載事項〉** ・当事者の氏名・住所 ・物件を特定するための事項 ・代金・借賃の額，支払時期等 ・引渡しの時期 ・移転登記申請の時期 ・当事者双方が確認した事項 **〈任意的記載事項〉** ・代金・借賃以外の金銭(手付金・敷金等）の授受の定め ・契約の解除の定め ・損害賠償額の予定等の定め ・ローン不成立の場合の措置 ・危険負担の定め ・担保責任の定め ・担保責任の履行に関する定め ・公租公課の負担の定め

2 自ら売主規制（8種制限）

データ 【直近12年間の出題実績＆攻略法】

項目	H25	H26	H27	H28	H29	H30	R1	R2	R3	R4	R5	R6	重要度
クーリング・オフ	●	●	●	●	●	●	●	●	●	●	●	●	S
手付の額の制限等	●		●	●	●	●	●	●	●	●			S
担保責任の制限	●	●	●		●	●	●	●		●			A
手付金等の保全	●	●	●	●		●	●	●	●		●	●	S
「自ら売主規制」総合問題	●	●	●	●	●	●	●	●	●	●			S

「自ら売主規制」の８つの制限の内容は，ほぼ毎年必ず出題されると考えてよい。総合問題の一部としてのものを含め，全体では４問程度の出題となる。もちろん全問・全肢の正解が目標。解くにあたっては，これらの制限は，「宅建業者が売主・一般消費者が買主」である宅地・建物の取引について「のみ」適用され，宅建業者間の取引には適用されない規定であることに注意しよう。

ウォームアップ

この規制は，「**業者が自ら売主**」，かつ，「**一般人が買主**」となる場合に**限定**して適用がある規制です。この形態が，最も一般消費者（買主）の利益が害されやすいからです。

したがって，買主も宅建業者であるとき（＝**業者間取引**）や，宅建業者が代理・媒介する場合，非業者間（一般消費者同士）の売買には，適用されません。

「**自ら売主規制**」（８種制限）は，業者自ら売主で，**一般人（業者以外の者）が買主**のときのみ，適用されます。**業者間取引**に，**適用はありません。**

制限の種類としては，次の８種類に分類できます。

基本 〈８種制限〉

① 自己の所有に属しない宅地･建物の契約締結の制限（他人物売買の禁止他）
② 事務所等以外の場所においてした買受けの申込みの撤回等（クーリング・オフ）
③ 損害賠償額の予定等の制限
④ 手付の額の制限等
⑤ 担保責任についての特約の制限
⑥ 手付金等の保全
⑦ 割賦販売契約の解除等の制限
⑧ 所有権留保等の禁止

以下，それぞれの制限を見ていきましょう。

1 自己の所有に属しない宅地・建物の契約締結の制限（33条の２）

宅建業者は，**自己の所有に属しない宅地・建物**について，**自ら売主**として，売買契約・売買予約を**してはなりません。**自己が取得できるかどうか不確実な物件を消費者に売却すると，消費者が当該物件を取得できず，損害を被る危険性があるからです。

その内容は，次の（１）（２）の２つに分けることができます。

（１）他人の所有に属する宅地・建物の売買の禁止（他人物売買の禁止）

① 原則――他人物売買の禁止

宅建業者は，他人の所有に属する宅地・建物について，自ら売主として，売買契約・売買予約をしてはなりません。

メモ

民法上の原則では，他人の所有物も売買でき，その契約は適法，かつ，有効である。ただし売主は，その他人の権利を取得し買主に移転する義務（権利移転の義務）を負い，それができない場合には，債務不履行の責任（追完，代金減額，損害賠償，解除）を追及される。この点，宅建業法では，宅建業者は，自ら売主として他人の所有物の売買をそもそも原則として禁止したのである。

②　例外——他人物でも売買できる場合

売主である宅建業者が，その他人物を確実に取得できる次のような場合は，他人物でも売買（転売）することができます（転売にかかる契約は適法，有効）。

〈他人物の売買ができる場合〉

ⅰ）その宅地・建物を「取得する契約」を締結しているとき（予約でも可）

① 「取得する契約または予約」が締結されていれば，買主である宅建業者はその物件を確実に取得でき，一般消費者に転売してもその一般消費者が損害を被ることがない。「取得する契約または予約」に関して，代金支払や引渡し，所有権の移転登記までされていなくてもよい

② ただし，その契約・予約が「効力の発生が条件にかかるもの」（停止条件付きの契約・予約）である場合には，原則どおり，転売できない。停止条件付きの契約は，条件が成就するまで効力が生じないので（無効），買主である宅建業者は無権利物を転売することになり，それを買い受けた一般消費者に損害が生ずるおそれがあるからである

③ 農地法５条の許可を条件とする売買契約も，「効力の発生が条件にかかるもの」（停止条件付き）に該当する。そのため，許可が出るか否かは「不確定」と考える

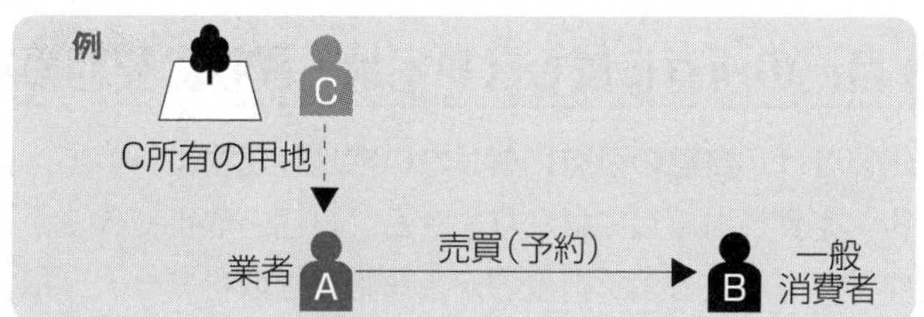

この例で，
・CA 間で，甲地を A が取得する契約（予約）があれば，A は B に売却（転売）できる。ただし，AC 間の契約（予約）に停止条件が付いていたら「不可」
・なお，AB 間の契約に停止条件が付いていても，差し支えない

ⅱ）ⅰ）のほか，業者が当該宅地・建物を取得できることが明らかな場合，または，業者が当該宅地・建物の所有権の移転を実質的に支配していることが明らかな場合（上記の 例 で，C 所有の甲地について，AC 間で，所有権を直接 B に移転させる契約が成立している場合，など）

（2）未完成物件の売買の禁止

宅地造成，または建物が**未完成**である物件を，宅建業者自ら売主となって売買することは，**原則として禁止**されています。ただし，必要な「手付金等の保全措置」が講じられている場合であれば，当該物件を売買することができます。

未完成物件には完成しないリスクがあるからですが，売買にあたって支払った手付金等が保全されていれば買主には一定の保護があるからです。

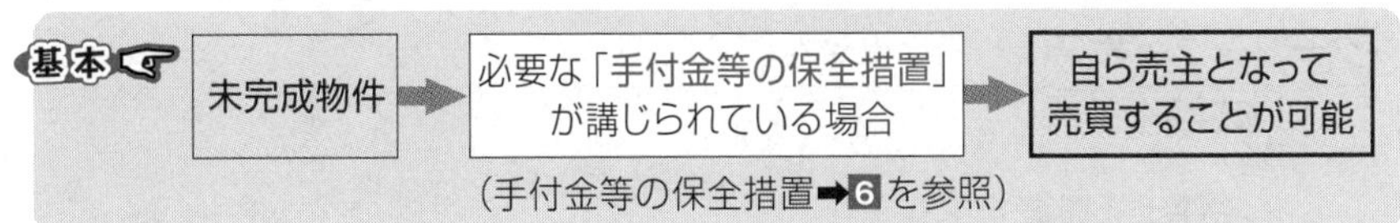
基本
未完成物件
必要な「手付金等の保全措置」
が講じられている場合
自ら売主となって
売買することが可能

（手付金等の保全措置➡6を参照）

2 事務所等以外の場所においてした買受けの申込みの撤回等（37条の2）

申込みの撤回等とは，いわゆる「**クーリング・オフ**」のことです。すなわち，宅地・建物の買受けの申込み後または売買契約の成立後でも，**一定期間内**であれば，**無条件**に，**申込みの撤回**または**契約の解除**ができます（白紙撤回・無条件解除）。

（1）クーリング・オフができる場合（「事務所等」以外でした買受けの申込み等）

宅建業者が，自ら売主となる宅地・建物の売買契約につき，当該業者の「**事務所等**」**以外の場所**において，買受けの申込みまたは売買契約を締結した**買主**は，**書面**によって，行った買受けの申込みの**撤回**，または売買契約の**解除**を行うことができます。これが，いわゆる「**クーリング・オフ**」の制度です。

暗記

〈買受けの申込みと売買契約締結の場所が異なる場合〉

買受けの申込みの場所	売買契約締結の場所	クーリング・オフの可否
事務所等	事務所等	不可
事務所等	事務所等**以外**	
事務所等**以外**	事務所等	**可**
事務所等**以外**	事務所等**以外**	

メモ

事務所等において買受けの申込みをし，事務所等以外の場所で売買契約をしてもクーリング・オフの適用は受けられない。一方，事務所等以外の場所で買受けの申込みをし，事務所等で売買契約をした場合は，クーリング・オフの適用を受けられる。
つまり，**買受けの申込みをした場所を基準に判断すればよい**ことがわかる。

（2）「事務所等」とは――クーリング・オフができない場合

次の①～③の場所（「事務所等」）で買受けの申込み等をした場合には，そもそも**クーリング・オフ**は，できません。

① 事務所

② ・宅建士を設置すべき・土地に定着した
- **ア）継続的に業務を行う場所**
- **イ）一団の分譲を行う案内所**
- **ウ）事務所で説明した後での展示会場**

③ 買主の申出による場合の，買主の自宅・勤務先

「事務所等」とは，詳しくは次の場所をいいます。

① 売主・代理・媒介業者の事務所

② 次のア）～ウ）で，専任の宅建士を置くべき，買受けの申込み・契約を行う場所

ア）業者の事務所以外で，継続的に業務を行うことができる施設を有する場所

イ）一団の分譲を行う場合の案内所。ただし，土地に定着する建物内に設けられるものに限る

・テント張り，仮設小屋等の一時的かつ移動容易な施設は，土地に定着していないので，「案内所」にあたらない

・マンション分譲の場合のモデルルームや戸建分譲の場合のモデルハウス等は，「案内所」にあたる

ウ）専任の宅建士を置くべき場所（土地に定着する建物内のものに限る）で宅地・建物の売買契約に関する説明を行った後，当該宅地・建物の展示会その他これに類する催しを，土地に定着する建物内において実施する場合においては，これらの催しを実施する場所（不動産フェアなど）

③ 業者の相手方（購入者）が，その自宅または勤務する場所で宅地・建物の売買契約に関する説明を受ける旨を申し出た場合における，その購入者の「自宅」または「勤務する場所」

メモ

・**一団**：宅地→10区画以上のこと。建物→10戸以上のこと

・①②ともに，業者自ら売主の場合のほか，代理・媒介の依頼を受けた業者が設置する場合を含む。

・②の**ア）～ウ）**の場所は，それぞれ，宅建士の設置義務（前述第1章**31**（**4**）参照）・標識の提示義務（後述**39**（**1**）参照）があり，また，業務場所の届出義務（50条2項の届出。後述**39**（**2**）参照）があるが，クーリング・オフの規定は，実際に専任の宅建士がいない場合・標識を掲げていない場合・業務場所の届出がなされていない場合でも適用される（クーリング・オフ不可）。

（３）「事務所等」以外の場所で行われた申込み等でも，クーリング・オフができない場合

次の①②の場合は，クーリング・オフができるのにもかかわらず，一定の事由が生じた結果，それが不可となる場合です。

①「８日の経過」＝**書面で告知後，８日が経過した場合** ・申込みの撤回等を行うことができる旨，及びその方法について告げられた日から起算して，８日を経過したとき ・告知には，書面の交付を要する ・８日は「告げられた日」を含んでカウントする ・なお，宅建業者の側にクーリング・オフについての告知義務はない
②「履行の完了」＝**買受けの申込者または買主が，宅地または建物の（i）引渡しを受け，かつ，（ii）代金の全部の支払をした場合**

なお，告知は，**書面で行う必要**があるため，売主たる業者が，そもそも「クーリング・オフの告知書」を交付しなければ，**②の履行の完了**に該当しない限り，いつでも申込みの撤回等ができることになります。

メモ

告知書面には，売主業者名・住所・免許証番号の他，クーリング・オフに伴い宅建業者は損害賠償や違約金の請求はできないことが記載される。

まとめ

〈クーリング・オフの可否〉

「事務所等」で行われた申込み・契約	クーリング・オフ不可
「事務所等」以外で行われた申込み・契約	原則：クーリング・オフ可 例外：クーリング・オフ不可 ① 書面にて告知後，８日が経過 ② 引渡し，かつ，代金全部の支払が完了

（４）権利行使の方法と効力の発生時期

クーリング・オフは，書面で行われなければなりません。その効力は，その書面を発した時に生じます（発信主義）。

メモ

発信さえすれば，相手に到達しなくても，撤回・解除となる。

（5）金銭の返還等

クーリング・オフは，白紙撤回・無条件解除なので，クーリング・オフが行われたとき，宅建業者は，受領した手付金その他の金銭を，**速やかに返還**しなければなりません。

なお，業者に損害が発生しても，賠償請求はできません。違約金の請求も不可となります。

（6）特約の効力

前記（1）～（5）に反する特約で，**買主等に不利**なものは**無効**です。

3 損害賠償額の予定等の制限 (38条)

（1）内容

宅建業者自ら売主の場合の，債務不履行による解除に伴う**損害賠償額の予定**の**上限額**を定めた制限です。

損害賠償額が予定されると，損害賠償請求にあたって，**実損額にかかわらず**その予定額が授受されることになりますが，業者が自ら売主となる売買契約においては，多額の損害賠償額が予定されがちで，一般消費者の利益を害するおそれがあるからです。

その内容は，次のとおりです。

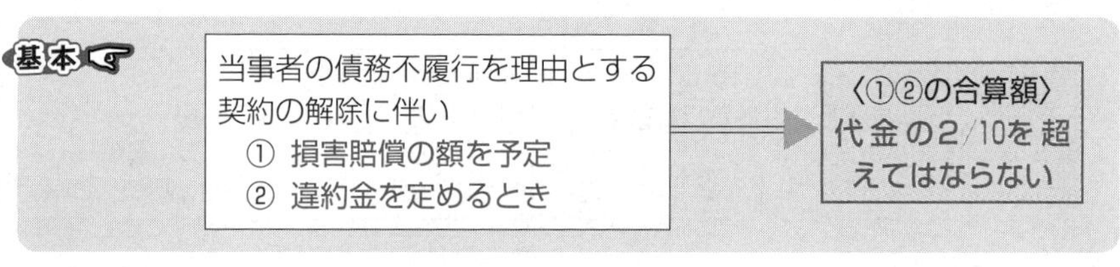
基本
当事者の債務不履行を理由とする
契約の解除に伴い
① 損害賠償の額を予定
② 違約金を定めるとき
〈①②の合算額〉
代金の2/10を超
えてはならない

メモ

・つまり，上記①②の合算額は，代金の「2/10以下」でなければならない。

・消費税額は，**代金額の一部に含まれる**として取り扱う。

（2）特約の効力

（1）に反する特約は，代金の額の**2/10を超える部分**について，**無効**となります。

メモ
当事者間に損害賠償額の予定がないときは，**民法の原則**に戻って，各当事者は，その受けた損害額を立証し，全額を請求できる（「代金額の2/10以下」に制限されない）。

4 手付の額の制限等（39条）

売買契約の締結後に，一般消費者（買主）が契約を解除する場合は，交付した手付を放棄する（**手付による契約の解除**）という方法があり得ます。しかし，そもそも交付した手付が多額すぎると，実質的に解除できない場合も起こり得ます。

そのような事態を防ぐため，宅建業者が売主の場合の手付の額等について，次のような制限をしました。

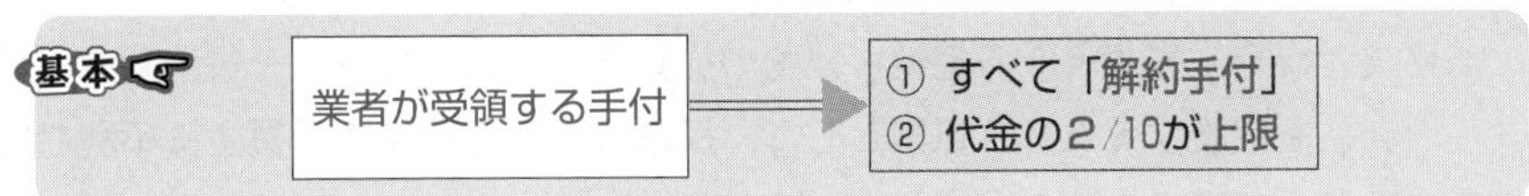

基本
業者が受領する手付
① すべて「解約手付」
② 代金の2/10が上限

（1）手付の性質の制限

宅建業者が受領する手付は，**すべて解約手付**としての性質を有するとされます。

したがって，宅建業者が自ら売主となる宅地・建物の売買契約の締結に際して，受領した手付がいかなる性質のものであっても，また，交付された手付の名目・額にかかわらず，買主は，その**手付を放棄**して，売主たる宅建業者はその**倍額を現実に提供**して，**契約を解除**することができます。

ただし，共にその相手方が**履行に着手した後**は，この解除は**できません**。

メモ
自らが履行に着手しても，相手方が履行に着手するまでは，手付による解除が可能。

なお，これらに反する特約で，買主に不利なものは，無効です。

（2）手付の額の制限

宅建業者が自ら売主となる宅地・建物の売買契約の締結に際して，代金額の2/10を超える手付を受領することはできません。

メモ

業者が代金の2/10を超える額の手付金を受領した場合で，買主である一般消費者が解約手付による契約解除をするときには，代金の２／10にあたる額だけを放棄すればよく，これを超える部分は，**返還請求**をすることができる。

5 担保責任についての特約の制限（40条）

（1）内容

一般に，売買契約の目的物が，種類または品質に関して契約の内容に適合しない場合には，売主は買主に対して一定の責任（契約不適合責任）を負いますが，**特約**によって，「売主がその責任を負わない」とすることもできます。

宅建業者が自ら売主となる宅地・建物の売買契約においては，一般消費者（買主）の利益を保護するため，原則として，**民法の定める規定より買主に不利な特約をすることができない**としました。

ただし，売主たる宅建業者の責任を追及できる権利を保全するための契約不適合である旨の通知期間については，次のように，例外規定を設けています。

（2）民法の規定と宅建業法の原則の関係

① **民法の規定**（民法562条～）

民法の契約不適合責任の規定は，次のとおりです。

理解

〈目的物が種類または品質に関して契約の内容に適合しない場合〉

契約不適合の責任の追及（民法の原則）	買主が請求できる権利	ⅰ）追完請求権（修補請求など） ⅱ）代金減額請求権 ⅲ）損害賠償請求権 ⅳ）契約の解除
	通知期間の制限	買主が契約不適合を知った時から１年以内に，その旨（履行内容が契約不適合である旨）を売主に通知しないと，権利を行使できない

メモ

売主が，引渡しの時に，その不適合を知りまたは重大な過失によって知らなかったときは，通知期間の制限はない。

② 特約の効力

民法の原則	特約自由（原則，有効）
宅建業法の原則	民法の定める規定より買主に不利な特約は，無効

宅建業者が当事者となる契約においても，原則として，特約をすることができます。

ただし，宅建業者が**自ら売主**となる宅地・建物の売買契約で，目的物が種類または品質に関して契約の内容に適合しない場合は，「民法の原則」より**買主に不利な特約をすることができない**としました。

つまり，**買主に不利な特約**は**無効**となり，**民法の原則が適用**されます。

メモ

「売主に過失がある場合にのみ代金減額請求ができる」「修補はするが解除はできない」「損害賠償責任のみ認める」などの特約は，民法の規定よりも**買主に不利**であり，無効となる。

（3）買主に不利な特約が有効となる場合（例外）

宅建業者が自ら売主となる宅地・建物の売買契約において，目的物が種類または品質に関して契約の内容に適合しない場合の**通知期間**について，「**目的物の引渡しの日から２年以上**」とする**特約**は，（**民法の規定より買主に不利**な内容となる場合がありますが）**することができます**（**特約は有効**）。

理解

〈特約の制限〉

民法	・買主が契約不適合を知った時から１年以内にその旨を**売主に通知**しないと，権利を行使できない ・買主が売主に通知したことにより，買主の権利は保全され，以後行使できることになる ・その後，行使しないと，権利は時効で消滅する
宅建業法	・民法の規定より買主に不利な特約は，無効→民法の原則に戻る ・「通知は引渡しから2**年以内に行うこと**」とする特約は，有効

この数字が，「**2**」以上なら有効，「**2**」未満なら無効

つまり，宅建業法上，「引渡しの日から２年」経過する日より**前**に**通知期間が終了**してしまう特約は**無効**，ということになります。

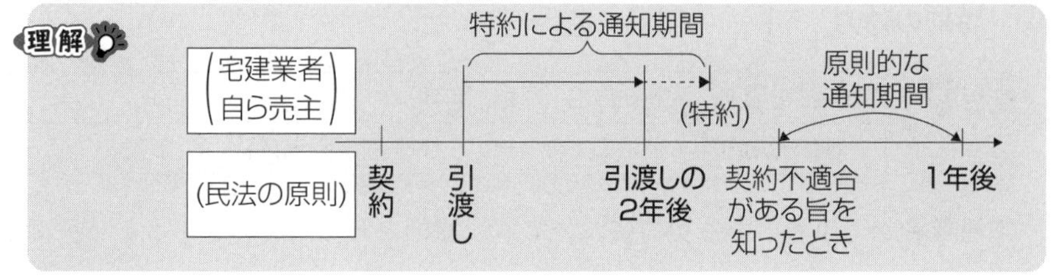

メモ

例えば，「目的物の引渡しの日から１年間責任を負う」という特約は，無効。この場合は，民法の原則どおり，買主は，「契約不適合を知った時から１年以内にその旨を売主に通知しないと権利を行使できない」ことになる。

6 手付金等の保全措置（41条，41条の２）

（1）原則

宅建業者は，宅地・建物の売買で自ら売主となるものに関しては，一定の**保全措置**を講じた後でなければ，買主から**手付金等を受領**することができません。

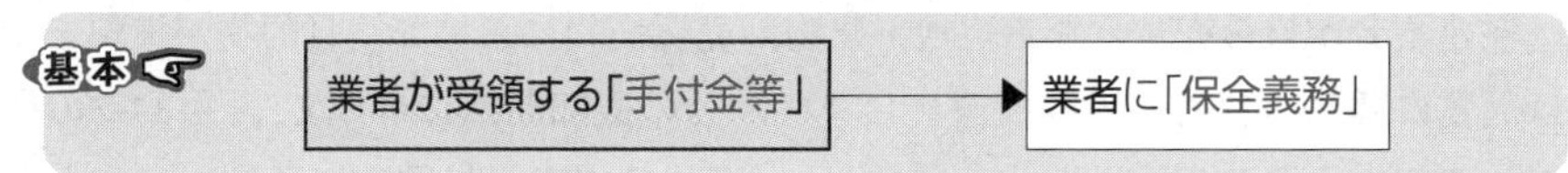

宅建業者に万が一の事故があったときでも，買主が，少なくとも支払った手付金等の額については損害を被らないようにするための仕組みです。

プラスα

・「**手付金等」とは**：「代金の全部または一部として授受され代金に充当される金銭で，契約締結日以後，物件の引渡しまでに支払われるもの」をいう。

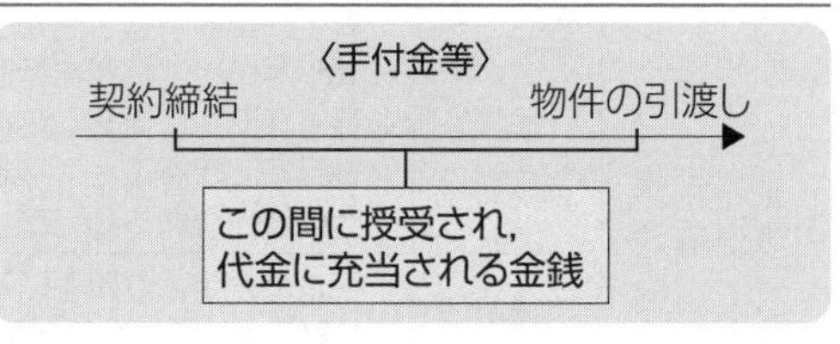

・具体的には，手付金，頭金，中間金など。したがって，契約前，あるいは引渡し後に授受される金銭は，「手付金等」ではない（→保全措置は不要）。

・**申込証拠金の取扱い**：申込証拠金は，契約締結前に授受されるので，原則として「手付金等」に該当しないが，契約後代金に充当される場合，その段階で手付金等として扱われる（→保全措置が必要）。

・「保全措置は不要」との買主の承諾があっても，「**保全措置**」は行う必要あり。

（2）例外――「保全措置」が不要な場合

次の①～③に該当する場合は，「保全措置」を講じることなく，手付金等を受領することができます。

理解

① **買主が所有権の登記を受けたとき**
買主への所有権の移転登記をしたとき，または，買主が所有権の保存登記をしたとき

② **買主が引渡しを受けたとき**

③ **受領額の合計が，いまだ少額のとき**
業者が受領しようとする手付金等の額（すでに受領した手付金等があるときは，その額を加えた額）が
ア）未完成物件の場合
→「代金額の５/100（５%）以下であり，かつ，1,000万円以下」のとき
イ）完成物件の場合
→「代金額の１/10（10%）以下であり，かつ，1,000万円以下」のとき

イ．完成物件の場合	1,000万円以下	1,000万円超
代金の１/10以下	保全不要	保全必要
〃　１/10超	保全必要	

・ア）イ）の額を超える場合は，その業者が供託する営業保証金等の額にかかわらず，「保全措置」が必要
・消費税額は，代金額の一部に含まれるものとして取り扱う
・未完成物件として契約し，完成後にも手付金等を支払う場合：
例　代金１億円の物件の売買で，物件未完成の時に契約が成立し，手付金500万円，物件完成後，第１回中間金300万円，第２回中間金300万円をそれぞれ受領する場合，保全措置はどの段階で必要となるか
→未完成物件としての保全か，完成物件としての保全かは，売買契約時に工事が完了していたか否かにより判断する
→この場合は，未完成物件(ア)として，代金１億円の５／100（500万円）を超えた段階である第１回中間金受領時より，既受領額を含めた，全額の保全が必要

メモ
・①**登記**や②**引渡し**により「**保全措置が不要**」となるのは，買主が登記や引渡しによって対抗力を備え，または物件の占有により担保を得たことで，損害が発生しない，または損害を補填できるようになったからである。
・金銭の受領が①**登記**，または②**引渡し**と同時である場合，「保全措置」は不要。

(3) 保全措置の方法

保全措置は，次の３つの方法のうち，いずれか１つによります。

完成物件の場合	① 保証委託契約 ② 保証保険契約 ③ 指定保管機関による保管措置
未完成物件の場合	① 保証委託契約 ② 保証保険契約

いずれの場合も，それぞれの契約を証する**書面**（例えば，②保証保険契約による保全であれば保険証券などのこと）**を買主に交付**することで，保全措置が講じられたことになります。

メモ

・未完成物件の場合，「③　**保管措置**」の方法はとれない。
・買主への「書面の交付」は，買主の承諾を得て，一定の電磁的方法により代替することができる。

①　保証委託契約（「保証」）

保証委託契約は，宅建業者と銀行などの金融機関，または，指定保証機関との間の契約で，銀行などが宅建業者の連帯保証人となる，いわば「**保証**」する方法です（保証料が必要）。保証金額は手付金等の**全額**について，保証期間は**物件の引渡しまで**となります。

②　保証保険契約（「保険」）

保証保険契約は，宅建業者と保険事業者との間の保険契約で，万が一の場合，宅建業者が受領した手付金等相当額について保険金が支払われる，いわば「**保険**」の方法です（保険料が必要）。保険金額は手付金等の**全額**に相当する金額で，保険期間は**物件の引渡しまで**となります。

③　指定保管機関による保管措置（「保管」）

指定保管機関による保管措置は，物件が買主に引き渡されるまでの間，宅建業者が受領すべき手付金等を保証協会などの指定保管機関が預かる，いわば「**保管**」する方法です。金銭が実際に，宅建業者ではない別の機関（指定保管機関）に預けられます。その金額は手付金等の**全額**に相当する金額，保管期間は**物件の引渡しまで**となります。

・買主は，支払った「手付金等」についてこの「**保全措置**」により損害の補填を受けることができ，さらに，「取引により生じた損害」がある場合には，宅建業者が供託した営業保証金等からも弁済を受けることができることになる。

・なお，保全措置を講じたとしても，手付金の額が2割を超えると宅建業法違反となる点に注意。

（4）売主が手付金等の保全措置を講じないとき

宅建業者が，必要な手付金等の保全措置を講じないときは，買主は手付金等を支払わなくても，債務不履行などの責任を負うことはありません。

7 割賦販売契約の解除等の制限（42条）

賦払金の**支払義務が履行されない**場合，**民法上**は「相当期間の**催告**」（**口頭で可**）により契約の解除ができ，また，期限の利益の喪失約款があれば，契約の解除や残金の支払請求も即座に可能です。

約束された賦払金の支払が滞った場合，最終的には，契約解除や残金一括払の請求を受けることもやむを得ませんが，一回の賦払金の支払遅滞を理由に，民法上の原則を割賦期間が長期となる宅地・建物の売買に適用すると，買主の利益を不当に害することになります。

そこで，**宅建業者自ら売主**となり，**一般人**（宅建業者でない者）**が買主**となる宅地・建物の売買の場合に修正したのが，本制度です。

用語
・**割賦販売契約**：代金を，目的物の引渡し後1年以上の期間にわたり，2回以上に分割して受領することを条件に販売する契約のこと
・**賦払金**：割賦1回1回の支払金のこと
・**期限の利益の喪失約款**：賦払金の支払遅滞があった場合には，即座に未払額を全額支払わなければならない，などとする特約のこと

（1）内　容

宅建業者は，自ら売主となる宅地・建物の割賦販売の契約について，賦払金の支払義務が履行されない場合，**30日以上の相当の期間**を定めてその支払を**書面で催告**し，その期間内にその義務が履行されないときでなければ，賦払金の支払の遅滞を理由として，契約を**解除**し，または支払時期の到来していない**賦払金の支払を請求**することができません。

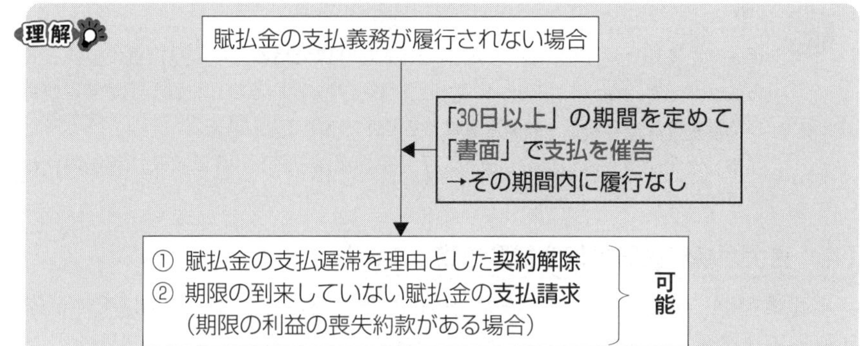

（2）特約の効力

（1）の規定に**反する特約**は，**無効**です。

8 所有権留保等の禁止（43条）

所有権留保とは，売買において，代金が完済されるまで**所有権を売主に留めておくという担保の方法**をいいます。

代金全額を支払うまで購入したものの所有権は売主に残り，代金を全額支払ってはじめて所有権が買主に移転する，という所有権留保は，**確実に弁済**を受けるための簡便な担保の方法で，分割払の売買では一般的ですが，支払が長期にわたる宅地・建物の売買の場合に行われると，例えば20年，30年先まで買主に所有権が移転せず，したがって，登記も移転できない，あるいは登記が売主業者のもとにあることにより，二重譲渡の危険があるなど，買主の利益が害されることになります。

そこで，宅建業者が自ら売主として宅地・建物の割賦販売を行った場合には，所有権留保を**原則として禁止**し，売買契約と同時に，登記の移転その他の売主の義務を履行しなければならないとしたのが，本制度です。

（1）原　則

宅建業者は，自ら売主として宅地・建物の割賦販売を行った場合には，当該**宅地・建物を買主に引き渡すまでに，「登記その他の引渡し以外の売主の義務」を履行**しなければならないとしました（「所有権留保」は不可，ということ）。

つまり，「物件の引渡しをするのであれば所有権の移転登記もすべき」であり，したがって，規制の内容としては，「登記名義留保の禁止」と同じ意味になります。

基本

原則	引渡しまでに登記名義を移転しなければならない （＝登記名義留保の禁止）

（2）例 外

ただし，次のように，**残代金が多額**の場合（①）や，**残代金について担保がない場合**（②）には，所有権留保を可能としました。

理解

① 支払を受けた金銭の額が，代金の「3/10を超えない」場合
（つまり，買主の支払額が，代金の3/10以下である場合）
② 買主が，宅地・建物について所有権の登記をした後の代金債務を担保するために，抵当権の登記を申請し，または保証人を立てる見込みがないとき

メモ

・**（1）**の「原則」どおりだと，売主業者は，代金をまったく受け取っていないのに引渡しと同時に登記の移転をしなければならないとされるので，**（2）**はこれとのバランスを取ったことになる。
・所有権留保の禁止の脱法行為として行われやすい譲渡担保（担保目的での所有権（登記名義）の移転＝いったん買主に所有権（登記名義）を移転した後に，あらためて担保目的で所有権（登記名義）を売主のもとに戻す担保の方法）も，業者が代金の3/10を超える額を受領した後は，禁止される（**譲渡担保の禁止**）。

3 報酬・その他の制限

データ 【直近12年間の出題実績＆攻略法】

項目	H25	H26	H27	H28	H29	H30	R1	R2	R3	R4	R5	R6	重要度
報　酬	●	●	●	●	●	●	●	●	●	●	●	●	S
その他の業務上の規制	●	●	●	●	●	●	●	●	●	●	●	●	S

報酬計算を苦手とする宅建試験受験者は少なくない。出題されると，解くのに時間がかかるケースが多く，また，「３％＋６万円の法則」で，すべてのケースが解けるわけでもない。そのため，敬遠したくなる気持ちもよくわかる。ただし，“計算ルール”さえ，きちんと覚えて応用できれば，確実に得点できるテーマである。

「その他の業務上の規制」は，覚える種類は多いが内容は難しくない。違反した場合の罰則が具体的に出題されることもあるので，確実に押さえておこう。宅建業法全体で共通していえることだが，目標は「全問正解」である。

1 報酬額の制限 (46条)

(1) 報酬計算のルール

宅建業者が受けることができる報酬額の最高限度は，**国土交通省告示**に定められています。そのルールの基本は，次の①～④です。まず，この４つを理解しましょう。

基本

① 売買・交換の媒介の場合の報酬額（告示第２）
② 売買・交換の代理の場合の報酬額（告示第３）
③ 貸借の媒介の場合の報酬額　　　（告示第４）
④ 貸借の代理の場合の報酬額　　　（告示第５）

なお，報酬計算に関する**告示**は，宅建業者が消費税の**課税事業者**であることが前提となっています。**免税事業者**については，**後述（2）**を参照してください。

① 売買・交換の媒介の場合の報酬額

消費税の課税事業者である宅建業者が，「**依頼者の一方**」から受けることができる報酬の限度額（**消費税等相当額**（以下「消費税」）を含む）は，物件の価額を次のように区分して，それぞれの率を乗じて得た額の**合計額**です。

物件の価額（取引額＝税抜価額）	率
ⅰ）200万円以下の部分	5.5%（5.5／100）
ⅱ）200万円を超え400万円以下の部分	4.4%（4.4／100）
ⅲ）400万円を超える部分	3.3%（3.3／100）

メモ

・例えば，税抜価額が1,000万円の建物の売買の場合，200万円以下の部分（200万円）については5.5%（11万円），200万円を超え400万円までの部分（200万円分）については4.4%（8.8万円），400万円を超える部分（600万円分）については3.3%（19.8万円）の合計額（39.6万円）が，依頼者の一方から受領できる報酬の上限額となる。

・交換に係る宅地・建物の価額に差があるときは，**高いほう**の価額を基準とする。

ただし，次のような速算法により計算し，かつ，消費税については最後の段階で加算して求めるのが，簡便でわかりやすい方法です。

以下，基本的に，この方法により計算します。まず，次の表を覚えましょう。

取引額が	**200万円以下の場合**	「取引額」×５％	「X」
	200万円～400万円の場合	「取引額」×４％＋２万円	
	400万円超の場合	「取引額」×３％＋６万円	

この式によって求める値を「X」とします。

売買・交換の媒介の場合，媒介業者は，媒介の依頼者に対し，それぞれ「X」**×1.1**（**消費税込み**。以下同じ）を**限度**として，報酬を請求できることになります。

メモ

・「取引額」は，消費税抜きの価額として計算すること。

・物件の取引額（税抜価額）を1,000万円とすると，（X＝1,000万円×３％＋６万円）×1.1＝39.6万円が，依頼者の一方から受領できる報酬の上限額となり，上の例と同額となる。

プラスα

右の図の場合，媒介業者Ｃは，媒介の依頼者Ａに「**X**」×1.1を，また，Ｂからも媒介の依頼があれば，Ｂに対しても「**X**」×1.1を，それぞれ**上限**として，報酬請求することができる。
つまり，媒介業者Ｃが，売主・買主の双方から依頼を受ければ，それぞれに「**X**」ずつ，合計「**2X**」×1.1を請求できる。

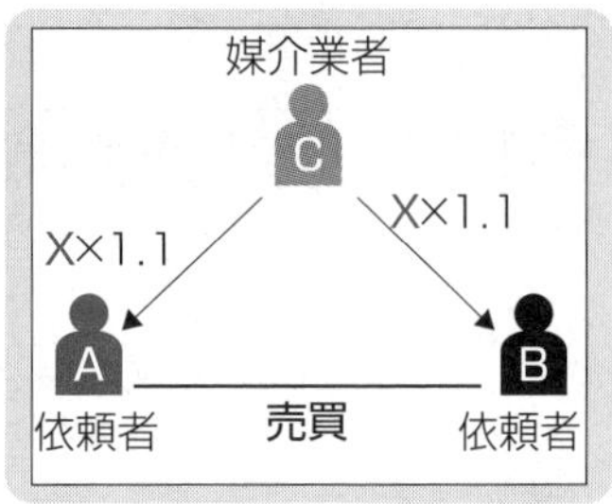

② 売買・交換の代理の場合の報酬額

代理の「依頼者」から受けることのできる報酬額は，①により算出した金額の2倍（**2X×1.1**）以内です。

ただし「相手方」からも報酬を受けるときは，依頼者と相手方の双方から受ける報酬額の総額が，①により算出した額の2倍（**2X×1.1**）以内でなければなりません。

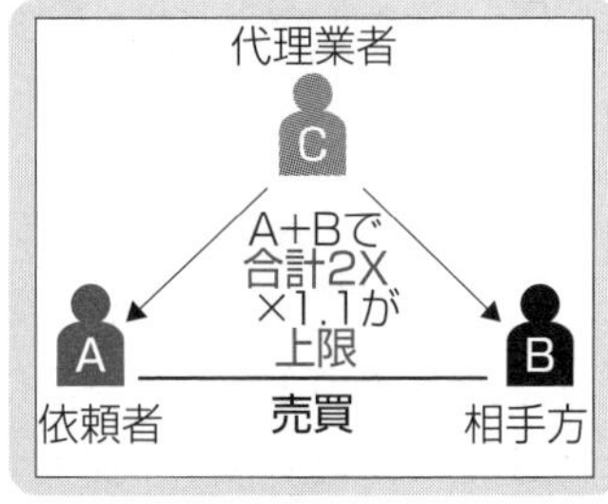

メモ

原則は依頼者から「2X」が限度だが，相手方からも報酬を受けられる。ただし，合計して「2X」（＋消費税）が限度，ということだ。

③ 貸借の媒介の場合の報酬額

貸借の媒介の場合，「**依頼者の双方**」から受けることができる報酬額の総額は，「**借賃の1カ月分の1.1倍**」に相当する金額以内とされます（原則）。

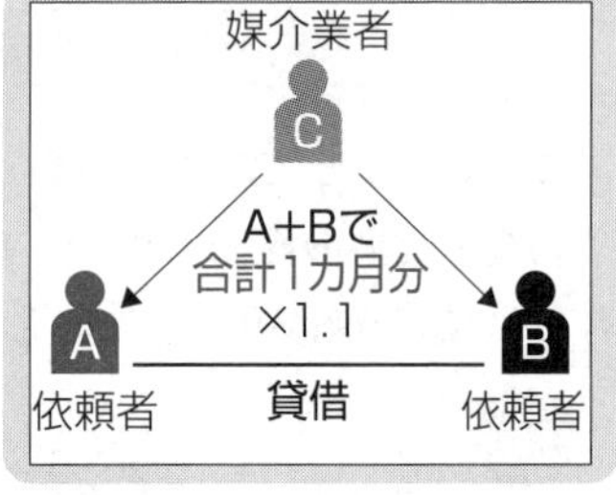

メモ

報酬計算における「1カ月分」の借賃の額には，消費税を含まない。

ただし，**居住用建物の貸借の媒介**の場合（次ページの上図），「**依頼者の一方**」から受けることができる報酬額が，「**借賃の1カ月分の0.55倍**」に相当する金額以内となります。

メモ

「借賃の1カ月分の0.55倍」とは，「**半月分の借賃＋消費税**」と同じ意味。

なお，媒介の依頼を受けるときに，あらかじめその依頼者の承諾を得ている場合は，借賃の１カ月分の0.55倍を超えても，双方から受領する報酬額の**総額**が，原則どおり「**借賃の１カ月分の1.1倍以内**」なら，**許容**されます。

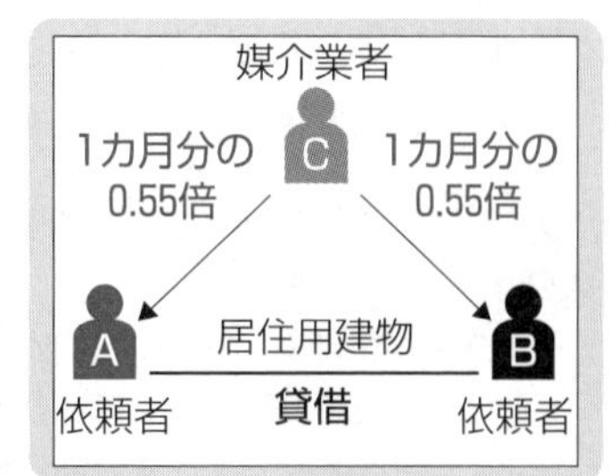

④　**貸借の代理の場合の報酬額**

貸借の代理の場合，代理の「依頼者」から受けることができる報酬額は，「**借賃の１カ月分の1.1倍**」に相当する金額以内とされます。

ただし，「相手方」からも報酬を受けるときは，依頼者と相手方の双方から受ける報酬額の総額が，「**借賃の１カ月分の1.1倍**」に相当する金額以内でなければなりません。

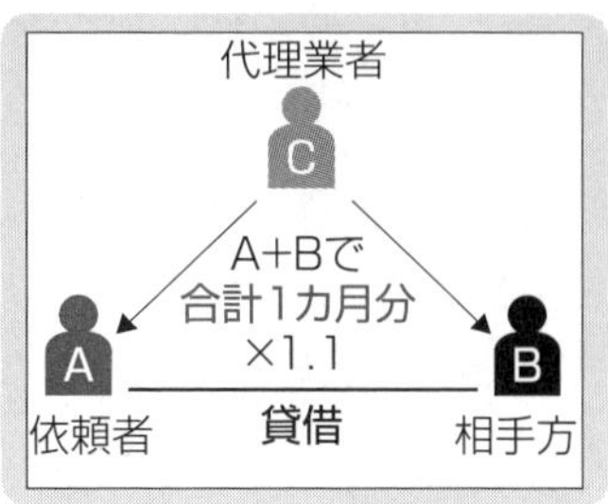

まとめ

理解　〈業者Ｃ（課税事業者）が請求できる限度額〉

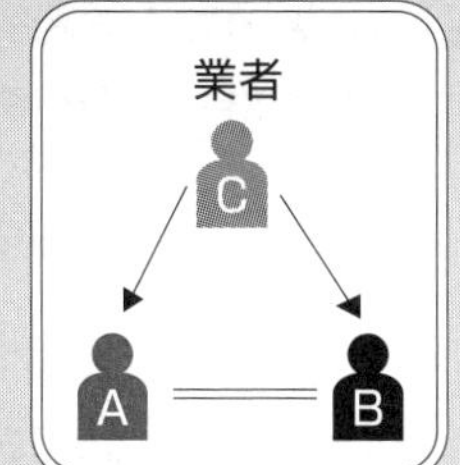

売買・交換	① 媒介	A≦X×1.1，B≦X×1.1	
	② 代理	A+B≦2X×1.1	
貸借	③ 媒介 ④ 代理	原則	A+B≦1カ月×1.1
		例外	居住用建物の媒介： A≦1カ月×0.55 B≦1カ月×0.55

メモ

使用貸借の場合は，その宅地・建物が賃貸された場合の通常の借賃を基準に報酬計算をすることができる。

貸借（③④）について**権利金の授受**がある場合は，次のように計算します。

⑤　**権利金の授受がある場合の特例**（告示第６）

宅地・建物（**居住用建物**を**除く**）の賃貸借に際し，権利金の授受があるときは，前記③または④の借賃を基準とする報酬額によらずに，**特例**として，その権利金の額を「**売買代金の額**」とみなして，前記①または②の計算法により算出した額を上限として，報酬を受けることができます。

媒介であれば③の代わりに①の方法を，代理であれば④の代わりに②の方法を採ることができる，という意味です。

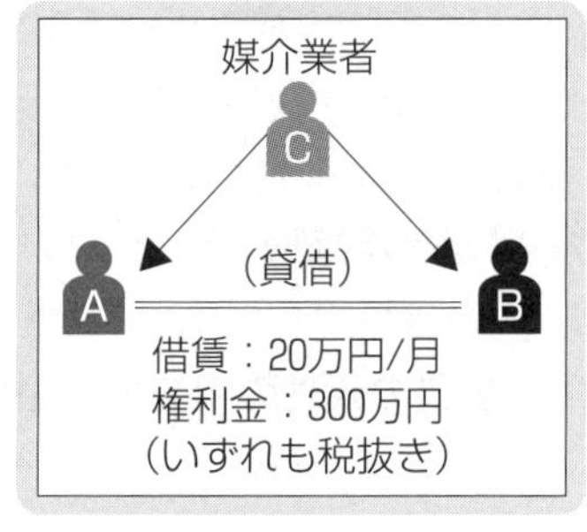

用語 **権利金**：名目のいかんを問わず，権利の設定の対価として支払われる金銭で返還されないものをいう。消費税が含まれている場合は，消費税の額を抜いて計算の基礎とする

例えば，賃貸人Ａと賃借人Ｂの双方から，店舗の賃貸借の媒介の依頼を受けた業者Ｃが，AB 間に，１カ月の借賃が20万円（税抜き），権利金の額が300万円（税抜き）で契約を成立させた場合，権利金の特例（媒介なので③でなく①の計算方法）によると，AB 双方から各14万円（**X**＝300×４％＋２＝14。双方から受領するので合計28万円（＋消費税））を上限に，報酬を受領できることになります。

⑥　低廉な空家等の売買・交換の媒介の場合の特例（告示第７）

低廉な空家等（消費税抜き**価額が800万円以下**の宅地・建物（以下「**空家等**」））の売買・交換の媒介で，宅建業者が**「依頼者」から**受けることのできる報酬の額は，当該媒介に要する費用を勘案して，①の計算方法により算出した金額を超えて受領することができます。ただし，上限は30万円＋消費税となります。

メモ

上限の30万円とは，800万円×３％＋６万円。つまり，空家等の価格を「800万円」とみなして報酬計算した額ということ。

⑦　低廉な空家等の売買・交換の代理における特例（告示第８）

低廉な空家等の売買・交換の代理で，宅建業者が**「依頼者」から**受けることのできる報酬の額は，⑥の規定により算出した金額の２倍以内となります。

メモ

⑥⑦は，「低廉な空家等」に関しての特例であり，消費税抜き価額が800万円を超える物件の売買の媒介については，通常の計算方法（媒介の場合は①，代理の場合は②）が基準となる。

⑧　長期の空家等の賃借の媒介・代理における特例（告示第９・第10）

長期の空家等（現に長期間使用されておらず，または将来にわたり使用の見込みがない宅地・建物）の賃借の媒介・代理については，貸主である依頼者から借賃の２カ月分（＋消費税）まで報酬を受領することができます（ただし，貸主・借主双方を合計して２カ月分以内）。

メモ

⑥⑦⑧の特例に基づき報酬を受ける場合には，媒介・代理契約の締結に際しあらかじめ，これらの特例に定める上限の範囲以内で，報酬額について依頼者に対して説明し，合意する必要がある。

⑨　①～⑧の規定によらない報酬の受領の禁止（告示第11）

宅建業者は，前記①～⑧の報酬の計算方法による以外の報酬を受けることができません。ただし，依頼者の依頼によって行う広告の料金に相当する額については，受け取ることができます。

メモ

・いわゆる「案内料・申込料」として別途受け取ることはできず，また，依頼者の依頼によらないで行う広告料金も受け取れない，ということ。依頼者が厚意的に支払う場合でも，公定額（前記①～⑧に規定される額）を超えれば，報酬規定違反となる。
・依頼者の特別の依頼により支出を要する特別の費用に相当する額の金銭で，その負担について事前に依頼者の承諾があるものを別途受領することは，禁止されない。

例　依頼者の特別の依頼により行う遠隔地における現地調査，空家の特別な調査等に要する実費の費用相当額等（実費を超える額は受領できない）。

（2）免税事業者が受領できる報酬額

消費税の「**免税事業者**」である宅建業者が受領できる報酬の額は，「みなし仕入れ」の額を加算した額となります。

すなわち，**（１）**①～⑧の方法によって計算した額（**公定額**。**消費税は加算しない**）に，「仕入れに係る消費税等相当額」（公定額×「４％」として計算した額）を合計した金額以内です。

なお，加算して受け取る金額は，報酬であって，消費税等として受け取るものではありません。

基本☞

免税事業者の報酬額	=	公定額（消費税は非加算）	＋	公定額×4%（仕入れに係る消費税等相当額）

例 例えば，居住用建物の貸借の媒介の場合，依頼者の一方から受領できる限度額は，「1カ月分の借賃の1／2×1.04」（借賃の半月分×みなし仕入れ）と計算する。

（3）定期建物賃貸借契約の再契約時の報酬

定期建物賃貸借の再契約に関して，宅建業者が受けることのできる報酬についても，**新規の契約**と同様に，前記**（1）（2）**の規定が適用されます。

（4）複数の業者が共同して媒介・代理をした場合

複数の業者が**共同して媒介・代理**をした場合であっても，単独で媒介・代理した場合と総報酬額の上限は変わりません。

基本☞

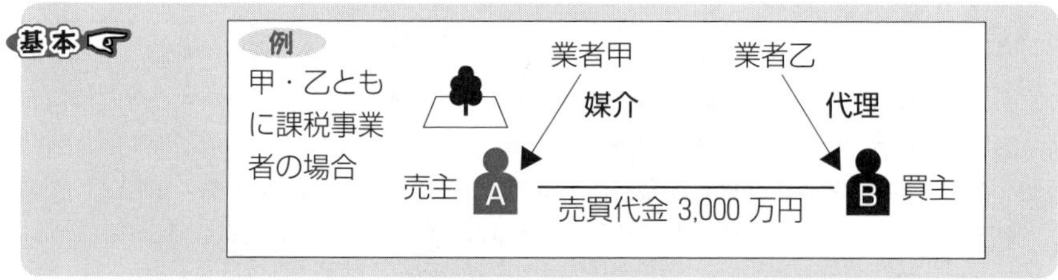

この場合の報酬計算は，次のように行います。

① 甲（媒介）がAから受領できる報酬額の上限：「**X**」＝96万円（×1.1）
→X＝3,000×3％＋6＝96

② 乙（代理）がBから受領できる報酬額の上限：**2X**＝192万円（×1.1）
→2X＝（3,000×3％＋6）×2＝192

③ 甲と乙の報酬額の合計額の上限：192万円（×1.1）

となり，上記の①②③をすべて守らなければなりません。

例 例えば，甲がAから90万円（×1.1）を受領した場合，乙は，Bから（192−90＝）102万円（×1.1）を上限に受領できる。

（5）報酬計算の手順

具体的に，消費税等相当額を含めて報酬を計算するにあたっては，「消費税抜き」の状態で計算を進め，最後の段階で，**課税事業者**には**消費税等相当額**（10％），**免税事業者**には**仕入れに係るみなし額**（4％）を，それぞれ上乗せした額を，**宅**

建業者が受領できる報酬の限度額とする，と考えるとわかりやすくなります。

そこで，以下のように考えましょう。

ア） まず，税抜価額・税抜賃料を求める

報酬の限度額計算の基礎となる「取引額・借賃・権利金」には消費税が含まれないので，代金などに消費税が含まれている場合には，税抜価額・税抜賃料などを求めなければなりません。

メモ

・消費税の非課税取引は，ⅰ）土地の売買，貸付と，ⅱ）居住用建物の貸付である。

・建物の売買代金には消費税が課税されるが，宅地の売買代金には消費税は課税されないので，売買については，建物についての報酬計算の際に，建物の価額から消費税を抜く。

・貸借の場合は，店舗・事務所等の賃料や権利金から消費税を抜く（居住用建物及び土地の賃料や権利金は非課税）。

イ） 次に，報酬計算をする

消費税抜きの価額・賃料を基準に報酬計算をします。この段階では消費税を考慮しません。

ウ） 課税事業者には，消費税（10%）を加算（×1.1）する
免税事業者には，仕入れに係る消費税相当額（4%）を加算（×1.04）する

下の例で考えてみましょう。

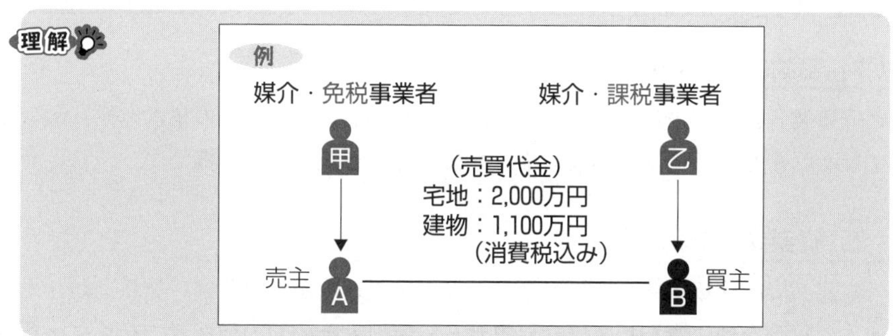

まず，建物の代金から消費税分を除くと，1,000万円となります。**宅地との合算額となる3,000万円を基礎**に計算すると，

「X」＝3,000万円×３％＋６万円＝96万円　となります。

甲は，免税事業者なので，「96万円×1.04＝99万8,400円」を上限として，A

から受領できます。一方，課税事業者である乙がＢから受領できる上限額は，「96万円×1.1＝105万6,000円」となります。

2 報酬額の掲示

宅建業者は，その事務所ごとに，**公衆の見やすい場所**に，国土交通大臣の定めた**報酬額を掲示**しなければなりません。

メモ

違反→50万円以下の罰金

3 不当な履行遅延の禁止 (44条)

宅建業者は，業務に関してなすべき宅地・建物の**登記**，**引渡し**，取引に係る**対価の支払い**を，不当に遅延させてはなりません。

メモ

・違反→６カ月以下の懲役もしくは100万円以下の罰金，またはこれの併科
・契約をした当事者として契約内容を守るのは当然のことであり，宅建業者が当事者の場合には，宅建業法違反として監督処分の対象となることはもとより，刑法犯として罰則がある点が重要（以下も同様の趣旨）。

4 秘密保持の義務（守秘義務） (45条，75条の３)

（１）宅建業者の守秘義務

宅建業者は，正当な理由がなければ，業務上知り得た他人の秘密を他に漏らしてはなりません。宅地建物取引業を**営まなくなった後**も，**同様**です。

（２）従業者の守秘義務

宅建業者の使用人その他の従業者も，正当な理由がなければ，業務上知り得た他人の**秘密を他に漏らしてはなりません**。使用人その他の従業者で**なくなった後**も，**同様**です。

メモ

・違反→（１）（２）いずれも50万円以下の罰金
・秘密保持の義務違反は**親告罪**であり，被害者からの告訴がなければ公訴（裁判に訴

えること）はできない。公訴により，秘密が暴露されるおそれがあるからである。
・正当な理由の例：裁判の証人として証言を求められたとき，取引の相手方に事実を告知すべきとき（次ページ参照），依頼者の承諾あるとき，など。

5 業務に関する禁止事項――その１（47条）

（1）重要な事実の不告知等の禁止

① 次の事項に関し，宅建業者は，**契約の締結の勧誘**をするに際し，**故意に事実を告げず**，または**不実のことを告げてはなりません**。同様に，**契約の申込みの撤回や解除を妨げ**，あるいは，取引によって生じた**債権の行使を妨げる目的**で，**故意に事実を告げず**，または**不実のことを告げてはなりません**。

基本

i）「重要事項」として掲げられている事項
ii）供託所等に関する説明事項として掲げられている事項
iii）契約書面（37条書面）に記載する事項として掲げられている事項
iv）その他，業者の相手方等の判断に重要な影響を及ぼすこととなる，以下に関する事項
ア）当該物件の所在・規模・形質
イ）現在・将来の利用の制限，環境・交通等の利便
ウ）代金・借賃等の対価の額，支払方法その他の取引条件
エ）当該業者・取引の関係者の資力・信用

プラスα

・禁止の対象となる事項は，取引の成否に影響を与えるような（重要な）事項であって，例えば，騒音や悪臭があること，不動産の取引について課されるべき消費税額に関する事項なども含まれる。
要は，**物件自体**，**権利関係**，**取引条件**，**宅建業者の資力・信用**に関して，故意に事実を告げず，または，故意に不実のことを告げてはならない，という趣旨である。
・違反→２年以下の懲役もしくは300万円以下の罰金，またはこれの併科

② 宅建業者には，**秘密保持の義務**があり，一方で，**重要な事実の告知義務**があります。両者が衝突した場合は，取引の相手方の利益を保護する見地から，重要な事実の告知義務が優先します。この場合，告知することについての「正当な理由」にあたるので，守秘義務違反にはなりません。

（2）不当に高額な報酬の要求の禁止

宅建業者は，**不当に高額の報酬**を相手方等に要求しては**なりません**。

不当に高額の報酬を要求すれば，たとえ受領していなくても，宅建業法違反となります。

メモ

・違反→１年以下の懲役もしくは100万円以下の罰金，またはこれの併科

・実際に公定の報酬額を超える報酬を受領した場合→100万円以下の罰金

（3）手付貸与等による誘引行為の禁止

宅建業者は，取引の相手方等に，**手付**について**貸付その他信用の供与**をすることにより，**契約の締結を誘引**してはなり**ません**。

プラスα

・現実に業者が手付金を貸し付けたり，約束手形によって手付金を受領したり，手付を数度に分けて受領する等により，契約の締結を誘引することが禁じられる。誘引行為そのものが禁止されるのであり，契約が締結されたかどうかを問わない。

・一方で，代金額や手付金そのものの減額の申出，手付金の貸借のあっせんなどは，信用の供与にあたらない。

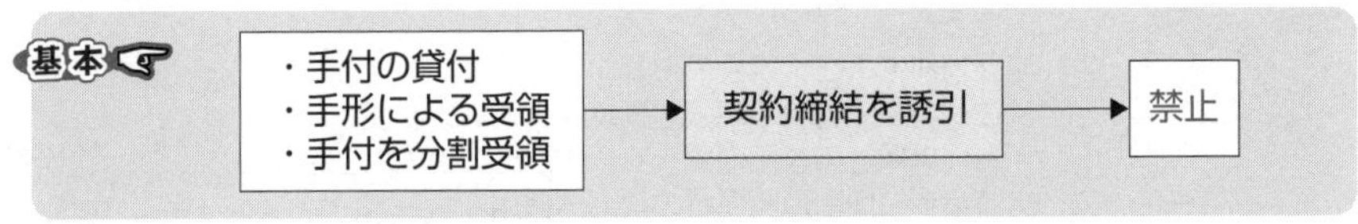

メモ

違反→６カ月以下の懲役もしくは100万円以下の罰金，またはこれの併科

6 業務に関する禁止事項――その2（47条の２）

（1）断定的判断の提供行為の禁止

宅建業者またはその代理人・使用人その他の従業者（「**宅建業者等**」）は，宅建業に係る契約の締結の勧誘をするに際し，業者の相手方等に対し，利益を生ずることが確実であると誤解させるべき**断定的判断を提供する行為**をしては**なりません**。

（2）威迫行為の禁止

宅建業者等は，宅建業に係る契約を締結させ，または宅建業に係る契約の申込みの撤回もしくは解除を妨げるため，業者の相手方等を**威迫してはなりません**。

（3）その他の行為の禁止

宅建業者等は，（1）（2）のほか，宅建業に係る契約の締結に関する行為または申込みの撤回もしくは解除の妨げに関する行為であって，業者の相手方等の利益の保護に欠ける，次の行為をしてはなりません。

理解

① 宅建業に係る契約の締結の勧誘をするに際し，業者の相手方等に対し，次の行為をすること
- i）契約の目的物である宅地・建物の将来の環境・交通その他の利便について誤解させるべき断定的判断を提供すること
- ii）正当な理由なく，契約を締結するかどうかを判断するために必要な時間を与えることを拒むこと
- iii）勧誘に先立って，商号・名称，勧誘を行う者の氏名，勧誘をする目的である旨を告げずに，勧誘を行うこと
- iv）相手方等が契約を締結しない旨の意思（勧誘を引き続き受けることを希望しない旨の意思を含む）を表示したにもかかわらず，勧誘を継続すること
- v）迷惑を覚えさせるような時間に電話し，または訪問すること
- vi）深夜または長時間の勧誘その他の私生活・業務の平穏を害するような方法によりその者を困惑させること

② 業者の相手方等が契約の申込みの撤回を行うに際し，既に受領した預り金を返還することを拒むこと

③ 業者の相手方等が手付を放棄して契約の解除を行うに際し，正当な理由なく，当該契約の解除を拒み，または妨げること

メモ

前記の（1）～（3）は，前述5「業務に関する禁止事項――その1」と異なり，過失によって行った場合でも免責されない点に注意。

7 従業者証明書の携帯等（48条）

（1）従業者証明書の携帯・提示

宅建業者は，従業者に対して，その従業者であることを証する証明書（**従業者証明書**）を携帯させなければ，業務に従事させてはなりません。

ここでの「従業者」は，宅建業に従事している者をいうので，代表取締役社長などの**役員**や，いわゆるパートタイマーなどの**一時的事務補助者**も含まれます。

メモ

違反→50万円以下の罰金

従業者は，取引の関係者の請求があったときは，従業者証明書を提示しなければなりません。

メモ

従業者証明書は，その宅建業者において宅建業に従事していることの証明なので，宅建士であっても，**宅建士証の提示**で代替できない。

（2）従業者名簿の備付け・閲覧

宅建業者は，事務所ごとに**従業者名簿**を備え，従業者の**氏名**，**従業者証明書番号**，**宅建士であるか否かの別**等の事項を記載しなければなりません。

メモ

違反→50万円以下の罰金。

また，宅建業者は，従業者名簿を，**最終の記載をした日**から**10年間保存**しなければならず，取引の関係者から請求があったときは，従業者名簿をその者の**閲覧**に供しなければなりません。

メモ

従業者名簿の備付けや保存は，プリンター等で印刷できれば，パソコンのファイルまたは電磁的記録媒体によることができる。また，閲覧は，ディスプレイ等によることが可。

8 帳簿の備付け義務（49条）

宅建業者は，事務所ごとに**業務に関する帳簿**を備え，宅建業に関し**取引のあったつど**，その**年月日**，その**取引物件の所在・面積**その他国土交通省令で定める事項を記載しなければなりません。

メモ

違反→50万円以下の罰金

また，宅建業者は，業務に関する**帳簿**を各事業年度の**末日に閉鎖**し，その後**5年間保存**しなければなりません。

メモ

・「**5年間保存**」→業者**自ら売主**となる**新築住宅**に係る帳簿については，「**10年間保存**」となることに注意。

・帳簿への記載は，プリンター等で印刷できれば，パソコン等への記録で可。

まとめ

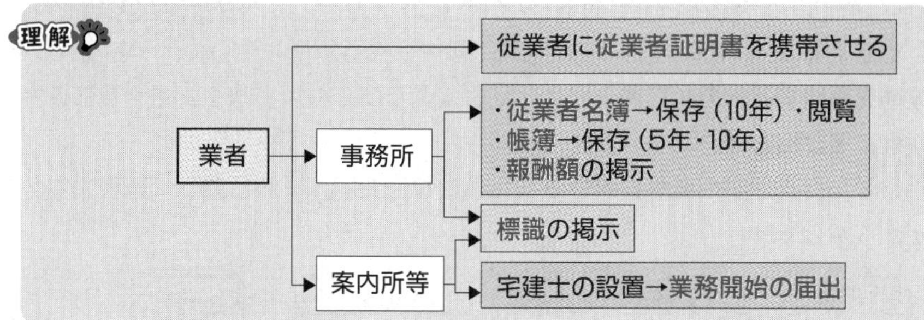

9 標識の掲示等 (50条)

(1) 標識の掲示義務 (50条1項)

宅建業者は，下記①～⑤の場所ごとに，公衆の見やすい場所に，国土交通省令で定める標識（いわゆる「**業者票**」）を掲示しなければなりません。標識を掲示すべき場所は，宅建士の**設置義務がある場所以外**の場所も**含まれます**。

無免許営業を防止し，取引を行う宅建業者名等を明確にするためです。

暗記

① 事務所
② 継続的に業務を行うことができる施設を有する場所で，事務所以外のもの
③ 一団の宅地・建物の分譲を行う案内所
④ 業務に関し，展示会その他これらに類する催しを実施する場所
⑤ 一団の宅地・建物の分譲をする場合における当該宅地・建物の所在する場所（現地）

・売主業者と販売（代理）業者がある場合で，販売業者が次項（下記（2））に基づき宅建士の設置義務のある案内所等（前記②③④）を設置する場合の標識は，販売業者が掲示する（売主業者は掲示不要）。
・⑤への標識は，売主業者が掲示する。
・標識の様式は，専任の宅建士の設置を義務づけられる場所であるか否か等により異なる。専任の宅建士を設置すべき場所である場合には，標識に専任の宅建士の人数を表示しなければならないが，その氏名を表示する必要はない。
・クーリング・オフ制度の適用のある場所については，その旨を記載する。
・違反→50万円以下の罰金

（2）案内所等業務開始の届出（「50条２項の届出」「業務場所の届出」）

宅建業者は，専任の宅建士を１人以上設置すべき場所について，一定の事項を，**業務を開始する日の10日前**までに，免許権者及びその所在地を管轄する都道府県知事に**届け出**なければなりません。

業者が行う，案内所等における「比較的短期間」の業務活動を，監督する必要があるからです。

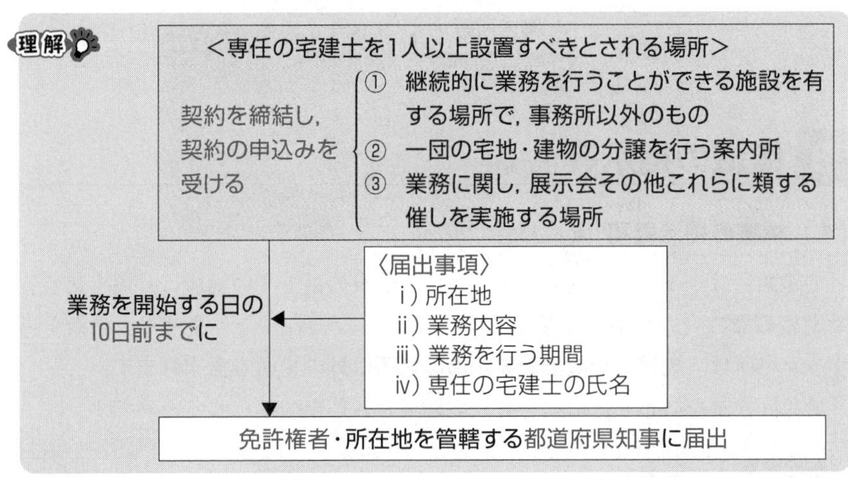

メモ

・専任の宅建士の設置の義務づけがない案内所等（契約の締結等をしない案内所等）については，届出不要。
・届け出るべき業者は，当該案内所等を設置した業者自身である。例えば，**販売代理を依頼**した売主業者は**届出不要**。

例 甲県知事免許の業者Ａが乙県内で行う一団の宅地・建物の分譲を，丙県知事免許の業者Ｂが，案内所を設置して販売代理する場合
→・Ｂは，丙県知事と乙県知事に届け出なければならない
・Ａには，届出義務なし（Ａは分譲業務を行う案内所等の設置者でない）

・届出義務違反→50万円以下の罰金

まとめ

暗記 〈「事務所」と「案内所」の差異〉

宅建業法上の規制	事務所（常設）	案内所（臨時）
宅建士の設置	必要（従業者５人に１人以上）	１人以上必要（契約締結の場合）
営業保証金の供託，または保証協会への加入（分担金納付）	必要	不要
報酬額の掲示		
帳簿の備付け		
従業者名簿の備付け		
標識（業者票）の掲示	必要	
案内所等業務開始の届出（50条２項の届出）	不要	必要（契約締結の場合）

10 宅地建物取引業の業務に関し行った行為の取消しの制限 (47条の３)

個人である宅地建物取引業者は，自らが成年被後見人等制限行為能力者であることを理由に，宅建業の業務に関し行った行為を取り消すことができません。宅建業の取引に関する行為に限らず，事務所の賃借人となるなどの宅建業の業務に関する契約を含みます。

メモ

成年被後見人や被保佐人は，宅建業を適正に行うことができるものとして個別審査を受け免許を受けることができるが（免許の基準の項参照），その場合，宅建業の業務に関し行った行為について，自らの制限行為能力を理由として取消権を行使することはできないということ。

なお，未成年者（である宅建業者）については，法定代理人から宅建業の営業許可を受けている場合を除き，未成年を理由とする取消しが認められています。

第3章 監督・罰則

データ　【直近12年間の出題実績＆攻略法】

項目	H25	H26	H27	H28	H29	H30	R1	R2	R3	R4	R5	R6	重要度
監督処分等	●	●	●	●	●	●	●				●	●	S
罰　　則			●		●	●	●						A

宅建業者及び宅建士に対する「監督処分等」の内容は，原則として「免許の基準」「宅建士登録の基準」の裏返しであり，その出題は，それぞれの「基準」の応用からとなる。「宅建業の免許」「宅建士」での「免許の基準」「宅建士登録の基準」をしっかり理解しておこう。

なお，罰則の内容も多岐にわたる。全部を覚えるのはムダが多いので，効率的な試験対策としては，「最も重い罰則の種類・内容」及び「宅建士に対する罰則」を，まずは押さえておこう。

ウォームアップ

監督処分等及び罰則は，宅建業法の規定を遵守させるための“**最後の砦**（とりで）”です。

宅建業者に対しては，指示・業務停止・免許取消しの各処分が，そして，宅建士に対しては，指示・事務禁止・登録消除の各処分が科せられますが，これらには一定の法的効果が伴います。また，処分に至らないまでも，指導・勧告・助言（行政指導）がされることがあり，また，宅建業者のみならず，無免許者を含む宅建業を営むすべての者に対し，一定の報告が求められることもあります。さらに，宅建業法の規定に違反した者に対しては，罰金刑のほか，懲役刑まで科されるなど，厳しい罰則が用意されています。

基本☞

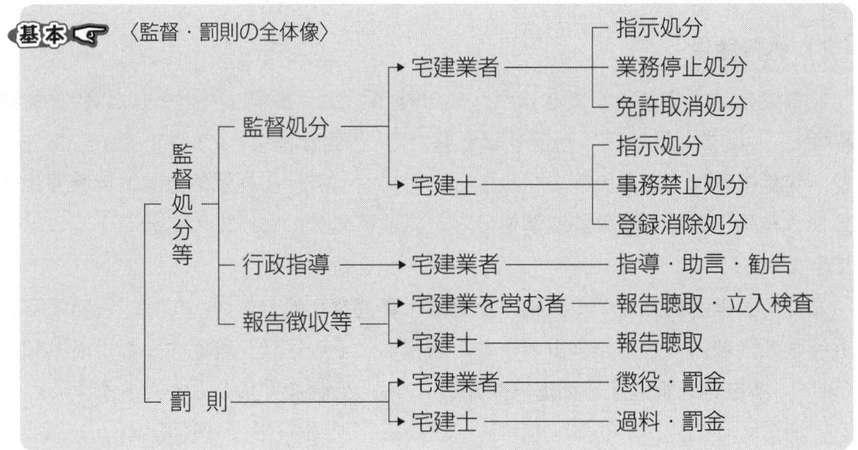

1 監督処分等

1 監督処分 (65条)

(1) 監督処分の種類

宅建業者及び宅建士に対して，免許権者や登録権者が行う処分が，**監督処分**です。一定の手続を経て行われ，下された処分には従わなければなりません。

基本☞

業者に対する処分	宅建士に対する処分
① 指示処分 ② 業務停止処分 ③ 免許取消処分	① 指示処分 ② 事務禁止処分 ③ 登録消除処分

メモ

・宅建士に対する処分の③は，宅建士資格者に対しても可。なお，**宅建士資格者**とは，宅建士の登録はしているが，宅建士証の交付を受けていない者のことである。

・監督処分を受けた者が，これに従わない場合には，一段重い処分となり，指示処分に違反した場合でも，情状が特に重ければ，免許取消し・登録消除に至る。

(2) 処分権者

監督処分をすることができる者（**処分権者**）は，まずは免許をした者（「**免許権者**」，大臣または知事）及び登録をした者（「**登録権者**」，知事）です。免許権者・登録権者は，自ら免許・登録をした者に対して，①**指示処分**，②**業務停止処分**・事務禁止処分，③**免許取消処分**・登録消除処分のすべての処分をすることができます。

また，①**指示処分**及び②**業務停止処分・事務禁止処分**については，管轄する都道府県の区域内で各処分事由が生じた場合の，その区域を管轄する都道府県知事（以下「**所在地を管轄する都道府県知事**」）も，処分をすることができます。

まとめ

理解

〈業者に対する処分権者〉

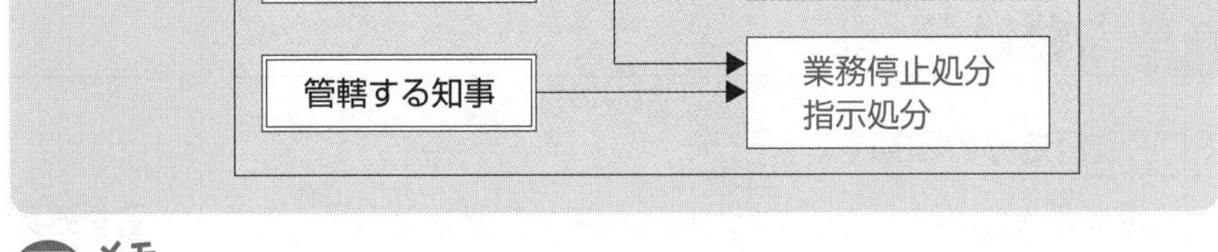

メモ

免許取消し・登録消除は，免許権者・登録権者以外はすることができない。

2 宅建業者に対する指示処分 (65条1項)

宅建業者が，宅建業法の規定に違反した場合その他の場合には，処分権者は，必要な**指示処分**を**することができます**（任意的。つまり，必ず処分しなければならないわけではありません。以下同じ）。

(1) 処分権者

基本

処分権者	免許権者・所在地を管轄する都道府県知事

「所在地を管轄する都道府県知事」が指示処分，業務停止処分をした場合，遅滞なく，その宅建業者の免許権者に通知しなければならない。

（2）指示処分事由

指示処分となる事由は，次のとおりです。

① 宅建業法の規定に違反したとき，または，住宅瑕疵担保履行法に基づく住宅販売瑕疵担保保証金の供託・届出等の義務に違反したとき
② 業務に関して取引の関係者に損害を与えたとき，または損害を与えるおそれが大であるとき
③ 業務に関して取引の公正を害する行為をしたとき，または取引の公正を害するおそれが大であるとき
④ 業務に関して，①の法令を除いた他の法令に違反し，宅建業者として不適当であると認められるとき
⑤ 宅建士が監督処分を受けた場合において，宅建業者の責めに帰すべき理由があるとき

・**④の例**：団地造成の便宜を図ってもらうため賄賂を供与し，贈賄罪を犯したとして罰金の刑に処せられた場合など。
・宅建業者が宅建業法の規定に違反すると，少なくとも「指示処分」の対象となる。

3 業務停止処分（65条２項）

次の事由に該当する場合は，処分権者は，**１年以内**の期間を定めて，**業務停止処分**をすることができます（任意的）。

指示処分，業務停止処分は，任意的である点に注意（「～することができる」）。なお，宅建士に対する指示処分・事務禁止処分も任意的である。

（1）処分権者等

基本

処分権者	免許権者・所在地を管轄する都道府県知事 →処分後は官報または公報により，公告される
業務停止期間	１年以内
処分の範囲	業務の全部または一部の停止

（2）業務停止処分事由

業務停止処分事由のうち，主なものは次のとおりです。

① 業務に関し他の法令に違反し，宅建業者として不適当であると認められるとき
② 宅建士が監督処分を受けた場合において，宅建業者の責めに帰すべき理由があるとき
③ 専任の宅建士の設置，誇大広告等の禁止，取引態様の明示，媒介契約書の交付，重要事項の説明，37条書面の交付，報酬の制限，守秘義務，その他一定の宅建業法上の義務に違反したとき，住宅瑕疵担保履行法に基づく住宅販売瑕疵担保保証金の供託義務に違反したとき
④ 指示処分に従わないとき，宅建業法に基づく大臣または知事の処分に従わないとき
⑤ 宅建業に関し，不正または著しく不当な行為をしたとき
⑥ 法人の役員または政令使用人に，過去５年以内に，宅建業に関し不正または著しく不当な行為をした者があるに至ったとき　　等

メモ

指示処分に従わず，情状が特に重い場合は，「必要的」免許取消しとなる。

4 免許取消処分 (66条)

免許取消処分は，**必ず**免許を取り消さなければならない場合（**必要的免許取消し**）と，免許を取り消すことが**できる**一定の場合（**任意的免許取消し**）の２つに分けられます。

（1）免許の必要的取消し

①　処分権者等

基本

処分権者	免許権者のみ。処分後は，官報または公報により，公告する
免許取消しの程度	必要的取消し

②　必要的免許取消事由

次の事由の１つに該当すると，免許は**必ず**取り消されます。

メモ

なお，必要的免許取消事由は，**ア）免許の基準に該当**，**イ）必要な免許換えをしない場合**，**ウ）１年以上の休業等**，**エ）破産手続開始の決定，解散・廃業の事実の判明**，に分けることができる。

理解

〈免許の基準に該当する場合〉

ア．次の「免許の基準」に該当することとなった場合には，原則として，必要的免許取消事由に該当する

i）破産手続開始の決定を受けたとき

ii）禁錮以上の刑に処せられたとき（執行猶予付きの判決を含む。iii）も同じ）

iii）宅建業法に違反し，あるいは，傷害罪，暴行罪，脅迫罪などの一定の暴力的な犯罪または背任罪を犯し，罰金刑に処せられたとき

iv）心身の故障により宅建業を適正に営むことができない者となったとき

v）暴力団員等が事業活動を支配するに至ったとき

vi）営業に関し成年者と同一の行為能力を有しない未成年者である宅建業者の法定代理人が，免許の基準の１つに該当するに至ったとき

vii）宅建業者の，役員または政令で定める使用人のうちに，免許の基準の１つに該当する者があるに至ったとき

viii）不正の手段により免許を受けたとき

ix）業務停止処分事由の１つに該当し，情状が特に重いとき

x）業務停止処分に違反したとき

〈免許の基準に該当しないが，「必要的免許取消し」となる場合〉

イ．免許換えをすべき事由に該当しながら，新たな免許を受けていないことが判明したとき

ウ．免許を受けてから１年以内に事業を開始せず，また，引き続き１年以上事業を休止したとき

エ．廃業等の届出がなくて，業者の破産手続開始の決定，法人業者の合併及び破産以外の理由による解散，業者の廃業のいずれかの事実が判明したとき

メモ

ウ．については，事業を開始しなかったことについて正当な理由があったとしても，取り消される。

（2）免許の任意的取消し

次の場合は，**免許権者**は，免許をした業者の免許を取り消すことができます（**任意的**）。

メモ

処分権者が免許権者のみである点は，「必要的取消し」と同じ。

①　免許の条件に違反した場合

②　所在不明の場合

免許権者が，免許をした宅建業者の所在地を確知できないときなどには，一定の手続を経て，その免許を取り消すことができます。

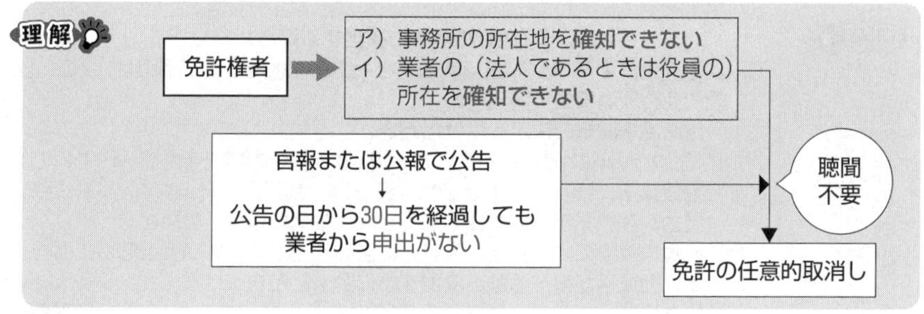

メモ

監督処分の免許の取消しのほかに，**営業保証金の供託の届出がない場合**も，免許の任意的取消しとなる。

5 宅建士に対する指示処分（68条1項）

宅建士が次の事由に該当するときは，**都道府県知事**は，必要な指示をすることができます（**任意的**）。

（1）処分権者

基本

処分権者	登録している都道府県知事・所在地を管轄する都道府県知事

メモ

「所在地を管轄する都道府県知事」が，指示処分・事務禁止処分をした場合，遅滞なく，登録している知事に通知しなければならない。

（2）指示処分事由

指示処分となる事由は，次のとおりです。

① 宅建士の「名義貸し」
  i）宅建業者に対して，自己が専任の宅地建物取引士として従事している事務所以外の事務所の専任の宅地建物取引士である旨の表示をすることを許し，当該業者がその旨の表示をしたとき
  ii）他人に自分の名義の使用を許し，当該他人がその名義を使用して宅地建物取引士である旨を表示したとき

② 宅地建物取引士として行う事務に関して，不正または著しく不当な行為をしたとき

メモ
・ⅰ）の例：専任の宅建士が，業務に従事する事務所以外の事務所で取引があったときに，氏名等を契約書等に表示することを許すこと，など
・ⅱ）の例：無資格者に宅地建物取引士としての名義貸しをし，契約書等にその名義の記名を許すこと，など

6 事務の禁止処分（68条２項～）

宅建士が，次の事由に該当するときは，都道府県知事は，**１年以内**の期間を定めて，**宅建士としてすべき事務**を行うことを**禁止**することができます（**任意的**）。

（1）処分権者等

処分権者	登録している都道府県知事・所在地を管轄する都道府県知事
事務禁止期間	１年以内

（2）事務禁止処分事由

① 「指示処分事由」の①
② 「指示処分事由」の② } そのまま「事務禁止処分事由」にも該当する
③ 指示処分に従わない場合

メモ
・①②の場合，情状により，指示処分または事務禁止処分にもなり得る。
・指示処分に従わず，情状が特に重い場合は，「登録消除処分」となる。

7 登録の消除処分（68条の２）

宅地建物取引士が，次の事由に該当するときは，都道府県知事は，その登録を**消除しなければなりません**（**必要的**）。

（1）処分権者等

基本

処分権者	登録している都道府県知事のみ
処分の程度	必要的 （処分事由に該当すると，必ず消除しなければならない）

（2）登録消除処分事由

①　宅地建物取引士に対する登録消除

理解

i）**登録の欠格要件**の１つに該当するに至ったとき
ii）**不正の手段**により**宅建士資格登録**を受けたとき
iii）**不正の手段**により**宅建士証の交付**を受けたとき
iv）事務禁止処分事由に該当し，**情状が特に重い**とき
v）**事務禁止処分に違反**したとき

②　宅地建物取引士資格者に対する登録消除

理解

i）**登録の欠格要件**の１つに該当するに至ったとき
ii）**不正の手段**により**宅地建物取引士資格登録**を受けたとき
iii）宅地建物取引士でなければ**できない事務**を行い，**情状が特に重い**とき

まとめ

理解

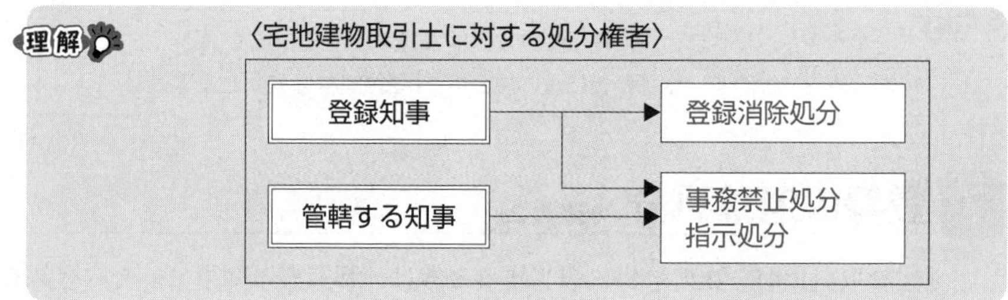

8 聴聞等

(1) 聴聞 (69条)

宅建業者・宅建士に対して監督処分をする場合には，原則として，公開による聴聞を行わなければなりません。

プラスα

宅建業者の事務所の所在地を確知できないとき，または宅建業者（法人の場合，その役員）の所在を確知できないとして免許取消処分を行う場合は，公開による聴聞を行う必要はない。

(2) 監督処分をした旨の公告 (70条)

宅建業者に対して業務停止処分・免許取消処分（事務所の所在地または宅建業者の所在を確知できない場合の免許取消処分を除く）をした場合には，国土交通大臣にあっては官報により，都道府県知事にあっては公報またはウエブサイトへの掲載その他の適切な方法により，その旨を公告しなければなりませんが，**指示処分**をした場合は**公告する必要がありません**。

これに対し，**宅建士**に対する監督処分の場合には，公告する必要はありません。

9 指導等

(1) 宅建業者に対する指導・助言・勧告 (71条)

国土交通大臣は，すべての宅建業者に対して，また，**都道府県知事**は，当該都道府県の**区域内の宅建業者**に対して，宅建業の適正な運営を確保し，健全な発達を図るために，必要な指導，助言及び勧告をすることができます。

メモ

国土交通大臣は，**大臣免許業者に限らず**，**知事免許業者に対しても指導**等をすることができる，ということである。

(2) 報告・検査 (72条)

国土交通大臣は，すべての宅建業者に対して，また，都道府県知事は，当該都道府県の区域内の宅建業者に対して，宅建業の適正な運営を確保するため必要があると認めるときは，その業務について**必要な報告**を求め，またはその職員に事務所その他その業務を行う場所に**立ち入り**，帳簿，書類その他業務に関係のある物件を**検査**させることができます。

プラスα

・同様に，宅建士に対しても，その事務について必要な報告を求めることができる。
・立入検査をする職員は，その身分を示す証明書を携帯し，関係人の請求があったときは，提示しなければならない。
・虚偽報告・立入検査拒否などの違反→罰則（50万円以下の罰金）

2 罰　則

宅建業法違反に対する罰則は，**懲役刑・罰金刑・過料**です。いずれも，裁判所における手続を経て科せられます。主なものは，以下のとおりです。

基本

罰則	違反事項・該当条項
3年以下の懲役もしくは300万円以下の罰金，またはこれの併科（79条）	① 不正手段により免許を受けたとき ② 無免許で営業をしたとき ③ 名義貸しをして営業をさせたとき ④ 業務停止処分に違反して営業をしたとき
2年以下の懲役もしくは300万円以下の罰金，またはこれの併科（79条の2）	① 重要な事項の不告知等の禁止に違反したとき
1年以下の懲役もしくは100万円以下の罰金，またはこれの併科（80条）	① 不当に高額の報酬を要求したとき
6月以下の懲役もしくは100万円以下の罰金，またはこれの併科（81条）	① 営業保証金の供託をした旨の届出前に営業を開始したとき ② 誇大広告等の禁止に違反したとき ③ 不当な履行遅延の禁止に違反したとき ④ 手付貸与等による契約締結の誘引の禁止に違反したとき
100万円以下の罰金（82条）	① 免許申請書または添付書類に虚偽の記載をしたとき ② 無免許で宅地建物取引業の表示または広告をしたとき ③ 名義貸しにより宅地建物取引業の表示または広告をさせたとき ④ 宅建士の設置要件の適合義務に違反したとき

	⑤ 国土交通大臣の定める額を超える報酬の受領の禁止に違反したとき
50万円以下の罰金（83条）	① 業者名簿の記載事項の変更届出義務に違反したとき ② 案内所等の業務を行う場所の届出義務に違反したとき ③ 信託会社等が営業届出義務に違反したとき ④ 37条書面の交付の義務に違反したとき ⑤ 報酬額の掲示の義務に違反したとき ⑥ 標識の掲示の義務に違反したとき ⑦ 証明書を携帯させる義務に違反したとき ⑧ 秘密保持の義務に違反したとき ⑨ 従業者名簿を備え付けず，またはこれに所定の事項を記載せず，もしくは虚偽の記載をしたとき ⑩ 帳簿を備え付けず，またはこれに所定の事項を記載せず，もしくは虚偽の記載をしたとき ⑪ 宅建業者がその業務に関し，報告を求められても報告をせず，もしくは虚偽の報告をし，または立入検査を拒み，妨げ，もしくは忌避したとき ⑫ 宅建士がその事務について，報告を求められても報告をせず，または虚偽の報告をしたとき
10万円以下の過料（86条） （宅建士に対する罰則）	① 宅建士証の返納義務に違反したとき ② 宅建士証の提出義務に違反したとき ③ 重要事項の説明の際の宅建士証の提示義務に違反したとき

メモ

・親告罪（被害者の告訴がなければ公訴提起できない犯罪）もある。

　例　秘密保持の義務（守秘義務）違反

・宅建業法上の罰則は，原則として，**両罰規定**である。すなわち，宅建業法違反行為があったときは，その行為者（法人業者の代表者・代理人・従業者，個人業者の代理人・従業者）は当然，該当する条項により罰せられるほか，その違反行為者の使用者等（雇主である宅建業者）も，相応の罰金刑が科される。

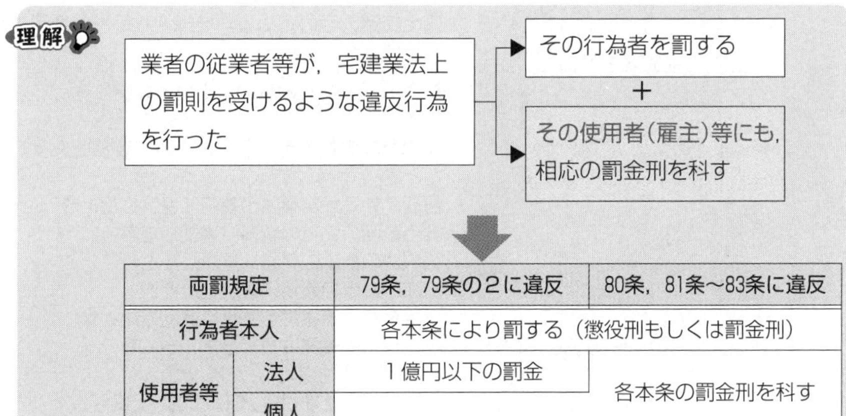
理解
業者の従業者等が，宅建業法上の罰則を受けるような違反行為を行った
その行為者を罰する
＋
その使用者（雇主）等にも，相応の罰金刑を科す

両罰規定		79条，79条の２に違反	80条，81条～83条に違反
行為者本人		各本条により罰する（懲役刑もしくは罰金刑）	
使用者等	法人	１億円以下の罰金	各本条の罰金刑を科す
	個人	各本条の罰金刑を科す	

メモ

・**79条違反**：不正手段による免許取得·無免許営業·名義貸し営業·業務停止処分違反。

・**79条の２違反**：重要な事実の不告知等の禁止違反。

3 合格の取消し等（17条）

都道府県知事は，不正の手段によって試験を受け，または受けようとした者に対して，合格の決定を取り消し，または，その試験を受けることを禁止することができます。

メモ

都道府県知事は，これらの処分を受けた者に対し，情状により，**3年以内**の期間を定めて試験を受けることを禁止することができる。

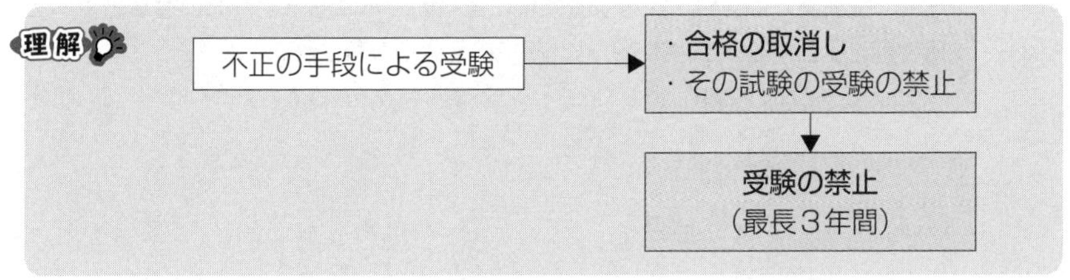
理解
不正の手段による受験
・合格の取消し
・その試験の受験の禁止
受験の禁止
（最長３年間）

第4章

住宅瑕疵担保履行法等

S 重要度

(特定住宅瑕疵担保責任の履行の確保等に関する法律等)

データ 【直近12年間の出題実績＆攻略法】

項目	H25	H26	H27	H28	H29	H30	R1	R2	R3	R4	R5	R6	重要度
住宅瑕疵担保履行法	●	●	●	●	●	●	●	●	●	●	●	●	S

毎年1問ずつ出題されている。そのうち，狙われているのは「資力確保措置」に関連する知識で，かつ，過去の出題例が中心となっている。試験対策としては，本書を読み込んだ後は過去問を解いて，その内容を暗記しておこう。

1 売主・請負人の担保責任

新築住宅に関して売買契約・請負契約が成立し，引渡しがされたものの，契約の目的物である当該住宅に**瑕疵**（契約不適合）がある場合，買主・注文者は，売主・請負人に対して，それぞれ担保責任を追及することができます。

1 民法上の規定

民法上の責任をまとめると，次のとおりです（詳しくは，第1編の第3章7 1「売買」，12 1「請負」参照のこと）。

理解 〈民法上の規定〉

契約内容に不適合があった場合		責任追及できる内容	責任追及期間
住宅の売買の場合	契約不適合責任	・買主→売主 ・注文者→請負人 ① 追完請求（修補請求など） ② 代金減額請求 ③ 損害賠償請求 ④ 契約の解除	契約不適合を知って1年以内に，売主・請負人に通知 →請求権（①～④）を保全 →その後，行使しないと，請求権は時効により消滅
住宅建築の請負の場合			

2 品確法(住宅の品質確保の促進等に関する法律)による責任の強化

契約の目的物が**新築住宅**であり，その**瑕疵**（契約内容に適合しないこと）が，住宅としての重要な部分，すなわち「**構造耐力上主要な部分**」（柱，はり，土台など），または，「**雨水の浸入を防止する部分**」（屋根，外壁など）に存する場合には，買主・注文者は，売主・請負人に対し，**引渡しを受けた後10年間**，責任追及ができます（品確法94条，95条）。

メモ
契約不適合を知って１年以内に，売主・請負人に通知し，請求権を保全する必要がある。

用語 **新築住宅**：新たに建設された住宅で，まだ人の居住の用に供したことのないもの（建設工事の完了の日から起算して１年を経過したものを除く）のこと

瑕疵：種類または品質に関して契約の内容に適合しない状態のこと

理解 〈品確法上の規定〉

ｉ)構造耐力上主要な部分，または ii）雨水浸入防止部分に瑕疵		責任追及できる内容	責任追及期間
新築住宅の売買の場合	品確法の瑕疵担保責任，契約不適合責任（民法）	・買主→売主 ・注文者→請負人 ① 追完請求（修補請求など） ② 代金減額請求 ③ 損害賠償請求 ④ 契約の解除	契約不適合を知って１年以内に，売主・請負人に通知 →請求権(①～④)を保全（引渡し後10年間）
住宅新築の請負の場合			

3 資力確保の必要性

品確法では，新築住宅の売買・住宅新築の請負の場合，**構造耐力上主要な部分**及び**雨水の浸入を防止する部分**に**瑕疵**がある場合には，売主・請負人は，買主・注文者に対して，**民法の定めより重い責任**を負うことになりますが，売主・請負人に，その責任を履行するための資金の担保がない場合には，買主・注文者の請求権は「絵に描いた餅」となってしまうおそれがあります。

そこで，売主・請負人として**必要な資力を確保**させるために，宅建業者には「**住宅販売瑕疵担保保証金**」，建設業者には「**住宅建設瑕疵担保保証金**」を，それぞれ供託させる（または住宅販売瑕疵担保責任保険契約・住宅建設瑕疵担保責任保険契約を締結させる）としたのが，住宅瑕疵担保履行法による資力確保制度です。

2 住宅販売瑕疵担保保証金の供託

以下は，宅建業者の資力確保措置について述べます。

1 住宅販売瑕疵担保保証金の供託義務（住宅瑕疵担保履行法11条）

宅地建物取引業者は，毎年，**基準日**（3月31日）から3週間を経過する日までの間において，当該基準日前の10年間に，自ら売主となる売買契約に基づいて買主に引き渡した新築住宅の「構造耐力上主要な部分」または「雨水の浸入を防止する部分」に存する瑕疵について，買主に対して，品確法に基づく担保責任の履行を確保するため，「**住宅販売瑕疵担保保証金**」（以下，単に「**保証金**」）の**供託**をしていなければなりません。

なお，**買主が宅建業者**である場合には，この**供託義務はありません**。

メモ

- 保証金の供託義務は，「**宅建業者が自ら売主で，一般消費者が買主**」である場合の**新築住宅についてのみ**，適用される。
- 保証金の供託は，当該宅建業者の**主たる事務所の最寄りの供託所**に対して行う。
- **資力確保措置――供託か，保険に加入か，もしくは両者併用か**：
  宅建業者が，一定の保険会社と住宅販売瑕疵担保責任保険契約を締結し，保険証券（保険対象証明書）を買主に交付（または，買主の承諾を得て，電磁的記録により提供）した場合は，供託すべき「保証金」の額を算定する際に「新築住宅の数から，当該保険契約に係る新築住宅の数を控除する」とされている。したがって，結局，宅建業者は，**自ら売主として新築住宅を販売**するにあたっては，住宅販売瑕疵担保責任保険契約を締結するか，住宅販売瑕疵担保保証金を供託しておくか，または両者を併用して，資力確保措置をとらなければならない。なお，この保険契約の保険料は，宅建業者が支払う（買主ではない）。
- この保険契約は，保険金額2,000万円以上で，買主が売主業者から新築住宅の引渡しを受けた時から，10年以上の期間，有効でなければならず，原則として，契約の変更・解除はできない。

2 供託額（11条）

供託すべき保証金の額は，**基準日前10年間に一般消費者に引き渡した新築住宅の合計戸数**（**A**）に，乗ずる金額（**B**）を掛け，さらに，一定額（**C**）を加えた金額です（上限は120億円）。

新築住宅のうち，床面積が55㎡以下のものは，２戸をもって１戸として計算できる。

理解 〈参考〉 供託額（保証額）＝(A)×(B)＋(C)

新築住宅の合計戸数(A)	乗ずる金額(B)	加える金額(C)
1以下	2,000万円	0
1を超え10以下	200万円	1,800万円
10を超え50以下	80万円	3,000万円
50を超え100以下	60万円	4,000万円
100を超え500以下	10万円	9,000万円
500を超え1,000以下	8万円	1億円
：（中略）		
50,000を超え100,000以下	15,000円	3億9,000万円
100,000を超え200,000以下	14,000円	4億9,000万円
200,000を超え300,000以下	13,000円	6億9,000万円
300,000を超える場合	12,000円	9億9,000万円

例 基準日前10年間に，自ら売主となる売買契約に基づき買主に引き渡した新築住宅の合計戸数が1,000戸の場合（保険契約にかかる戸数なし），供託すべき保証金の額は，1,000×８万円＋１億円＝１億8,000万円となる。

メモ

このように，供託額は高額となる場合がある一方，保険に加入する場合の保険料の実際は，１戸あたり概算で７～９万円となることが一般的である。

なお，「**保証金**」は，国債証券，地方債証券その他の国土交通省令で定める有価証券をもって，充てることができる。

この場合，有価証券の額面の評価は，営業保証金（宅建業法）の場合と同様。

3 保証金の供託等の届出（12条）

新築住宅を引き渡した宅建業者は，**基準日ごとに**，当該基準日に係る資力確保措置の状況（住宅販売瑕疵担保保証金の供託及び住宅販売瑕疵担保責任保険契約の締結の状況）について，その免許を受けた**免許権者**（大臣または知事）に届け出なければなりません。

メモ

・この届出は，基準日より**3週間以内**に行うものとする。
・罰則：無届・虚偽届出→50万円以下の罰金

4 自ら売主となる新築住宅の売買契約の新たな締結の制限（13条）

新築住宅を引き渡した宅建業者は，保証金の供託をし，供託した旨の届出をしなければ，当該基準日の**翌日から起算して**50日**を経過した日以後**においては，新たに自ら売主となる新築住宅の売買契約を**締結してはなりません**。

メモ

この規定に違反して，新たに売買契約を締結すると，罰則（1年以下の懲役もしくは100万円以下の罰金，またはこれの併科）の対象となる。

5 保証金の還付（14条）

保証金の供託をしている宅建業者が，瑕疵担保責任を負う期間内に，品確法に規定する瑕疵によって生じた損害を受けた新築住宅の買主は，その代金返還請求権または損害賠償請求権に関し，当該宅建業者が供託をしている**住宅販売瑕疵担保保証金**について，**他の債権者に先立って弁済を受ける権利**を有します。

メモ

・新築住宅を引き渡した宅建業者が，**住宅販売瑕疵担保責任保険契約**を締結している場合で，当該業者が瑕疵担保責任を履行したときは，その履行によって生じた当該業者の損害が，保険契約によって補填される。
・当該業者が，相当の期間を経過しても，なお責任を履行しないときは，当該新築住宅の買主の損害は，保険契約により，直接補填される。

6 宅建業者による供託所の所在地等に関する説明（15条）

保証金を供託した宅建業者は，自ら売主となる新築住宅の買主に対し，当該新築住宅の売買契約を締結するまでに，保証金の供託をしている供託所の所在地等について，これらの事項を記載した**書面を交付**して，**説明**しなければなりません。

メモ

この書面の交付は，買主の承諾を得て，電磁的方法により提供できる。

3 宅地建物取引業者による人の死の告知に関するガイドライン

このガイドラインでは，以下の事項等について整理されています。

- 宅地建物取引業者が媒介を行う場合，売主・貸主に対し，過去に生じた人の死について，告知書等に記載を求めることで，通常の情報収集としての調査義務を果たしたものとする。
- 取引の対象不動産で発生した自然死・日常生活の中での不慮の死（転倒事故，誤嚥など）については，原則として告げなくてもよい。
- 賃貸借取引の対象不動産・日常生活において通常使用する必要がある集合住宅の共用部分で発生した自然死・日常生活の中での不慮の死以外の死が発生し，事案発生から概ね３年が経過した後は，原則として告げなくてもよい。
- 人の死の発生から経過した期間や死因に関わらず，買主・借主から事案の有無について問われた場合や，社会的影響の大きさから買主・借主において把握しておくべき特段の事情があると認識した場合等は告げる必要がある。

第3編

法令上の制限

ここでの出題は、例年8問。内容的に暗記すべき数字・事項が多く、宅建試験の各テーマの中で、もっとも難解な印象がある分野である。

しかし、ただやみくもに暗記するのは得策ではない。やはり有用なのは、理解することであり、「何のためにどのような制限が加えられているのか」という法制度の趣旨をイメージしながら「原則と例外」をしっかり押さえていくことである。

なお、「深入り厳禁」は鉄則だ。

第1章 都市計画法

データ 【直近12年間の出題実績＆攻略法】

項目	H25	H26	H27	H28	H29	H30	R1	R2	R3	R4	R5	R6	重要度
都市計画の内容・都市計画制限等	●	●	●	●	●	●	●	●	●	●	●	●	S
開発許可の要否	●	●	●	●	●	●	●	●	●	●	●	●	S
開発許可の手続・建築制限			●	●		●		●	●	●	●	●	A

都市計画法からの出題は，２問。大きくいえば，「都市計画の種類と内容」と「開発許可制度」（開発許可の手続・建築制限）から出題される。

試験対策としては，最終的に暗記した知識が“モノをいう”が，都市計画法は，特に「法の全体像」を理解するところから始めよう。

ウォームアップ

都市計画法は，「**法令上の制限**」をマスターするための基本的な法律です。**良好な都市環境を整備**し，これを**保全するための仕組み**と考えるとよいでしょう。

そのための方法は大きく２つに分けられます。

１つは，**行政が積極的に街づくりにかかわる**方法です。道路・公園・上下水道などの都市基盤の整備をはじめ，住宅団地や病院の建設，学校・図書館などの教育・文化施設の設置，流通業務団地の建設，商工業用地の造成など**地域経済の拠点の整備**が挙げられます。街づくりのスピードは比較的速い代わりに，**開発コストを行政が直接負担**することになります（税金による負担）。つまり，「**事業型**」**の都市計画**といえます。

もう１つは，主として**民間事業者**が行う**開発行為や建築行為**を**規制**する方法です。あらかじめ行政があるべき都市の姿を示し，その示された**都市の青写真に合致**するような**開発行為・建築行為のみ行える**，とします。街づくりの**コストは民間が負担**することが多く，都市環境を整備・開発する方法としては長い時間がかかりがちです。こちらは，「**規制誘導型**」**の都市計画**といえます。

この2つの方法の組合せによって，都市はつくられていきます。

1 都市計画の全体構造

都市計画法の目的は，**秩序ある良好な都市環境の整備**です。つまり，「よりよい街づくり」のための法律です（以下，この章では，都市計画法を，単に「法」といいます）。

① 都市計画区域・準都市計画区域の指定

そのために，法は，まず，「**街づくり」をする土地の区域を定めます**。それが，**都市計画区域・準都市計画区域の指定**です。

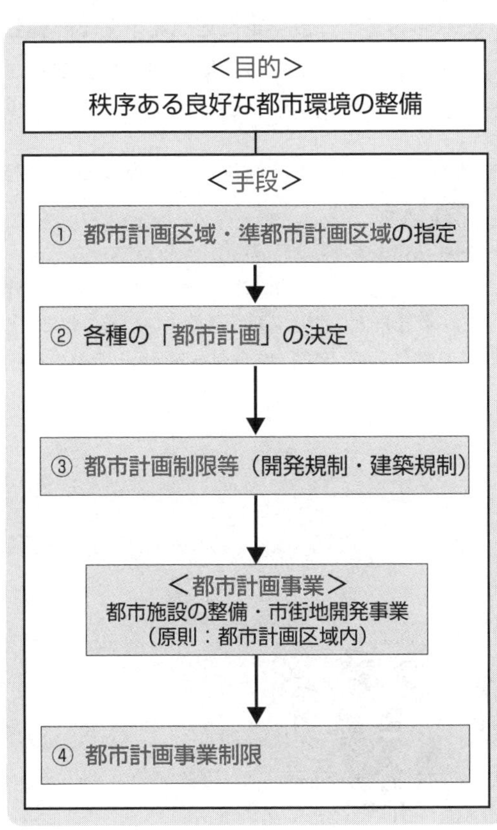

＜目的＞
秩序ある良好な都市環境の整備
＜手段＞
① 都市計画区域・準都市計画区域の指定
② 各種の「都市計画」の決定
③ 都市計画制限等（開発規制・建築規制）
＜都市計画事業＞
都市施設の整備・市街地開発事業
（原則：都市計画区域内）
④ 都市計画事業制限

② 各種都市計画の決定

続いて，法は，街づくりのための**各種のメニュー**（**都市計画**）を示し，その中から，都市の青写真を描くために，都市計画区域・準都市計画区域にふさわしいものを選択します。これが「**都市計画の決定**」です。

③ 都市計画制限等

しかしながら，青写真を描けば，それによってよりよい街が自然に出来上がるわけではありません。青写真が実現されるように，**開発行為や建築行為などを規制**する必要があります。それを「都市計画による制限」という意味で「**都市計画制限等**」といいます。

都市計画制限等が長期間継続して行われれば，描かれた青写真（都市計画）に沿った都市が出来上がっていきます。これが，「**規制誘導型**」**都市計画**といわれるゆえんです。

④　**都市計画事業・都市計画事業制限**

一方で，都市基盤（いわゆる**インフラ**）の整備や大規模な国土開発は，民間の事業者が行うよりも，むしろ**行政が積極的に担うべき**でしょう。③の方法による街づくりには，時間がかかるからでもあります。つまり，国・地方公共団体は，**積極的に良好な都市環境の整備をする責務**がある，ということです。

具体的には，道路・公園・上下水道などの公共施設（「**都市施設**」）を整備し，より総合的に都市を整備する見地から「**市街地開発事業**」を行います。これが，「**事業型**」**都市計画**です。

これらの都市施設や市街地開発事業を総称して「**都市計画事業**」といいますが，これを実施するにあたっては，**建築行為などが規制**されることになります。それを，**都市計画事業制限**といいます。

以下，これら都市計画法による街づくりのための手法を概観します。

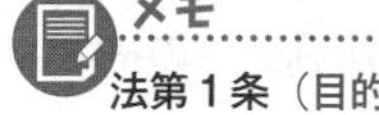

法第１条（目的）：

『この法律は，都市計画の内容及びその決定手続，都市計画制限，都市計画事業その他都市計画に関し必要な事項を定めることにより，都市の健全な発展と秩序ある整備を図り，もって国土の均衡ある発展と公共の福祉の増進に寄与することを目的とする。』

2 都市計画区域・準都市計画区域の指定

1 都市計画区域・準都市計画区域とは（5条，5条の2）

都市計画区域とは，**良好な環境の都市を形成**するために，当面，**積極的に都市整備**を行い，かつ，**各種規制**を行う土地の区域をいいます。

準都市計画区域は，将来の都市化に備えて**乱開発**を防止するため，主として**開発行為の規制**を行う土地の区域をいいます。

基本

都市計画区域	一体の都市として総合的に整備・開発・保全する必要のある区域	積極的な都市整備，建築規制・土地利用の整序（開発規制）を行う
準都市計画区域	そのまま土地利用の整序・環境保全のための措置を講ずることなく放置すれば，将来における一体の都市としての整備・開発・保全に支障が生じるおそれがある区域	将来の都市化に備えて，乱開発を防止するため，土地利用の整序（開発規制）・環境の保全のための措置を行う

用語
- **都市計画区域**：要は，**街づくり**をしていく場所。そのためあらゆる手段を講じることができる。面積として，日本の国土のおおよそ1／4の土地が指定されている
- **準都市計画区域**：**都市計画区域外**のうち，既存集落の周辺，幹線道路の沿道，高速道路のインターチェンジ周辺などに指定される（実際の指定はまだ少数）。原則として，**開発規制のみ**が行われる

2 指定権者と指定手続（5条，5条の2）

都市計画区域は，原則として**都道府県が指定**し，**準都市計画区域**は，**都道府県が指定**します。

その指定の手続は，次のとおりです。

第3編 法令上の制限

基本

都市計画区域	原則	都道府県が指定 ・あらかじめ関係市町村及び都道府県都市計画審議会の意見を聴く ・国土交通大臣に協議し，その同意を得る
	例外	２以上の**都府県の区域**にわたる都市計画区域の場合は，国土交通大臣が指定 ・あらかじめ関係都府県の意見を聴く
準都市計画区域	都道府県が指定 ・あらかじめ関係市町村及び都道府県都市計画審議会の意見を聴く	

メモ

・**指定の公告**：指定は，公告することにより行われる（公報など）。
・**都市計画区域**：必要があるときは，市町村の区域外にわたり指定することができる（**行政区域にとらわれずに**指定可）。
・**都市計画に関する基礎調査**：

都道府県	都市計画区域	おおむね５年ごとに，人口規模・就業人口の規模・土地利用などについて，調査を行う
	準都市計画区域	必要があると認めるときは，土地利用などに関して，調査を行う

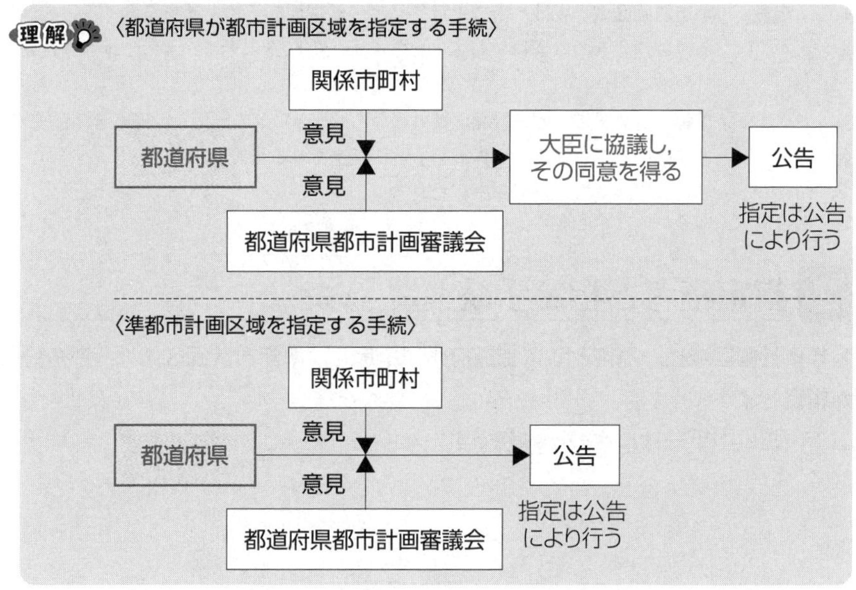

3 都市計画の内容

都市計画には，次のような種類があります。

① 都市計画区域の整備，開発，保全の方針
② 区域区分（市街化区域及び市街化調整区域）
③ 都市再開発方針等
④ 地域地区
⑤ 促進区域
⑥ 遊休土地転換利用促進地区
⑦ 被災市街地復興推進地域
⑧ 都市施設
⑨ 市街地開発事業
⑩ 市街地開発事業等予定区域
⑪ 地区計画等

以下，試験対策上重要なものに絞って概説します。

1 都市計画区域の整備，開発，保全の方針，都市再開発方針等

(1)都市計画区域の整備，開発，保全の方針(都市計画区域マスタープラン)

都市計画区域については，都市計画に，当該都市計画区域の整備，開発及び保全の方針を定めます。そこには，区域区分の決定の有無，及び，区域区分を定めるときは，その方針が定められます。

都市計画区域について定められる都市計画は，当該都市計画区域の整備，開発及び保全の方針に即したものでなければなりません。

（2）都市再開発方針等

都市計画区域については，都市計画に，都市再開発方針等を定めることができます。都市計画区域について定められる都市計画は，都市再開発方針等に即したものでなければなりません。

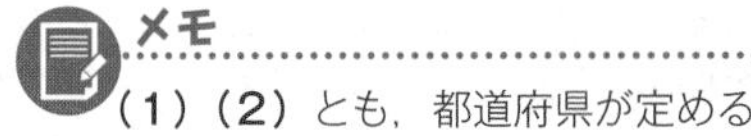

メモ
（1）（2）とも，都道府県が定める。

2 区域区分（7条）

（1）「区域区分」とは

都市計画区域を，必要に応じ，当面**市街化を促進**する区域（**市街化区域**）と**市街化を抑制**する区域（**市街化調整区域**）に**二分**する都市計画が，**区域区分**です。実務上，単に「**線引き**」といわれることもあります。

メモ
・市街化区域では積極的に開発が行われ，市街化調整区域では開発は抑えられる。
・大都市圏の都市計画区域は，必ず区域区分される。

また，地域の実情により，区域区分を定めないこともできます。「区域区分が定められていない都市計画区域」，または「非線引きの都市計画区域」といわれます。地方の中小都市の都市計画区域に多い例です。

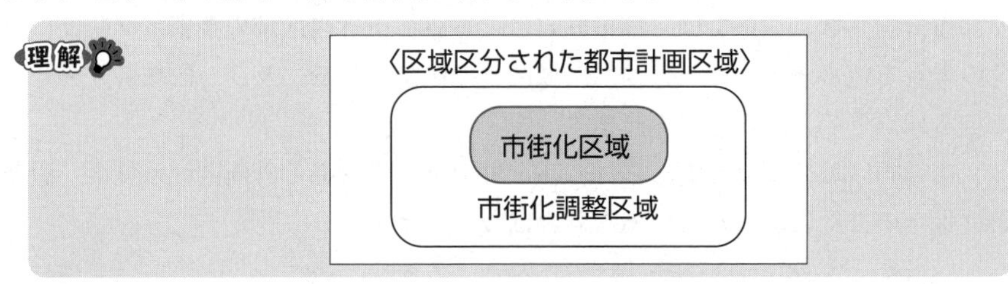

メモ
このようにして，日本の国土は，**（ア）**市街化区域，**（イ）**市街化調整区域，**（ウ）**区域区分が定められていない都市計画区域（非線引きの都市計画区域），及び，**（エ）**準都市計画区域と，**（オ）**それ以外（都市計画区域及び準都市計画区域が定められていない土地の区域）の5つに，区分されることになる。

(2) 制度の趣旨

区域区分（都市計画区域を**市街化区域**と**市街化調整区域**に二分）する目的は，無秩序な市街化（**乱開発**）を防止すること，及び，段階的に道路・下水道等の整備をしつつ，**計画的に市街化を図る**ことにあります。

なぜなら，人口が都市に集中し，虫食い的に宅地開発されるなどの無秩序な市街化が起こる場合に，都市計画区域を，限りある地方公共団体の予算を**道路・公園・下水道などの公共施設**に**選択的・集中的に投下**して，**より良い都市環境を積極的に整備**する市街化区域と，**当面はそのような資本投下をしない**市街化調整区域とに，区分する必要があるからです。

すなわち，**区域区分**とは，「**限りある行政の予算をより効率的に投下**して，**より良い都市環境を整備**するための手法」ということになります。

プラスα

・**市街化調整区域の目的は「現状維持」**：
その意味で，市街化調整区域では，当面，行政サイドによる道路・公園・下水道などの都市基盤の整備（いわゆるインフラ整備）は，原則として行われず，民間サイドによる宅地開発や建物の建築も，原則として許可されない。都市整備と農林漁業との調和を図るという観点や，将来の都市の「伸びしろ」の確保という目的もあり，市街化調整区域は，現状が維持されることになる。

・**なぜ，「非線引き」なのか（区域区分しないのか）**：
区域区分は，人口の都市集中を主な原因として起こる都市問題を解決する方法の1つである。ところで現在，地方圏の中小都市においては，人口は減少傾向にあって，無秩序な市街化を懸念する必要性は低いばかりか，むしろ，積極的に宅地開発・建築行為を行って，都市を活性化させなければならない状況にある。都市計画区域を区域区分して市街化調整区域を指定し，開発・建築を禁止する必要性は低い。そこで，このような地域においては，区域区分を定めず，都市計画区域全体を区域区分の定めのない都市計画区域として，市街化区域と同等以上の「緩やかな」制限の下に置くことにしたのである。

(3)「市街化区域・市街化調整区域」とは

市街化区域，市街化調整区域は，次のような土地の区域に指定されます。

まとめ

暗記 〈市街化区域・市街化調整区域〉

市街化区域	① **すでに市街地**を形成している区域（既成市街地） ② おおむね10年以内に優先的かつ計画的に市街化を図るべき区域 （現在は山林・原野でも，おおむね10年以内に，宅地化し他の区域に優先して街づくりを行う計画があれば，市街化区域として指定できるということ）
市街化調整区域	**市街化を抑制**すべき区域

メモ

・試験にはここから出る。上の定義は必ず暗記のこと。

・市街化調整区域では，市街化は抑制されるので，開発行為・建築行為が制限されるが（後述6 4（2）参照），市街化が禁止されるわけではない。

（4）決定権者（15条）

区域区分に関する都市計画は，**都道府県**が行います。

3 地域地区（8条）

（1）「地域地区」とは

地域地区とは，次のような地域・地区・街区の総称です。都市計画区域・準都市計画区域内について都市計画で定められ，区域内の土地の利用を規制します。

理解 〈主な地域地区の種類〉

○：指定できる，×：指定できない，△：緑地保全地域内でのみ指定できる

都市計画区域		準都市計画区域
基本的地域地区	① 用途地域 （住居系）第１種・第２種低層住居専用地域 第１種・第２種中高層住居専用地域 第１種・第２種住居地域，準住居地域 田園住居地域 （商業系）近隣商業地域，商業地域 （工業系）準工業地域，工業地域，工業専用地域	○

<table>
<tr><td rowspan="11">補助的
地域地区</td><td>② 特別用途地区</td><td>用途地域内</td><td rowspan="2">○</td></tr>
<tr><td>③ 特定用途制限地域</td><td>用途地域外</td></tr>
<tr><td colspan="2">④ 高層住居誘導地区</td><td>×</td></tr>
<tr><td>⑤ 高度地区</td><td>用途地域内</td><td>○</td></tr>
<tr><td>⑥ 高度利用地区</td><td>用途地域内</td><td rowspan="3">×</td></tr>
<tr><td colspan="2">⑦ 特定街区</td></tr>
<tr><td colspan="2">⑧ 防火地域・準防火地域</td></tr>
<tr><td colspan="2">⑨ 風致地区</td><td rowspan="2">○</td></tr>
<tr><td colspan="2">⑩ 景観地区</td></tr>
<tr><td colspan="2">⑪ 緑地保全地域，特別緑地保全地区，緑化地域</td><td>△</td></tr>
<tr><td>⑫ 生産緑地地区</td><td>市街化区域内</td><td>×</td></tr>
</table>

プラスα

・以上のほか，次のような**地域地区**がある。

ア）特例容積率適用地区

イ）都市再生特別地区，居住調整地域，居住環境向上用途誘導地区，特定用途誘導地区（都市再生特別措置法）

ウ）特定防災街区整備地区（密集市街地整備法）

エ）駐車場整備地区（駐車場法）　オ）臨港地区（港湾法）

カ）歴史的風土特別保存地区（古都における歴史的風土の保存に関する特別措置法）

キ）（第１種・第２種）歴史的風土保存地区（明日香村における歴史的風土の保存及び生活環境の整備等に関する特別措置法）

ク）流通業務地区（流通業務市街地の整備に関する法律）

ケ）伝統的建造物群保存地区（文化財保護法）

コ）航空機騒音障害防止地区，航空機騒音障害防止特別地区（特定空港周辺航空機騒音対策特別措置法）

（2）用途地域（9条）

①「用途地域」とは

地域内で建築できる**建築物の用途を規制**することによって，**土地利用の方向性**を決めるための都市計画です。このうち，市街化区域には**少なくとも**（つまり，「**必ず**」）**用途地域**を定め，市街化調整区域には，**原則として用途地域を定めません。**

① 市街化区域には，少なくとも用途地域を定める
② 市街化調整区域には，原則として，用途地域を定めない

② 種類と定義（キーワード）

用途地域には，次の**13種類の地域**があります。各用途地域のイメージは次のとおりです。なお，建築できる建築物の用途について，詳しくは，**建築基準法**（用途制限）で検討します。

i）第１種低層住居専用地域，第２種低層住居専用地域

一戸建てが多い閑静な住宅街のイメージです。意外に広く指定され，用途地域全体の１／６程度を占めます。

「**第１種**」低層住居専用地域（「低層住専」）に建築することができる建物は，住宅とそれに直接関連するものといえます（店舗・飲食店も住宅との併用なら可能）。一方，「**第２種**」低層住専では，小規模な店舗（ 例 コンビニエンスストア，理髪店・美容院）や飲食店なら建てることができるようになります。

メモ

「低層住専」では，建築物の容積率・建蔽率は低く抑えられ，高さも都市計画で10mまたは12mのどちらかが定められるといった厳しい制限に服することになる。

ii）第１種中高層住居専用地域，第２種中高層住居専用地域

「**中高層**」住居専用地域（「中高層住専」）のイメージは「住宅団地」です。ただし，中高層のマンション建築も可能という意味で，２階建ての低層木造住宅も多く建てられて，住宅街を形成し，また，大学や病院も建築できる地域です。

「**第１種**」中高層住専には団地の住宅棟が建てられることが多く，店舗も500㎡以下なら可能です。「**第２種**」中高層住専では，中規模（1,500㎡以下）のいわゆるスーパーを含め一般の商店や事務所の建築が可能となります（第１種では事務所は不可）。

まとめ

暗記 〈用途地域の全体像〉

	種類	定義・キーワード	イメージ
住居系	第1種低層住居専用地域	低層住宅に係る良好な住居の環境を保護するために定める地域	閑静な住宅街
	第2種低層住居専用地域	主として低層住宅に係る良好な住居の環境を保護するために定める地域	コンビニ可
	第1種中高層住居専用地域	中高層住宅に係る良好な住居の環境を保護するために定める地域	住宅団地
	第2種中高層住居専用地域	主として中高層住宅に係る良好な住居の環境を保護するために定める地域	中規模のスーパー可
	第1種住居地域	住居の環境を保護するために定める地域	住居・商業混在
	第2種住居地域	主として住居の環境を保護するために定める地域	大型スーパー可
	準住居地域	道路の沿道としての地域の特性にふさわしい業務の利便の増進を図りつつ，これと調和した住居の環境を保護するために定める地域	自動車関連施設の立地
	田園住居地域	農業の利便の増進を図りつつ，これと**調和**した**低層**住宅に係る良好な住居の環境を保護するため定める地域	農住近接・混在
商業系	近隣商業地域	近隣の住宅地の住民に対する日用品の供給を行うことを主たる内容とする商業その他の業務の利便を増進するために定める地域	小規模な駅前商店街・道路沿道の商店街
	商業地域	主として商業その他の業務の利便を増進するために定める地域	繁華街・歓楽街
工業系	準工業地域	主として環境の悪化をもたらすおそれのない工業の利便を増進するために定める地域	住・商・工混在
	工業地域	主として工業の利便を増進するために定める地域	大規模工場 住宅可
	工業専用地域	工業の利便を増進するために定める地域	工業地帯 **住宅不可**

↓

地域内で建築される建築物の「用途・容積率の限度・建蔽率の限度・敷地面積の最低限度」については，建築基準法によって制限される

メモ

・試験には前出表の定義が出題される。キーワードを必ず暗記のこと。

・「**主として**」:「**他の用途の混在を許容する**」という意味。「**第２種**」の住居系用途地域，商業地域，準工業地域，工業地域の定義となっている。

ⅲ）第１種住居地域，第２種住居地域，準住居地域

商業的（一部工業的）な用途の建物の混在が許容される住宅地域です。定義から「良好な」の文言がなくなっている点に注意してください。この３種類で，用途地域全体の３割程度を占めます。

「**第１種**」住居地域では，ボーリング場・スケート場といった屋内スポーツ施設やホテル・旅館の建築も，比較的小規模のものであれば（いずれも3,000㎡以下）可能となります。

「**第２種**」住居地域では，ぱちんこ屋・マージャン屋・カラオケボックスなど比較的騒音の出る用途の建物や，比較的規模の大きなホテルや店舗（いわゆるスーパー。いずれも10,000㎡以下）も建築できるようになります。

準住居地域は，自動車車庫・自動車修理工場などの自動車関連施設の集中立地を目的に，幹線道路に沿って指定されることが多い用途地域です。幹線道路から見て準住居地域の背後に広がる他の住居地域の中に，自動車関連施設が立地することがないようにして，騒音から住宅街を守る「防波堤」的な役割も果たしています。

ⅳ）田園住居地域

低層住宅と農地が混在し，両者が調和して良好な居住環境と営農環境を形成している地域を，あるべき市街地像として位置付けて，その維持・形成を図る地域です。

日影等の影響を受けないで営農の継続を可能とするため，建築物は低層住専と同様の容積率・建蔽率・高さなどの形態規制が行われます。建築物の用途の規制も低層住専と同様ですが，農産物直

（イメージ）

売場や農家レストランなど，農業関連の施設は認められます。

なお，建築物の建築などには，「市町村長の許可」が必要です。

メモ

現状で農地が多く混在する低層の住宅地に指定される。「田園」という地域の名称にかかわらず，指定は都市部（主に市街化区域内）で行われる。

v）近隣商業地域

「中小規模の駅周辺の商店街」あるいは「一般店舗が立ち並ぶバス通り沿いの地域」といったイメージの地域です。デパートなどの商業施設が立地することもありますが，建物の大きさや高さは，商業地域ほどではありません。用途的には，商業的施設はほぼ建築可能ですが，バー・キャバレー・料理店，（個室付）公衆浴場といった風俗営業店は建築できません。

vi）商業地域

「繁華街・歓楽街」のイメージです。危険性の高い工場は建築できませんが，その他，準工業地域と同様に，多くの種類の建物が建築可能です。地価も高く，建物も高い収益性を要求されるので，床面積が大きく高さも高い建築物の建築が要求される地域です。ちなみに，都市計画で指定される容積率の上限は1,300%，建蔽率の上限は100%（防火地域内の耐火建築物等の場合）です。

vii）準工業地域

商店・事務所・町工場と住宅が混在するような，住居系・商業系・工業系の建築物が混在したイメージの地域です。用途的な制限は最も緩やかです。工場については，火災・騒音・衛生上の危険の比較的少ない工場の立地は可能ですが，大規模工場は建築できません。

viii）工業地域，工業専用地域

臨海部・内陸部の工業団地や大工場が立地する，まさに工業地帯のイメージです。工業地域では住宅の建築は許容されますが，病院・学校の建築は不可。工業専用地域は，多くの商業系建築物のほか住宅の建築も禁止されます。

メモ
工場地域と工業専用地域の違いは，住宅を建築できるか否か，である。

（3）特別用途地区（9条）

①「特別用途地区」とは

用途地域内の一定の地区における当該地区の特性にふさわしい土地利用の増進，環境の保護等の特別の目的の実現を図るため，当該用途地域の指定を補完して定める地区です。

〈特別用途地区〉

用途地域による建築物の用途の規制（用途制限）だけでは，地区の実情に対応できない → 用途地域の上に重ねて指定 ↓ 地区の特性に応じたキメの細かな用途規制

メモ
特別用途地区の種類は，実現を図る「特別の目的」を明らかにして，都市計画で定める。特別工業地区，文教地区などの例がある。

② 用途制限

用途地域の指定による用途の制限（建築基準法上の「用途制限」）を，指定の目的に応じて，さらに厳しい制限としたり，より緩やかなものとすることになります（建築基準法49条）。

理解

制限の付加	指定の目的に応じて，用途地域による用途規制にさらに制限を加える。具体的な規制内容は，地方公共団体の条例による
制限の緩和	地方公共団体は，条例で，用途地域による用途規制を緩和することもできる。ただし，国土交通大臣の承認が必要

メモ

・**特別工業地区**：立地する工場の種類を限定する目的で指定する場合（化学系の工場を集中立地させるなど）や，用途地域による制限によれば建築できない用途の建築物を認める目的で指定される例がある（住宅街に大規模な醤油工場を立地するなど）。

・**文教地区**：上とは逆に，用途地域の制限によれば建築できる建築物を建築できないこととするために指定する文教地区などの例がある。例えば，商業地域内に小・中学校がある場合に，児童・生徒に悪影響を与えるような店舗の出店を規制する目的で，学校周辺の建物の用途を制限するなど

・上記はいずれも，指定は都市計画によるが，その内容は条例によることになる。

（4）特定用途制限地域（9条）

用途地域が定められていない土地の区域（市街化調整区域を除く）内において，その良好な環境の形成または保持のため当該地域の特性に応じて合理的な土地利用が行われるよう，都市計画により，制限すべき特定の建築物等の用途の概要を定める地域です。

メモ

市街化区域には用途地域が必ず定められるので，特定用途制限地域は，市街化区域内には定められない。また，市街化調整区域には指定されないので，結局，特定用途制限地域は，区域区分の定められていない都市計画区域，または，準都市計画区域内で，かつ，用途地域が定められていない区域に指定されることになる。

（5）高層住居誘導地区（9条）

①「高層住居誘導地区」とは

住居と住居以外の用途とを適正に配分し，利便性の高い高層住宅の建設を誘導するため，都市計画により，**容積率の最高限度**のほか，必要な場合は，**建蔽率の最高限度**，**敷地面積の最低限度**を定める地区です。

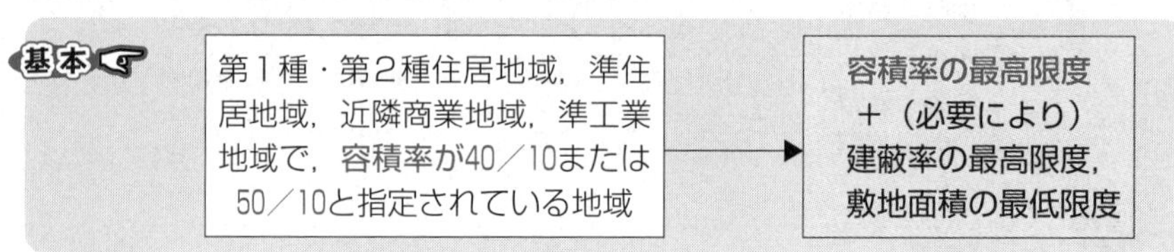

基本
第1種・第2種住居地域，準住居地域，近隣商業地域，準工業地域で，容積率が40／10または50／10と指定されている地域
容積率の最高限度
＋（必要により）
建蔽率の最高限度，
敷地面積の最低限度

② 内容

地区内においては，一定の要件を満たす住居系の建築物は，**通常の1.5倍までの容積率の緩和**を受けられます。高層住居誘導地区を中心市街地に指定して，通常より1.5倍面積の大きいマンションを建て，郊外に拡散した人口を都市の中心部に呼び戻すことを目的とした都市計画なのです（職住接近を目的とした都市計画）。

（6）高度地区（9条）

①「高度地区」とは

用途地域内において，市街地の環境を維持するために，都市計画によって建築物の高さの最高限度を定め（**最高限度高度地区**），または土地利用の増進を図るために最低限度を定める（**最低限度高度地区**）地区です。

メモ

住居系の用途地域内においては最高限度高度地区を定めて，高い建物を建てることができないようにし，一方で，商業系の用途地域においては最低限度高度地区を定め，高さの低い建物を建てないようにするとともに，容積率の規定と相まって建物の高さを同程度のものに誘導し，高さの揃った市街地を形成するための都市計画である。

② 制限

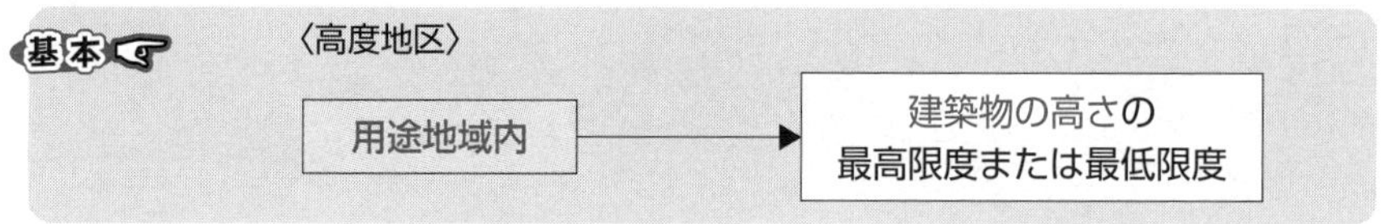

メモ
準都市計画区域内で指定される場合は，**高さの最高限度**のみ定められる。

（7）高度利用地区（9条）

①「高度利用地区」とは

用途地域内において，市街地の土地の合理的かつ健全な高度利用と都市機能の更新とを図るため，都市計画により，**容積率**の最高限度及び最低限度，**建蔽率**の最高限度，**建築面積**の最低限度及び**壁面の位置**の制限（一定の敷地内の道路に面する部分に限る）を定める地区です。

メモ
再開発を行う場合に指定される。

② 制限

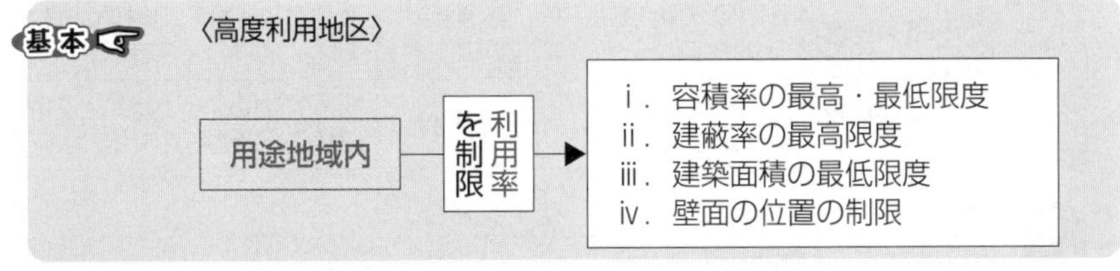

基本
〈高度利用地区〉
用途地域内
利用率を制限
ⅰ．容積率の最高・最低限度
ⅱ．建蔽率の最高限度
ⅲ．建築面積の最低限度
ⅳ．壁面の位置の制限

メモ
高度利用地区内で定められる制限は，容積率，建蔽率，建築面積，壁面の位置。

（8）特定街区（9条）

①「特定街区」とは

市街地の整備改善を図るため，街区の整備または造成が行われる地区について，都市計画により，その街区内における建築物の容積率，高さの最高限度及び壁面の位置の制限を定める街区です。

メモ
より大きく，より高い建築物を建築することが目的。そのために，特定街区内においては，容積率，建蔽率，斜線制限等建築物の大きさ・高さに関する建築基準法上の一般的な規定は，適用しない。その代わりに，都市計画で容積率，高さなどを定めることにしたのが特定街区である。

例 新宿の高層ビル街，池袋サンシャインシティなど多数

② 利害関係人の同意

特定街区に関する都市計画の案については，街区内の土地所有者などの利害関係人の同意を得なければなりません。

(9) 防火地域・準防火地域（9条）

市街地における火災の危険を防除するため定める地域です。都市の不燃化が目的です。火災の延焼等を防ぐため，地域内の建築物は高度の防火性能が求められます。具体的には，建築基準法で規制されています（後述第2章48参照）。

(10) 風致地区と景観地区（9条，景観法）

都市の自然的環境や景観の形成・保全に関する地域地区です。

基本

地区	定義	指定	制限の内容
風致地区	都市の風致を維持するため定める地区	都道府県または市町村	条例で，建築物の建築，宅地造成，木竹の伐採等を制限
景観地区	市街地の良好な景観の形成を図る地区	市町村	都市計画により，建築物の形態意匠，高さ等を制限

メモ

・風致地区は，市街化調整区域内でも指定できる。風致地区の指定例は，例えば，鎌倉市内，京都の嵯峨野周辺など各地にある。
・景観地区の指定例は，京都市内などにある。形態意匠の例としては，屋根の勾配，屋根・外壁の色彩，屋上受水槽などの建築設備の位置など。

(11) 特別緑地保全地区と生産緑地地区（都市緑地法，生産緑地法）

都市の「緑地」に関する地域地区。建築物の建築等の行為につき許可が必要です。

基本

地区	緑地・生産緑地の意味	指定	制限の内容	許可権者
特別緑地保全地区	「緑地」とは，樹林地，草地，水辺地，岩石地等が一体として良好な自然的環境を形成している土地のこと	都道府県または市町村	建築物の新築，宅地の造成等	・知事 ・市の区域内にあっては市長
生産緑地地区	「生産緑地」とは，市街化区域内の農地等のこと	市町村		市町村長

4 都市施設 (11条)

(1)「都市施設」とは

都市施設とは，道路・公園・下水道など文化的な都市生活を営む上で，なくてはならない公共的な施設のことです。主に，次のような各種の施設をいいます。

基本

都市施設	道路・駐車場等の交通施設　公園・広場・墓園等の公共空地 上下水道・電気・ガス供給施設 汚物処理場・ごみ焼却場　河川・運河等の水路 学校・図書館等の教育文化施設 病院・保育所等の社会福祉施設　市場・と畜場・火葬場
	一団地の住宅施設，一団地の官公庁施設，一団地の都市安全確保拠点施設，流通業務団地

プラスα

・**都市施設**とは，要は，都市基盤（インフラ）の整備のための施設のこと。なお，「立体都市施設」とは，道路・河川等について，必要に応じ，その区域の地下または空間について，立体的範囲を定めることができるもの。

・都市施設を整備する都市計画を「都市施設に関する都市計画」，また，具体的に都市計画として策定された都市施設を，「都市計画施設」という。「都市計画施設」となった段階でその建設用地に対して建築制限がかかる。これを，都市計画が策定されたことによる制限，という意味で「都市計画制限」という。さらに，その後，策定された都市計画に基づいて実際に事業（工事）が行われるが，その事業により宅地造成なども規制される。これを，「都市計画事業制限」という（「都市計画制限」とともに後述4参照）。

(2) 都市施設の決定 (13条，11条)

基本

原　則	都市計画区域内において，必要なものを任意に決定する
特　則	① 市街化区域・区域区分のない都市計画区域には，少なくとも道路・公園・下水道を定める ② 住居系の用途地域では，さらに義務教育施設をも定める
区域外都市施設	特に必要がある場合は，都市計画区域外にも決定することができる　例 水道用水を確保するためにダムを建設するなど

・**都市計画で決定しないと建築できない都市施設**：卸売市場，火葬場またはと畜場，汚物処理場，ごみ焼却場等は，都市計画区域内においては，原則として，都市計画でその敷地の位置が決定しているものでなければ，新築・増築できない（建築基準法51条）。

・なお，準都市計画区域では，原則として，都市施設を定めない。

（3）決定権者（15条）

都市施設に関する都市計画は，原則として**市町村が決定**します。

基本☞

原　則	原則として，**市町村**が決定する
例　外	ただし，**広域の見地**から決定すべき都市施設・根幹的都市施設は，都道府県が決定する

5 市街地開発事業（12条）

（1）「市街地開発事業」とは

市街地開発事業とは，地方公共団体などが，一定の区域を総合的な計画に基づいて新たに開発または再開発する事業のことで，次の７種の都市計画の総称です。

基本☞

① 新住宅市街地開発事業 ② 工業団地造成事業 ③ 新都市基盤整備事業	・事業手法：主として用地買収方式 ・「施行予定者」「予定区域」を定めることができる
④ 土地区画整理事業 ⑤ 市街地再開発事業 ⑥ 住宅街区整備事業 ⑦ 防災街区整備事業	・事業手法：主として換地・権利変換方式 ・「促進区域」等を定めることができる

メモ

・都市施設が，例えば公園・学校等を設置する，道路・河川を改修・整備するなど，いわば「点と線」の都市計画であるのに対して，市街地開発事業は，例えば，住宅・道路・学校・商業施設等を一体的に整備してニュータウンを造成するなど（新住宅市街地開発事業），いわば「面」的な（総合的な）都市計画といえる。

用語 **施行予定者**：その事業を将来実際に施行する者のこと。将来の「施行者」の計画段階での呼称

（2）市街地開発事業の決定（13条）

市街地開発事業は，その性格上，**市街化区域**と**区域区分のない都市計画区域内**において行われ，市街化調整区域・準都市計画区域においては行われません。

6 市街地開発事業等予定区域（12条の2）

市街地開発事業等予定区域（「予定区域」）とは，用地買収が必要な大規模面開発事業の事業用地について，①**現状を凍結**させ（現状維持），かつ，②**早期にその事業用地を確保するために土地の先買い**などができるとした都市計画のことです。都市計画の詳細な内容は本計画にゆだね，とりあえず区域とその事業等を施行する者（施行予定者）などの基本的事項のみを決定します。将来その事業が行われる土地の区域に指定されます。

現状凍結・現状維持のために建築物の建築等は許可制とされ，**事業用地の早期確保**のために「先買い」「買取請求」の各制度を設けています（後述4 2（2）（3）参照）。

予定区域には，次の６種類があります。

基本

① 新住宅市街地開発事業の予定区域 ② 工業団地造成事業の予定区域 ③ 新都市基盤整備事業の予定区域	市街地開発事業の予定区域
④ 20ha 以上の一団地の住宅施設の予定区域 ⑤ 一団地の官公庁施設の予定区域 ⑥ 流通業務団地の予定区域	都市施設の予定区域

メモ

予定区域には，「施行予定者」（その事業を将来実際に施行する者）を定めなければならない。

7 地区計画等（12条の4）

地区計画等とは，次の都市計画の総称をいいます。

> ① 地区計画　② **防災街区整備地区計画**　③ **歴史的風致維持向上地区計画**
> ④ **沿道地区計画**　⑤ **集落地区計画**

いずれも比較的狭い範囲の地区において，その地区の特性を活かした個性ある街並みの実現を図ることを目的としています。

試験によく出題されるのは「①**地区計画**」についてなので，以下，主に**地区計画**について検討します。

（1）「地区計画」とは（12条の5）

地区計画は，建築物の建築形態，公共施設その他の施設の配置等からみて，一体としてそれぞれの区域の特性にふさわしい態様を備えた良好な環境の各街区を整備し，開発し，及び保全するための計画です。

具体的には，主として街区内の居住者等の利用に供される道路や小さな公園等，および防災上必要な避難施設，避難路，雨水貯留浸透施設等（「地区施設」）の配置・規模に関する事項や，いわゆる「ミニ開発」による環境悪化を防止するために建築物の敷地面積の最低限度を定めたり，その他，建築物の用途，高さ，容積率，建蔽率などを定めます（「地区整備計画」）。

そして，これに基づいて開発行為・建築行為を規制・誘導し，良好な市街地の形成・保全を図ろうとする都市計画が，地区計画です（「小さな都市計画」「キメの細かな街づくり」）。

メモ

- 地区計画については，都市計画に，地区計画の種類，名称，位置及び区域，及び，主として街区内の居住者等の利用に供される道路，公園などの施設（「地区施設」）や建築物等の整備並びに土地の利用に関する計画（「地区整備計画」）を定める。
- また，地区計画には，都市計画に，区域の面積，当該地区計画の目標，当該区域の整備，開発及び保全に関する方針を定めるよう努めるものとする。

用語 ・**再開発等促進区**：区域内の土地の合理的かつ健全な高度利用と都市機能の増進とを図るため，一定の条件に該当する土地における地区計画については，「再開発等促進区」（一体的かつ総合的な市街地の再開発または開発整備を実施すべき区域）を都市計画に定めることができる

・**開発整備促進区**：「第２種住居地域，準住居地域，工業地域または用途地域が定められていない土地の区域（市街化調整区域を除く）」の一定の条件に該当する土地における地区計画については，「特定大規模建築物」（劇場，店舗，飲食店その他これらに類する用途に供する大規模な建築物）の整備による商業その他の業務の利便の増進を図るため，「開発整備促進区」（一体的かつ総合的な市街地の開発整備を実施すべき区域）を都市計画に定めることができる。つまり，上記の「第２種住居・準住居・工業の各用途地域及び用途未指定区域」の区域内においては，原則として「特定大規模建築物」（10,000㎡を超える店舗・飲食店等の大規模な集客施設・商業モール）の建築は禁止されているので，地区計画（開発整備促進区）を定め，これに適合するものについては建築できることとしたのである

・**地区計画の種類**：地区計画は，**（1）**の「基本形」及び再開発等促進区を有する地区計画のほか，次のようないくつかのタイプがある

ⅰ）誘導容積型，ⅱ）容積適正配分型，ⅲ）高度利用型，ⅳ）用途別容積型，ⅴ）街並み誘導型，ⅵ）立体道路型

（2）決定権者と住民等の意見

①　決定権者（15条）

地区計画は，市町村が決定します。

②　住民等の意見（16条）

その際，都市計画で定める**地区計画**の案は，当該区域内の土地所有者などの**利害関係人の意見**を求めて作成しなければなりません。その点で，地区計画は，他の都市計画に比べ，より住民参加を意識した都市計画であるといえます（住民参加型街づくり）。

用語 **利害関係人**：当該区域内の土地の所有者，借地権者，抵当権者など

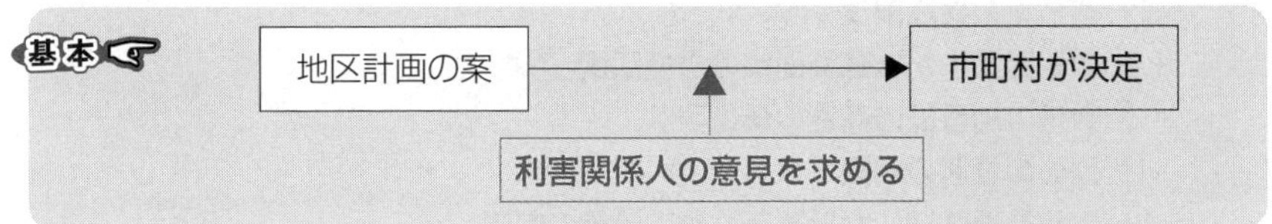

（3）指定基準（12条の4，12条の5）

地区計画は，**都市計画区域内**において定められます。

都市計画区域内であれば，用途地域が定められていない土地の区域についても，一定の要件のもと定めることができます。

メモ

地区計画は，公共施設の整備等の見通しを勘案し，当該区域の防災・安全・衛生上に関する機能が確保され，かつ良好な環境の形成等のため，その区域の特性に応じて合理的な土地利用が行われるよう定める。

また，地区計画は，市街化調整区域においても地区計画を定めることができます。ただしこの場合，その周辺の市街化を促進することがないなど，計画的な市街化を図る上で支障がないように定める必要があります。

メモ

なお，地区計画は，準都市計画区域では定められない。

（4）地区整備計画

①　地区整備計画とは（12条の5）

地区計画とは以上のような計画ですが，そこには，地区計画の種類・名称・位置・区域とともに，地区整備計画も定める必要があります。地区整備計画は，地区施設及び建築物等の整備並びに土地の利用に関する計画で，地区計画の目的を達成するために地区計画ごとに次の事項のうち必要な事項を定めます。

（ア）地区施設（主として街区内の居住者等が利用する道路・公園等，及び，街区における防災上必要な機能を確保するための避難施設，避難路，雨水貯留浸透施設（雨水を一時的に貯留し，または地下に浸透させる機能を有する施設）等の施設のこと）の配置及び規模

（イ）いわゆる「ミニ開発」を規制するための建築物の用途及び形態等の制限

- **ⅰ）用途の制限**
- **ⅱ）容積率の最高限度または最低限度**
- **ⅲ）建蔽率の最高限度**
- **ⅳ）敷地面積または建築面積の最低限度**
- **ⅴ）敷地の地盤面の高さの最低限度**
- **ⅵ）壁面の位置の制限**
- **ⅶ）壁面後退区域における工作物の設置の制限**
- **ⅷ）建築物等の高さの最高限度または最低限度**

ix）建築物の居室の床面の高さの最低限度
x）建築物等の形態または色彩その他の意匠の制限
xi）建築物の緑化率の最低限度
（ウ）現に存する樹林地，草地等で良好な居住環境を確保するために必要なものの保全に関する事項
（エ）現に存する農地（耕作の目的に供される土地）で農業の利便の増進と調和した良好な居住環境を確保するため必要なものにおける土地の形質の変更その他の行為の制限に関する事項

プラスα

・市街化調整区域内では，容積率の最低限度，建築面積の最低限度，高さの最低限度を定めることはできない。
・市町村は，地区計画等の区域内（地区整備計画等が定められている区域に限る）において，条例で，建築物の敷地，構造，建築設備または用途に関する事項で当該地区計画等の内容として定められたものを制限することができる。集落地区計画を除き，用途制限についての緩和も可能（建築基準法68条の２）。

② 地区整備計画を定めない場合（12条の５）

地区計画を都市計画に定める際，当該地区計画の区域の全部または一部について地区整備計画を定めることができない特別の事情があるときは，当該区域の全部または一部について地区整備計画を定めないことができます。

（5）建築等の届出（58条の２）

地区計画の区域（再開発等促進区，開発整備促進区または地区整備計画が定められている区域に限る）内においては，一定の行為は**市町村長に届出**をしなければなりません。

基本

原　則 （届出）	土地の区画形質の変更 建築物の建築 工作物の建設，その他	行為に着手する日の30日前までに市町村長に届出
例　外 （届出不要）	通常の管理行為，軽易な行為，非常災害のため必要な応急措置，国・地方公共団体が行う行為，都市計画事業の施行として行う行為，開発許可を要する行為，その他	

メモ

市町村長の勧告：市町村長は，届出に係る行為が地区計画に適合しないと認めるときは，設計変更等の勧告をすることができる。

（6）建築等の許可（58条の3）

市町村は，条例（地区計画農地保全条例）で，地区計画の区域（地区整備計画で，現に存する農地における行為の制限（前述（4）①（エ）参照）が定められている区域に限る）内の農地の区域内における土地の形質の変更等田園住居地域内の許可が必要な行為について，田園住居地域内と同様に，市町村長の許可を受けなければならないこととすることができます。田園住居地域の指定による制限（次項）を補完するための制度です。

8 田園住居地域内における建築等の規制（52条）

田園住居地域内の農地（耕作の目的に供される土地）の区域内において，土地の形質の変更，建築物の建築・工作物の建設，または土石等の堆積を行おうとする者は，**市町村長の許可**を受けなければなりません。

基本☞

原　則 （許可）	土地の形質の変更 建築物の建築 工作物の建設 土石等の堆積	市町村長の許可
例　外 （許可不要）	通常の管理行為，軽易な行為，非常災害のため必要な応急措置，国・地方公共団体が行う行為，都市計画事業の施行として行う行為，現に農業を営む者が農業を営むために行う土地の形質の変更または土石の堆積	

メモ

国または地方公共団体が行う行為については，許可不要。なお，あらかじめ，市町村長との協議が必要。

4 都市施設・市街地開発事業・予定区域と建築等の制限（都市計画制限・都市計画事業制限）

都市施設及び市街地開発事業に関する都市計画は，「都市計画事業」に結びつく都市計画です。

例えば，都市施設に関する都市計画として道路をつくることになれば，その後，都市計画に基づき，実際に道路をつくる事業（工事）が行われることになるし，また，大規模なニュータウンをつくるため，ある区域が新住宅市街地開発事業を行う場所に定められると，その後，都市計画に基づき，実際に新住宅市街地を造成する事業（工事）が行われることになります。

一般的な都市計画は，まず，それぞれ「都市計画決定」が行われ，「都道府県知事の事業の認可等」を経て工事が開始されて，事業は完成します（下図②→③の２段階）。

都市計画によっては，事業の準備段階として「予定区域」が決定されることもあります（下図の①→②→③の３段階）。

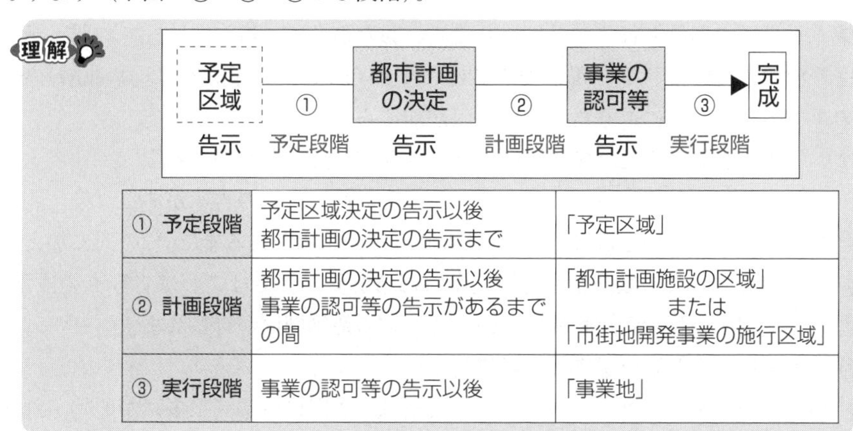

① 予定段階	予定区域決定の告示以後 都市計画の決定の告示まで	「予定区域」
② 計画段階	都市計画の決定の告示以後 事業の認可等の告示があるまでの間	「都市計画施設の区域」 または 「市街地開発事業の施行区域」
③ 実行段階	事業の認可等の告示以後	「事業地」

1 事業による制限

都市施設または市街地開発事業に関する都市計画が定められた区域内においては，将来の事業の円滑な実施を確保するために，**一定の制限**が行われます。

通常は，②→③の２段階の制限ですが，①予定区域が加わった場合は，実際上①→③の２段階の制限となります。

各制限の名称とその概略は以下のとおりです。

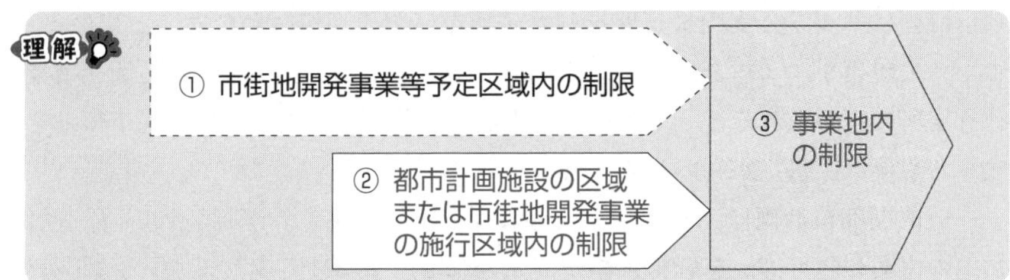

① 市街地開発事業等予定区域内の制限

予定区域（市街地開発事業等予定区域）が定められると，一定期間内に事業の認可等の申請がなされなければならないので（おおよそ５年程度），遠からず事業（工事）が開始されることになります。したがって，事業開始までの間，予定区域内の土地の形状等を現状のままにしておくことが望ましく（現状凍結），③の事業地内の制限に準じた厳しい制限が加えられます。

② 都市計画施設の区域または市街地開発事業の施行区域内の制限

一般的な都市計画の段階，すなわち，都市計画の決定の告示があった後，実際に事業（工事）が始まるまで（「事業の認可等の告示があるまで」）の間に加えられる制限です。この段階は，計画段階（都市計画としてはいわば青写真の段階）なので，制限の程度が比較的緩やかな建築物の建築制限が行われます。

③ 事業地内の制限（都市計画事業制限）

都市計画事業の認可等の告示があった後は，実際に事業（工事）が開始されるので，それまでの段階（②**都市計画施設の区域または市街地開発事業の施行区域内の制限**）よりも厳しい「事業地内の制限」（都市計画事業制限）が働きます。

以下，①～③の制限の内容を見ていきましょう。

2 市街地開発事業等予定区域内の制限

予定区域内には，次のような制限がかかります。

メモ
以下の「予定区域内の制限」（（1）～（3））の内容は，事業の認可等の告示があるまで続き，「事業地内の制限」（後述4参照）に至って，発展的に解消する。

（1）建築等の制限（52条の2）

市街地開発事業等予定区域に関する都市計画中に定められた区域内で，土地の形質の変更を行い，または建築物の建築その他工作物の建設を行おうとする者は，原則として，都道府県知事等の**許可**を受けなければなりません。

将来の都市計画事業の進行を阻害しないように，**事業用地を現状のまま凍結**するための制限です。

メモ
・**「都道府県知事等の許可」**＝「市の区域内にあってはその市長の許可」となる（以下同）。
・**国の特例**：国が行う行為については，当該国の機関と知事等との協議が成立すれば，許可があったものとみなされる（以下同）。

基本

原　則	ｉ）建築物の建築 ii）工作物の建設 iii）土地の形質の変更	知事等の許可
例　外	・通常の管理行為，軽易な行為 ・非常災害のため必要な応急措置 ・都市計画事業の施行としての行為	許可不要

（2）土地建物等の先買い (52条の3)

ある土地が予定区域内にある場合，該当する事業は用地買収型なので，最終的にその土地は，市街地開発事業等の事業用地として買収または収用されていきます。

そこで，所有者が第三者に土地建物等を譲渡する機会をとらえて，施行予定者が，予定区域内の土地を取得する手段を設けることとしました。これが**土地建物等の先買制度**であり，次の（3）とともに，**事業用地を早期に確保**するための仕組みです。

i）土地所有者が予定区域内の土地建物等を有償譲渡しようとする場合，
ii）予定対価の額等一定の事項を施行予定者に届け出させ，
iii）その額が適当であれば，施行予定者が，その土地建物等を買い取ることができる。

（3）更地の買取請求制度 (52条の4)

（2）の先買制度と異なり，土地の所有者側が，施行予定者に請求して当該土地を**買い取らせる制度**です。ただし，買取請求する土地は，いわゆる「**更地**」でなければなりません。

プラスα

買取請求できない場合：

ア）その土地が他人の権利の目的となっているとき（借地権・抵当権などの権利が設定されている場合など）
イ）その土地に建築物その他の工作物があるとき
ウ）立木ニ関スル法律による立木があるとき

3 都市計画施設の区域または市街地開発事業の施行区域内の制限

都市施設または市街地開発事業の計画（都市計画）が決定され，「**事業の認可等の告示があるまで**」の制限です。

道路が計画され，完成するまでの期間を考えてみるとよいでしょう。この都市計画決定の後事業の認可等があるまでの間は，期間的に長期にわたる場合が多いので，厳しい制限を行うことは適当でありません。

そこで，**建築行為のみ制限**することとしました。その**許可基準も緩やか**です。

（1）建築物の建築の許可制（53条）

すなわち，都市計画施設の区域，または，市街地開発事業の施行区域内において建築物の建築をしようとする者は，原則として，**都道府県知事等の許可**を受けなければなりません。

基本

原　則	建築物の建築	知事等の許可
例　外	・軽易な行為 ・非常災害のために必要な応急措置 ・都市計画事業の施行としての行為	許可不要

メモ

知事等の許可を要するのは建築物の建築だけで，土地の形質の変更・建築物以外の工作物の建設については，許可は不要。

(2) 許可基準（知事等が許可をしなければならない場合）(54条)

都道府県知事等は，次の①～③の場合，許可申請があったときには，許可をしなければなりません。

① 都市計画適合建築物 （当該建築物が，都市計画施設または市街地開発事業に関する都市計画に適合する場合）
② 立体都市施設の範囲外で行われ，かつ，当該都市計画施設を整備する上で著しい支障を及ぼすおそれがないと認められる場合
③ 2階以下で地階がなく，主要構造部が木造，鉄骨造等で，かつ，容易に移転・除却できる場合

メモ

上の場合，「許可申請があれば許可される」のであって，「許可が不要」というわけではない，という点がポイント。

4 事業地内の制限（都市計画事業制限）

「事業の認可等の告示があった後」の制限です。工事に着工し，事業としては最終段階となるので，土地の収用まで含めた，厳しい制限が働くことになります。

なお，「事業地内の制限」「都市計画事業制限」ということもあります。

メモ

「**都市計画**」の段階から，一転して制限は厳しくなる。

(1) 建築等の制限 (65条)

事業の認可等の告示があった後は，当該事業地内で，都市計画事業の施行の障害となるおそれがある土地の形質の変更，建築物の建築その他工作物の建設を行い，または重量5トンを超える移動の容易でない物件の設置，堆積を行おうとする者は，原則として，都道府県知事等の許可を受けなければなりません。

理解

原 則	事業の施行の障害となるおそれのある i）建築物の建築 ii）工作物の建設 iii）土地の形質の変更 または， iv）重量物件（重量５トンを超える移動の容易でない物件）の設置・堆積	知事等の許可
例 外	なし （例えば，非常災害のために必要な応急措置として行う場合であっても，許可が必要）	

（2）土地建物等の先買い，更地の買取請求制度（67条，68条）

前述した「市街地開発事業等予定区域内の制限」とほぼ同様の「土地建物等の先買い」及び「更地の買取請求制度」があります。

（3）土地の収用等（69条，70条）

用地買収型の都市計画において，事業用地の買収ができない場合には，収用などにより，その土地をいわば強制的に取得する方法が必要です。土地を収用するには，原則として土地収用法上の「事業認定」が必要ですが，都市計画事業の場合，その事業の認可等をもって「土地収用法20条による事業認定」とみなされます（土地収用法の特例）。

これにより，事業に必要な土地等については，土地収用法の規定に従い，収用または使用することができることになります。

メモ

所有権は剥奪され（収用），または制限される（使用）ことになる。

まとめ

〈都市計画事業制限までの全体像〉

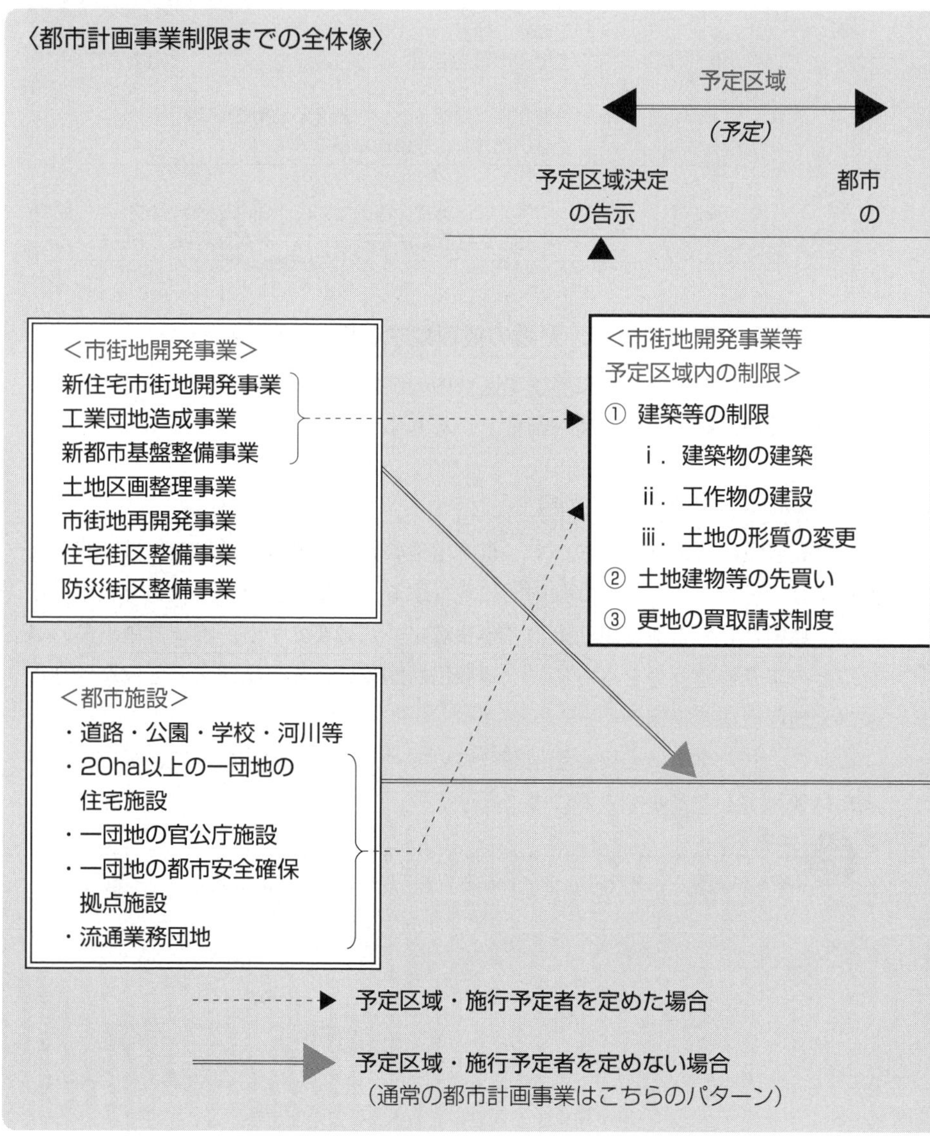
予定区域
（予定）
予定区域決定
の告示
都市
の
<市街地開発事業>
新住宅市街地開発事業
工業団地造成事業
新都市基盤整備事業
土地区画整理事業
市街地再開発事業
住宅街区整備事業
防災街区整備事業
<市街地開発事業等
予定区域内の制限>
① 建築等の制限
i．建築物の建築
ii．工作物の建設
iii．土地の形質の変更
② 土地建物等の先買い
③ 更地の買取請求制度
<都市施設>
・道路・公園・学校・河川等
・20ha以上の一団地の
住宅施設
・一団地の官公庁施設
・一団地の都市安全確保
拠点施設
・流通業務団地
予定区域・施行予定者を定めた場合
予定区域・施行予定者を定めない場合
（通常の都市計画事業はこちらのパターン）

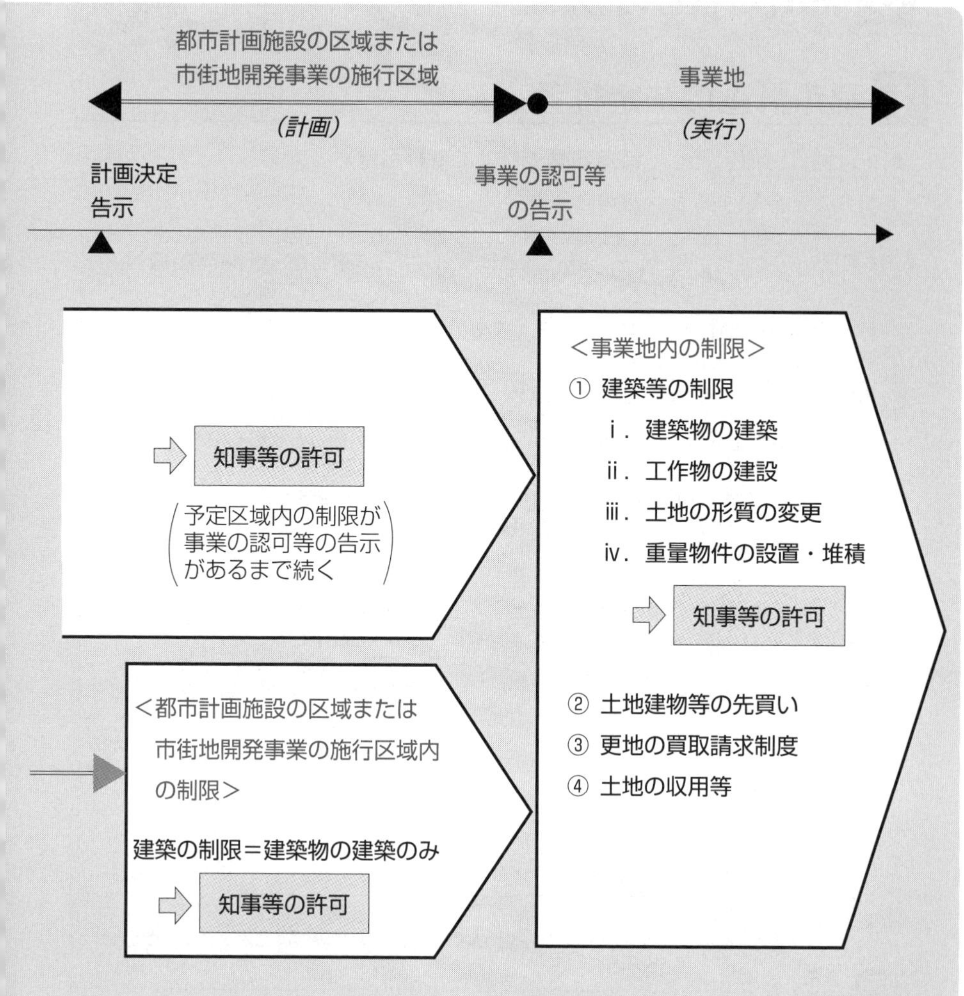

都市計画施設の区域または
市街地開発事業の施行区域

（計画）

事業地

（実行）

計画決定
告示

事業の認可等
の告示

⇨ 知事等の許可

（予定区域内の制限が
事業の認可等の告示
があるまで続く）

<都市計画施設の区域または
市街地開発事業の施行区域内
の制限>

建築の制限＝建築物の建築のみ

⇨ 知事等の許可

<事業地内の制限>

① 建築等の制限
- i．建築物の建築
- ii．工作物の建設
- iii．土地の形質の変更
- iv．重量物件の設置・堆積

⇨ 知事等の許可

② 土地建物等の先買い
③ 更地の買取請求制度
④ 土地の収用等

5 都市計画の決定

1 都市計画の決定権者（15条）

都市計画は，原則として**都道府県**または**市町村**が定めます。

主なものを分類すると，次のとおりです。

基本

都道府県が定める都市計画	市町村が定める都市計画 （左欄以外）
都市計画区域の整備，開発，保全の方針，都市再開発方針等	——
区域区分（線引き）	——
地域地区のうち広域的見地から定める次のもの ① 都市再生特別地区 ② 風致地区（2以上の市町村の区域にわたり，かつ，10ha以上のもの） ③ 特別緑地保全地区（同上）	地域地区のうち次のもの ① 用途地域 ② 特別用途地区 ③ 特定用途制限地域 ④ 高層住居誘導地区 ⑤ 高度地区 ⑥ 高度利用地区 ⑦ 特定街区 ⑧ 防火地域・準防火地域 ⑨ 特定防災街区整備地区 ⑩ 景観地区 ⑪ 生産緑地地区
広域的・根幹的都市施設	その他の都市施設
市街地開発事業等予定区域（原則）	促進区域
市街地開発事業（原則）	——
——	地区計画等

メモ

広域的・根幹的な都市計画は①**都道府県**が，その他の都市計画は②**市町村**が定める。

①②の調整：

i）市町村の都市計画は，都道府県の都市計画に適合したものでなければならない。

ii）市町村の都市計画が，都道府県の都市計画と抵触した場合は，その限りにおいて，都道府県の都市計画が優先する。

2 都市計画の決定手続

都道府県または市町村が都市計画を決定する手順は，以下のとおりです。

概略すると，まず，**（1）都市計画の案**を作成し，**（2）これを一般の縦覧**に供し，その後，**（3）都市計画審議会の議**を経て，決定・告示することになります。

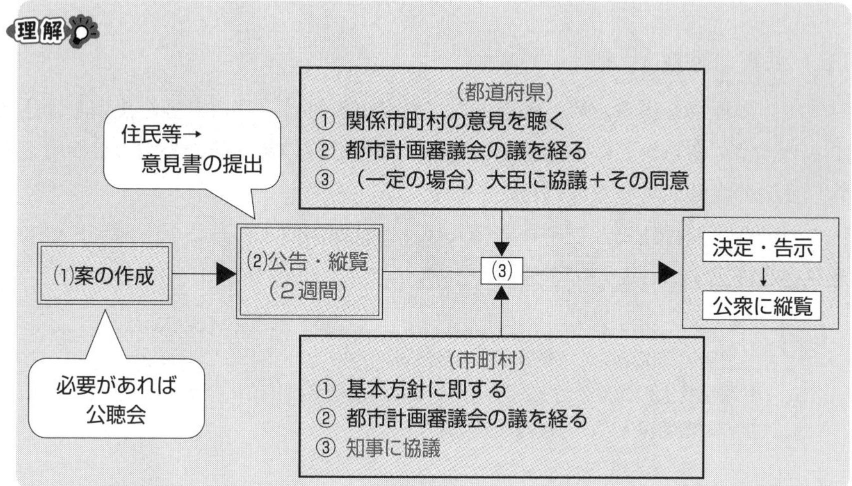

（1）原案の作成――住民等の意見の反映について（15条の2，16条）

原案作成段階から住民の意見を採り入れるため，都道府県または市町村は，**都市計画の案**を作成しようとする場合に必要があると認めるときは，**公聴会の開催**など住民の意見を反映させるために必要な措置を講じます。

特に地区計画の案等については，土地所有者などの利害関係人の意見を求めて作成しなければなりません。

基本

都市計画の案の作成	必要があると認めるとき →住民の意見を反映させるために必要な措置をとる 例 公聴会の開催など
地区計画の案	必ず，利害関係人の意見を求めて作成する （利害関係人：土地所有者・借地権者など）

メモ

・条例で，必要な規定を定めることができる。
・市町村は，都道府県に対し，その都市計画の案の内容となるべき事項を申し出ることができる。
・都道府県は，その案の作成にあたり，関係市町村に対し，資料の提出その他必要な協力を求めることができる。

（2）原案の縦覧（17条）

住民等の理解を得るため，都道府県または市町村は，都市計画を決定しようとするときは，あらかじめその旨を**公告**し，都市計画の案をその公告の日から**2週間**，**公衆の縦覧**に供しなければなりません。

この場合，関係住民及び利害関係人は，縦覧期間満了の日まで，原案について**意見書を提出**することができます。

メモ

・意見書の提出期限は，縦覧期間の２週間。
・**利害関係人の同意**：特定街区に関する都市計画の案については，土地所有者など一定の利害関係人の同意を得なければならない。

（3）都市計画の決定

都市計画は，都道府県・市町村に設置されている都市計画審議会の議を経て，決定されます。

① **都道府県の場合**（18条）

基本

i）関係市町村の意見を聴き，かつ，都道府県都市計画審議会の議を経て，都市計画を決定する	
ii）国の利害に重大な関係がある都市計画を決定するとき	➡ あらかじめ，国土交通大臣に協議し，その同意を得る 指定都市が決定する場合も同様

② **市町村の場合**（19条）

基本

i）市町村都市計画審議会の議を経て，都市計画を決定する 市町村都市計画審議会がない場合は，都道府県都市計画審議会の議を経る	
ii）都市計画区域内・準都市計画区域内で都市計画を決定するとき	➡ あらかじめ，知事に協議しなければならない

メモ

・都市計画を決定しようとするとき，（都道府県・市町村）議会の議決は不要。
・条例で必要な規定を定めることができる。
・地区計画に関する一定の事項を決定する場合，原則として，知事への協議・同意は不要。

（4）市町村のマスタープラン（18条の2）

市町村は，議会の議決を経て定められた当該市町村の建設に関する基本構想並びに都市開発区域の整備・開発・保全の方針に即し，当該**市町村の都市計画に関する基本的な方針**（「基本方針」。いわゆる市町村の**マスタープラン**）を策定しなければならず，市町村が定める都市計画は，この基本方針に即したものでなければなりません。

マスタープランを定めようとするときは，公聴会など住民の意見を反映させるための必要な措置を講じ，定めたときは，遅滞なく公表し，知事に通知しなければならないことになっています。

（5）都市計画の決定等の提案（21条の2）

都市計画は，行政側が策定するのが一般で，住民はそれに対して意見を述べることができる，というのが，伝統的な都市計画決定のプロセスですが，住民側から都市計画を提案する制度が認められています。

すなわち，都市計画区域または準都市計画区域のうち，一定規模以上の一団の土地の区域について，当該土地の土地所有者等（所有権または借地権者）は，都道府県または市町村に対し，都市計画の決定または変更をすることを提案することができます（「計画提案」）。

メモ

提案については，提案に係る都市計画の素案を添付する必要があり，素案の対象となる土地の区域内の土地所有者等の２／３以上の同意（同意した者にかかる土地の総地積も全体の２／３以上）が必要とされる。

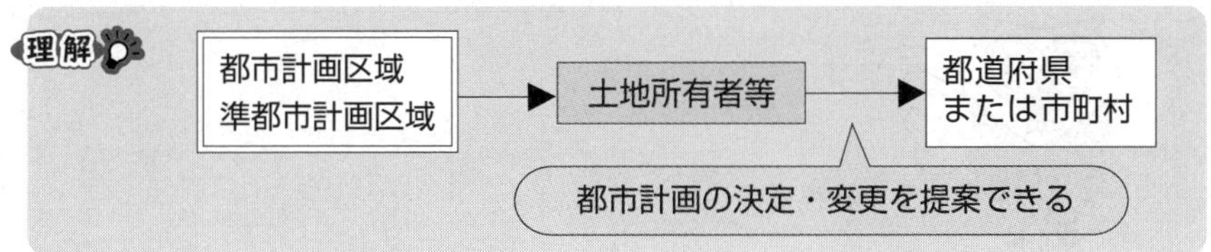

土地所有者等のほかに，まちづくりの推進を図る活動を行うことを目的として設立された特定非営利活動法人（NPO）・都市再生機構等の一定の団体も，同様の提案が可能。

（6）都市計画決定の告示等（20条）

都道府県または市町村は，都市計画を決定したときは，その旨を告示しなければならず，当該都市計画は，告示があった日からその効力を生じます。

理解

市街化区域	少なくとも用途地域を定める
用途地域	特別用途地区・高度地区・高度利用地区 →用途地域内に重ねて定める
都市施設	① 市街化区域・区域区分の定めのない都市計画区域 →少なくとも道路・公園・下水道を定める ② 住居系の用途地域→義務教育施設をも定める
準都市計画区域	① 用途地域・特別用途地区・特定用途制限地域・高度地区・風致地区・景観地区・緑地保全地域，伝統的建造物群保存地区を定めることができる ② 都市施設を定めない（原則）。市街地開発事業を行わない

メモ

風致地区は，市街化調整区域にも定めることができる。

6 開発許可制度

開発許可制度は，**土地の造成工事を規制**することによって，**乱開発を防止**し，**秩序ある都市環境を整備**するための制度です。そのために，開発行為及び一定の建築行為は，**都道府県知事の許可**を受けなければなりません。

開発行為 → **都道府県知事の許可**

1 開発行為の定義（４条）

まずは，「開発行為」の内容を見てみましょう。開発行為にあたらなければ，**開発許可はそもそも不要**だからです。

都市計画法において「開発行為」とは，「**主として建築物の建築または特定工作物の建設の用に供する目的で行う土地の区画形質の変更**」をいいます。

区画形質の変更とは，土地の区画の変更，形の変更，性質の変更，つまり，土地の区割り，切土・盛土，田から宅地へなど地目の変更等を指します。一般的に，**宅地造成行為**は，土地の区画形質の変更にあたります。

また，**特定工作物**とは，都市計画法上の開発許可が必要となる**一定の工作物**のことを指し，**第１種特定工作物**と**第２種特定工作物**に分かれます。

用語
- **第１種特定工作物**：周辺の環境の悪化をもたらすおそれのある工作物で，コンクリートプラント，アスファルトプラント，クラッシャープラント，危険物貯蔵庫など
- **第２種特定工作物**：①ゴルフコース（面積不問），及び，②1 ha（10,000㎡）以上の野球場，庭球場，陸上競技場，遊園地，動物園，墓園等のこと

メモ

- ゴルフコースの造成工事は，その面積を問わず「開発行為」になる。
- **「開発行為」にあたらない例：**
  - ｉ）建築物・特定工作物を建築・建設しない，単なる土地の区画形質の変更（例 青空駐車場のための造成工事）
  - ii）「1 ha 未満」の野球場の造成工事
  - iii）「土地の区画形質の変更」を伴わないで行う建築工事

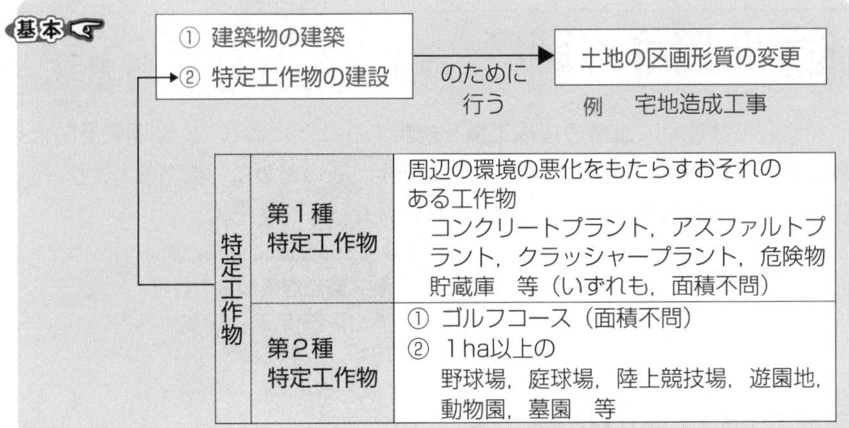
基本
① 建築物の建築
② 特定工作物の建設
のために
行う
土地の区画形質の変更
例　宅地造成工事
特定工作物
第１種
特定工作物
周辺の環境の悪化をもたらすおそれのある工作物
コンクリートプラント，アスファルトプラント，クラッシャープラント，危険物貯蔵庫　等（いずれも，面積不問）
第２種
特定工作物
① ゴルフコース（面積不問）
② １ha以上の
野球場，庭球場，陸上競技場，遊園地，動物園，墓園　等

2 開発許可の要否

（1）原則（29条）

「開発行為」をしようとする者は，都市計画区域の内外を問わず，原則として，都道府県**知事**（指定都市等においては，その市長）**の許可**を受けなければなりません。

（2）例外

ただし，次の例外（①～⑦）にあたる場合には，**知事の許可は不要**です。

① 「小規模開発」の場合

「開発行為」に該当しても，**次の規模未満**の場合は，知事の許可は不要です。

理解

区域	規模	備考
市街化区域	1,000㎡未満は許可不要	ⅰ）都（特別区）等の区域：500㎡未満 ⅱ）規則で300㎡まで引下げ可
市街化調整区域	区域の性格上，その面積を問わず，原則として許可必要	
区域区分の定められていない区域	3,000㎡未満は許可不要	規則で300㎡まで引下げ可
準都市計画区域	3,000㎡未満は許可不要	規則で300㎡まで引下げ可
「都市計画区域及び準都市計画区域」以外	10,000㎡未満は許可不要	「都市計画区域・準都市計画区域」以外においても，左記以外は，原則として開発行為に許可が必要

市街化区域：500㎡未満の開発行為が許可不要となる場合

（ア）都の区域（特別区）

（イ）次に掲げる区域内にあるもの

ⅰ）首都圏整備法に規定する既成市街地，近郊整備地帯

ⅱ）近畿圏整備法に規定する既成都市区域，近郊整備区域

ⅲ）中部圏開発整備法に規定する都市整備区域

② 農林漁業用建築物・農林漁業者の住宅（市街化区域以外の場合）

次のⅰ）または，ⅱ）の建築のために行う開発行為には，許可は不要です。

基本

ⅰ）農林漁業用の建築物または ⅱ）農林漁業を営む者の自宅	の建築のために行う開発行為

メモ

農林漁業の用に供する建築物：畜舎，サイロ，蚕室，温室など農産物，水産物等の生産・出荷に（直接）用いる建築物のこと。加工・貯蔵用の建築物は含まれない。
市街化区域内で1,000㎡以上のものは（原則どおり）許可必要。ただし，市街化区域以外では，その面積を問わず許可不要となる。

以下，③～⑦は，**地域・区域を問わず，許可不要**です。

③ 公益的建築物の建築のために行う開発行為

「公益的建築物」を建築するために行う開発行為には，許可不要です。

〈公益的建築物の例〉

- **駅舎その他の鉄道の施設　・図書館　・博物館　・公民館　・変電所**
- **道路法に規定する道路を構成する建築物**
- **河川法が適用される河川を構成する建築物**
- **都市公園法に規定する公園施設である建築物**
- **港湾法に規定する港湾施設である建築物**
- **海岸法に規定する海岸保全施設である建築物**
- **気象，海象，地象，洪水などの観測または通報の用に供する施設である建築物　等**

保育所などの「社会福祉施設」，幼稚園，小・中学校，高校，大学などの「学校」，病院などの「医療施設」は，開発許可不要となる「公益的建築物」に当たらず，これらを建築する目的で行う開発行為には，許可必要。公立・私立を問わない。

④「～事業の施行」として行う開発行為

「～事業の施行」として行う開発行為には，許可不要です。「～事業」を行うにあたり，あらかじめ都道府県知事の認可・許可などを受けているからです。

- **都市計画事業の施行として行う開発行為**
- **土地区画整理事業の施行として行う開発行為**
- **市街地再開発事業の施行として行う開発行為**
- **住宅街区整備事業の施行として行う開発行為**
- **防災街区整備事業の施行として行う開発行為**

メモ

事業主体が公的機関か民間かを問わず，許可不要となる。

次の⑤⑥⑦についても，**開発行為の許可**は**不要**です。

⑤ 公有水面埋立法の免許を受けた埋立地で，まだ竣工認可の告示がないものにおいて行う開発行為
⑥ 非常災害のため必要な応急措置として行う開発行為
⑦ 通常の管理行為・軽易な行為　等

メモ

仮設建築物の建築や車庫・物置などの附属建築物の建築，あるいは10㎡以内の建築物の増築のための開発行為なども，許可不要。

（3）国等の特例（34条の2）

国または都道府県等（指定都市等）が行う開発行為については，その国の機関または都道府県等と都道府県**知事との協議が成立**することをもって，開発許可があったものとみなされます。

メモ

国または都道府県等が行う開発行為も，原則として，開発許可が必要だということになる。

まとめ

暗記 〈開発許可の要否〉 （×：許可不要）

例外（キーワード）	① 市街化区域	② 市街化調整区域	③ 非線引き・準都計区域	①～③以外
小規模開発	1,000㎡未満なら×		3,000㎡未満なら×	10,000㎡未満なら×
農林漁業用建築物，農林漁業者の自宅		×	×	×
公益的建築物（駅舎，図書館，公民館，変電所）	×	×	×	×
「～事業の施行として行われるもの」	×	×	×	×
非常災害→応急措置として行われるもの	×	×	×	×
通常の管理行為・軽易な行為	×	×	×	×

例

i ）市街化区域内で農業者が自己の住宅を建築するために行う1,500㎡の開発行為
→開発許可必要（許可不要の例外に該当しない。「農業者の自宅」でも，市街化区域1,000㎡以上は，許可必要）

ii ）市街化区域内でアスファルトプラントを建設するために行う500㎡の開発行為
→開発許可不要（市街化区域では，1,000㎡未満の開発行為に許可は不要）

（4）開発区域が２つ以上の区域にわたる場合の許可の要否（令22条の３）

それぞれの区域にかかる部分は許可不要となる場合（一定面積未満）でも，その**合計面積**が，最も広いものに関する面積以上である場合，**許可が必要**となります。

例 市街化区域で700㎡，準都市計画区域で2,800㎡の土地の開発行為を行おうとする場合，開発区域の面積は合計で3,500㎡以上であり，最も広い準都市計画区域に関して許可必要となる面積以上となるので，許可は必要である。

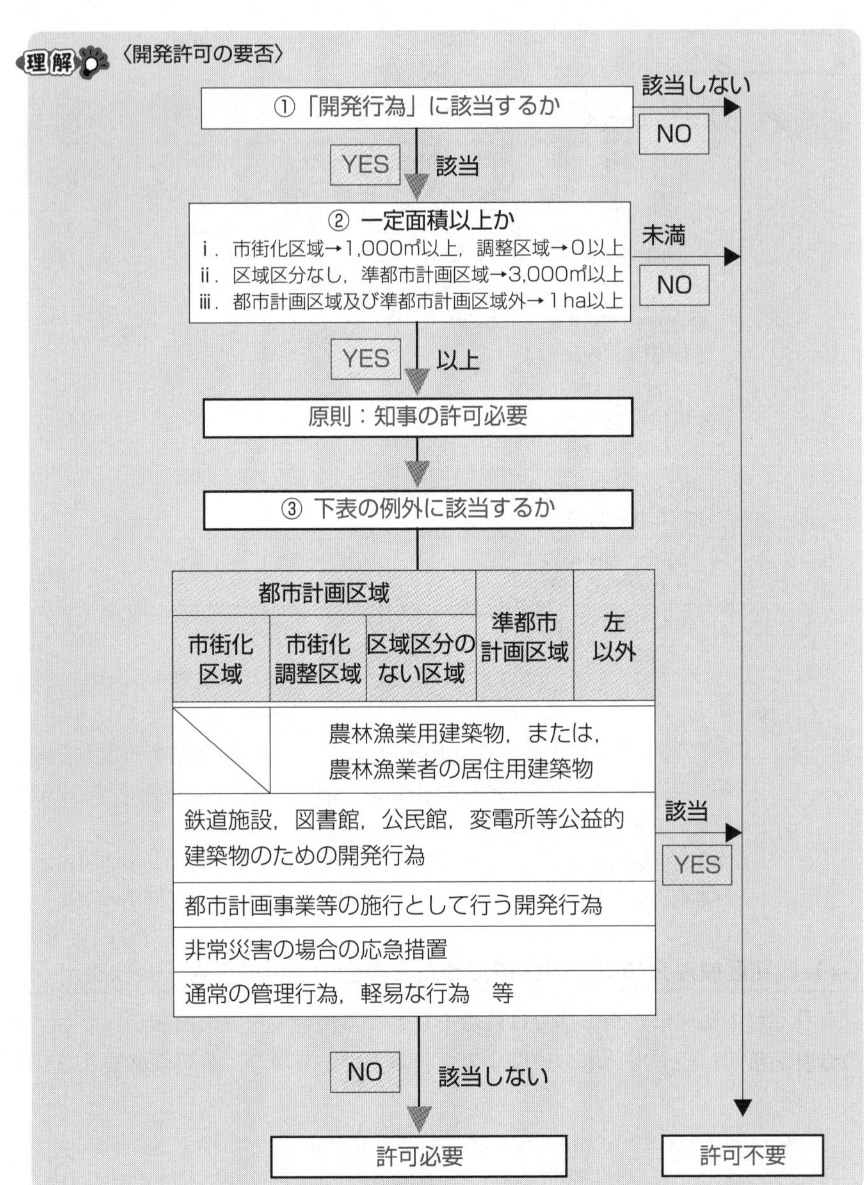
理解
〈開発許可の要否〉
①「開発行為」に該当するか
該当しない
NO
YES
該当
② 一定面積以上か
i．市街化区域→1,000㎡以上，調整区域→0以上
ii．区域区分なし，準都市計画区域→3,000㎡以上
iii．都市計画区域及び準都市計画区域外→1ha以上
未満
NO
YES
以上
原則：知事の許可必要
③ 下表の例外に該当するか
都市計画区域
市街化区域
市街化調整区域
区域区分のない区域
準都市計画区域
左以外
農林漁業用建築物，または，農林漁業者の居住用建築物
鉄道施設，図書館，公民館，変電所等公益的建築物のための開発行為
都市計画事業等の施行として行う開発行為
非常災害の場合の応急措置
通常の管理行為，軽易な行為　等
該当
YES
NO
該当しない
許可必要
許可不要

3 開発許可の手続 (30条以下)

許可を要する開発行為を行うためには，次のように，**事前に許可申請**をして許可を得なければなりません。

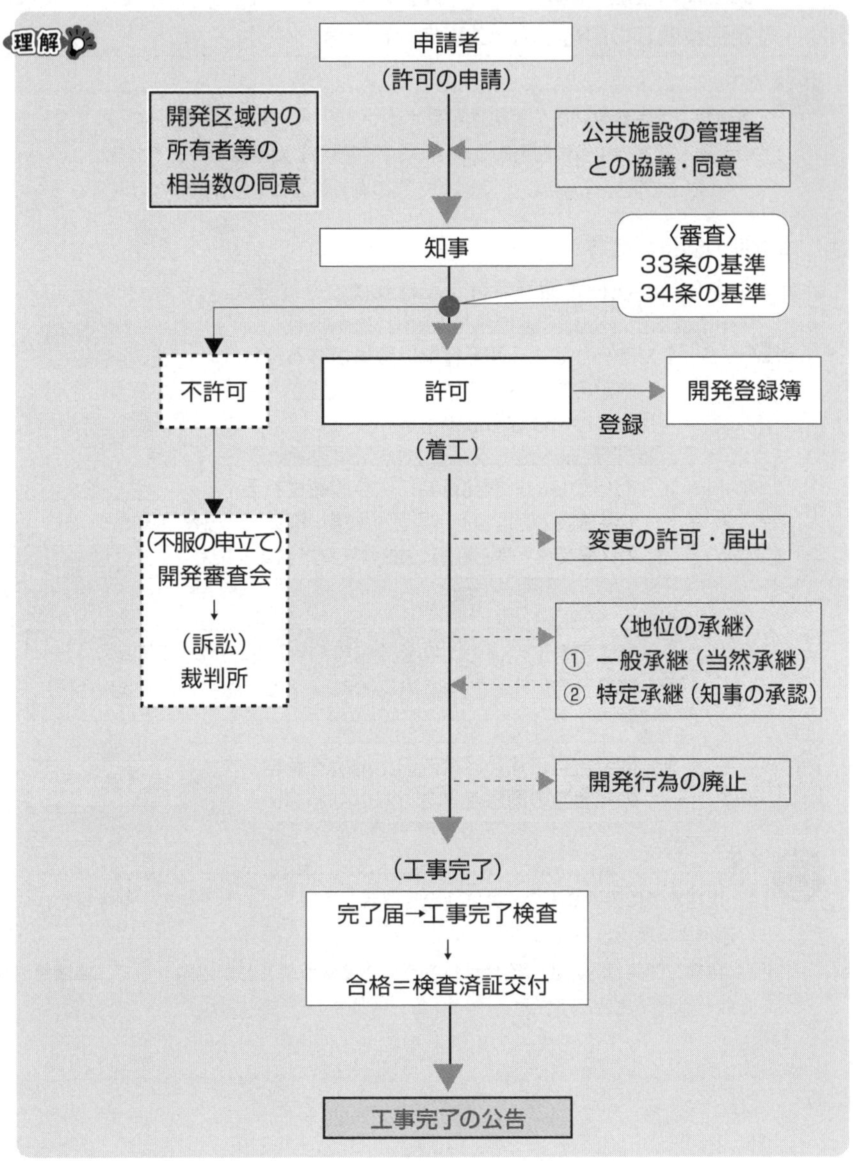

（1）許可の申請（30条，31条，32条）

① 許可申請書の作成

開発許可の申請は，申請書に次の事項を記載して，書面で行います。

・開発区域の位置，区域，規模（面積）
・予定建築物等の用途　　・工事施行者　等

メモ

・**申請書**：予定建築物等の用途は記載するが，規模・構造・設備等は記載しない。その土地を「どのように利用するか＝何を建てるか」が重要だからである。

・1 ha 以上の開発行為の設計図書は，一定の有資格者により作成しなければならない。

② 申請書の添付書類等

許可申請書には，次の書面を添付しなければなりません。

i ）あらかじめ，**開発行為に関係がある**公共施設の管理者と協議し，その同意を得なければならない → 同意書の添付

ii ）あらかじめ，**開発行為により設置される**公共施設の管理者となる者（水道・電気・ガス事業者）等と協議しなければならない → 協議書の添付

i ）開発行為に関係のある公共施設の管理者→協議＋同意
ii ）開発行為により設置される公共施設の管理者となる者→協議

iii ）開発許可に係る区域内の土地所有者等の相当数の同意を得なければならない → 同意書の添付

メモ

i ）：現在すでに設置済みの公共施設の管理者と協議し，同意を得て，同意書を作成し添付するということ

ii ）：将来，開発行為により設置される公共施設の管理者とは協議をして，協議書を作成し添付するということ

iii)：**「相当数の同意」**：同意は，全員ではなく，相当数の同意でよい。したがって，開発区域内の土地所有者等の中に，開発行為に不同意の者がいても許可申請できる，ということである。また，「同意」でよいということは，開発許可を申請しようとする者は，開発行為をしようとする土地に関する所有権などの権利を，必ずしもあらかじめ取得する必要はない，ということでもある。

(2) 審査 (33条，34条)

開発許可の申請があった場合，都道府県知事はその申請内容を一定の許可基準に照らして審査します。この基準には，**技術基準**（都市計画法33条**の基準**）と市街化調整区域の開発行為にのみ適用される**立地基準**（同法34条**の基準**）があります。

市街化調整区域は市街化を抑制すべき土地の区域ですから，33条の基準のほか，34条の基準も適用があり，その他の区域は，33条の基準のみが適用されます。

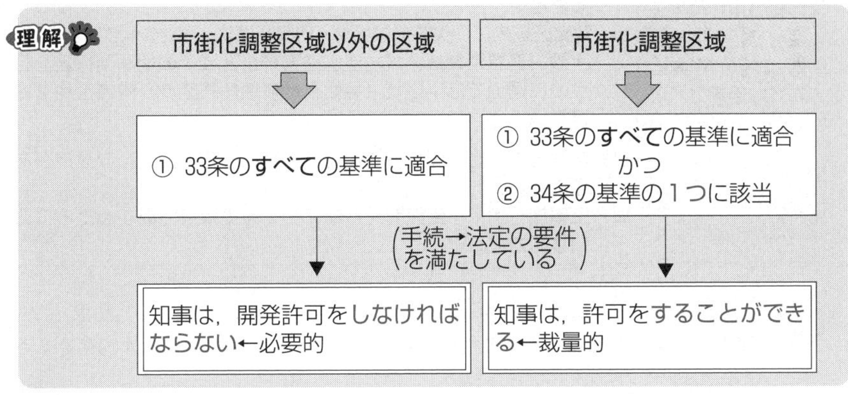

理解
市街化調整区域以外の区域
市街化調整区域
① 33条のすべての基準に適合
① 33条のすべての基準に適合
かつ
② 34条の基準の１つに該当
(手続→法定の要件を満たしている)
知事は，開発許可をしなければならない←必要的
知事は，許可をすることができる←裁量的

メモ

すべての開発行為は，33条の基準に適合しなければ許可されない。

① 33条の基準（技術基準）の主なもの

開発行為は，33条の「**すべての基準**」を満たさなければ許可されません。主な基準を挙げると，次のとおりです。

理解

共　通 （全ての開発行為に適用されるもの）	ⅰ）開発区域内の土地について，用途地域等が定められている場合 →予定建築物等の用途がその用途の制限に適合していること ⅱ）排水路その他の排水施設が下水を有効に排出し，溢水等による被害が生じないような構造及び能力で適当に配置されるように設計が定められていること ⅲ）当該開発行為をしようとする土地等またはその土地等にある建築物その他の工作物につき，当該開発行為の施行または工事実施の妨げとなる権利を有する者の相当数の同意を得ていること
業務用の開発行為（主として，自己の居住用建築物の建築の用に供する目的で行う開発行為以外の開発行為）に適用されるもの	ⅳ）道路・公園その他の公共用空地→環境の保全上，災害の防止上，通行の安全上または事業活動の効率上支障がないような規模及び構造で適当に配置されていること。 開発区域内の主要な道路→開発区域外の相当規模の道路に接続するように設計が定められていること ⅴ）水道その他の給水施設→想定される需要に支障を来さないような構造及び能力で適当に配置されるように設計が定められていること ⅵ）開発区域内に，災害危険区域（建築基準法），地すべり防止区域，土砂災害特別警戒区域，浸水被害防止区域その他開発行為を行うのに適当でない区域（急傾斜地崩壊危険区域）内の土地を含まないこと
	ⅶ）申請者に，当該開発行為を行うために必要な資力及び信用があること ⅷ）工事施行者に，当該開発行為に関する工事を完成するために必要な能力があること

メモ

・「**ⅲ）開発区域内の所有者等の相当数の同意**」：許可申請書には，この同意書を添付することになる。
・「自己居住用」の開発行為については，上のⅳ）～ⅷ）の基準は適用されない。
・自己の業務用建築物の建築の用に供する目的で行う開発行為については，上のⅶ）及びⅷ）の基準は適用されない。
・地方公共団体は，良好な住居等の環境の形成または保持のため必要と認める場合においては，条例で，区域・予定建築物の用途等を限定して，開発区域内において予定される建築物の敷地面積の最低限度に関する制限を定めることができる。

②　34条の市街化調整区域の基準（立地基準）の主なもの

市街化調整区域内では，①の33条の基準に加え，さらに，開発行為が34条の基準の「**いずれか１つ**」に該当したものでなければ，許可されません。

主な基準を挙げると，次のとおりです。

i）開発区域の周辺地域に居住する者の利用に供する公益上必要な建築物，または，これらの者の日常生活に必要な物品の販売等の業務を営む建築物の建築の用に供する開発行為 例 市街化調整区域内で学校・病院・保育所や小売店舗などを建築する場合
ii）市街化調整区域内に存する鉱物・観光資源等の有効な利用上必要な建築物の建築等の用に供する開発行為
iii）市街化調整区域内において生産される農産物等の処理，貯蔵，加工に必要な建築物の建築等の用に供する開発行為 例 製茶場・缶詰工場・冷温倉庫を建築する場合
iv）市街化調整区域内のうち災害危険区域等に存する建築物に代わるべき建築物（同一用途に限る）を建築する目的で行う開発行為
v）市街化区域に隣接または近接し，かつ，市街化区域と一体的な日常生活圏を構成していると認められる地域であって，おおむね50戸以上の建築物が連たんしている地域のうち，条例で指定する土地の区域内において行う開発行為で，予定建築物等の用途が，都道府県の条例で定めるものに該当しないものであること
vi）開発区域の周辺における市街化を促進するおそれがないと認められ，かつ，市街化区域内において行うことが困難または著しく不適当と認められる開発行為として，都道府県の条例で，区域・予定建築物等の用途等を限定して定められたものであること 例 いわゆる「既存宅地」において建築物を建築する場合
vii）市街化調整区域の決定または拡張の際，自己の居住用または自己の業務用の建築物を建築する等の目的で既に土地の権利を有する者が，一定の届出をして行う開発行為 例 従来より自宅建築のため土地を所有していたような場合
viii）都道府県知事が開発審査会の議を経て，開発区域の周辺における市街化を促進するおそれがなく，かつ，市街化区域内で行うことが困難または著しく不適当と認める開発行為 例 農家の二男・三男などが分家する場合の住宅に伴う開発行為，社寺仏閣・納骨堂などを建築するための開発行為

メモ

- 34条の基準は，市街化調整区域内にのみ適用される。
- vii）以外，開発審査会の議は不要。
- 第２種特定工作物に関する開発許可の申請に対しては，34条の基準は適用されないので，市街化調整区域でも33条の基準を満たせば許可される。

③ 用途地域の定められていない土地の区域の開発許可（建蔽率等の制限）（41条）

都道府県知事は，**用途地域の定められていない**土地の区域における開発行為について開発許可をする場合において必要があると認めるときは，**当該開発区域内の土地**について，建築物の**建蔽率**，建築物の**高さ**，**壁面の位置**その他建築物の**敷地**，**構造**及び**設備**に関する制限を定めることができます。

この場合，建築物の敷地，構造及び設備に関する制限が定められた土地の区域内においては，建築物は，**これらの制限に違反して建築することができません**。

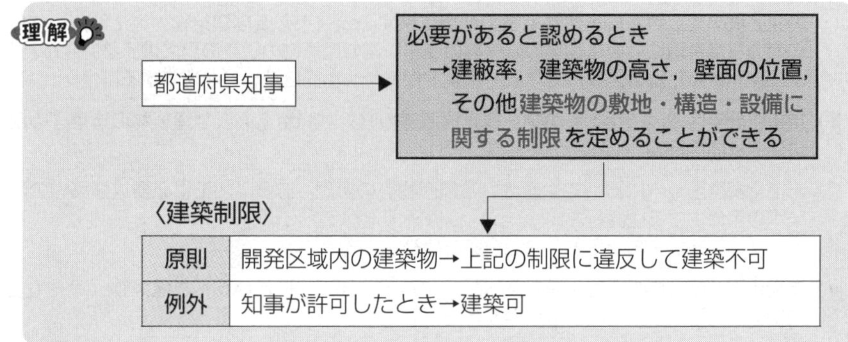

理解
都道府県知事
必要があると認めるとき
→建蔽率，建築物の高さ，壁面の位置，
その他建築物の敷地・構造・設備に
関する制限を定めることができる
〈建築制限〉
原則
開発区域内の建築物→上記の制限に違反して建築不可
例外
知事が許可したとき→建築可

メモ

・用途地域が定められていない土地においては，建築制限が比較的緩やかとなっているので，そのような土地における開発行為について，厳しい制限を行うためである。
・本条による建蔽率等の指定は，用途地域が定められている土地の区域における開発行為については行われない。用途地域が定められると，これに応じて建蔽率や高さなどが規制されているからである（建築基準法参照）。

（3）（開発許可申請に対する）許可・不許可の処分（35条）

都道府県知事は，開発許可の申請があったときは，遅滞なく，許可または不許可の処分を行います。その処分は，文書をもって申請者に通知しなければなりません。

①　開発登録簿の調製・公開（46条，47条）

開発許可があった場合，どの土地の区域においてどのような開発行為が行われるのかを示すために，開発登録簿が調製され，公開されます。

ⅰ）登録事項は，開発許可の年月日，予定建築物等の用途など
ⅱ）知事は，登録簿を常に公衆の閲覧に供するように保管し，
ⅲ）請求があったときは，その写しを交付しなければならない

②　不許可の場合（不服申立て）（50条）

不許可の場合，申請者は，開発審査会に対して審査請求をすることができます。

（4）着工

開発行為の許可を受けると，開発行為に着手できます。その後，土地の区画形質の変更の工事が完了すると，「工事完了の公告」が行われます（次項（5）参照）。

ただし，許可内容に変更を加えたり，そもそも許可を受けた主体を変更する場合には，そのための手続が必要となる場合があります。

① 許可内容の変更（35条の2）

許可を受けた後，その許可内容を変更しようとする場合は，原則として，改めて知事の許可を受けなければなりません。

理解

変更の許可（原則）	知事の許可	ⅰ）開発区域の位置，区域，規模の変更 ⅱ）予定建築物等の用途の変更 ⅲ）開発行為に関する設計　等
軽微な変更 ↓ 変更の届出	遅滞なく知事に届出（事後届出）	ⅰ）予定建築物等の敷地の形状の小規模な変更 ⅱ）工事着手予定日・完了予定日の変更等

〈許可内容の変更〉
・重大変更➡改めて許可（事前）　・軽微変更➡変更の届出（事後）

② 開発許可に基づく地位の承継（44条，45条）

開発許可を受けたという地位が，他の者に受け継がれる場合です。

理解

一般承継	（相続・合併の場合） 開発許可を受けた者の相続人その他の一般承継人は，被承継人が有していた許可に基づく地位を，**当然に承継**する（特に手続は必要でない）

例　父が受けた開発許可を子が承継し，開発行為を継続する場合。

理解

特定承継	（土地等の譲渡があった場合） 許可を受けた者から，開発区域内の土地の所有権その他工事を施行する権原を取得した者（特定承継人） →**知事の承認**を受けて，当該開発許可に基づく地位を承継することができる

例　Aが開発許可を受け開始していた開発行為を，Bが継続する場合。Bは，Aが取得済の開発区域内の土地の所有権などの権利も，あわせて承継する。この場合は，開発許可に基づく地位の承継について，知事の承認が必要。

〈開発許可に基づく地位の承継〉
一般承継＝当然承継　　特定承継＝知事の承認による承継

③　廃止の届出（38条）

開発行為を中途で廃止した場合です。

許可を受けた者が，開発行為に関する工事を廃止した場合には，**遅滞なく，知事に届け出**なければなりません（事後届出）。

（5）完了・検査・工事完了の公告（36条）

宅地造成工事などの開発行為に関する工事（土地に関する工事）が完了したときは，開発許可を受けた者は，都道府県知事に**工事完了の届出**をしなければなりません。届出を受けた知事は，遅滞なく**検査**をし，**検査済証を交付**するとともに，「**工事完了の公告**」を行います。これにより，土地に関する工事は完了したことになります。その手続は以下のとおりです。

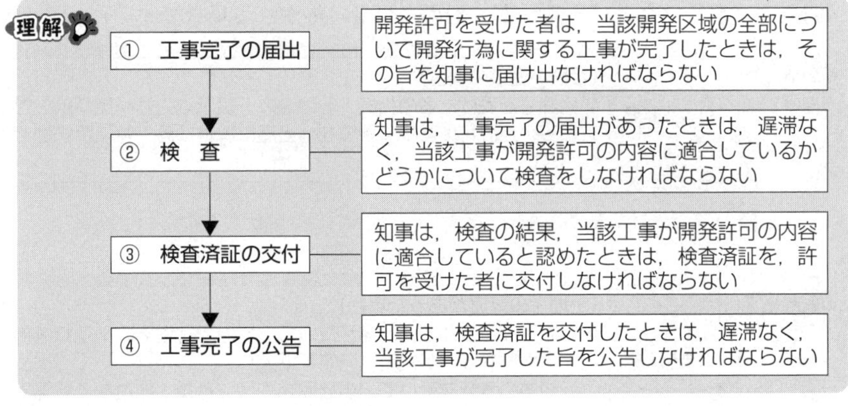

メモ

開発区域を工区に分けたときは，その工区ごとに行われる。

（6）開発行為により設置された公共施設の管理等（39条，40条）

例えば，開発行為によって新規に道路や下水道などの公共施設が設置された場合を考えてみましょう。その道路や下水道を管理するのは，工事が完了するまでは開発許可を受けた者ですが，その管理や所有について，法は，**工事完了の公告を基準**として，次のように定めています。

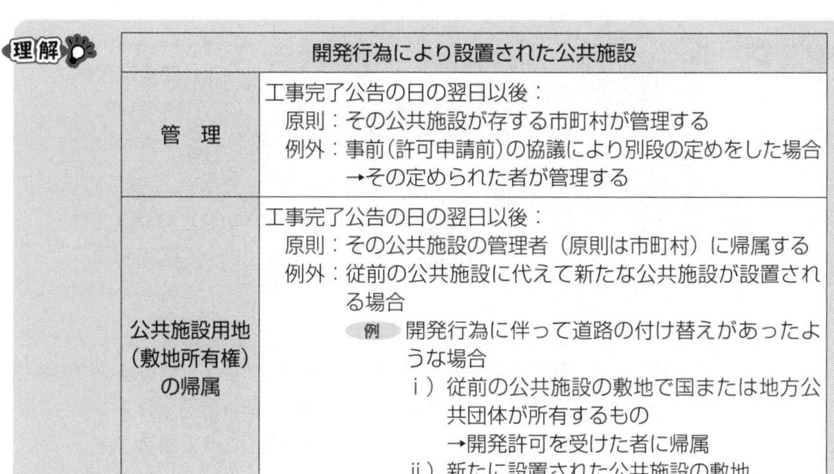

理解

開発行為により設置された公共施設	
管　理	工事完了公告の日の翌日以後： 原則：その公共施設が存する市町村が管理する 例外：事前（許可申請前）の協議により別段の定めをした場合 →その定められた者が管理する
公共施設用地（敷地所有権）の帰属	工事完了公告の日の翌日以後： 原則：その公共施設の管理者（原則は市町村）に帰属する 例外：従前の公共施設に代えて新たな公共施設が設置される場合 例 開発行為に伴って道路の付け替えがあったような場合 ｉ）従前の公共施設の敷地で国または地方公共団体が所有するもの →開発許可を受けた者に帰属 ⅱ）新たに設置された公共施設の敷地 →国，地方公共団体に帰属

メモ

・その公共施設の管理者が，結局その公共施設の敷地も所有するのが原則となるが，それによって管理がより円滑に行われるようになる。

・工事完了の公告があるまでは，その公共施設の管理は，開発許可を受けた者が行う。

4 建築の制限（開発区域内外の建築制限）

ここまで見てきた開発行為等は，そもそも土地に関する工事（「建築物の建築・特定工作物の建設のために行う土地の区画形質の変更」）です。その土地に関する工事が完了した後は，建築物の建築・特定工作物の建設の段階に入ります。つまり，ここからは，開発区域（開発許可を受けた土地の区域）内で行われる建築等の内容となります。

開発許可の対象となった「予定建築物等」以外の建築物が，開発区域内で建築できるのか，を視点に検討していきましょう。

メモ

なお，ゴルフコース・運動場・墓園といった第２種特定工作物は，土地そのものに関する工事が完了すれば，開発行為としては終了したことになる。

また，市街化調整区域内では，開発許可が不要の場合でも，都市計画の観点から建築制限が課されています。最後にそれも検討します。

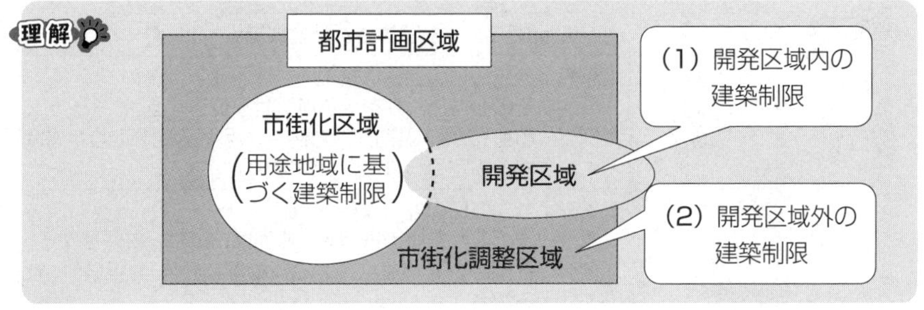

メモ

建築行為に対しては，都市計画法の地域地区の指定に基づいて，建築基準法の各種の建築制限が，建築確認制度を通じて働く。そのほかに，都市計画法に基づき，都市計画の観点から「都道府県知事の許可」という形で建築制限をする場合がある，ということである。

(1) 開発区域内の建築制限 (37条，42条)

開発区域内における建築行為は，開発行為（土地の区画形質の変更≒宅地造成）の工事が完了した後に行われるべきであり，したがって，開発区域内においては，**工事完了の公告があるまでの間は，原則として建築行為は禁止**されます。

一方，**工事完了の公告後**は，宅地造成が終了したのだから建築行為を行うことができるようになりますが，その建築行為は，原則として，許可申請書に記載された予定どおりに行われるべきです（**「予定建築物等」を建築するのが原則**）。

すなわち，開発許可を受けた開発区域内の土地においては，工事完了の公告があるまでの間は，原則として，建築物を建築し，または特定工作物を建設してはならないのであり，一方，工事完了の公告があった後は，何人も，開発許可を受けた開発区域内においては，当該開発許可に係る予定建築物等以外の建築物または特定工作物を新築し，または新設してはならず，また，建築物を改築し，またはその用途を変更して当該開発許可に係る予定の建築物以外の建築物としてはならないのが原則となります。

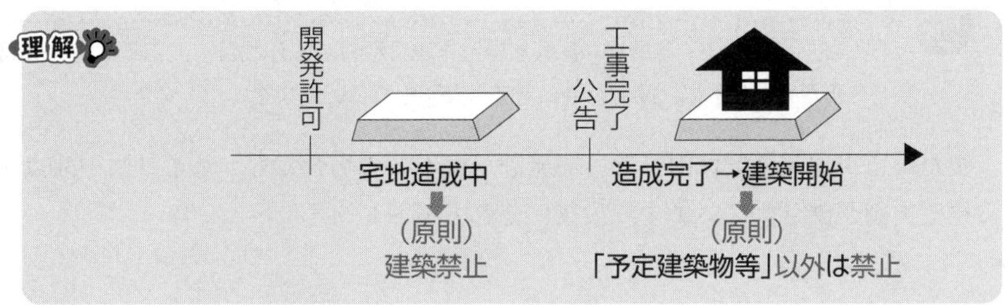

予定建築物等：許可申請書に記載された開発区域内で建築等が予定される建築物または特定工作物のこと

その関係を，例外を含め，表にすると以下のとおりです。

暗記 〈開発区域内の建築制限〉

	工事完了公告前	工事完了公告後
原則	建築物等の建築は禁止	予定建築物等以外の新築・新設禁止 予定建築物以外への用途変更は禁止
例外	建築物の建築ができる場合 ⅰ）開発行為に関する工事用の仮設建築物の建築等 ⅱ）知事が認めたとき ⅲ）開発行為に不同意の者が，その権利の行使として行う建築行為	予定建築物等以外が新築等できる場合 ⅳ）知事が許可したとき ⅴ）用途地域等が定められているとき

・この表は試験に頻出なので**必ず暗記**すること。特に，**「例外」が重要**。

ⅲ）の場合：例えば，自己の所有地が，他人の行う開発行為の対象地（開発区域）となった場合でも，開発行為に不同意の者は，その権利の行使として，自己所有のその土地において建築物の建築ができるということ。

ⅴ）の場合：市街化区域には必ず用途地域が定められるので，市街化区域における開発区域内については，工事完了公告後は，用途地域において定められる用途制限（建築基準法）に服する限り，予定建築物等以外の用途の建築物を建築することも可能，という趣旨である。

・工事完了公告後の建築制限の規定（表の右半分）は，（42条の条文が「何人も」と示すとおり）開発許可を受けた者以外の者にも及ぶ。

・工事完了公告の前後にかかわらず，開発区域内の土地の権利者が，その土地の権利を第三者に譲渡することは禁止されていない。

・工事完了公告後に国が行う行為は，知事との協議が成立したことをもって，知事の許可があったものとみなされる。

（２）開発区域以外の区域における建築制限

開発許可が不要な（つまり，宅地造成を伴わないような）建築行為については開発許可制度の適用範囲外となりますが，そのような建築行為に対しても，都市計画の観点からのコントロールが必要です。

① **市街化区域**

用途地域の指定に基づいて，**建築基準法**により，各種の規制が講じられます。

市街化区域内で行われる開発行為を伴わない建築行為に対して，都市計画法は，地域指定をするほかに，特別の規定を置いていないからです。

② **市街化調整区域**（43条）

市街化調整区域は**市街化を抑制**すべき区域なので，開発行為を伴わない場合でも，建築行為は原則として禁止すべきです（開発行為・建築行為ともに，禁止が原則)。実際に，都市基盤の整備の優先順位は低く，都市としての基盤は十分ではない場合が多いので，建築行為が行われて地域人口が増加することは想定されていません。

そこで，建築行為等に対して，次のような定めが置かれています。

すなわち，何人も，市街化調整区域のうち開発許可を受けた開発区域以外の区域内（＝普通の市街化調整区域内）においては，原則として，都道府県知事の許可を受けなければ，建築物を新築し，改築し，用途を変更し，または第１種特定工作物を新設してはならない，というわけです（例外として，**知事の許可が不要な場合**については，次の表を参照)。

	普通の市街化調整区域内
原　則	建築物等の新築・用途変更等は禁止 ➡ 知事の許可必要
例　外	（知事の許可なく新築等が可能となる場合） ｉ)農林漁業用建築物，または，農林漁業を営む者の居住用建築物 ii）駅舎，図書館，公民館，変電所等の公益的建築物 iii）都市計画事業の施行として行うもの iv）非常災害のため必要な応急措置として行うもの ｖ）通常の管理行為，軽易な行為 vi）仮設建築物の新築 vii）都市計画事業等が施行された土地の区域内で行われるもの

メモ

・要するに，「普通の」市街化調整区域では，開発行為を伴わない単なる建築行為についても，知事の許可が必要，ということ。

・許可不要の例外ｉ）～ｖ）は，開発許可が不要な場合と重なる。これらについては，開発行為（土地の造成行為）・建築行為のいずれについても，知事の許可（開発許可・建築許可）は不要となる。

・**国等の特例**：国または都道府県等が行う建築物の新築・用途変更等についても，知事の許可が必要である。ただし，国の機関または都道府県等と知事との協議が成立すれば，知事の許可があったものとみなされる。

まとめ

市街化調整区域内における開発行為・建築行為に対する規制をまとめると，次の表のようになります。

理解 〈市街化調整区域内の制限〉

<table>
<tr><th colspan="5">市街化調整区域内</th></tr>
<tr><th colspan="2" rowspan="3">開発行為に対する規制</th><th colspan="3">建築行為に対する規制</th></tr>
<tr><th rowspan="2">開発区域外</th><th colspan="2">開発区域内</th></tr>
<tr><th>工事完了の公告前</th><th>工事完了の公告後</th></tr>
<tr><td>原則</td><td>知事の許可</td><td>新築・用途変更等
→知事の許可</td><td>建築禁止</td><td>「予定」以外禁止</td></tr>
<tr><td rowspan="3">例外</td><td>許可不要</td><td>許可不要</td><td>建築可能</td><td>「予定」以外可能</td></tr>
<tr><td rowspan="2">ⅰ）農林漁業用建築物・農林漁業者の自宅のためのもの
ⅱ）公益的建築物のためのもの
ⅲ）～事業の施行として行うもの
ⅳ）非常災害→応急措置として行うもの
ⅴ）通常の管理行為・軽易な行為として行うもの</td><td>ⅰ）同左
ⅱ）同左
ⅲ）同左
ⅳ）同左
ⅴ）同左</td><td>①工事用仮設建築物
②知事が認めたもの
③開発不同意者の建築</td><td>ア）知事の許可があるとき
イ）用途地域等の定めがあるとき</td></tr>
<tr><td colspan="3">ⅵ）仮設建築物の新築
ⅶ）～事業が施行された土地において行う新築</td></tr>
</table>

7 不服申立て（開発審査会への審査請求）

開発許可・建築許可の申請に対する不許可処分または不作為（処分をしないこと）に不服のある者は，開発審査会に対して審査請求をすることができます。

第2章 建築基準法

データ 【直近12年間の出題実績＆攻略法】

項目	H25	H26	H27	H28	H29	H30	R1	R2	R3	R4	R5	R6	重要度
建築確認・単体規定	●	●	●	●	●	●	●	●	●	●	●	●	S
集団規定	●	●	●	●	●	●	●	●	●	●	●	●	S

建築基準法の出題は２問。「集団規定」の比重が高いが，「建築確認・単体規定」については総合問題化しているため，出題されない年はないといってよい。したがって，全項目にわたる穴のない学習が必要である。

最終的に，暗記した知識が本試験を解くうえでモノをいうのは，他の分野と同様だが，建築基準法は，特に「数字」の暗記は重要だ。

ウォームアップ

建築基準法は，**国民の生命・健康・財産を保護**するための法律です。そのために，建築物の構造，用途などについて**守るべき最低基準**を定めていますが，その具体的な基準は，大きく**単体規定**と**集団規定**に分かれます。

単体規定は，個々の建築物に着目して，その建築物が構造上，防火上，衛生上，安全であるための基準です。したがって，全国一律に適用されます。

集団規定は，**都市計画法とあいまって**，**良好な都市環境を整備**することを目的とします。したがって，**都市計画区域及び準都市計画区域内**において適用され，具体的には，**建築物と道路**との関係，建築物の**用途**，**形態**，**高さ**，**防火性能**などの基準を設けています。

これらの基準は，建築前の建築確認制度，建築後の完了検査制度を軸に，遵守されるよう規定されています。

さらに，法令の定める基準は，まさに建築物に関する最低の基準であって，より良好な生活環境を形成し，維持しようとするためには，**法令の基準より厳しい基準**を設けるほうが好ましい場合があります。そのための制度が**建築協定**です。

1 全体構造

建築基準法の**全体構造**は，次のとおりです。

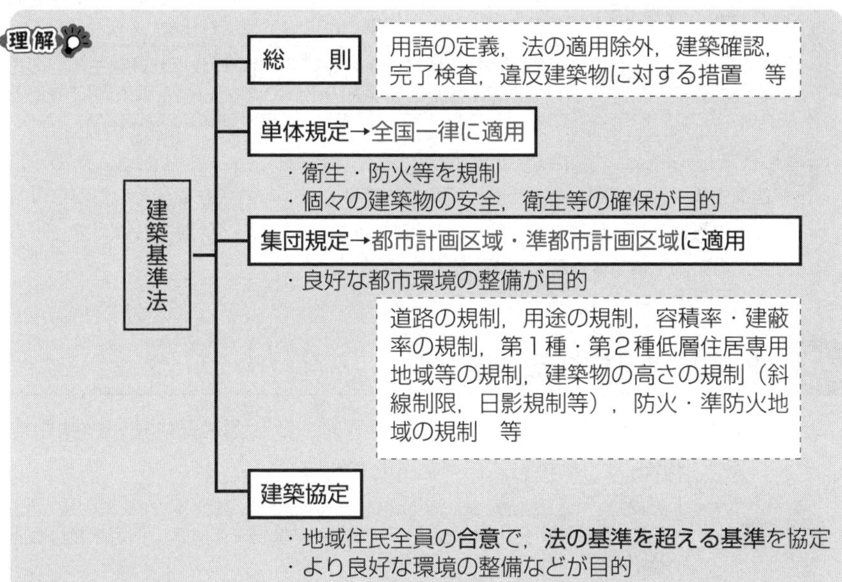

理解
建築基準法
総　則
用語の定義，法の適用除外，建築確認，完了検査，違反建築物に対する措置　等
単体規定→全国一律に適用
・衛生・防火等を規制
・個々の建築物の安全，衛生等の確保が目的
集団規定→都市計画区域・準都市計画区域に適用
・良好な都市環境の整備が目的
道路の規制，用途の規制，容積率・建蔽率の規制，第１種・第２種低層住居専用地域等の規制，建築物の高さの規制（斜線制限，日影規制等），防火・準防火地域の規制　等
建築協定
・地域住民全員の合意で，法の基準を超える基準を協定
・より良好な環境の整備などが目的

メモ

都市計画区域・準都市計画区域内では，単体規定・集団規定が，ともに適用される。

1 用語（2条）

よく出てくる**用語**を，ここで確認しておきます。

理解

建　築	新築，増築，改築，移転をいう ・新築だけではない点に注意 ・移転：建築物を同一の敷地内の別の位置に移すこと
主要構造部	壁・柱・はり・床・屋根・階段をいう
大規模修繕・大規模模様替	建築物の主要構造部の一種以上について行う過半の修繕・模様替をいう
建築主	建築工事の請負契約の注文者，または，請負契約によらない場合自らその工事をする者のこと
特定行政庁	その地域における建築行政の責任者。具体的には， ｉ）建築主事または建築副主事を置く市町村：その市町村長 ii）その他の市町村の区域：都道府県知事
建築主事	建築確認などの事務を行うために，一定の資格検定に合格した公務員のこと。知事・市町村長により任命される
建築審査会	特定行政庁に同意を与える機関。特定行政庁や建築主事等の処分などに不服がある場合の不服の申立先（審査請求先）でもある

メモ

建築主事：都道府県，大都市等一定の都市では，必ず設置される。その他の市町村では，設置は任意。建築主事を置いた市町村・都道府県は，必要があれば建築主事のほかに建築副主事を置くこともできる。

2 建築基準法の適用除外（3条）

次の建築物には，建築基準法は適用されません。建築基準関係規定に違反していても，違法建築物として扱わないという趣旨です。

理解

① 国宝・重要文化財等	文化財保護法により国宝，重要文化財等に指定または仮指定された建築物
② ①を再現する建築物	①の建築物の原形を再現する建築物で，特定行政庁が建築審査会の同意を得てやむを得ないと認めたもの
③ 既存不適格建築物	建築基準法等の施行・適用の際，現に存するまたは現に工事中の建築物で，施行後の規定に適合しない部分を有するもの

メモ

③は，いわば既得権への配慮。ただし，将来建築工事をする場合，そのときの規定に適合するようにしなければ，以後違法建築物として扱うのが原則。なお，増改築等の全体計画を特定行政庁が認定した場合には，工事に係る部分から順次適合させることができる。

2 建築確認と完了検査

建築基準法の規定を守らせるにはどうしたらいいか。これが建築確認と完了検査のテーマです。建築基準関係規定が遵守されるように，建築行為等の前にチェックする仕組みが「**建築確認**」，事後的にチェックする仕組みが「**完了検査**」です。

それでも，建築基準関係規定に違反する建築物は避けがたく出現します。そこで最後の手段が「**違反建築物に対する措置**」です。最終的には，違反建築物を取り壊すべき命令（除却命令）を下すことまで可能です。

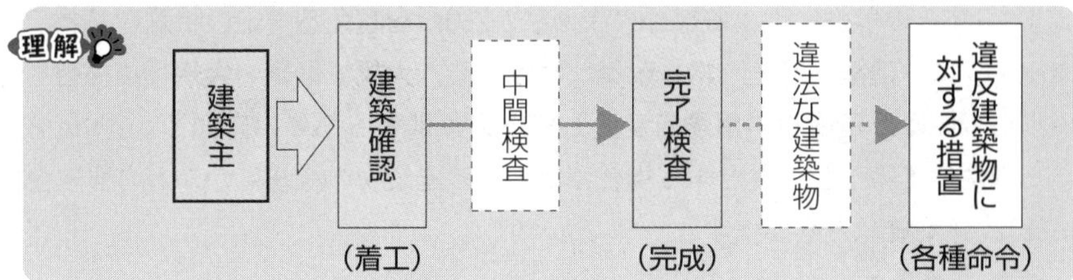

用語 **中間検査**：３階建て以上の共同住宅等の一定の工事について義務づけられる検査のこと。耐震性を確保すること，目視での確認が難しかった部分の法令違反の発生を防ぎ，是正が容易な早い段階での指導を行うことなどを目的とする

1 建築確認（６条・６条の２）

建築主は，建築工事に着手する前に，その計画が建築基準関係規定に適合するものであることについて，**建築主事等**（または，**指定確認検査機関**。以下同じ）の**確認**を受け，**確認済証の交付**を受けなければならず，確認済証の交付を受けなければ，建築工事に着手することができません。

メモ

- 建築確認を受けて建築された建築物等については，工事完了後，完了検査を受けなければならない。
- 指定確認検査機関による建築確認等は，建築主事等による建築確認等とみなされる。
- 建築主事等とは，建築主事または建築副主事をいう。建築副主事は，大規模建築物以外の建築物のみ建築確認ができる。

2 建築確認の要否

そうであるとはいえ，そもそも日本全国の建築行為のすべてについて，建築確認が必要とはされていません。建築行為の種類，規模，行われる場所によって異なります。

建築確認が必要な行為は，次のとおりです。

（1）原則

①　1号建築物（特殊建築物）

まず，「その用途に供する部分の床面積が**200㎡を超える**一定の**特殊建築物**」となるように，**建築**（新築，増・改築，移転）し，**大規模修繕・大規模模様替**を行い，あるいは，建築物の**用途を変更**して用途に供する部分の床面積が200㎡を超える特殊建築物としようとする場合には，その建築物の所在にかかわらず（**全国一律**），建築確認が必要です。

プラスα

・「**特殊建築物**」とは，次のものをいう。

劇場，映画館，公会堂，集会場，病院，診療所，ホテル，旅館，下宿，共同住宅，寄宿舎，学校，体育館，百貨店，マーケット，キャバレー，バー，ダンスホール，遊技場，倉庫，自動車車庫，自動車修理工場，物品販売業を営む店舗　等

「火災・衛生・多数人」をキーワードに，建築確認が必要な特殊建築物をイメージするとよい。なお，事務所，銀行等はここでの特殊建築物でない点に注意。

・**用途変更の考え方**：改築などの行為を伴わない単なる用途変更の場合でも，その建築物の変更後の用途が上記特殊建築物（200㎡超）にあたれば，確認が必要である。ただし，類似の用途相互間の用途変更には，例外として確認が不要。
類似の用途の例を挙げると，次のとおり。

・劇場，映画館，演芸場	・キャバレー，バー等	・百貨店，マーケット等
・ホテル，旅館	・下宿，寄宿舎	・博物館，美術館，図書館

・例えば，体育館を映画館（200㎡超）に用途変更する場合には，確認必要だが，劇場・映画館相互間の単なる用途変更は確認不要。

・また，特殊建築物から一般建築物への単なる用途変更には，確認は不要。例えば，下宿業を廃業して単に住宅として利用する場合も，確認不要。

② ２号建築物

階数２階建て以上，延べ床面積200㎡超のいずれかに該当する建築物となるように，**建築**（新築，増・改築，移転）し，または**大規模修繕・大規模模様替**を行う場合，その建築物の所在にかかわらず（**全国一律**），建築確認が必要です。

③ ３号建築物

①②に該当しない建築物については，都市計画区域内または準都市計画区域内で，建築（新築，増・改築，移転）する場合に限り，建築確認が必要となります。

したがって，次の３号建築物の場合は**建築確認は不要**です。

（ア）修繕・模様替を行う場合
（イ）都市計画区域及び準都市計画区域外
→ 確認不要

以上をまとめると，次のようになります。

暗記

〈建築確認の要否（原則）〉

（◎：全国どこでも確認必要　×：確認不要
○：都市計画区域・準都市計画区域内のみ必要）

建築物の種類		建築 新築	建築 増改築 移転	大規模修繕・模様替	用途変更
① １号建築物 その用途に供する部分の床面積が200㎡を超えるもの		◎		◎	◎
② ２号建築物	２階建て以上 200㎡超	◎		◎	
③ ３号建築物	都市計画区域内 準都市計画区域内	○		×	

メモ

その他，次の工作物について，その建設にあたり，建築確認が必要（全国一律）。

・昇降機　・高さ２ｍ超の擁壁　・高さ４ｍ超の広告塔　・高さ６ｍ超の煙突
・高さ８ｍ超の高架水槽　・高さ15ｍ超の鉄柱，木柱等

（2）例外

以下に該当する場合は，原則として建築確認が必要である場合（上表中の◎や○）に該当しても，**例外的に**，**確認は不要**となります。

すなわち，**防火地域及び準防火地域外**（防火地域も準防火地域も指定されていない土地の区域）において，10㎡以内の**増・改築**，または**移転**をする場合には，建築確認は**要りません**。

<要件>
ア）防火地域・準防火地域外
イ）10㎡以内
ウ）増築・改築・移転

ア）かつ イ）かつ ウ）
＝建築確認不要

メモ

10㎡は約６畳。例えば，増築する部分の面積がその程度以下のもので，場所が防火地域外かつ準防火地域外であれば，小規模で火災延焼の危険も少なく，あえて建築確認を得るまでもない，ということだ。

以上より，

防火地域・準防火地域内の建築行為は，必ず建築確認しなければならない

ということになります。

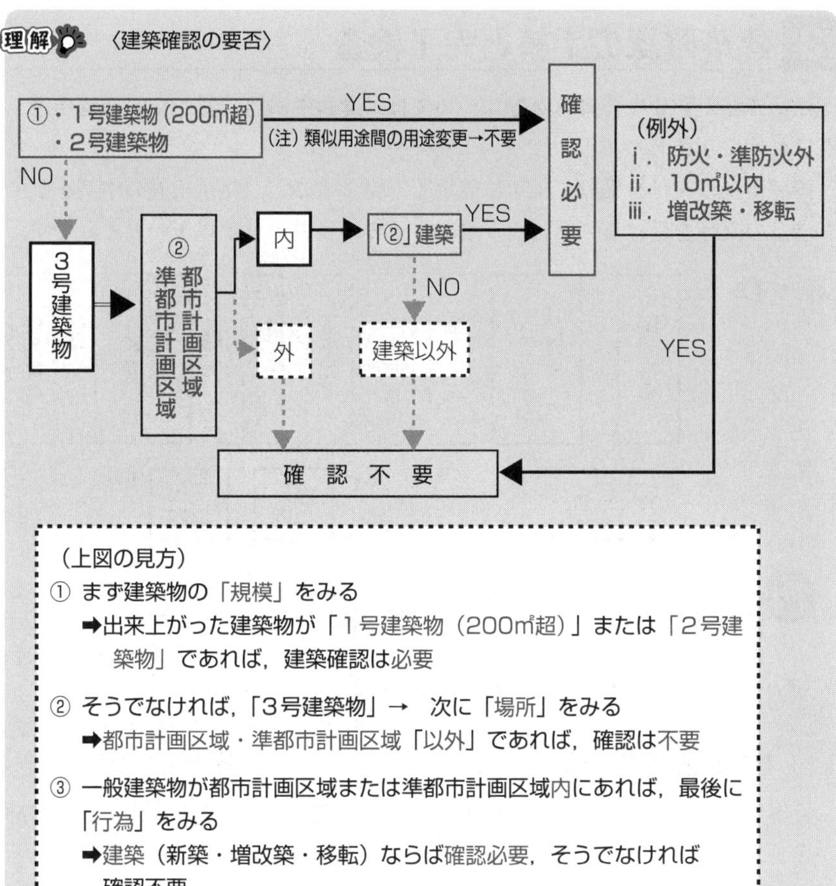

（上図の見方）

① まず建築物の「規模」をみる
➡出来上がった建築物が「1号建築物（200㎡超）」または「2号建築物」であれば，建築確認は必要

② そうでなければ，「3号建築物」→　次に「場所」をみる
➡都市計画区域・準都市計画区域「以外」であれば，確認は不要

③ 一般建築物が都市計画区域または準都市計画区域内にあれば，最後に「行為」をみる
➡建築（新築・増改築・移転）ならば確認必要，そうでなければ確認不要

3 建築確認の手続と完了検査

建築確認が必要な建築行為等については，**建築主事等**に対して，**確認申請**をしなければなりません。

確認済証の交付を受けて工事に着手し，完了すると，完了検査の申請をして検査済証の交付を受けることになります。その手続の流れは以下のとおりです。

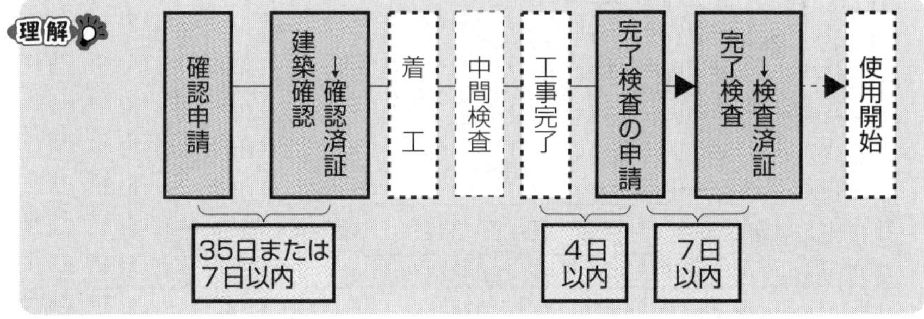

メモ

中間検査：「特定工程」（３階以上の共同住宅の床・はりに鉄筋を配置するための工程など）については，その工事完了後に「中間検査」を受け，中間検査合格証の交付を受けなければ，後続工程の工事を施工できない。

（1）建築確認期間（6条）

建築主事等は，建築確認の申請書を受理した場合，一定の期間内に，建築計画が建築基準関係規定に適合するかどうかを審査し，適合することを確認したときは，当該申請者に確認済証を交付しなければなりません。そして，**確認済証の交付**を受けなければ，**工事に着手**することは**できません**。

確認済証の交付期限は，次のとおりです。

基本

建築物の種類	確認申請書受理から確認済証交付までの期間
200㎡超の１号建築物 ２号建築物	35日以内
３号建築物	7日以内

(2) 消防長等の同意 (93条)

建築主事等は，建築確認をする場合，原則として，当該確認に係る建築物の所在地を管轄する消防長（消防本部を置かない市町村にあっては，市町村長）または消防署長の同意を得なければなりません。

メモ

ただし，防火地域・準防火地域以外の一般住宅などについては，この同意は不要である。

(3) 完了検査 (７条)

建築確認を受けて建築された建築物について，建築基準関係規定が遵守されているか否か，事後的にチェックする過程です。

① 完了検査の申請

建築主は，建築確認を受けた工事が完了したときは，建築主事等の検査（完了検査）を申請しなければなりません。申請は，原則として**工事完了の日から４日以内**に建築主事等に到達するように行います。

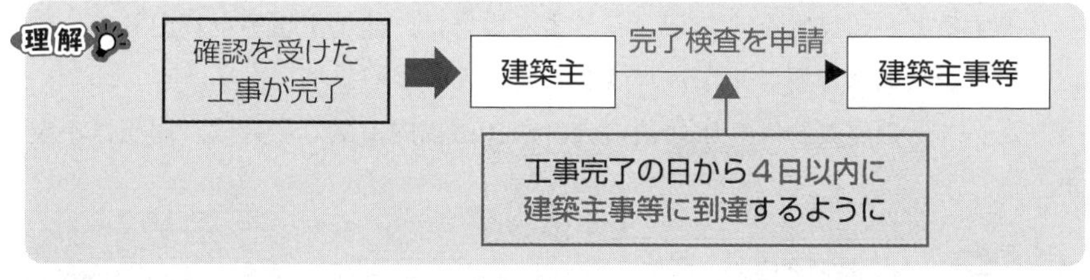

メモ

完了検査は，法令遵守の事後チェックとして，事前チェック（建築確認）に対応する形で行われる。建築確認が不要な場合は，完了検査の申請も不要。

② 完了検査と検査済証の交付

建築主事等は，完了検査の申請を受理した日から**７日以内**に，工事にかかる建築物等が，建築基準関係規定に適合しているかどうかを検査します。

その結果，建築物が建築基準関係規定に適合していると認めたときは，建築主に対して検査済証を交付しなければなりません。

（4）使用制限（7条の6）

1号建築物・2号建築物を新築した場合などは，工事完了後すぐにその建築物を使用できるわけではありません。すなわち，例えば，200㎡を超える1号建築物や2号建築物を新築する場合は，原則として，検査済証の交付を受けた後でなければ，その建築物の使用を開始することはできません。

ただし，特定行政庁・建築主事等の仮使用の認定があったとき，または，完了検査の申請が受理された日から7日を経過したときは，仮の使用を開始できます。

なお，**3号建築物**には，使用開始時期についての**制限はありません**。

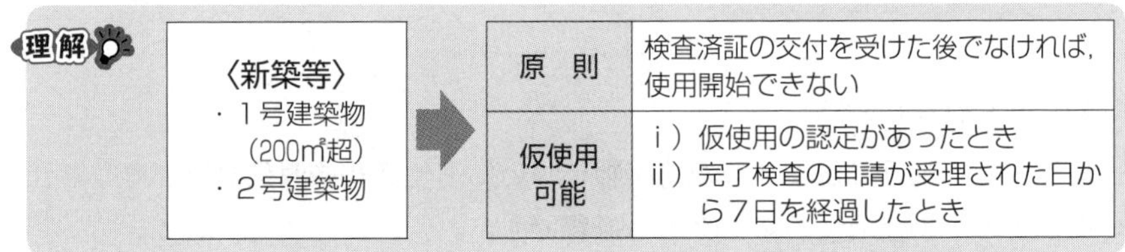

理解
〈新築等〉
・1号建築物
（200㎡超）
・2号建築物
原　則
検査済証の交付を受けた後でなければ，使用開始できない
仮使用可能
i）仮使用の認定があったとき
ii）完了検査の申請が受理された日から7日を経過したとき

（5）統計のための届出（15条）

建築主は，建築統計を作成するために，一定の届出が義務づけられています。

すなわち，建築主が建築物を建築しようとする場合または建築物の除却の工事を施工する者が建築物を除却しようとする場合は，建築主事等を経由して，その旨を都道府県知事に届け出なければなりません。

ただし，その建築物等の床面積の合計が10㎡以内である場合は，届出は不要です。

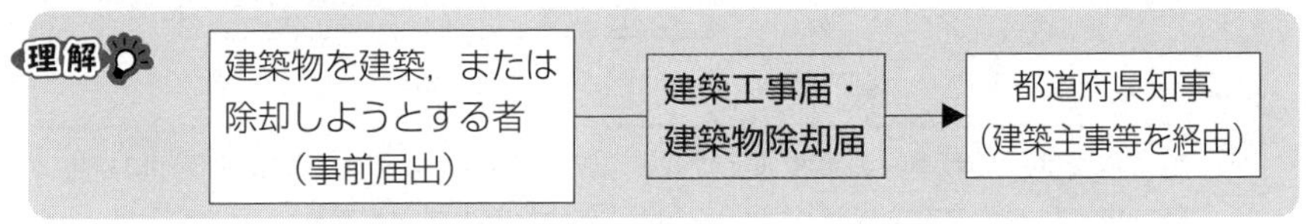

4 違反建築物に対する措置（9条）

建築基準法は，「**建築確認→完了検査**」という仕組みで，建築基準関係規定を遵守させるようにしていますが，これに違反する建築物は出現してきます。これを是正するための最後の手段が，違反建築物に対する措置です。最終的には，特定行政庁が，取壊しの命令（**除却命令**）をすることができます。

（1）手続の原則（本命令）

特定行政庁は，建築基準法令の規定に違反した建築物等について，その建築主などに対して，違反の是正に**必要な措置**をとるよう**命ずることができます**。その命令の種類は，除却命令，工事施工停止命令，使用禁止命令などです。

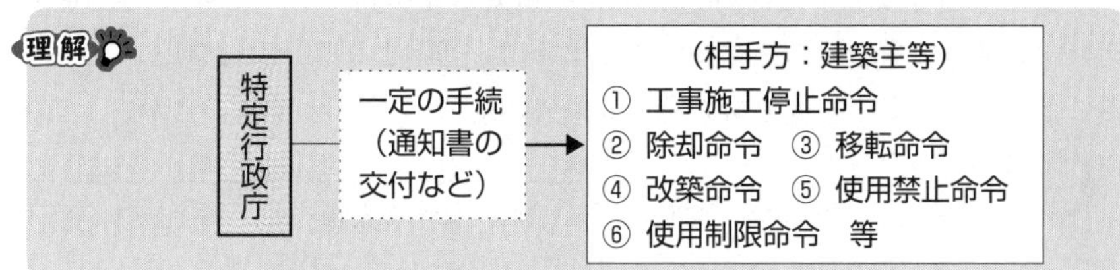

（2）緊急時の措置（仮命令・緊急命令）

緊急時には，特定行政庁及び建築監視員は，工事施工停止の緊急命令，使用禁止・使用制限の仮命令をすることができます。

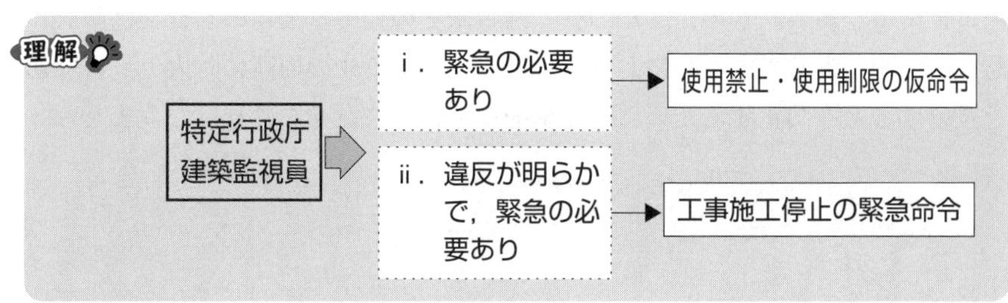

メモ

・**建築監視員**：都道府県・市町村の公務員の中から任命される。
・緊急時の措置は，現状の凍結を目的とするため，本来必要とされる手続が省略される代わり，命令自体は消極的（「～するな」）である。これに対し，本来の措置は，手続は保障される代わり，命令は，より積極的なもの（「～せよ」，例えば除却命令）が可能となる。

3 単体規定

単体規定は，**個々の建築物の安全・衛生**などの**最低の基準**を定めて，国民の生命・財産などを守るための規定です。そのため，都市計画区域・準都市計画区域の内外を問わず，**全国一律に適用**されます。

1 大規模の建築物の主要構造部等

（1）地上４階建て以上または高さが16m を超える建築物（21条１項）

地上４階建て以上または高さが16m を超える建築物であっても，火災時も燃え残った部分で構造耐力を維持できるように，通常より厚い木材を用いるなどすることにより，壁・柱等を耐火構造等以外の構造（木造）とすることができます。

プラスα

構造部材として壁・柱などに使用した木材をそのまま表面に出して見せ，木造の「良さ」を表現できるようにすることが目的だが，耐火性能も必要であるため，建築物全体の性能を総合的に評価した一定の技術的基準に適合しなければならない。

（2）延べ面積が3,000㎡を超える建築物（21条２項）

延べ面積が3,000㎡を超える建築物で，壁・柱・梁の全部または一部に木材等の可燃材料を用いたものは，その壁・柱・床その他の建築物の部分又は防火戸等防火設備を，通常の火災時における火勢が当該建築物の周囲に防火上有害な影響を及ぼすことを防止するために，技術的基準に適合させなければなりません。

理解

耐火構造	壁，柱，床その他の建築物の部分の構造のうち，耐火性能に関し一定の技術的基準に適合する鉄筋コンクリート造，れんが造その他の構造で，国土交通大臣が定めた構造方法を用いるもの，または国土交通大臣の認定を受けたもの
準耐火構造	壁，柱，床その他の建築物の部分の構造のうち，準耐火性能に関し一定の技術的基準に適合するもので，国土交通大臣が定めた構造方法を用いるもの，または国土交通大臣の認定を受けたもの
防火構造	建築物の外壁または軒裏の構造のうち，防火性能に関して一定の技術的基準に適合する鉄網モルタル塗，しっくい塗その他の構造で，国土交通大臣が定めた構造方法を用いるもの，または国土交通大臣の認定を受けたもの。(木造) モルタル塗り，しっくい塗りなど
不燃材料	建築材料のうち，不燃性能に関して一定の技術的基準に適合するもので，国土交通大臣が定めたもの，または国土交通大臣の認定を受けたもの

用語 **主要構造部**：壁，柱，はり，床，屋根，階段のこと

耐火性能：通常の火災が終了するまでの間，当該火災による建築物の倒壊及び延焼を防止するために当該建築物の部分に必要とされる性能

準耐火性能：通常の火災による延焼を抑制するために当該建築物の部分に必要とされる性能

防火性能：建築物の周囲において発生する通常の火災による延焼を抑制するために当該外壁または軒裏に必要とされる性能

不燃性能：通常の火災時における火熱により燃焼しないこと，その他の性能

(3) 1,000㎡を超える木造建築物等の外壁・軒裏・屋根 (25条，22条)

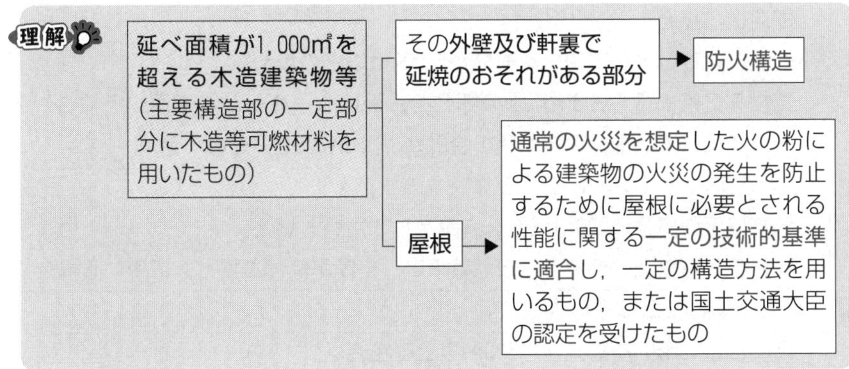

（4）1,000㎡を超える建築物の防火壁等（26条）

延べ面積が1,000㎡を超える建築物は，防火上有効な構造の**防火壁**または**防火床**によって有効に区画し，かつ，各区画の床面積の合計をそれぞれ1,000㎡以内としなければなりません。

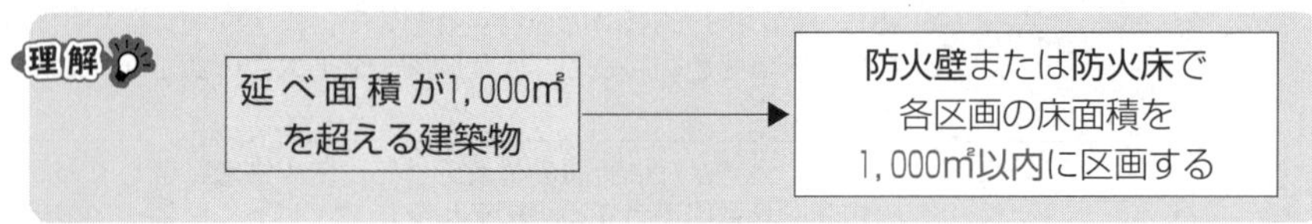
理解
延べ面積が1,000㎡を超える建築物
防火壁または防火床で各区画の床面積を1,000㎡以内に区画する

メモ

なお，この規定は，耐火建築物，準耐火建築物等には適用されない。また，防火壁または防火床によって他の部分と有効に区画された耐火・準耐火構造部分は，防火壁または防火床によって1,000㎡以内に区画する必要がない。

（5）特殊建築物の防火措置（27条，別表第１）

特殊建築物は，用途や規模に応じて，建築物を耐火建築物，準耐火建築物または一定の基準を満たしたものとしなければなりません。

① 主要構造部を，その特殊建築物に存する者の全てが地上までの避難を終了するまでの間，通常の火災による建築物の倒壊及び延焼を防止するために必要とされる一定の基準を満たしたものとしなければならない，とされるもの

- 建物の３階以上の部分を，劇場，映画館，集会場，病院，ホテル，旅館，共同住宅，学校，体育館，百貨店，バーとして用いる場合
- 劇場，映画館，集会場として用いる客席の部分が200㎡以上の場合
- 建物の２階部分の300㎡以上の部分を，病院，ホテル，旅館，共同住宅として用いる場合
- 学校，体育館として用いる部分が2,000㎡以上の場合
- 建物の２階部分の500㎡以上の部分を，百貨店，バーとして用いる場合。その用途に供する部分の床面積の合計が3,000㎡以上のもの　他

② 耐火建築物としなければならないもの

- ３階以上の部分の200㎡以上を倉庫として用いる場合
- 建物の３階以上の部分を，自動車車庫，自動車修理工場として用いる場合

③ 耐火建築物または準耐火建築物としなければならないもの

- 倉庫として用いる部分が1,500㎡以上の場合
- 自動車車庫，自動車修理工場として用いる部分が150㎡以上の場合

2 衛生・建築設備の原則

（1）居室の採光及び換気（28条，令19条）

① 採光

住宅，学校，病院，診療所，寄宿舎，下宿などの**居室**（居住のための居室，学校の教室，病院の病室など）には，採光のための窓その他の開口部を設け，その採光に有効な部分の面積は，その居室の床面積に対して，居室の種類に応じて指定される一定の割合（1/5～1/10）以上としなければなりません。その割合として，住宅の居室には原則として「**1/7**」が指定されていますが，床面において50ルックス以上の照度を確保できるよう照明設備を設置している居室は、1/10以上であればよいとされています。

メモ

なお，地階などに設ける居室，温湿度調整を必要とする作業を行う作業室，その他用途上やむを得ない居室については，別途指定される。

② 換気

居室には換気のための窓その他の開口部を設け，その換気に有効な部分の面積は，その居室の床面積に対して，「**1/20**」以上としなければなりません。

メモ

・ただし，一定の換気設備を設けた場合には例外が認められる。

・ふすま，障子その他随時開放することができるもので仕切られた2室は1室とみなされ，以上の規定が適用される。

（2）石綿（アスベスト）・シックハウス対策（28条の2）

建築物は，石綿（アスベスト）その他の物質の建築材料からの飛散または発散による衛生上の支障がないよう，次の基準に適合させなければなりません。

ⅰ）建築材料に石綿等を添加しないこと

ⅱ）石綿等をあらかじめ添加した建築材料を使用しないこと

ⅲ）居室を有する建築物の場合は，さらに，居室内において衛生上の支障を生ずるおそれのある化学物質について，建築材料・換気設備に関する一定の技術的基準に適合すること

メモ

・ⅰ），ⅱ）は，その建築物の用途を問わず適用される。

・ⅲ）規制される化学物質→**クロルピリホス，ホルムアルデヒド**

（3）長屋または共同住宅の各戸の界壁（30条）

長屋または共同住宅の各戸の界壁（隣室との壁のこと）は，原則として小屋裏または天井裏まで達する必要がありますが，天井の構造が隣接する住戸からの日常生活に伴い生ずる音を低減するため必要な一定の基準に適合するものであれば，小屋裏等に達していなくても構いません。

（4）天井の高さ（令21条）

居室の天井の高さは，**2.1m 以上**でなければなりません。その高さは床面から測りますが，一室で天井高が異なる部分がある場合はその平均の高さとします。

（5）避雷設備（33条）

高さ20m を超える建築物には，有効に**避雷設備**を設けなければなりません。

理解
高さ20mを超える建築物
有効に避雷設備を設ける
（避雷針等）

（6）非常用昇降機（34条）

高さ31m を超える建築物には，**非常用の昇降機**を設けなければなりません。

（7）階段等の手すり等（令25条）

階段には，原則として，手すりを設けなければなりません。階段の幅が３m をこえる場合においては，中間に手すりを設けなければなりません（けあげが15cm 以下で，かつ，踏面が30cm 以上のものについては除く）。

なお，高さ１m 以下の階段の部分には，適用されません。

（8）敷地内の通路（令128条）

敷地内には，屋外に設ける避難階段及び出口から道または公園，広場その他の空地に通ずる幅員が1.5m（３階以下で延べ面積が200㎡未満の建築物については90cm）以上の通路を設けなければなりません。

3 条例による規制

（1）災害危険区域（39条）

地方公共団体は，条例で，津波，高潮，出水等による危険の著しい区域を災害危険区域として指定することができます。

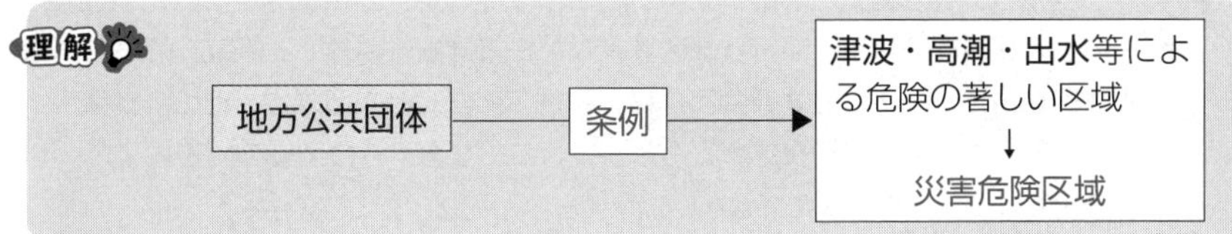

メモ

災害危険区域の指定は，条例で，地方公共団体が行う（特定行政庁ではない）点に注意。災害危険区域内における住居用建築物の建築の禁止その他の区域内の建築制限等に関する防災上必要な規制は，その条例で定めることになる。

（2）地方の特殊性等による単体規定の制限の付加・緩和（40条，41条）

地方公共団体は，その地方の気候・風土の特殊性などにより，単体規定のみによっては建築物の安全，防火または衛生の目的を十分に達し難いと認める場合においては，条例で，建築物の敷地，構造または建築設備に関して安全上，防火上または衛生上必要な制限を付加できます。

また，都市計画区域・準都市計画区域外においては，市町村は，国土交通大臣の承認を得て，条例で，単体規定の一部の規定を適用せず，または制限を緩和することができます。

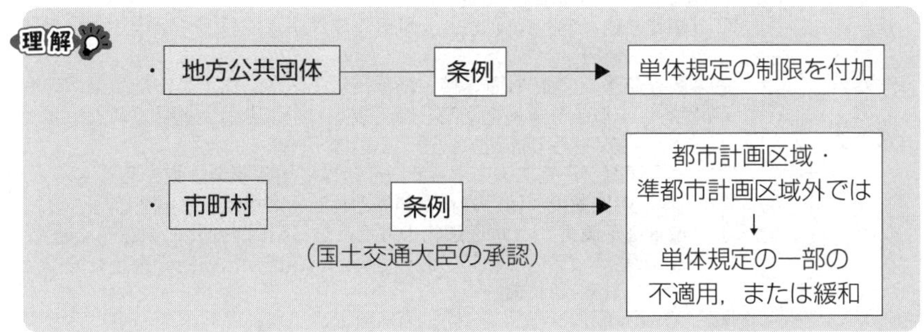

4 集団規定

集団規定は，**街づくりのための法令**であり，**都市計画区域**及び**準都市計画区域**において適用されます。

メモ

知事指定区域への適用：都市計画区域及び準都市計画区域外で，都道府県知事が指定する区域内について，地方公共団体は，条例で，一定の集団規定（道路，容積率，高さ制限等）につき，制限を定めることができる。なお，この区域の指定により，建築物の用途についての制限はできない。

1 道路に関する制限

まず，建築基準法上の「道路」とは，どのような道なのかを確認しましょう。道路に関する規制は，要は，「道路に面していない敷地に建物を建ててよいか」という問題だからです。

（1）「道路」とは（42条）

建築基準法上「道路」としての幅員は，**4m以上**（6m区域では**6m以上**）が基本です。都市基盤として，道路幅は最低限その程度は必要，ということです。

建築基準法上，「道路」とは，次のものをいいます。

基本

原　則	幅員4m以上で，**次に該当するもの**（地下におけるものは除く） ① **道路法による道路**（国道，県道等） ② **「事業道路」**（都市計画法，土地区画整理法等に基づく事業により築造された道路） ③ **「既存道路」**（都市計画区域・準都市計画区域の指定等または条例の制定等により，建築基準法第3章の規定（集団規定）が適用されるに至った際，現に存在する道。公道・私道は不問） ④ **「計画道路」**（道路法等により新設または変更の事業計画のある道路で，2年以内に事業が執行されるものとして特定行政庁が指定したもの） ⑤ **「位置指定道路」**（土地を建物の敷地として利用するため築造する道で，一定の基準に適合するものとして特定行政庁から位置の指定を受けたもの。いわゆる私道）

メモ

6m区域：特定行政庁が都道府県都市計画審議会の議を経て指定する区域内では，幅員6m以上のものを「道路」とすることができる。

幅員4m未満の「道」は建築基準法上の「道路」ではない，という扱いを徹底すると，その「道」にそった土地には建物を建てることができない，という事態が生じます。実際に，現に存在する住宅地において，建物の敷地が4m未満の「道」にしか接していない場合には，新築はおろか，増築もすることができなくなります。そのように，都市を中心に多数存在する幅員4m未満の道をすべて「道路」から除外すると，土地利用に重大な障害が生じてしまうのです。

そこで，将来道路幅員4mの確保を見据えつつ，現在は幅員4m未満の道も，一定要件のもと「道路」と扱うこととしました。これが「2項道路」です（法42条2項により「道路」となることに由来）。

例外	幅員4m未満で「道路」とされるもの ⑥「**2項道路**」（都市計画区域・準都市計画区域の指定等または条例の制定等により，建築基準法第3章の規定（集団規定）が適用されるに至った際，現に建築物が立ち並んでいる幅員4m未満（6m区域にあっては6m未満）の道で，特定行政庁が指定したもの）

メモ

「道路」となるにあたり特定行政庁の指定が必要なものは，④計画道路，⑤位置指定道路，⑥2項道路である。なお，⑥2項道路について，幅員1.8m未満の道を指定する場合は，あらかじめ建築審査会の同意を得なければならない。

(2)「2項道路」の境界線

「2項道路」の幅員は，現在は4m未満ですが，将来は幅員を（最低）4m以上確保するため，道路の境界線は次のように定められます。

基本

① 原　則	道路の中心線より水平距離2mの線 （6m区域では3m）
② 道路の反対側ががけ・川等により後退できないとき	道路の反対側から4mの線 （6m区域では6m）

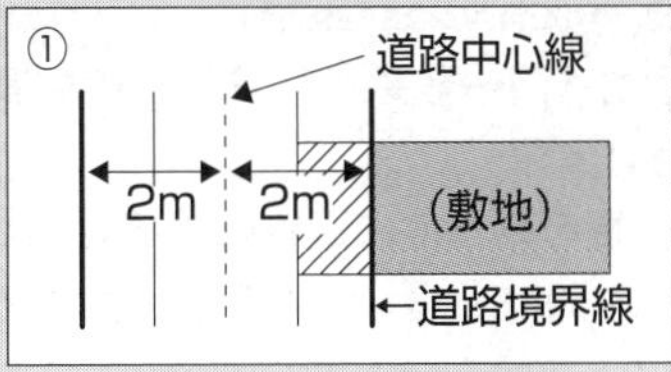

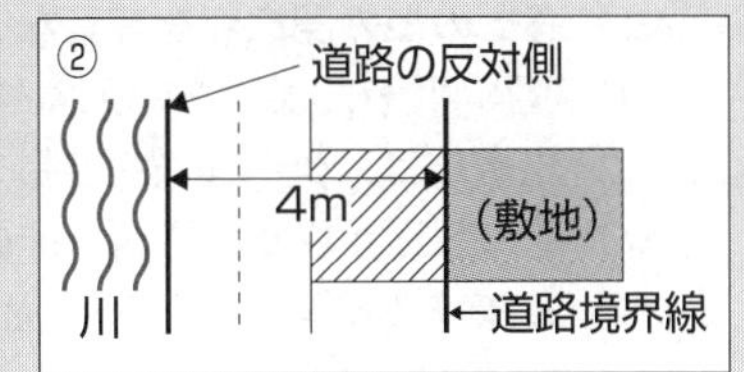

メモ

道路の境界線とみなされた内側の**セットバック**（後退）**部分**（前図の斜線部分）は，「道路」とみなされるので**建築不可**。したがって，セットバック部分は，容積率や建蔽率等の計算にあたって，敷地面積に算入されない。

（3）接道義務（43条）

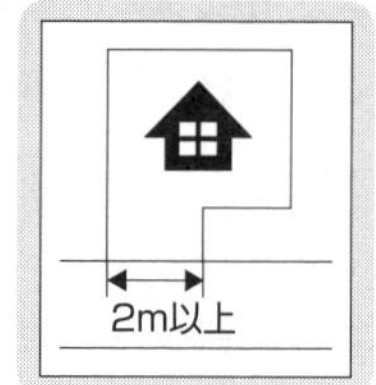

道路に関する制限の中心は，**接道義務**です。

建築物の敷地は，**「道路」に2m以上**に接しなければなりません。「道路」に2m以上接していない敷地では，建築物を建築できません。日常の通行を確保し，火災などの災害時に避難や消火活動を支障なく行うための規制です。

①　原則――「道路」への「2m」以上の接道

理解

原　則	建築物の敷地は，「道路」に2m以上接しなければならない （自動車専用道路に接するのみ→建築不可）
例　外	「道路に2m以上」接しなくても建築できる場合： ①　幅員は4m以上あるものの（建築基準法上の）「道路」ではない「道」に2m以上接する（利用者少数の）建築物について，あらかじめ定められた基準に適合するもので，特定行政庁が審査して認めるもの（建築審査会の同意は不要） 例「道路」に接する農道・通路の奥にある戸建て住宅 ②　敷地の周囲に広い空地がある建築物等で，特定行政庁が許可したもの（建築審査会の同意必要） 例　周囲が農地・公園・広場などに囲まれている住宅

②　条例による制限の付加

接道義務に関しては，地方公共団体は，次の建築物について，その用途，規模または位置の特殊性により，2mの接道のみでは避難または通行の安全の目的を十分に達成することが困難であると認めるときは，条例で，その敷地または建築物と道路との関係に関して，必要な**制限を付加**（強化）することができます。

- ⅰ）特殊建築物
- ⅱ）3階建て以上の建築物
- ⅲ）窓その他の開口部を有しない居室を有する建築物
- ⅳ）延べ面積1,000㎡を超える建築物（同一敷地内に2以上の建築物がある場合には，延べ面積を合計する）
- ⅴ）その敷地が袋路状道路（その一端のみが他の道路に接続したもの）にのみ接する建築物で，延べ面積が150㎡を超えるもの（一戸建ての住宅を除く）

メモ

・制限の「緩和」はできない。

・ｖ）は，袋路状道路の奥地に在館者の密度の高いマンションが建築されるような場合。火災・地震の避難の際，多数の人が接道部分に集中して避難に支障が生じるおそれがある。なお，一戸建て住宅は，ｖ）の対象から除かれている点に注意。

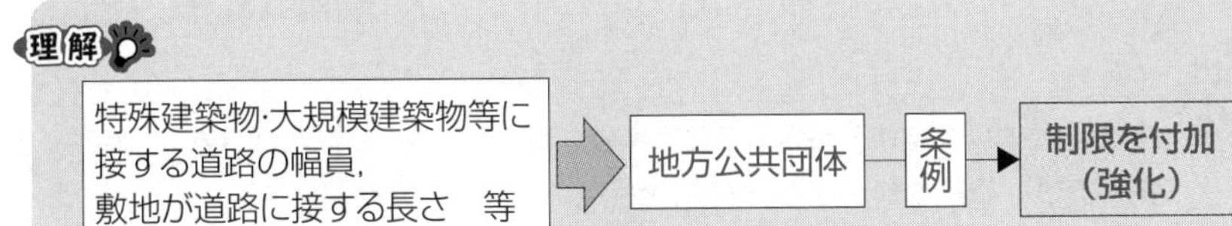

（4）道路内の建築制限（44条）

建築物または敷地を造成するための擁壁は，原則として，道路内に，または，道路に突き出して建築・築造してはなりません。

基本

原　則	建築物・擁壁は，道路内に，または道路に突き出して建築・築造不可
例　外	建築できる場合： ⅰ）地盤面下に設ける建築物 ⅱ）公衆便所・巡査派出所等で，特定行政庁が許可したもの 　→建築審査会の同意が必要 ⅲ）一定の高架道路下などに設けられる建築物 　→特定行政庁が認めるもの ⅳ）公共用歩廊（アーケード）等で，特定行政庁が許可したもの 　→建築審査会の同意が必要

メモ

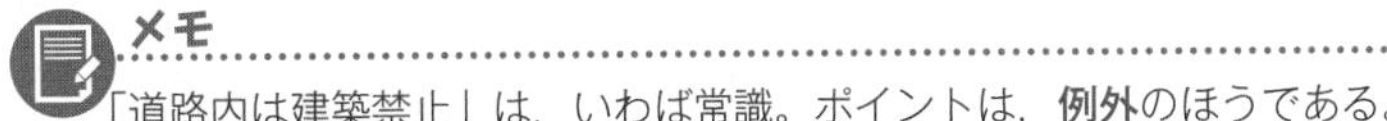

「道路内は建築禁止」は，いわば常識。ポイントは，**例外**のほうである。

（5）私道の変更・廃止の制限（45条）

基本

原　則	私道の変更・廃止は，本来，自由
例　外	変更・廃止により接道義務等の規定に抵触するとき， 特定行政庁は私道の変更・廃止を，禁止・制限できる

（6）壁面線制限（46条，47条）

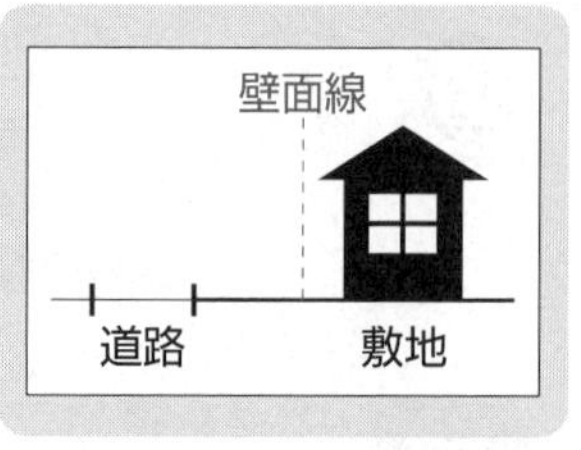

① 壁面線とは

壁面線は，街区内における建築物の位置を整え，その環境の向上を図るために道路に沿って指定されます。

メモ

壁面線：住環境の維持・商店街の買物客のための通行スペースの確保などが目的。特定行政庁が，建築審査会の同意を得て指定する。

② 制限の内容

建築物の壁や柱，高さ2mを超える門・塀は，原則として，壁面線を越えて建築してはなりません。指定された壁面線を道路側に越えて，建築できないということです。

メモ

なお，地盤面下の部分などは建築可能とされる例外や，壁面線が指定された場合の容積率や建蔽率の緩和措置もある。

2 用途制限（48条，別表第2）

用途制限とは，都市計画法の用途地域の趣旨にそって，各用途地域において原則的に建築できる（または建築できない）こととして，建築物の用途を規制するものです。代表的なもの（試験対策上重要なもの）を表にすると，以下のとおりです。

プラスα

・**用途制限**：要は，「この用途地域」に「この建物」を建ててよいか，という問題。

・**法別表第2**：用途制限は，法別表第2に規定されているが，そこでは，第1種・第2種低層住居専用地域・田園住居地域・第1種中高層住居専用地域においては，建築「できる」建築物の種類が列挙されているのに対し，その他の用途地域においては，建築「できない」建築物が列挙されている。

第1種・第2種低層住居専用地域 第1種中高層住居専用地域 田園住居地域	建築できる建築物を規定
その他の用途地域	建築できない建築物を規定

・次の表は「法別表第2」を図表化したものである。

〈空欄：建築できる，△：条件により建築できる，×：建築できない〉

建築物の種類＼用途地域		1種低層	2種低層	田園住居	1種中高層	2種中高層	1種住居	2種住居	準住居	近隣商業	商業	準工業	工業	工業専用
神社・寺院・教会等														
保育所，診療所，(一般)公衆浴場，公衆便所・巡査派出所・電話ボックス														
老人福祉センター・児童厚生施設等		△	△	△										
住宅・一定規模以内の事務所・店舗兼用住宅，老人ホーム，図書館														×
学校（幼稚園～高校）													×	×
大学・病院		×	×	×									×	×
一定の店舗・飲食店	150㎡以内	×	△1	△1										△5
	500㎡（かつ2階）以内	×	×	▲										△5
	500㎡超	×	×	×	×	△2	△3	△4	△4				△4	△4 △5
10,000㎡を超える店舗・飲食店・展示場（大規模集客施設）		×	×	×	×	×	×	×	×				×	×
農産物の生産・集荷・処理・貯蔵用，農業資材の貯蔵用の建築物		×	×		×	△2	△3							
事務所		×	×	×	×	△2	△3							
自動車教習所		×	×	×	×	×	△3							
ホテル・旅館		×	×	×	×	×	△3						×	×
ボーリング・スケート・水泳場		×	×	×	×	×	△3							×
マージャン屋・ぱちんこ屋		×	×	×	×	×	×	△4	△4				△4	×
カラオケボックス		×	×	×	×	×	×	△4	△4				△4	△4

建築物の種類 ＼ 用途地域		1種低層	2種低層	田園住居	1種中高層	2種中高層	1種住居	2種住居	準住居	近隣商業	商業	準工業	工業	工業専用
劇場・映画館，ナイトクラブ	200㎡未満	×	×	×	×	×	×	×					×	×
	200㎡以上	×	×	×	×	×	×	×	×				×	×
バー・キャバレー・料理店		×	×	×	×	×	×	×	×	×			×	×
（個室付）公衆浴場		×	×	×	×	×	×	×	×	×		×	×	×
倉庫業を営む倉庫		×	×	×	×	×	×	×						
自動車車庫	2階以下，かつ300㎡以下	×	×	×										
	3階以上，または300㎡超	×	×	×	×	×	×	×						
工場		×	×	×	×	（規模・種類による）								
忌避施設等		×	×	×	×	△6（都市計画による位置の指定必要）								

・△：600㎡以内のものに限り建築可能
・▲：500㎡以内2階以下の，地域で生産された農産物を販売する店舗など農業の利便を増進するために必要な店舗，飲食店（農産物直売場，農家レストランなど）を建築可能
・△1：150㎡（かつ2階）以内なら建築可能
・△2：1,500㎡以内なら建築可能
・△3：3,000㎡以内なら建築可能
・△4：10,000㎡以内なら建築可能
・△5：物品販売用店舗・飲食店は建築禁止
・△6：都市計画区域内においては，都市計画でその敷地の位置の決定が必要

メモ

・**大規模集客施設（10,000㎡超の店舗・飲食店・展示場・映画館・劇場等）**：建築できない用途地域でも，地区計画（開発整備促進区）の指定により建築できる。
・**用途地域の指定のない地域の用途制限**：大規模集客施設を除いて，原則として，建築できる。

（1）用途制限の表の読み方・考え方・覚え方

建築物の種類別に，用途制限の概略を見ておきましょう。

① すべての用途地域で建築できるもの

用途地域にかかわらず建築することができるものとして，まずは「宗教的施設」。具体的には，「神社，寺院，教会」等です。

また，幼児がいても働きやすい環境は必要なので「保育所」，健康と衛生のために「一般公衆浴場」「診療所」，その他，どこでもなくてはならないものとして，「公衆便所」「巡査派出所」「公衆電話ボックス」も，どの用途地域でも建築できます。

「老人福祉センター」「児童厚生施設」もどこでも建築できますが，第１種・第２種低層住専・田園住居では床面積の制限があります（600㎡以内）。

暗記

どこでも建築できるもの	ｉ）「神社，寺院，教会」等 ⅱ）「保育所」「一般公衆浴場」「診療所」 ⅲ）「公衆便所」「巡査派出所」「公衆電話ボックス」 ⅳ）「老人福祉センター」「児童厚生施設」。ただし，低層住専・田園住居では床面積の制限あり（大規模なものは「×」）

② 住宅・学校・大学・病院

「**住宅を建築できない用途地域は，工業専用地域のみ**」。「住宅は工業地域には建築でき，工業専用地域には建築できない」ことは，用途制限の最重要ポイントです。そして，同じく人が住まう場所ですから，「共同住宅」「下宿」「寄宿舎」「老人ホーム」は，住宅と同じ，さらに，「住宅と図書館の用途制限も同じ」です。

第２のポイントは，「**幼稚園，小・中学校，高等学校は，工業地域に建築できない**」こと。もちろん工業専用地域にも建築できません（「低層住専」には建築可）。

学校の一種ですが，「**大学は低層住専・田園住居に建築できません**」。大学・高等専門学校，専修学校は，（第１種・第２種）低層住居専用地域と田園住居地域には建築できず，建築できるのは（第１種・第２種）中高層住居専用地域から準工業地域までです（工業地域・工業専用地域には建築できない）。

そして，「**病院**」と「**大学**」は，**用途制限が同じ**です。

暗記

住宅・学校・大学・病院	i）「住宅」は，工業専用地域に建築不可（工業地域には建築可） ii）住宅＝「共同住宅」「下宿・寄宿舎」「老人ホーム」を含む。用途制限としては，「住宅＝図書館」 iii）「学校」（幼稚園～高校）は，工業地域に建築不可（工業専用も不可） iv）「大学」「高等専門学校」は，さらに低層住専・田園住居も不可 v）用途制限として「大学」＝「病院」。「診療所」とは異なる

用語 **病　院**：20人以上の入院設備を備える施設のこと
診療所：19人以下の入院設備の場合（または，入院設備なし）

③　店舗・飲食店，大規模集客施設

店舗・飲食店は，その種類・規模により用途制限は様々です。ここではポイントを挙げることにします。

まず，ごく小規模なもの（150㎡，かつ２階以下）なら，第２種低層住居専用地域から建築できます（住宅街の中のコンビニや小さな食堂のイメージ。なお，一定の店舗・飲食店との兼用住宅なら，第１種低層住専も可）。

当然ながら，用途の混在が許容されるにしたがって，建築できる規模は大きくなります。例えば，第１種中高層住専では500㎡以内（２階以下）ですが，第２種中高専住専では1,500㎡以内（２階以下）であれば建築できるようになります。500㎡以内の物品販売用店舗というと地元の商店が発展した小規模スーパー，1,500㎡というと小規模の大手スーパー，といったイメージです。

さらに，第１種住居地域では3,000㎡以内であれば建築できるようになり，第２種住居・準住居・工業・工業専用では10,000㎡以内であれば建築できます。

そして，近隣商業地域・商業地域・準工業地域では，10,000㎡を超える規模の店舗・飲食店を建築できるようになります。10,000㎡を超える店舗・飲食店・展示場・映画館・劇場等を大規模集客施設と呼びますが，郊外型の大型ショッピングモールのイメージです。建築できる用途地域は，建築基準法の用途制限では近隣商業地域・商業地域・準工業地域ですが，第２種住居地域，準住居地域，工業地域，または用途地域の定めのない地域（市街化調整区域外）において地区計画（開発整備促進区）が定められた場合には建築できることを前述しました（第１章「都市計画法」３７「地区計画等」参照）。

また，物品販売用店舗及び飲食店は，工業専用地域では建築できません。工業専用地域で建築できる店舗は，物品販売用以外の店舗に限られます（ 例 理髪店）。

暗記

店舗・飲食店	i ）極小規模なもの（150㎡かつ２階以下）なら，第２種低層住専から建築可 ii ）大規模なもの（3,000㎡超）は，第２種住居から建築可。10,000㎡超（大規模集客施設）は，近商，商業，準工業のみ iii ）物品販売用店舗・飲食店は，工業専用には建築できない（物品販売用以外の店舗なら可）

④ 田園住居地域

田園住居地域の用途制限は，基本的に低層住居専用地域と同じですが，農業の利便の増進を図るという地域の目的から，地域で生産された農産物の販売を主たる目的とする店舗（農産物直売場）や農家レストランなど農業の利便を増進するために必要な店舗，飲食店で，その用途に供する部分の床面積の合計が500㎡以内のもの（２階以下）を建築することができます。

また，同様の目的で，農産物の生産，集荷，処理・貯蔵に供する建築物や農業の生産資材の貯蔵に供する建築物も建築可能です。

なお，その他の用途制限は，第２種低層住居専用地域と同様です。

暗記

田園住居地域	i ）農産物直売場，農家レストラン（500㎡以内，２階以下） ii ）農産物の生産，集荷，処理・貯蔵に供する建築物 iii ）農業の生産資材の貯蔵に供する建築物

⑤ 事務所

事務所単体としては，第２種中高層住居専用地域から建築できる点がポイントです。工業専用地域にも建築できます。

暗記

事務所	i ）事務所単体としては，第２種中高層住専から建築できる（ただし，1,500㎡以内，２階以下のもの） ii ）1,500㎡超は第１種住居から，3,000㎡超は第２種住居から建築可 iii ）工業専用でも建築可能

メモ

一定の事務所兼用住宅であれば，第１種低層住専から建築できる。

⑥　ホテル・旅館

小規模なものであれば，第１種住居地域から建築できます。工業地域・工業専用地域には建築できません。

暗記

ホテル・旅館	ⅰ）第１種住居地域から建築できる（3,000㎡以内） ⅱ）大規模なもの（3,000㎡超）は，第２種住居地域から準工業地域まで建築可 ⅲ）低層・中高層住居専用地域，田園住居地域，及び，工業地域・工業専用地域には建築できない

メモ

用途地域の一覧表でいうと，両端の用途地域（低層・中高層住居専用・田園住居・工業・工業専用）では建築できない。

⑦　ボーリング場，スケート場，水泳場（「運動施設，室内スポーツ施設」）

暗記

ボーリング場，スケート場，水泳場	ⅰ）第１種住居地域から建築できる（3,000㎡以内） ⅱ）大規模なもの（3,000㎡超）は第２種住居地域から工業地域まで建築可 ⅲ）低層・中高層住居専用地域，田園住居地域，及び，工業専用地域には建築できない

メモ

⑦は，用途制限として，⑥ホテル・旅館とよく似ているが，工業地域に建築できる点に違いがある。

⑧　マージャン屋，ぱちんこ屋，射的場，場外馬券売場等（「室内遊戯施設」）

マージャン屋，ぱちんこ屋，射的場，場外馬券売場	ⅰ）第２種住居地域から工業地域まで建築できる ⅱ）工業地域で可，工業専用地域では建築不可 ⅲ）10,000㎡超は，近商，商業，準工のみ

⑨　カラオケボックス

カラオケボックス	ⅰ）第２種住居地域から工業専用地域まで建築できる ⅱ）工業専用地域でも建築可 ⅲ）10,000㎡超は，近商，商業，準工のみ

メモ

マージャン屋，ぱちんこ屋は，工業専用地域に建築できないが，カラオケボックスは可。

⑩ 劇場・映画館

劇場，映画館，演芸場，観覧場で客席の部分の床面積の合計が200㎡以上のもの，または，ナイトクラブでその用途に供する部分の床面積の合計が200㎡以上のものは，近隣商業地域・商業地域・準工業地域で建築することができます。

客席の部分などの床面積が200㎡未満のものであれば（ミニシアターなど），準住居地域においても建築できます。

暗記

劇場・映画館，ナイトクラブ	ｉ）原則（客席部分200㎡超）は，近隣商業地域・商業地域・準工業地域で建築可 ⅱ）ミニシアター（200㎡未満）は，（さらに）準住居でも建築可

⑪ バー，料理店，個室付浴場等

客の接待がある営業を営む施設（いわゆる，風俗営業的施設）を指します。

暗記

バー，料理店，個室付浴場等	ｉ）原則は，商業地域・準工業地域でのみ建築可 ⅱ）個室付浴場は，商業地域のみ建築可

⑫ 倉庫業を営む倉庫

倉庫業を営むためには自動車（トラックなど）の利用は不可欠です。騒音等を考えると，住居系用途地域には，原則として立地できないと考えるべきです。幹線道路沿いに指定されることが多い準住居地域から，商業系・工業系の用途地域に建築できることになります。

倉庫業を営む倉庫	準住居地域～工業専用地域に建築可

⑬ 工場

工場は，工業地域・工業専用地域において大規模なものを建築できるのは当然です。そこから，用途地域の一覧表で左に，準工業地域，商業系・住居系の用途地域と，徐々に建築できる工場の規模や種類が変わってきます。

ポイントを２点挙げておきます。

暗記

工　場	ｉ）ごく小規模な食品工場→第２種中高層住専から建築できる（豆腐・パン・ケーキ製造など） ⅱ）マッチの製造を含め火薬など引火性の強いものの製造工場は，工業・工業専用で建築可能。準工業地域では，花火（玩具煙火）程度を除き建築不可

（２）用途制限のその他のポイント

①　特定行政庁の許可（48条）

用途地域の指定によっては建築できない用途の建築物であっても，特定行政庁が許可したときは，建築は可能です。

②　忌避施設等の特則（51条）

都市計画区域内においては，「用途制限」を満たした上で，卸売市場，火葬場，と畜場，汚物処理場，ごみ焼却場等は，都市計画でその敷地の位置が決定していなければ新築・増築をすることができません。

メモ

・**忌避施設等**は，第１種・第２種低層住専，田園住居地域及び第１種中高層住専では，特定行政庁の許可がなければ建築できないのが原則。

・なお，特定行政庁が都市計画審議会の議を経てその敷地の位置が都市計画上支障がないと認めて許可した場合は，敷地の位置が決定していない場合でも新築・増築は可能。

③　建築物の敷地が異なる用途地域にわたる場合（91条）

建築物の敷地が異なる用途地域にわたる場合は，その敷地全部について，敷地の過半が属する用途地域の規制に服します（「過半主義」。建築物の位置は関係ありません）。

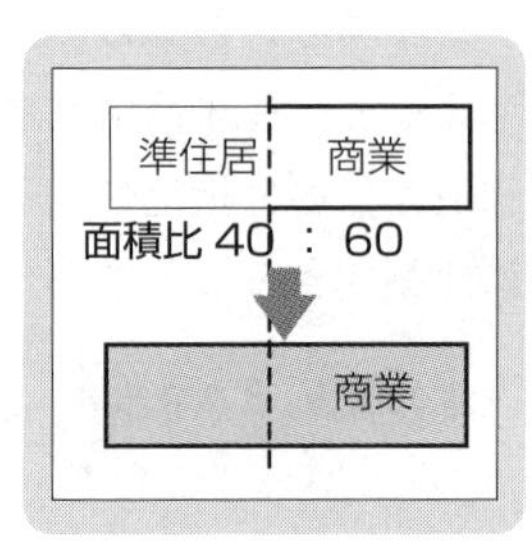

④　特定用途制限地域（49条の２）

用途地域が定められていない地域において定められ，建築物等の特定の用途が制限されます。具体的には，地方公共団体の条例で定められます。

3 容積率の制限 (52条)

(1) 容積率の内容

① 「容積率」とは

容積率とは，「**建築物の延べ面積の敷地面積に対する割合**」をいい，次の式で表されます。

容積率 ＝ 延べ面積／敷地面積 ➡ 延べ面積＝敷地面積×容積率

プラスα

延べ面積：その建築物の各階の床面積の合計のこと。同一敷地内に２以上の建築物があるときには，それらの延べ面積を合算する。

ある敷地において建築できる延べ面積の上限は，その敷地面積に容積率を乗じて求める。要は，「この敷地にどのくらい大きな建物を建ててよいか」が容積率の問題だ。

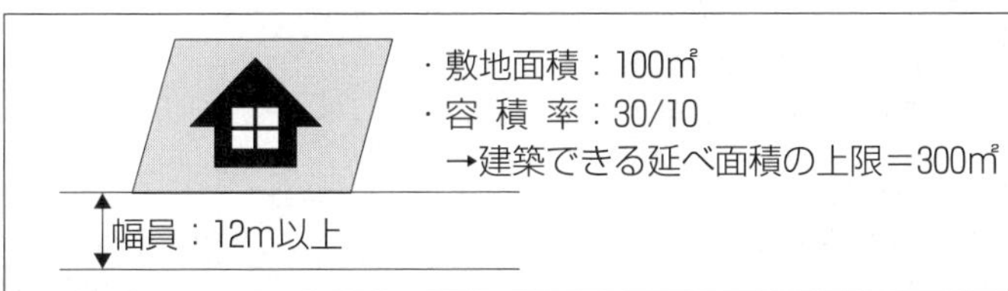

② 容積率制限の目的

容積率制限の目的は，日照・通風等の確保とともに，市街地の混雑を緩和することです（市街地の混雑緩和。過密化の防止）。すなわち，敷地内における建築物の大きさを制限し，間接的に建築物の高さを規制するとともに，その建築物が周辺環境に与える影響を調整しようとするのが，容積率の目的です。

メモ

例えば，鉄道の駅前に利便性の高い繁華な地域（エリア）があったとしても，広い道路から離れた地域であり，地域内の道路が狭いような場合に，容量の大きな建物を許容すると，その地域は大きな建物に出入りする物量と人の多さで混雑し，居住環境としても経済環境としても使い勝手の良い街は形成されない。そこで，都市環境の整備に応じて建物の大きさを制限するための手法として，容積率が利用される。

（2）容積率の規制

このように，狭い道路に面しては小さい建物しか建てられないように，容積率で調整します。容積率は前面道路の幅員によって制限を受けることになります。

すなわち，容積率は，①建築物の前面道路の幅員が広い場合（12m 以上）は，都市計画等で指定するもの（**指定容積率**）をそのまま適用しますが，②前面道路の幅員が狭い場合（12m 未満）は，狭い幅員に応じた容積率（**道幅容積率**）が適用されます。

① 指定容積率

都市計画区域内・準都市計画区域内では，用途地域等により，次のように容積率の最高限度が指定されます。

基本

地域・区域	指定容積率	指定
第１種・第２種低層住居専用地域，田園住居地域	5/10，6/10，8/10，10/10，15/10，20/10	左の数値中より，都市計画で定める
i）第１種・第２種中高層住居専用地域，第１種・第２種住居地域，準住居地域 ii）近隣商業地域 iii）準工業地域	10/10，15/10，20/10，30/10，40/10，50/10	
商業地域	20/10，30/10，40/10，50/10，60/10，70/10，80/10，90/10，100/10，110/10，120/10，130/10	
工業地域 工業専用地域	10/10，15/10，20/10，30/10，40/10	
用途無指定区域	5/10，8/10，10/10，20/10，30/10，40/10	特定行政庁が，都道府県都市計画審議会の議を経て定める

② 前面道路の幅員による容積率（道幅容積率）

また，各建築物の具体的な容積率は，建築物の前面道路の幅員が12m 未満のときは，前面道路の幅員の「メートル」の数値に住居系の用途地域（及び特定行政庁が指定する区域内）では４/10（原則）を，その他の地域・区域では６/10（原則）を乗じて得た数値（道幅容積率）と，指定容積率（上の表）とを比較し，いずれか厳しいほうによらなければなりません。

① 前面道路の幅員が12m以上 ➡ 指定容積率がそのまま適用される

② 前面道路の幅員が12m未満

A．指定容積率

B．幅員（mの数値）×（乗数の原則）住居系用途地域 →4/10、その他の用途地域→6/10

AとBを比較し，厳しいほうの容積率となる

例 〈準住居地域〉（乗数に特定行政庁の指定なし）

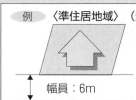

幅員：6m

敷地面積：100㎡

指定容積率：30/10

算出容積率：6(m)× 4/10＝24/10

→建築できる延べ面積の上限
＝100㎡×24/10＝240㎡

メモ

・前面道路の幅員の数値（道幅の「メートル」の数値）に掛ける乗数は，特定行政庁が，住居系用途地域については４/10を，その他については６/10または８/10を指定できる。

・前面道路が２以上ある場合，幅員は，その「最も広いもの」を基準とする。

③ 敷地が容積率の制限の異なる地域・区域にわたる場合

建築物の敷地が容積率の制限の異なる地域・区域にわたる場合，その建築物の容積率は，各地域に属する部分の「面積比で按分比例」して計算します。

例えば，下の図のように，800㎡の敷地が，近隣商業地域（指定容積率40/10）に500㎡属し，第２種住居地域（指定容積率30/10）に300㎡属する場合で，前面道路の幅員が７ｍである場合の容積率を，計算してみましょう（特定行政庁による乗数の指定はないとします）。

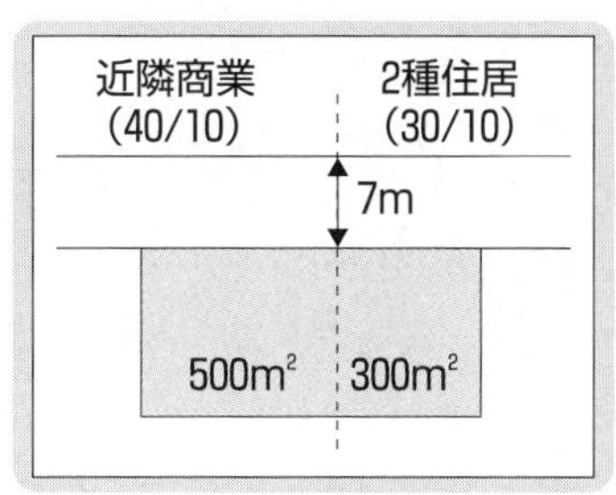

ｉ）近隣商業地域での指定容積率は40/10であり，７（幅員のメートルの数値）×６/10（住居系以外の用途地域における法定乗数）＝42/10と比較すると，指定容積率のほうが厳しいので，敷地のこの部分について容積率は40/10となります。

ii）一方，第２種住居地域での指定容積率は30/10であり，7×4/10（住居系用途地域における法定乗数）＝28/10と比較すると，道幅容積率のほうが厳しく，したがって，敷地のこの部分についての容積率は28/10となります。

ⅲ）以上をそれぞれの面積の比率で合算計算すると，

500×40/10＋300×28/10＝2,840（㎡）

すなわち，800㎡の敷地に，延べ面積2,840㎡までの建築物が建築可能ということになります。したがって，容積率は，2,840/800となります。

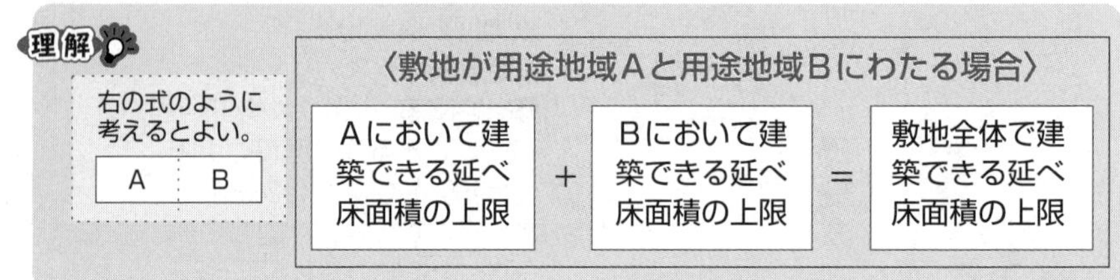

（3）容積率の緩和措置

容積率の制限は，より広い住宅をつくるなどの政策的観点から様々に緩和されています。主なものは，以下のとおりです。

①　共同住宅の共用廊下・階段等の容積率不算入（52条6項）

建築物の容積率の算定の基礎となる延べ面積には，ⅰ）一定の昇降機の昇降路の部分，ⅱ）共同住宅・老人ホーム等の共用の廊下・階段の用に供する部分，または，ⅲ）住宅または老人ホーム等に設ける機械室その他これに類する建築物の部分で特定行政庁が交通上，安全上，防火上及び衛生上支障がないと認める部分の床面積は，算入しません。

基本

容積率不算入の部分	ⅰ）一定の昇降機の昇降路の部分 ⅱ）共同住宅・老人ホーム等の共用廊下，共用階段，エントランスホール，エレベーターホールなど ⅲ）住宅・老人ホーム等に給湯設備等を設置するための機械室等の床面積

メモ

ⅰ）ⅱ）ⅲ）にかかる部分は，その全面積が不算入となる。

② 住宅地下室の容積率不算入（52条３項）

建築物の容積率の算定の基礎となる延べ面積には，建築物の地階で，その天井が地盤面から高さ１ｍ以下にあるものの住宅・老人ホーム・福祉ホームの用途に供する部分の床面積（当該床面積が当該建築物の住宅の用途に供する部分の床面積の1/3を超える部分においては，当該建築物の住宅の用途に供する部分の床面積の合計の１／３）は，容積率の計算において，建築物の延べ面積に算入しません。

住宅地下室の床面積 ⇨ （住宅の用途に供する）床面積の1/3を限度に ⇨ （容積率の計算）延べ面積不算入

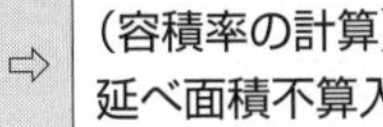

メモ
①で不算入とする昇降機の昇降路の部分や共同住宅等の共用廊下等の部分の面積は除いて計算する。

③ 自動車車庫の容積率不算入（令２条）

建築物内の自動車車庫の床面積は，建築物全体の床面積の１／５を限度として，容積率の計算において，建築物の延べ面積に算入しません。

自動車車庫の床面積 ⇨ 総床面積の1/5を限度に ⇨ （容積率の計算）延べ面積不算入

④ 「特定道路」から一定距離にある敷地の場合（52条９項）

建築物の前面道路が，幅員15ｍ以上の「特定道路」に接続する幅員６ｍ以上12ｍ未満の道路であり，建築物の敷地が，その特定道路からの距離が70ｍ以内である場合は，その距離に応じて，容積率が緩和されます。

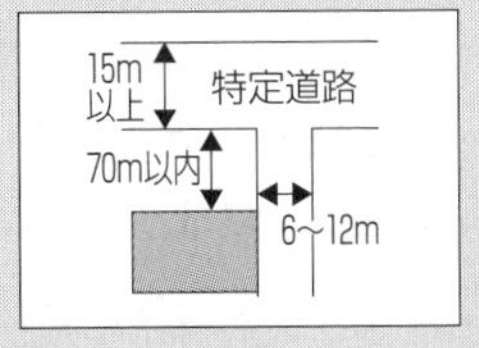

メモ
「特定道路」（＝道幅が広い）に近ければ近いほど，指定容積率に近い容積率の適用を受けることができることになる。

⑤ 周囲に空地がある場合（52条14項）

敷地の周囲に広い公園，広場，道路等の空地を有する建築物その他で，特定行政庁が，建築審査会の同意を得て，交通上，安全上等の支障がないと認めて許可したものは，その許可の範囲内で，容積率の限度を超えることができます。

4 建蔽率の制限

（1）建蔽率の内容

①「建蔽率」とは（53条）

建蔽率とは，**建築面積の敷地面積に対する割合**をいい，次の式で表されます。

用語 **建築面積**：建築物が実際に建築されている面積で，建築物の外壁またはこれに代わる柱の中心線で囲まれた部分の水平投影面積による。一般に，戸建て住宅の１階部分の面積と考えるとよい

建蔽率 ＝ $\frac{\text{建築面積}}{\text{敷地面積}}$ ➡ 建築面積＝敷地面積×建蔽率

メモ

ある敷地において建築できる建築面積の上限は，その敷地面積に建蔽率を乗じて求める。要は，「この敷地いっぱいに建物を建てられるか」が建蔽率の問題だ。同一敷地内に２以上の建築物がある場合は，建築面積を合算する。

道　路

敷地面積：100㎡
建蔽率：6/10
→建築できる建築面積の上限
＝100㎡×6/10＝60㎡

② 建蔽率制限の目的

建蔽率制限は，敷地に一定の空地（建物が建てられていない部分）を保有させて，建築物を安全，防火及び衛生などの面で環境の良好なものに維持するためのものです。

メモ

特に延焼防止を目的に考えるとわかりやすい。そこで，延焼しにくい建物が，延焼しにくい場所に立地すると，建蔽率の緩和を受けやすい（後述（**3**）），ということになる。

（2）指定建蔽率

都市計画区域内・準都市計画区域内では，用途地域等により，次のように建蔽率の最高限度が指定されます。

地域・区域	指定建蔽率	
(第1種・第2種) 低層住居専用地域, (第1種・第2種) 中高層住居専用地域, 田園住居地域, 工業専用地域	3/10, 4/10, 5/10, 6/10	左の数値中より都市計画で定める
(第1種・第2種) 住居地域, 準住居地域, 準工業地域	5/10, 6/10, 8/10	
近隣商業地域	6/10, 8/10	
工業地域	5/10, 6/10	
商業地域	8/10 (法定)	
用途無指定区域	3/10, 4/10, 5/10, 6/10, 7/10	特定行政庁が都道府県都市計画審議会の議を経て定める

メモ

「商業地域の指定建蔽率＝8/10」は特に重要。必ず覚えよう。

(3) 建蔽率の緩和 (加算)

次の場合には建蔽率の緩和措置 (指定建蔽率にプラス1/10) がとられています。いずれも, 延焼しにくい条件が整っているからです。

① 「角地指定」がある場合

「街区の角にある敷地等で特定行政庁が指定したものの内にある建築物」については, 建蔽率は, 指定建蔽率に1/10が加算された数値を上限とします。

メモ

この角地指定が受けられる敷地の基準は, 特定行政庁が定める。敷地が角地にあっても, その基準を満たさないと建蔽率の緩和は受けられない。

② 「防火地域内の耐火建築物等」

防火地域内にある耐火建築物等については, 建蔽率は, 指定建蔽率に1/10が加算された数値を上限とします。ただし, 建蔽率が8/10の地域の場合は, そもそも建蔽率は適用されません (または, 建蔽率が2/10加算される)。

用語 **耐火建築物等**：耐火建築物 (主要構造部が耐火構造であること, または一定の耐火性能を満たす建築物のこと) またはこれと同等以上の延焼防止性能を有する建築物のこと。壁, 柱, 床, 通常の火災による周囲への延焼を防止するために防火戸などの防火設備について, 必要とされる一定の性能を有している

③　「準防火地域内の耐火建築物等または準耐火建築物等」

準防火地域内にある耐火建築物等または準耐火建築物等についても，建蔽率は，指定建蔽率に1/10が加算された数値を上限とします。

用語 **準耐火建築物等**：準耐火建築物（主要構造部が準耐火構造としたもの，または一定の準防火性能を満たす建築物）またはこれと同等以上の延焼防止性能を有する建築物のこと

④　前記①「角地指定」と②または③が重なって適用される場合は，その建築物については，建蔽率は，指定建蔽率に2/10が加算された数値を上限とします。

①「角地指定」がある敷地にある建築物	指定建蔽率＋１/10
② 防火地域内にある耐火建築物等	指定建蔽率＋１/10 （建蔽率が８/10の地域の場合 →建蔽率は適用しない）
③ 準防火地域内にある 耐火建築物等または準耐火建築物等	指定建蔽率＋１/10
④ ①かつ②，または，①かつ③	指定建蔽率＋２/10

メモ

・①の「角地」の場合は，通常の敷地より，延焼方向が少なくとも一方向少ない。また，②防火地域内または③準防火地域内であれば，地域として防火性能の高い建築物が立地する地域であり，かつ，自らの建築物も②耐火建築物等か，③耐火建築物等または準耐火建築物等であり防火性能が高いので，いずれの場合も延焼しにくい状況にあり，建蔽率の緩和が可能となっている。

・隣地境界線から後退して壁面線の指定がある場合は，建蔽率は，特定行政庁の許可の範囲で緩和される。

⑤　敷地が防火地域・準防火地域の内外にわたる場合（53条７項・８項）

建築物の敷地が防火地域の内外にわたる場合，その敷地内の建築物の全部が耐火建築物等であるときは，その敷地は，全て防火地域内にあるものとみなして，前記②「**防火地域内の耐火建築物等**」の規定（建蔽率１/10の緩和）を適用します。

敷地が防火地域の内外にわたる
かつ
その敷地内の建築物全部が耐火建築物等 → その敷地全部が防火地域内にあるものとして建蔽率の緩和を適用

同様に，建築物の敷地が準防火地域と「防火地域及び準防火地域以外の区域」とにわたる場合において，その敷地内の建築物の全部が耐火建築物等または準耐火建築物等であるときは，その敷地は，全て準防火地域内にあるものとみなして，前記③「**準防火地域内の耐火建築物等または準耐火建築物等**」の規定（建蔽率1/10の緩和）を適用します。

（4）建蔽率の適用除外（53条6項）

なお，次の建築物には，建蔽率は適用しません（建蔽率としては10/10）。

例えば，商業地域など，法律または都市計画により，建蔽率が「8/10」と定められた地域内，かつ，防火地域内にある耐火建築物

その他，建蔽率が適用されていない建築物として，ⅰ）巡査派出所，公衆便所，公共用歩廊（アーケード），ⅱ）公園，広場，道路，川その他これらに類するものの内にある建築物で，建築審査会の同意を得て特定行政庁が許可したもの，がある。

（5）敷地が建蔽率の異なる地域・区域にわたる場合（53条2項）

敷地が建蔽率の制限の異なる地域・区域にわたるときは，それぞれの地域の建蔽率にその地域に含まれている敷地の割合を乗じて得た合計数が，当該建築物の建蔽率となります（面積比による按分比例。方法は容積率の場合に同じ）。

プラスα

例えば，次のような敷地の建築物について建蔽率を計算してみよう。

その際，敷地は全体として考える点がポイント。角地指定がある敷地については，その全部に緩和の適用がある。したがって，この例で，第1種住居地域に属する部分についても，角地指定の＋1/10緩和の適用がある。

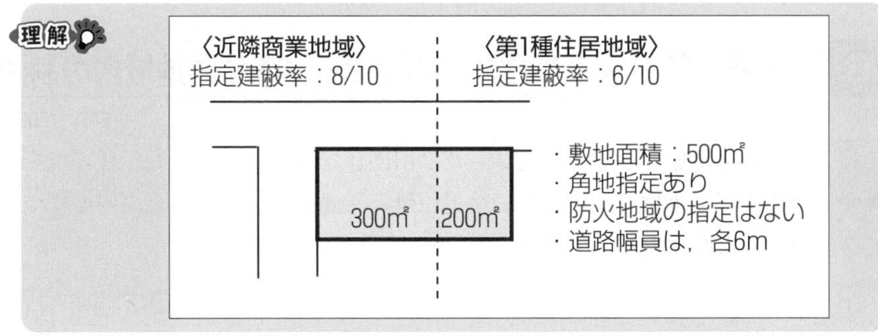

・まず近隣商業地域では，建蔽率は８/10＋１/10＝９/10。
・第１種住居地域では，６/10＋１/10＝７/10，となるので，建蔽率を面積比により按分比例して計算すると，「(９/10×300/500)＋(７/10×200/500)＝41/50＝82%」となる。

5 建築物の敷地面積の最低限度の制限 (53条の２)

地域における市街地の環境を確保するため必要な場合には，都市計画で，建築物の建築面積の最低限度を定めることができます。

(1) 原　則

建築物の敷地面積は，都市計画において建築物の敷地面積の最低限度が定められたときは，その「最低限度」以上でなければなりません。

メモ

例外：ただし，次の建築物の敷地については適用されない。
ⅰ）建蔽率の限度が８/10とされている地域で，防火地域内にある耐火建築物等
ⅱ）公衆便所，巡査派出所その他これらに類する建築物で公益上必要なもの
ⅲ）特定行政庁が許可したもの（建築審査会の同意が必要）

(2) 敷地面積の最低限度

都市計画において，建築物の**敷地面積の最低限度**を定める場合，その最低限度は，200㎡を超えてはなりません（つまり，200㎡が限度)。

例 都市計画により建築物の敷地面積の最低限度が125㎡と定められると，125㎡未満の敷地には建築物を建築できない。

6 第１種・第２種低層住居専用地域，田園住居地域内の制限

(54条，55条)

第１種・第２種低層住居専用地域，及び田園住居地域では，良好な住環境を保護するため，都市計画で，①外壁の後退距離と②建築物の高さの最高限度について，次のような制限が定められます。

① 外壁の後退距離制限 （建築物の外壁またはこれに代わる柱の面から敷地境界線までの距離）	1.5m または１m の，どちらかを定めることができる
② 建築物の高さの最高限度 （絶対高さ制限）	10m または12m のどちらかが（必ず）定められる

メモ

・①**外壁の後退距離制限**：隣家同士が軒を接することがないようにする制限。容積率，建蔽率では制限できない建物の位置の範囲を定めることができる制限である。

・②高さの最高限度は，都市計画で必ず定められるが，①外壁の後退距離は，都市計画により定められた場合にのみ制限される点に注意しよう。

理解 〈外壁の後退距離制限〉

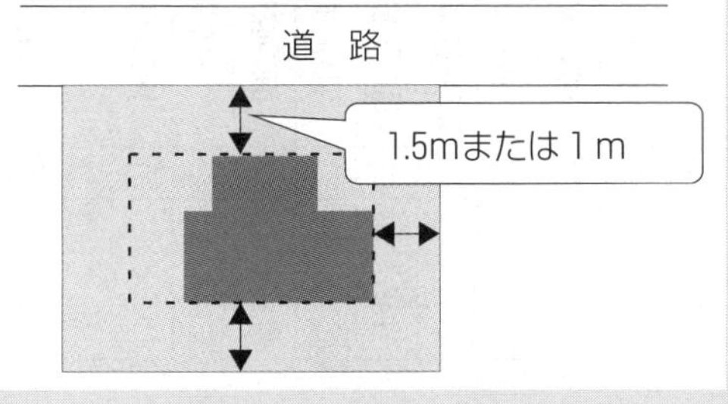

「高さ制限」の例外		
建築物の高さの最高限度	ｉ）敷地の周囲に広い公園，広場，道路その他の空地を有する建築物 ii）学校等その用途によってやむを得ないもの	➡ 〈建築可〉 特定行政庁が許可したもの （建築審査会の同意必要）

7 高さ制限（斜線制限・日影規制等）

道路や隣地の日照・通風・採光を確保するために，道路や隣地などとの間の空間を確保するための制限です。日影規制は，より直接に，北側の隣地等に落ちる日影の量を（時間的に）制限します。

種類として，第１種・第２種低層住居専用地域内・田園住居地域内の高さ制限

（前述）のほかに，斜線制限（道路・隣地・北側）及び日影規制があります。

基本

（目的）日照・通風・採光の確保	
建築物の高さの制限	絶対高さ制限（低層住居専用地域・田園住居地域）
	斜線制限（道路・隣地・北側）
	日影規制

（1）適用区域

それぞれの制限が適用される区域をまとめると，次のようになります。

暗記

（◎・○：適用あり，×：なし）

	1種低層	2種低層	田園住居	1種中高層	2種中高層	1種住居	2種住居	準住居	近隣商業	商業	準工業	工業	工業専用	用途無指定
道路斜線制限	◎	◎	◎	◎	◎	◎	◎	◎	◎	◎	◎	◎	◎	◎
隣地斜線制限	×	×	×	◎	◎	◎	◎	◎	◎	◎	◎	◎	◎	◎
北側斜線制限	◎	◎	◎	○	○	×	×	×	×	×	×	×	×	×
日影規制	◎	◎	◎	◎	◎	◎	◎	◎	◎	×	◎	×	×	◎

メモ

- ○：条例で日影規制の規制対象区域となっている場合は適用されない。
- **日影規制**：上記◎の区域のうち，条例で指定する区域について適用される。
- 建築物が斜線制限の異なる地域にまたがる場合，それぞれの地域の斜線制限が，当該地域にかかる建築物の部分に適用される。

次の点が，試験対策上，**重要**です。

① 道路斜線制限は，すべての地域・区域について適用がある
② 隣地斜線制限は，第１種・第２種低層住居専用地域・田園住居地域において適用がない
③ 北側斜線制限は，第１種・第２種低層住専，田園住居，第１種・第２種中高層住専にのみ適用がある
④「商業・工業・工業専用」には，日影規制の規制対象区域は指定されない

(2) 斜線制限

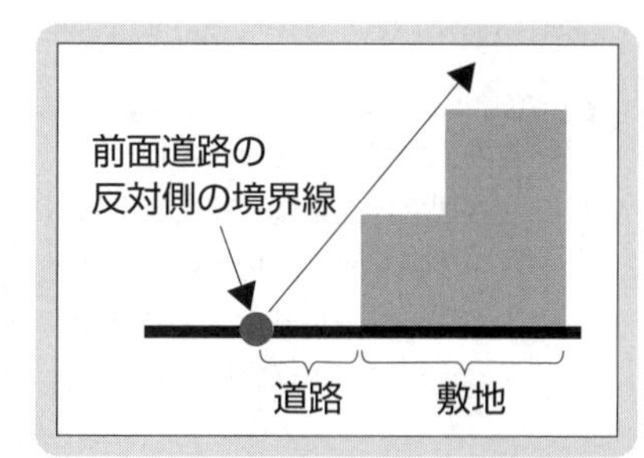

斜線制限は，以下の基本的なポイントを押さえておきましょう。

① 道路斜線制限（56条1項1号）

建築物は，その面する道路（前面道路）との関係で，その高さと形態に制限を受けます。

すなわち，建築物は，「前面道路の反対側の境界線」から一定の角度で見上げた線を超える部分については，建築することができません。建築物が道路に与える圧迫感を除去し，道路の通風や採光を確保することなどが目的です。

なお，道路斜線制限は，都市計画区域内・準都市計画区域内のすべての建築物に適用されます。

プラスα

土地の有効利用の観点から，道路斜線制限には，以下の緩和措置が講じられている。

- 道路斜線制限は，前面道路の反対側の境界線から，（対象敷地に向かって，上図では右側に）一定の水平距離に限り適用される。そこで，例えば前面道路の幅員が広い場合には，敷地全部が道路斜線制限に服しない場合もある。
- 建築物が，敷地境界線より後退（セットバック）して建築される場合にも緩和措置がある。すなわち，セットバックした長さの分だけ，「前面道路の反対側の境界線」が，さらに前面道路の反対側（上図では左側）に移動したものとみなして道路斜線制限が適用されるので，斜線制限に服さなくてよい敷地の部分が増える（その分高い建物が建てられる）ことになる。

② 隣地斜線制限（56条1項2号）

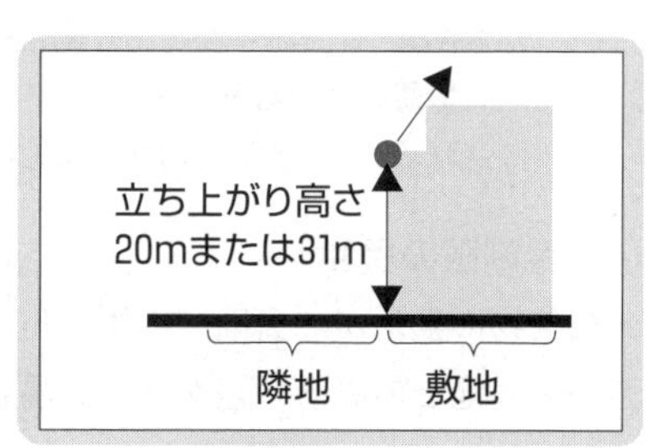

建築物は，隣地との関係でも，その高さと形態に制限を受けます。

すなわち，隣地境界線から一定の高さ（立ち上がり高さ。20mまたは31m）をとり，その点から一定の角度で見上げた線を超える部分については，建築物を建築することができません。建築物の隣地に対する圧迫感を除去し，隣地の日照，採光，通風を確保することが目的です。

隣地斜線制限についても，セットバックした際の緩和措置が認められています。

立ち上がりの高さ（原則）：

- 住居系用途地域→20mまたは31m，その他の地域・区域→31m
- 第１種・第２種低層住居専用地域及び田園住居地域では，建築物の高さが都市計画で10mまたは12mと必ず定められるので（前述），隣地斜線制限は適用されない。
- 高層住居誘導地区内の建築物についても，隣地斜線制限は適用されない。

③　北側斜線制限（56条１項３号）

建築物が，北側の敷地等との関係で制限を受ける場合です。北側の敷地等の日照を確保することが目的で，**第１種・第２種低層住居専用地域，田園住居地域**，及び，**第１種・第２種中高層住居専用地域**にのみ適用されます。

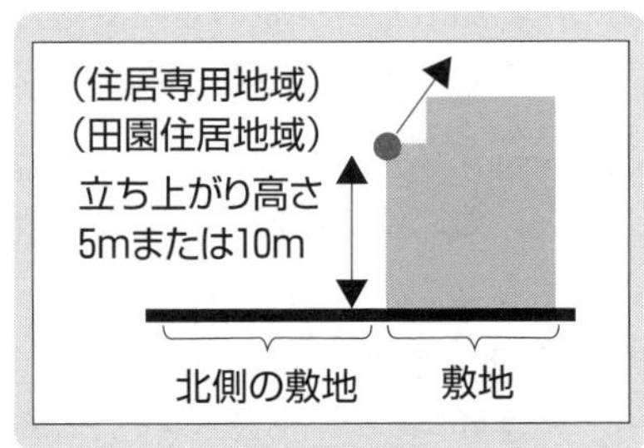

北側の敷地境界線などから一定の高さ（**立ち上がり高さ**。5ｍまたは10m）をとり，その点から一定の角度で見上げた線を超える部分については，建築物を建築することができません。

第１種・第２種低層住居専用地域及び田園住居地域においては，さらに，10mまたは12mの絶対高さ制限にも服します。なお，セットバックによる緩和措置はありません。

プラスα

- **立ち上がりの高さ**（**原則**）：第１種・第２種低層住居専用地域・田園住居地域→５m，第１種・第２種中高層住居専用地域→10m
- **日影規制との関係**：第１種・第２種中高層住居専用地域において，日影規制が適用されているときは，北側斜線制限は適用されない。

④　各制限の緩和

建築物の敷地が，公園，広場，川，海などに接する場合，敷地とこれに接する道路・隣地との高低の差が著しい場合などについては，上記の各斜線制限は，緩和されて適用されます。

⑤　「天空率」による斜線制限

①～③の「一般的な斜線制限」の規定を適用することにより確保される採光・

通風などと同等以上の採光・通風などを確保することができる一定の建築物については，「斜線制限を適用しない」とすることができます。つまり，各斜線制限を超えて，「より高い建築物を建築することができる」ということです。

すなわち，一般的な斜線制限の規定を適用した場合よりも大きい「天空率」(「建物を天空に正射影した場合の，全天に対する空の面積の割合」) を示す建築物については，全天に対して当該建物が占める割合が小さく，よく「空」を確保している以上，①～③の一般的な斜線制限の規定を適用する必要がないというわけです。

（3）日影規制 (56条の2)

建築物が隣地等に落とす日影の量を規制することにより，間接的に建築物の高さを制限して，北側の隣地等の日照を確保するための規制です。

① 規制の内容

地方公共団体が**条例で指定**する区域（規制対象区域）内にある一定の建築物（**規制対象建築物**）は，北側の敷地等に，冬至日の真太陽時による**午前8時から午後4時**までの間を基準とする，一定時間以上の**日影を生じさせてはなりません**。

生じさせてはならない日影時間は，地方公共団体が，条例で指定します。

② 規制対象区域と規制対象建築物

日影規制が適用される土地の区域（**規制対象区域**）は，各用途地域のうち，地方公共団体が条例で指定する区域であり，その区域内の一定規模の建築物が，規制の対象となります（規制対象建築物）。

基本

	規制対象区域	規制対象建築物
条例の指定	第1種・第2種低層住居専用地域，田園住居地域	軒高7mを超える建築物，または，地階を除く階数が3以上の建築物
	その他の適用地域 （第1種・第2種中高層住専，第1種・第2種住居地域，準住居地域，近隣商業地域，準工業地域）	高さ10mを超える建築物

メモ

・条例で区域が指定されなければ，日影規制は行われない。
・用途地域が指定されていない区域についても，規制対象区域を指定できる。
・商業地域，工業地域，工業専用地域には，規制対象区域は指定されない。

③　対象区域外の建築物

対象区域外の建築物には，原則として日影規制は適用されません。

ただし，対象区域外（ 例 商業地域）にある建築物でも，高さが10mを超える建築物で，冬至日において，対象区域内の土地に日影を生じさせるものは，当該対象区域内にある建築物とみなして，日影規制は適用されます。

高さ10mを超える建築物で，対象区域内の土地に日影を生じさせるもの → 対象区域内にあるものとみなして日影規制を適用

④　規制対象の規模に至らない建築物——複合日影

規制対象建築物の規模に至らない建築物には，原則として，日影規制は適用されません。

ただし，同一敷地内に２以上の建築物がある場合に，そのうちどれか１つでも規制対象建築物の規模にあれば，他の建築物が規制対象規模に至らない場合でも，全建築物について日影規制を適用する，という趣旨です。

例　i）建物Ａ・Ｂは，準住居地域の規制対象区域内の同一敷地内にある

ii）建物Ａは高さ５m，Ｂは高さ10m超

iii）Ｂは隣地に日影を落とさないが，建物Ａは落とす

iv）この場合，Ａ・Ｂはともに日影規制の対象となる

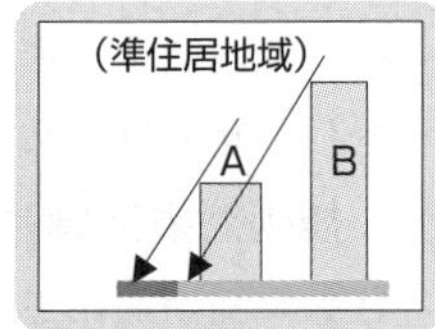

理解

規制対象の規模に至らない建築物	
原則	日影規制は適用されない
例外（複合日影）	同一の敷地内に２以上の建築物があるときは，これらの建築物を１つの建築物とみなして日影規制を適用する →どれか１つでも規制対象建築物の規模にあれば，敷地内の建築物のすべてが日影規制の対象となる

⑤　緩和措置等

建築物の敷地が道路・川または海等に接する場合，建築物の敷地とこれに接する敷地との高低差が著しい場合，その他これに類する特別の事情があるときは，日影の測定等について一定の緩和規定がおかれています。

メモ

なお，特定行政庁が土地の状況等により周囲の居住環境を害するおそれがないと認めて建築審査会の同意を得て許可した場合，日影規制は適用されない。

8 防火地域・準防火地域の制限

防火地域・準防火地域の制限とは，火災の危険を防除するため，防火地域及び準防火地域に指定された地域の防火性能を高めるための制限で，いわば都市の不燃化が目的です。そのため，地域内では，建築物は耐火的性能・延焼防止的性能の高い建築物としなければなりません。

防火地域は都市の中心部（繁華街）に，準防火地域は都市周辺部及び幹線道路に沿って指定されることの多い地域です。

（1）防火地域及び準防火地域内の建築物の規制（61条）

① 原則

防火地域または準防火地域内にある建築物は，**ア）**その外壁の開口部で延焼のおそれのある部分に防火戸その他の防火設備を設け，かつ，**イ）**壁，柱，床その他の建築物の部分及び当該防火設備を，一定の技術的基準に適合するもので，国土交通大臣が定めた構造方法を用いるもの，または国土交通大臣の認定を受けたものとしなければなりません。

プラスα

・**一定の技術的基準**：通常の火災による周囲への延焼を防止するために必要とされる性能に関して，防火地域及び準防火地域の別並びに建築物の規模に応じて政令で定められる基準のこと。

・具体的な基準は次のようになる。

<table>
<tr><th rowspan="2">階数</th><th colspan="2">防火地域</th><th colspan="3">準防火地域</th></tr>
<tr><th>100㎡以下</th><th>100㎡超</th><th>500㎡以下</th><th>500㎡超
1,500㎡以下</th><th>1,500㎡超</th></tr>
<tr><td>4階以上</td><td rowspan="2">耐火建築物等</td><td rowspan="3">耐火建築物等</td><td colspan="2">耐火建築物等</td><td rowspan="3">耐火建築物等</td></tr>
<tr><td>3階建て</td><td>準耐火建築物等</td><td rowspan="2">準耐火建築物等</td></tr>
<tr><td>2階建て以下</td><td>準耐火
建築物等</td><td>防火構造の
建築物等※</td></tr>
</table>

※防火構造の建築物等：防火構造の建築物または同等以上の延焼防止性能が確保された建築物

② 例外

門または塀で，高さ2m以下のもの，または準防火地域内にある建築物（木造建築物等を除く）に附属するものは，以上の基準を満たす必要はありません。

メモ

防火地域・準防火地域内にある門・塀で，高さが2mを超えるものについては，周囲への延焼を助長しない構造の場合，不燃材料でなくてもよい。

（2）防火地域及び準防火地域内の屋根・外壁（62条，63条）

基本

屋根	市街地における火災を想定した火の粉による建築物の火災の発生を防止するため，屋根に必要とされる性能に関して，建築物の構造及び用途の区分に応じて定められる一定の技術的基準に適合するもので，国土交通大臣が定めた構造方法を用いるもの，または国土交通大臣の認定を受けたものとしなければならない
外壁	外壁が耐火構造の建築物は，その外壁を隣地境界線に接して設けることができる

（3）看板等の防火措置（64条）

防火地域内にある看板，広告塔，装飾塔その他これらに類する工作物で，建築物の**屋上**に設けるもの，または，**高さ3mを超える**ものは，その主要な部分を不燃材料で造り，または覆わなければなりません。

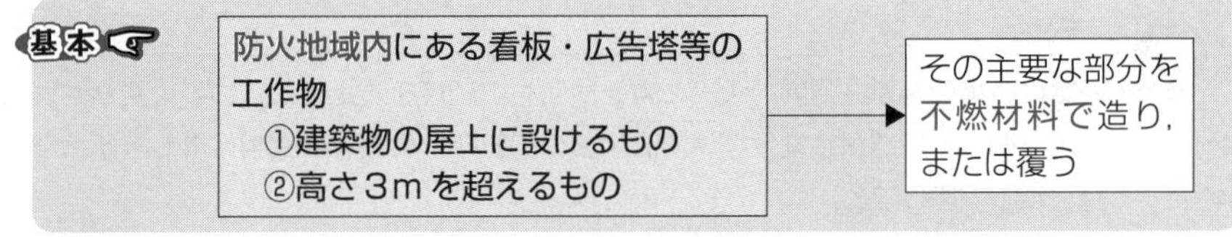

メモ

マンションの屋上の広告塔などのこと。なお，準防火地域内では適用されない点に注意。

（4）建築物が防火地域等の内外にわたる場合（65条）

建築物が防火地域と準防火地域等，規制の異なる区域にわたるときは，その全部について規制の**厳しいほう**の規定を適用します。ただし，制限が緩やかな地域において**防火壁**で区画されている場合には，防火壁外の部分は厳しい規定は適用されません。

基本☞

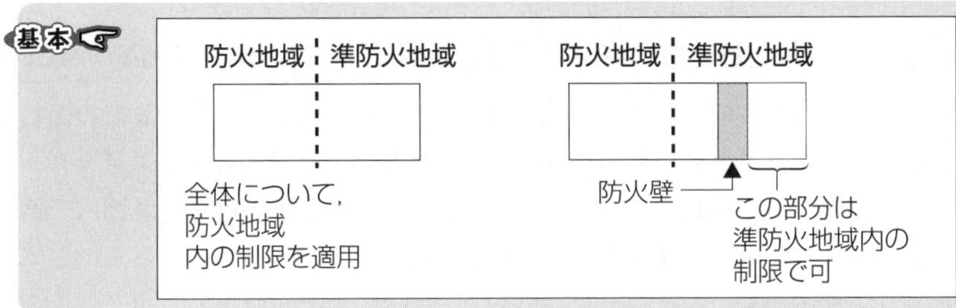

メモ

この規制は「建築物」が防火地域または準防火地域の内外にわたる場合であり，建築物の「敷地」が防火地域等の内外にわたる場合のことではない点に注意。

（５）特定防災街区整備地区（67条）

特定防災街区整備地区内にある建築物は，耐火建築物等または準耐火建築物等としなければなりません。

ただし，次に該当する建築物等については，その必要はありません。

> ⅰ）延べ面積が50㎡以内の平家建ての附属建築物で，外壁及び軒裏が防火構造のもの
> ⅱ）卸売市場の上家，機械製作工場その他これらと同等以上に火災の発生のおそれが少ない用途に供する建築物で，主要構造部が不燃材料等で造られたもの
> ⅲ）高さ２ｍを超える門・塀で，不燃材料で造られ，または覆われたもの
> ⅳ）高さ２ｍ以下の門・塀

9 建築物のエネルギー消費性能向上のための措置

（１）建蔽率・容積率に関する特例許可制度（52条14項３号，53条５項４号）

建築物のエネルギー消費性能の向上のため必要な外壁に関する工事その他の屋外に面する建築物の部分に関する工事を行う建築物で構造上やむを得ない一定のもので，特定行政庁が許可したものの建蔽率・容積率は，その許可の範囲内で指定建蔽率・指定容積率などの限度を超えるものとすることができます。

（2）第１種低層住居専用地域等内の高さ制限に関する特例許可制度（55条３項）

太陽光，風力などの再生可能エネルギー源の利用に資する設備の設置のため必要な屋根に関する工事その他の屋外に面する建築物の部分に関する工事を行う一定の建築物で，特定行政庁が許可したものについては，その許可の範囲内で第1種・第2種低層住居専用地域及び田園住居地域の高さの限度を超えるものとすることができます。

（3）高度地区内の高さ制限に関する特例許可制度（58条２項）

都市計画において建築物の高さの最高限度が定められた高度地区内においては，太陽光，風力などの再生可能エネルギー源の利用に資する設備の設置のため必要な屋根に関する工事その他の屋外に面する建築物の部分に関する工事を行う一定の建築物で，特定行政庁が許可したものの高さは，その許可の範囲内で当該最高限度を超えるものとすることができます。

5 建築協定

住宅地としての良好な環境を保全することなどを目的に，土地の所有者及び借地権者は，その区域内における建築物の敷地，位置，構造，用途，形態，意匠，建築設備に関する基準についての**協定**を締結することができます。それが，**建築協定**です。

建築基準法の規定は「最低限」の基準しか定めないので，**より良い住環境**を形成し，維持・保全する場合には**別の基準**が必要です。そのための制度が，**地域住民全員の合意**により締結する**建築協定**です。

1 建築協定を締結できる場所 (69条)

建築協定を締結するためには，そもそも**市町村の条例**で，建築協定を締結できる旨が定められている必要があります（建築協定条例）。

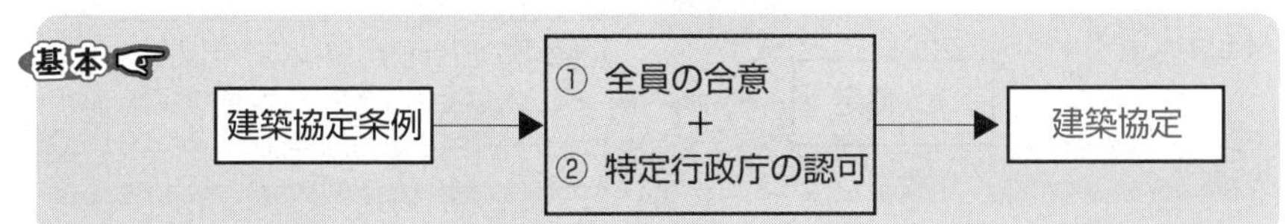

2 全員の合意 (70条)

建築協定を締結しようとする土地の所有者及び借地権者（「**土地所有者等**」）は，全員の合意をもって建築協定書を作成し，**特定行政庁に提出**して，その**認可**を受けなければなりません。

ただし，当該建築協定区域内に借地権の目的となっている土地がある場合は，借地権者の合意があれば，当該土地の所有者の合意は，必ずしも必要ではありません。

メモ

建築物の借主の地位：建築協定の目的となっている建築物（借家）に関し，建築物の借主（借家人）の権限に関係するような場合は，**借主**（借家人）も「**土地所有者等**」とみなされる。

3 協定の効力（75条）

認可の公告のあった建築協定は，建築協定の認可の公告のあった日以後において，建築協定区域内の土地の所有者等となった者に対しても，その効力が及びます。

メモ

協定の効力は，現在の関係者全員に及ぶ（「後から来た者」にも効力が及ぶ）ことが重要で，そこに協定を締結する意味がある。

4 1人協定（76条の3）

宅地分譲をしようとする場合など，分譲業者1人しか土地所有者等が存在しない区域でも，建築協定書を作成し，認可を受けることができます。

この場合は，認可の日から起算して**3年以内**に当該区域内に**2以上の土地所有者等が存在**することとなった時から，建築協定の**効力が発生**します。

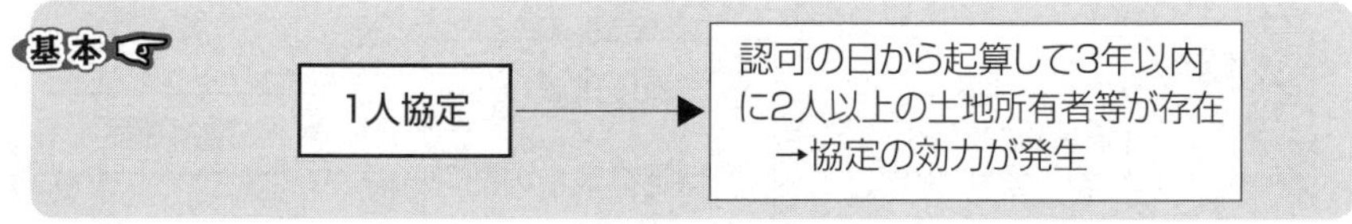
基本
1人協定
認可の日から起算して3年以内に2人以上の土地所有者等が存在
→協定の効力が発生

5 協定の変更・廃止（74条，76条）

基本

建築協定を変更	全員の合意	いずれも，特定行政庁の認可が必要
建築協定を廃止	過半数の合意	

6 仮設建築物

1 仮設建築物に対する制限の緩和（85条）

特定行政庁は，仮設興行場，博覧会建築物，仮設店舗などの仮設建築物について，安全上，防火上及び衛生上支障がないと認める場合においては，原則として，**１年以内**の期間を定めて，その**建築を許可**することができます。

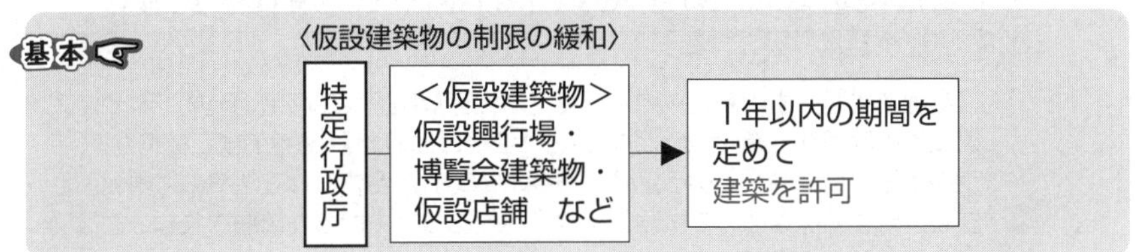

メモ

なお，非常災害があった場合の応急仮設建築物などについては，建築基準法令を適用しない緩和措置が認められている。

2 設置期間の特例

特定行政庁は，国際的な規模の会議または競技会の用に供することその他の理由により，１年を超えて使用する特別の必要がある仮設興行場等について，安全上，防火上及び衛生上支障がなく，かつ，公益上やむを得ないと認める場合においては，あらかじめ**建築審査会の同意**を得て，当該仮設興行場等の使用上必要と認める期間を定めて，その建築を許可することができます。

第3章 宅地造成及び特定盛土等規制法

S 重要度

データ　【直近12年間の出題実績＆攻略法】

項目	H25	H26	H27	H28	H29	H30	R1	R2	R3	R4	R5	R6	重要度
宅地造成及び特定盛土等規制法	●	●	●	●	●	●	●	●	●	●	●	●	S

宅地造成等工事規制区域内及び特定盛土等規制区域内の宅地造成工事や特定盛土等の制限が出題の中心となるが,「宅地とは何か」「宅地造成とは何か」「特定盛土等とは何か」という定義も重要ポイント。全体として法令の対象範囲は狭く，分量も少ないので試験対策は容易であり，１問しか出題されないとはいえ，貴重な得点源である。

簡単だからと軽視せず，暗記すべき事項はしっかり暗記しよう。

ウォームアップ

宅地造成及び特定盛土等規制法（以下「**盛土規制法**」）は，**宅地造成等（宅地造成，特定盛土等または土石の堆積）**に伴い崖崩れや土砂の流出による災害が生ずるおそれがある市街地もしくは市街地となろうとする土地の区域等については**宅地造成等工事規制区域**，それ以外の区域については**特定盛土または土石の堆積**に伴う災害により市街地等区域の居住者等の生命・身体に危害を及ぼすおそれが特に大きい区域を**特定盛土等規制区域**に指定し，災害防止のための規制を行います。すなわち，宅地造成及び特定盛土等の工事の許可制，一定の工事の届出制を敷き，両規制区域内の土地の所有者に対し土地の保全義務等を課しています。

また,「規制区域」以外の土地の区域に「**造成宅地防災区域**」を指定して, **災害防止のための必要な措置**を講ずることができることとしています。

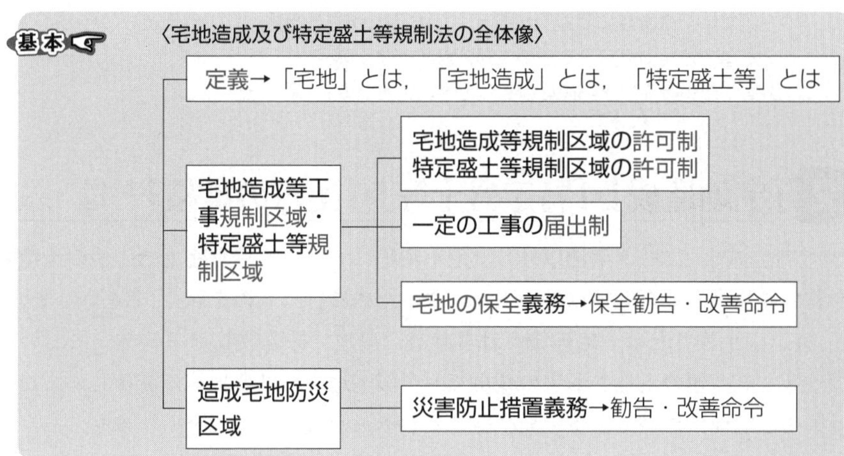

1 定　義

1 「宅地」とは（宅地造成及び特定盛土等規制法２条）

「宅地」の定義は，「農地・採草放牧地・森林（農地等），並びに，道路，公園，河川その他一定の公共の用に供する施設の用に供されている土地（公共施設用地）以外の土地」とされています。

これら「宅地」「農地・採草放牧地・森林」及び「公共施設用地」の関係は，次の通りです。

理解

「法の制限を受ける」		「法の制限を受けない」
〈宅地〉 〈農地・採草放牧地・森林〉（農地等）	VS.	〈公共施設用地〉 →道路，公園，河川その他政令で定める公共の用に供する施設の用に供されている土地（例 国または地方公共団体が管理する学校，運動場，墓地等）

「公共施設用地」は，宅地，農地・採草放牧地・森林ではない

メモ

・盛土規制法上，公共施設用地以外の土地は，すべて「宅地」「農地・採草放牧地・森林」として扱われるということである。したがって，ゴルフ場，自動車教習所，私立高校，私営の墓地，工場用地等も，「宅地」である。

・自然にできた崖により災害の発生のおそれが生じる場合は，宅地造成に伴って生じた崖ではないので，本法の規制の対象ではない。
・崖：土地表面が水平面に対し30度を超える角度をなす土地

2 「宅地造成」・「特定盛土等」・「土石の堆積」とは（2条）

「宅地造成」とは，「**宅地以外**の土地を**宅地**にするため行う盛土その他の**土地の形質の変更**（宅地を宅地以外の土地にするために行うものを除く）」をいいます。

「特定盛土等」とは，宅地または農地等（農地・採草放牧地・森林）において行う盛土その他の土地の形質の変更で，当該宅地または農地等に隣接し，または近接する宅地において災害を発生させるおそれが大きいものをいいます。

「土石の堆積」とは，宅地または農地等（農地・採草放牧地・森林）において行う土石の堆積であるものをいいます（一定期間の経過後に当該土石を除却するものに限る）。

2 基本方針及び基礎調査（3条，4条）

主務大臣（国土交通大臣及び農林水産大臣）は，宅地造成，特定盛土等または土石の堆積に伴う災害の防止に関する基本的な方針を定めなければなりません。

都道府県（指定都市等についてはそれぞれの市）は，基本方針に基づき，おおむね5年ごとに，宅地造成等工事規制区域の指定，特定盛土等規制区域の指定及び造成宅地防災区域の指定のほか，この法律に基づき行われる宅地造成，特定盛土等または土石の堆積に伴う災害の防止のための対策に必要な基礎調査として，これらに伴う崖崩れまたは土砂の流出のおそれがある土地に関する地形，地質の状況等に関する調査を行い，その調査結果を，関係市町村長に通知するとともに，公表しなければなりません。

・指定は，都市計画区域外でも，することができる。
・**基礎調査のための土地の立入り**：知事は，基礎調査を行う必要がある場合，その必要の限度で，他人の占有する土地に立ち入ることができる。この場合，土地の占有者は，正当な理由がない限り，立入りを拒みまたは妨げてはならない。なお，立入りにより他人に損失を与えた場合は，これを補償する。

3 規制区域内における宅地造成等に関する工事等の規制

1 宅地造成等に関する工事等の規制

（１）宅地造成等工事規制区域における工事の許可制（12条）

宅地造成等工事規制区域内で「宅地造成・特定盛土等・土石の堆積（宅地造成等)」を行おうとする場合は，工事主は，都道府県知事の許可を受けなければなりません。

すなわち，

ア）盛土をした部分に高さ１ｍを超える崖が生ずる場合
イ）切土をした部分に高さ２ｍを超える崖が生ずる場合
ウ）盛土と切土を同時にする場合は，高さ２ｍを超える崖が生ずる場合
エ）上記ア）またはウ）の崖を生じない盛土であって，高さ２ｍを超えるもの
オ）上記ア）～エ）に該当しない盛土・切土であっても，盛土・切土をする土地の面積（造成面積）が500㎡を超えるもの
カ）土石の堆積で，高さが２ｍを超え，かつ面積が300㎡を超えるもの
キ）土石の堆積を行う土地の面積が500㎡を超えるもの

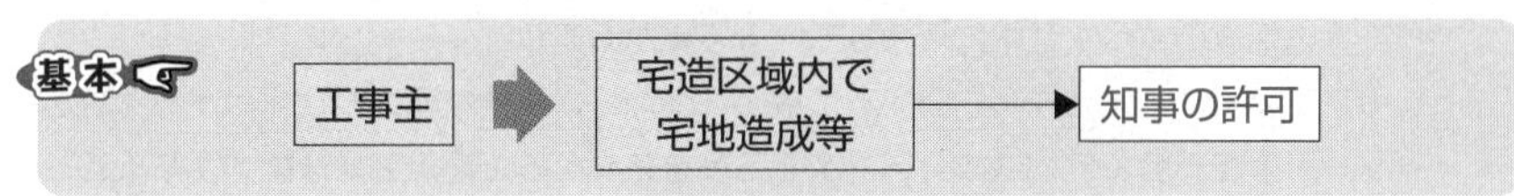

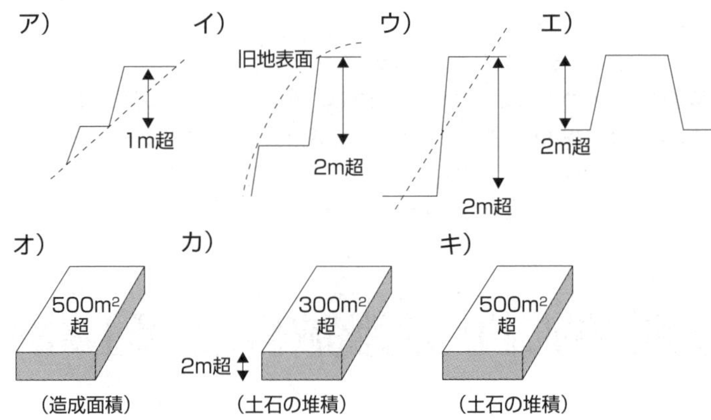

メモ

国（または都道府県，指定都市など）が，これらの者と都道府県知事の協議が成立することをもって，許可があったものとみなす。

メモ

・許可には，工事の施行に伴う災害の防止のため，条件を付すことができる。

・許可を受けた者が宅地造成等の計画の変更をしようとするときは，原則として，あらためて許可を受けなければならない。

・工事主は，許可を受けた工事を完了した場合には，知事の検査を受けなければならない。

プラスα

・**技術的基準**：宅地造成等は，政令・規則で定める基準に従い，擁壁等の設置その他災害を防止するため必要な措置が講ぜられたものでなければならない。

・次のものについては，一定の有資格者の設計によらなければならない。

i ）高さ５ｍを超える擁壁の設置	一定の有資格者（一定の学歴と土木建築に関する一定の実務経験を有する者）の設計によらなければならない
ii ）切土・盛土の面積が1,500㎡を超える土地における排水施設の設置	

プラスα

許可には次のような基準に適合している必要がある。

i ）工事主に宅地造成等に関する工事を行うために必要な資力及び信用があること

ii ）工事施工者に宅地造成等に関する工事を完成するため，必要な能力があること

iii ）区域内の土地について，所有権，賃借権，その他の使用及び収益を目的とする権利を有する者の全ての同意を得ていること

（2）監督処分（20条）

許可制に違反した場合には，次のような行政処分が行われます。

都道府県知事 ➡

処分内容	処分の要件	処分を受ける者
① 許可の取消し	ア）不正な手段により許可を受けた場合 イ）許可条件違反	工事主
② 工事の施行停止，災害防止措置をとることを命じる	ア）無許可造成 イ）許可条件違反 ウ）技術的基準に不適合	a. 工事主 b. 工事の請負人（下請人を含む） c. 現場管理者
③ 宅地の使用禁止・使用制限，災害防止措置をとることを命じる	ア）無許可造成 イ）工事完了の検査を受けていない場合 ウ）技術的基準に不適合	a. 工事主 b. 所有者 c. 管理者 d. 占有者

メモ

・②は工事完了前，③は工事完了後の処分である。

・**弁明の機会の付与**：都道府県知事は，前記の監督処分をしようとする場合は，あらかじめ弁明の機会を付与しなければならない（原則）。

2 特定盛土等または土石の堆積に関する工事等の規制

（1）特定盛土等規制区域における工事の許可制（30条）

特定盛土等規制区域内で特定盛土等または土石の堆積を行おうとする場合は，工事主は，都道府県知事の許可を受けなければなりません。

ア） 盛土をした部分に高さ2mを超える崖が生ずる場合

イ） 切土をした部分に高さ5mを超える崖を生ずる場合

ウ） 盛土と切土を同時にする場合は，高さ5mを超える崖が生ずる場合

エ） 上記ア）またはウ）の崖を生じない盛土であって，高さ5mを超えるもの

オ） 上記ア）～エ）に該当しない盛土・切土であっても，盛土・切土をする土地の面積が3,000㎡を超えるもの

カ） 土石の堆積で，高さが5mを超え，かつ面積が1,500㎡を超えるもの

キ） 土石の堆積を行う土地の面積が3,000㎡を超えるもの

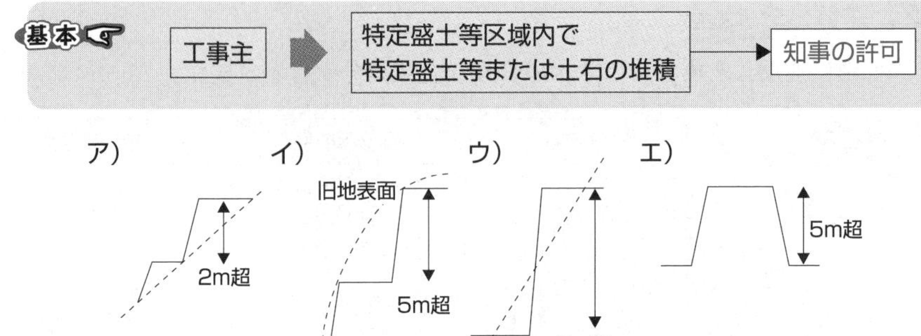

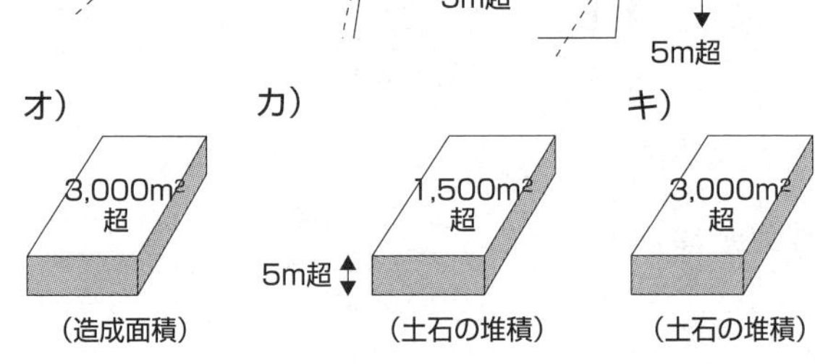

メモ

国（または都道府県，指定都市など）が，これらの者と都道府県知事との協議が成立することをもって，許可があったものとみなす。

プラスα

・次のものについては，一定の有資格者の設計によらなければならない。

ⅰ）高さ5ｍを超える擁壁の設置	一定の有資格者（一定の学歴と土木建築に関する一定の実務経験を有する者）の設計によらなければならない
ⅱ）切土・盛土の面積が1,500㎡を超える土地における排水施設の設置	

・許可には次のような基準に適合している必要がある。

ⅰ）工事主に当該特定盛土等または土石の堆積に関する工事を行うために必要な資力及び信用があること

ⅱ）工事施工者に当該特定盛土等または土石の堆積に関する工事を完成するため，必要な能力があること

ⅲ）区域内の土地について，所有権，賃借権，その他の使用及び収益を目的とする権利を有する者の全ての同意を得ていること

（2）監督処分（39条）

許可制に違反した場合には，行政処分が行われますが，処分権者，処分内容，処分の要件，処分を受ける者などは，「1宅地造成等に関する工事等の規制（2）監督処分」と同じです。

3 一定の工事の届出制

（1）工事等の届出（21条，40条）

宅地造成等工事規制区域及び特定盛土等規制区域内においては，許可が必要とされる宅地造成等に該当しない工事等についても，一定の場合，届出をしなければなりません。

基本

届出義務者	届出期間
① 規制区域指定の際，宅地造成等に関する工事を行っている工事主	指定の日から21日以内
② 宅地において，次の工事を行おうとする者 ｉ）高さ２ｍを超える擁壁の除却工事 ⅱ）排水施設の除却工事	工事に着手する日の14日前まで
③ 公共施設用地を宅地または農地等に転用した者	転用した日から14日以内

メモ
前表中①③は「事後の届出」，②は「事前の届出」である。

（2）特定盛土等規制区域における特定盛土工事等の届出（27条，28条）

特定盛土等規制区域内で行う特定盛土等または土石の堆積に関する工事については，工事主は，工事に着手する日の30日前までに，工事計画を都道府県知事に届け出なければなりません。また，届出をした工事計画を変更しようとするときも変更工事を着手する日の30日前までに都道府県知事への届出が必要です。

メモ
届出が必要な特定盛土等の規模は，宅地造成等工事規制区域において届出の対象になっている工事と同じである。例えば，盛土では，盛土をした部分に高さ２ｍ以下の崖を生ずる場合，届出が必要。許可が必要なのは高さ２ｍ超の崖を生ずる工事であるが，届出は高さ１ｍ超の崖が生じれば必要になるのである。

4 土地の保全義務等

宅地造成等工事規制区域および特定盛土等規制区域内の土地の所有者，管理者または占有者等に課せられる責務です。

（1）土地の保全義務 (22条，41条)

規制区域内の土地の所有者，管理者または占有者は，宅地造成等に伴う災害を防ぐために，その土地を常時安全な状態に維持するように努めなければなりません。

（2）保全勧告 (22条，41条)

都道府県知事は，規制区域内の土地について，宅地造成等に伴う災害の防止のため必要があると認める場合においては，その土地の所有者，管理者，占有者，工事主または工事施行者に対し，擁壁等の設置または改造その他宅地造成等に伴う災害の防止のため必要な措置をとることを勧告することができます。

勧告は，工事主，工事施行者にもすることができる。

（3）改善命令 (23条，42条)

都道府県知事は，規制区域内の土地で，宅地造成等に伴う災害の防止のため必要な擁壁等が設置されておらず，または極めて不完全であるために，これを放置するときは，宅地造成等に伴う災害の発生のおそれが大きいと認められるものがある場合においては，その災害の防止のため必要であり，かつ，土地の利用状況その他の状況からみて相当であると認められる限度において，当該土地または擁壁等の所有者，管理者または占有者に対して，**相当の猶予期限**を付けて，擁壁等の設置・改造，地形・盛土の改良または土石の除却のための**工事を行うことを命ずる**ことができます。

メモ

- （1）～（3）を通じて，ここにいう「宅地造成等」には，規制区域の指定前に行われたものも含む。
- （3）改善命令は，（2）の保全勧告の有無を問わず，することができる。
- （3）隣地の土地の形質の変更に関する不完全な工事によって災害発生のおそれが生じている場合，隣地の所有者に対して改善命令がされる場合がある。

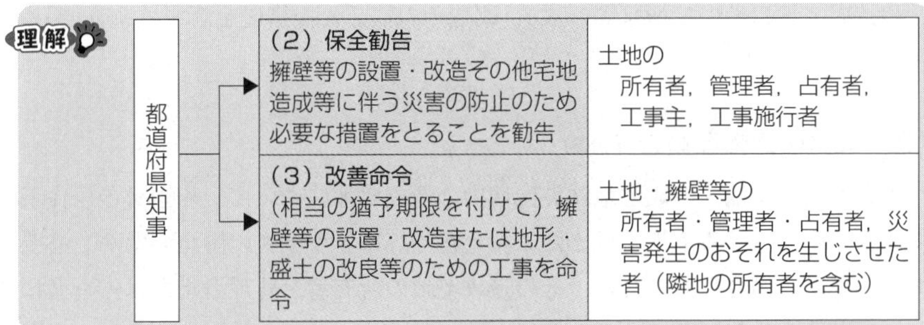

	措置	対象者
都道府県知事	（2）保全勧告 擁壁等の設置・改造その他宅地造成等に伴う災害の防止のため必要な措置をとることを勧告	土地の 所有者，管理者，占有者，工事主，工事施行者
都道府県知事	（3）改善命令 （相当の猶予期限を付けて）擁壁等の設置・改造または地形・盛土の改良等のための工事を命令	土地・擁壁等の 所有者・管理者・占有者，災害発生のおそれを生じさせた者（隣地の所有者を含む）

4 造成宅地防災区域内の制限

1 造成宅地防災区域の指定（45条）

都道府県知事は，規制区域外の宅地について，基本方針に基づき，かつ，基礎調査の結果を踏まえ，宅地造成または特定盛土等に伴う災害で相当数の居住者等に危害を生ずるものが発生するおそれが大きい一団の造成宅地の区域について，造成宅地防災区域を指定できます。

メモ

- **指定**：盛土の高さが５m以上または盛土した3,000㎡以上の土地であり，それぞれ一定の基準に適合しなければならない。
- **区域の解除**：知事は，造成宅地防災区域の指定の事由がなくなったと認めるときは，区域の全部または一部について，区域の指定を解除する。

2 災害防止のための措置等（46条，47条）

造成宅地防災区域内の造成宅地の所有者・管理者・占有者に課せられる責務です。規制区域内の宅地の所有者等に課せられるものと類似している内容です。

（1）災害防止措置責務（46条）

造成宅地防災区域内の造成宅地の所有者，管理者または占有者は，相当数の居住者等に危害を生じさせる宅地造成または特定盛土等に伴う災害が生じないよう，その造成宅地について擁壁等の設置･改造その他必要な措置を講ずるよう，努めなければなりません。

（2）災害防止措置勧告 (46条)

都道府県知事は，造成宅地防災区域内の造成宅地について，相当数の居住者等に危害を生じさせる宅地造成または特定盛土等に伴う災害の防止のため，必要があると認める場合においては，その造成宅地の所有者，管理者または占有者に対し，擁壁等の設置・改造その他災害の防止のため，必要な措置をとることを勧告することができます。

（3）改善命令 (47条)

都道府県知事は，造成宅地防災区域内の造成宅地で，相当数の居住者等に危害を生ずる宅地造成または特定盛土等に伴う災害の防止のため必要な擁壁等が設置されておらず，または極めて不完全であるために，これを放置すると，災害の発生のおそれが大きいと認められる場合は，その災害の防止のため必要であり，かつ，土地の利用状況その他の状況からみて相当であると認められる限度において，その造成宅地または擁壁等の所有者，管理者または占有者に対して，相当の猶予期限を付けて，擁壁等の設置・改造，地形・盛土の改良のための工事を行うことを命ずることができます。

メモ

（3）隣地の土地の形質の変更に関する不完全な工事によって災害発生のおそれが生じている場合，隣地の所有者に対して改善命令がなされる場合がある。

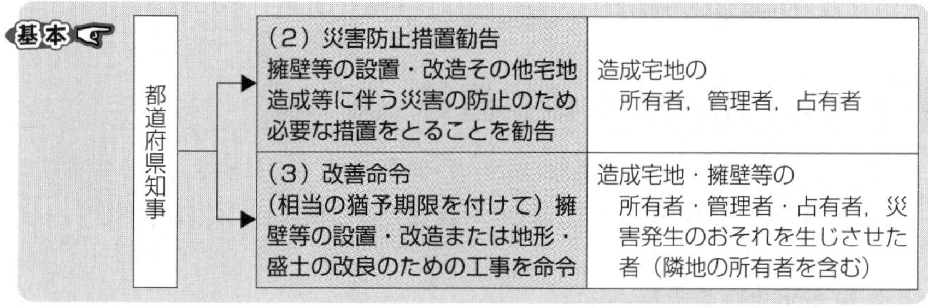
基本
都道府県知事
（2）災害防止措置勧告
擁壁等の設置・改造その他宅地造成等に伴う災害の防止のため必要な措置をとることを勧告
造成宅地の
所有者，管理者，占有者
（3）改善命令
（相当の猶予期限を付けて）擁壁等の設置・改造または地形・盛土の改良のための工事を命令
造成宅地・擁壁等の
所有者・管理者・占有者，災害発生のおそれを生じさせた者（隣地の所有者を含む）

5 罰則

罰則には次のようなものがあります。

（1） 3年以下の懲役または1,000万円以下の罰金

ｉ）無許可の宅地造成等をした者
ⅱ）不正手段により許可を取得した者
ⅲ）災害防止措置等命令に違反した者
ⅳ）違反行為をした工事の設計をした者

（2） 1年以下の懲役または300万円以下の罰金

ｉ）完了検査等の不申請または虚偽を申請した者
ⅱ）定期報告の不報告または虚偽を報告した者
ⅲ）改善命令に違反した者
ⅳ）検査を拒み，妨害忌避したとき

〈両罰規定〉
行為者を罰するほか，法人には最大３億円の罰金が科される。

第4章 土地区画整理法

データ　【直近12年間の出題実績＆攻略法】

項目	H25	H26	H27	H28	H29	H30	R1	R2	R3	R4	R5	R6	重要度
土地区画整理法	●	●	●	●	●	●	●	●	●	●	●	●	S

土地区画整理法からの出題は１問。大きくは「施行者」「仮換地」「換地処分」からの出題，もしくは，「総合問題」として複数のテーマから出題されることが多い。

過去の本試験の出題には細かな条文知識を問うものがあるが，試験対策としては，基本的な制度への理解と知識が重要。本書では基本的事項を記載したので，まずはここでの内容を押さえよう。

ウォームアップ　無秩序に市街化・宅地化が進行すると，狭く曲がりくねった道と川，不整形で使いにくい土地，公路に接しない土地（袋地），学校・公民館などの公共施設が遠い，といった現象が生じがちです。そのような土地の区域を，より住みやすい・利用しやすい土地の区域に**作り変える事業**が，**土地区画整理事業**です。

地域住民は原則として従来の土地に住み続け，**地域コミュニティを維持**しつつ，かつ**事業**は，**住民参加を求めながら徐々に進行**するので，都市計画や農地整理の手法として広く行われてきた事業方式です。

1 土地区画整理事業

土地区画整理事業とは，「**都市計画区域内**」の土地について，公共施設（道路，公園，広場，河川等）の整備改善及び宅地の利用増進を図るために行われる，土地の区画形質の変更（造成工事・池沼の埋め立て等）及び公共施設の新設・変更に関する事業をいいます（２条）。

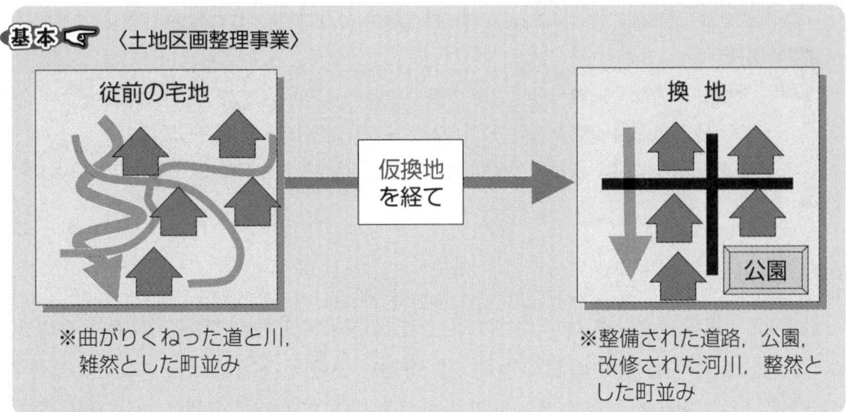

メモ

すなわち，**土地区画整理事業**は，施行地区内の土地について，道路・公園などの公共施設を整備し，かつ，宅地を整然と区画して，その**利用価値を増加**させる事業である。その過程で，区画整理前の土地（従前の宅地）に照応する区画整理後の宅地が指定されるが，その土地を「換地」という。また，一般的には将来（換地処分後）に「換地」となるべき土地を，事業が終了するまで「仮換地」と呼び，「仮換地」として指定される。

1 土地区画整理事業の手法

土地区画整理事業は，「**減歩**」と「**換地**」という手法を用いて，事業を行います。なお，土地区画整理事業では，「収用」という手法は用いられません。

（1）減歩

施行地区内の土地の所有者が，一定の割合（減歩率）で土地を無償で提供することをいいます。

土地区画整理事業があると，減歩（土地の無償提供）があるので，各筆の土地の面積は減ります。

① 公共減歩	道路，公園，広場等の公共施設を新設するには，相当の面積の土地が必要なので，施行地区内の所有者から少しずつ土地を提供してもらうことで確保する。そのための減歩をいう
② 保留地減歩	保留地を定める場合に，その保留地にあてるために行われる減歩のこと

メモ

・公共減歩では，道路・公園などの公共施設が拡充されるので，その用地の分，従前の土地の総面積は減少することになる。「保留地減歩」の場合も同様。

・事業によっては，減歩のみで場所的移動がない場合もあるが，これも「換地」である。

（2）換地

例えば，減歩によって生み出された土地は各筆に分散しているので，これを道路，公園，広場等の公共施設の用地や保留地にまとめなければなりません。また，例えば，道路予定地の宅地は，他の場所に移動してもらう必要があります。これらの場所的移動（土地の交換分合＝土地の再配置），あるいは，移動後の土地を，**換地**といいます。

プラスα

施行地区内の権利者は，なぜ減歩（土地面積の減少）までして事業を行おうとするのか，その理由は，従前の土地より区画整理後の土地（換地）のほうが土地としての利用価値・交換価値が増加し，総体として損失は生じないからである。例えば，「減歩率１割」で土地の面積が減っても，利用価値が増した事業後の土地の交換価値が12%増しとなれば，総体として土地の価値は維持される（0.9×1.12=1.008＞1）。

2 事業の施行者（3条～）

（1）事業の施行者

土地区画整理事業は，次の者が，事業計画等を定め，原則として，都道府県知事の認可を受けて，施行します。

① 個人施行	宅地についての所有権者，借地権者等が，１人でまたは数人共同して行うもの
② 組合施行	宅地についての所有権者，借地権者が７人以上共同して，土地区画整理組合を設立して行うもの
③ 会社施行	宅地についての所有権者・借地権者を構成員とする区画整理会社が施行するもの
④ 公的機関の施行	国土交通大臣，都道府県，市町村，地方住宅供給公社、都市再生機構などが施行するもの（事業ごとに，土地区画整理審議会が置かれる）

メモ

・①個人施行，②組合施行，③会社施行の場合は，市街化調整区域内でも行われる。

・公的機関が施行する場合は，都市計画事業として，施行区域内で行われる（市街化区域または区域区分のない都市計画区域内）。市街化調整区域内では行われない。

・事業計画を進めるにあたり，宅地以外の土地を施行地区に編入する場合は，その土地を管理する者の承認が必要である。

（2）組合施行のポイント（14条～）

土地区画整理事業として代表的な，**組合施行**のポイントを挙げておきます。

① 組合員は，土地の所有権者・借地権者７人以上
→借家人は，組合員になれない
② 施行地区となる区域内の宅地の所有権者・借地権者の，それぞれ２／３以上の同意が必要
→この場合，同意した者の有する宅地の地積の合計は，その区域内の宅地の総地積の２／３以上でなければならない
③ 強制加入方式
→組合設立についての知事の認可があると，施行地区内の宅地の所有権者・借地権者は，全員組合員となる
→施行地区内の宅地について組合員から所有権・借地権を取得した場合，その取得者も，当然に組合員となる（権利義務は承継者に移転）
④ 借地権の申告
施行地区内の宅地について未登記の借地権を有する者は，その借地権の内容等を市町村長に申告しなければならない（借地権の申告）。この申告がないと，その借地権は事業遂行上ないものとして扱われる
⑤ 役員
組合に，役員として，理事及び監事を置く。理事及び監事は，組合員

のうちから総会で選挙する（特別の事情がある場合は組合員以外から総会で選任できる）
組合員は，組合員の3分の1以上の連署をもって，理事又は監事の解任を請求することができ，その請求があった場合，理事は組合員の投票に付さなければならない

⑥ 総会
組合は，総会の議決により，事業計画の決定，換地計画，仮換地の指定などを行う。総会の議事は，定足数（組合員の半数）に基づき，出席組合員の過半数により決する

⑦ 経費の賦課徴収
組合は，事業経費に充てるため，賦課金として参加組合員以外の組合員に対して，金銭を賦課徴収することができる。その額は，宅地等の位置や地積等を考慮して定める。その際，組合員は，賦課金の納付について，相殺をもって組合に対抗できない

メモ

参加組合員：施行地区内の土地等につき権利がない場合でも，定款により，「参加組合員」として事業に参加できる場合がある（UR都市機構が事業に参加する場合など）。その場合，換地計画により施行地区内の土地が与えられ，換地処分の公告の日にその参加組合員がその土地を取得することになる。

（3）事業の流れ―組合施行の場合

まず，事業主体となるべく土地区画整理組合が設立され（知事の認可が必要），換地計画を定め（知事の認可が必要），それから事業が開始されます。

通常は，仮換地が指定され，最終的に工事が完了すると換地処分が行われますが，換地処分の公告があるまでの間，建築等の行為が制限されます。

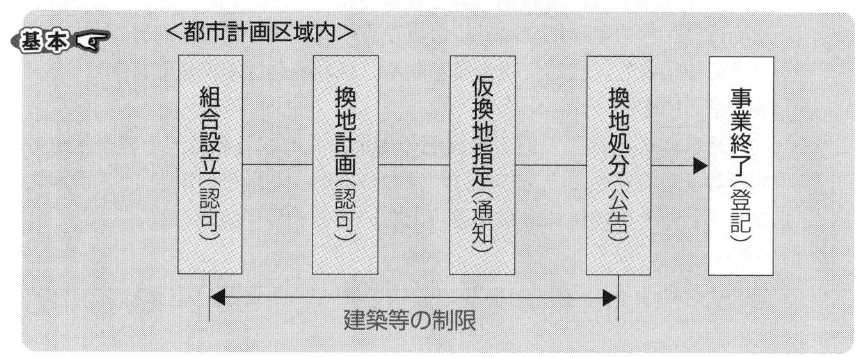

3 換地計画

換地計画は，**土地の交換分合を具体化**するための計画であり，この計画に基づいて換地処分が行われます。

（1）権利の申告（85条）

換地計画を策定するにあたっては，施行地区内に存在する権利を確定しなければなりません。そこで，登記のない権利については，申告させることとしました。

① 申告を要する権利

施行地区内の宅地についての所有権以外の権利（借地権，地役権等）で，登記のないものについて，権利者は，その権利の種類・内容を，施行者に申告しなければなりません。

メモ

なお，個人施行の場合，及び，組合施行，会社施行の場合で借地権の申告（前述）をした場合は，この権利の申告は必要ない。

② 申告しない場合

申告がない場合には，その権利はないものとみなされ，換地計画，仮換地の指定，換地処分等を行うことができます。

（2）換地計画

① 換地計画の決定（86条）

施行者は換地処分を行うため換地計画を定めなければなりません。換地計画は，施行地区全体について，**一体として定める**のが原則です。

基本

原則	施行地区全体を一体として定める
例外	施行地区が工区に分かれている場合，換地計画は，工区ごとに定めることができる

メモ

換地計画には，原則として，知事の認可が必要。

② 換地計画決定の基準 (89条, 90条)

換地は，従前の宅地に照応して定められるのが原則です（**換地照応の原則**）。

換地照応の原則	換地計画において換地を定める場合は，換地及び従前の宅地の位置，地積，土質，水利，利用状況，環境等が照応するように定めなければならない という原則のこと
換地を定めない場合 （換地不交付）	宅地の所有者の申出または同意があった場合 →換地計画において，その宅地の全部または一部について換地を定めないことができる →換地を定めない場合は，仮換地も指定されない

ただし，換地設計は，整理後の限られた形と面積の土地の区域に各換地を割り当てるため，他の換地の減歩率（土地無償供出の割合）と比較したときは，やむなく過不足や不均衡が生じ得ます。また，宅地の所有者の申出または同意があった場合には，その宅地の全部または一部について換地を定めないことができます。

これらの不均衡は，金銭で清算します（**清算金**）。

プラスα

- 換地計画には，換地の設計のほか，各筆各権利別に，清算金の明細や保留地なども定められる。
- 従前の宅地について所有権・地役権以外の権利があるときは，換地についてもこれを定める必要がある。
- 鉄道，学校，墓地，火葬場など公共施設の用に供している宅地については，換地計画において，位置，地積等に特別の考慮を行い，換地を定めることができる。

③ 保留地 (96条)

換地として定めない土地で施行者が処分するために確保した土地のことをいいます。施行者は，事業の費用に充てるなどの目的のために定めることができます。

④ 清算金 (94条)

換地と従前の宅地との間に不均衡が認められる場合に交付・徴収される金銭をいいます。清算金の額は，換地の位置，地積，土質，水利，利用状況，環境等を総合的に勘案して，換地計画で定められます。

用語 **仮清算**：清算金の額は，最終的には事業の全部の工事が完了し，換地処分がされるまでは決まらないので，仮換地を指定した場合，使用・収益を停止させた場合など，必要に応じて仮清算金を徴収・交付することができる

2 仮換地

事業開始後，換地処分がなされるまでは長時間を要するので，使用・収益に関する権利をできるだけ早い段階で換地上に移動して，権利関係を安定させることが必要です。そのために「**仮換地**」の指定が行われます。

メモ

仮換地を指定する場合：

- **組合施行**：あらかじめ，総会，その部会または総代会の同意を得る。
- **公的機関施行**：あらかじめ，土地区画整理審議会の意見を聴く。

1 仮換地の指定 (98条)

施行者は，換地処分を行う前の次の場合に，仮換地を指定することができます。

基本

① 一時的仮換地（工事等を行う場合）	土地の区画形質の変更，公共施設の新設・変更に係る工事のため必要がある場合
② 永久的仮換地	換地計画に基づき換地処分を行うため必要がある場合

メモ

「②永久的仮換地」が原則。将来換地されるべき土地に，仮換地される。

2 指定の方法 (98条)

仮換地の指定は，仮換地となるべき土地の所有者及び従前の宅地の所有者に対して，仮換地指定の効力発生の日などを通知して行います。

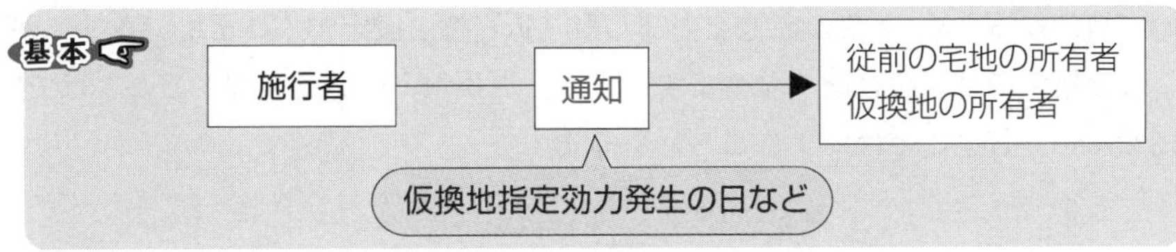

メモ

仮換地上に使用・収益権者（賃借人・質権者等）があれば，その者にも同様の通知が必要。なお，抵当権が設定されている場合でも，抵当権者には通知は不要。抵当権は，仮換地に移転しないからである。

3 仮換地指定の効果 (99条)

仮換地が指定された場合の法律関係を，次の例で見てみましょう。

例 甲地（所有者 A）の仮換地として乙地（所有者 B）が指定された場合

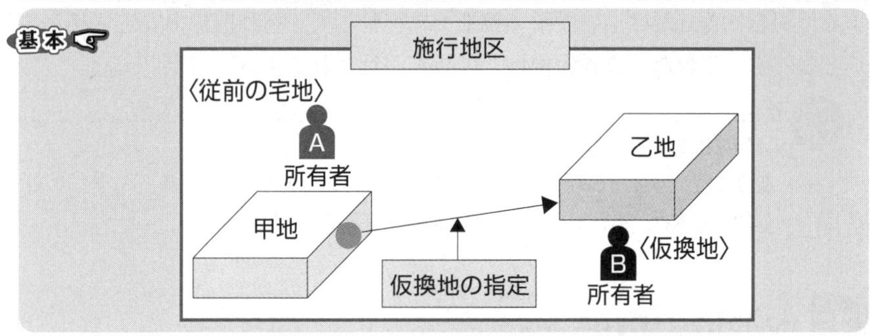

（1）仮換地指定の効力発生日だけを定めた場合（原則的な場合）

① 従前の宅地の所有者等の権利関係 (99条1項)

従前の宅地について権原に基づき使用・収益することができる者（従前の宅地の所有者 A）	仮換地の指定の効力発生の日から，換地処分の公告のある日まで， ｉ）仮換地（乙地）について使用・収益することができる（処分はできない） ⅱ）従前の宅地（甲地）については，使用し，収益することができなくなる（処分はできる）

例えば，従前の宅地の権利が所有権である場合，所有者は宅地に対する**処分権**（売却できる，抵当権を設定できる，それらに伴う登記もできる）及び，**使用・収益権**（貸すことができる）を有しています。

仮換地が指定されると，仮換地に移るのは使用・収益権だけで，処分権は従前の宅地に残るため，従前の宅地を売却したり抵当権を設定することはできますが，これを貸すことはできなくなります。一方，仮換地について売却することはできませんが，貸すことはできることになります。

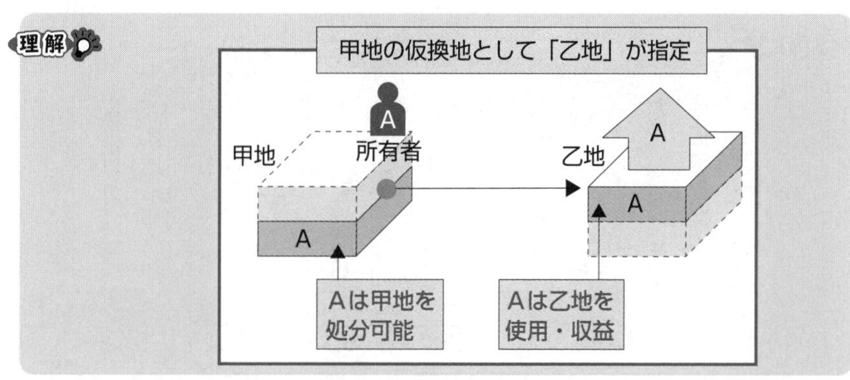

② 仮換地の所有者等の権利関係 (99条３項)

仮換地について 権原に基づき使用・収益することができる者 （仮換地の所有者 B）	仮換地の指定の効力発生の日から，換地処分の公告のある日まで →当該仮換地（乙地）を使用し・収益することができない（処分はできる）

メモ

上記①②とも，「仮換地の指定の効力発生の日」の代わりに，「仮換地についての使用・収益開始日」が別に定められた場合（後述（2）参照）には，その日から使用・収益ができなくなる。

（2）使用・収益開始日を別に定めた場合 (99条２項)

施行者は，仮換地上に，使用・収益の障害となる物件が存する等の事情があるときには，前記（1）の「**仮換地の指定の効力発生の日**」の代わりに，その仮換地について「使用・収益を開始することができる日」を別に定めることができます。

この場合は，その指定された「使用・収益を開始することができる日」以後でなければ，仮換地を使用・収益することができません。

メモ

・従前の宅地については「仮換地指定の効力発生の日」以後，使用・収益できないので，その結果，従前の宅地も仮換地もともに使用・収益できない期間が生じ，損失を生ずることになる。施行者は，通常生ずべき損失を補償しなければならない。

・仮換地を使用・収益できる者（仮換地の所有者）は，「使用・収益開始日」以後，仮換地を使用・収益できなくなる。

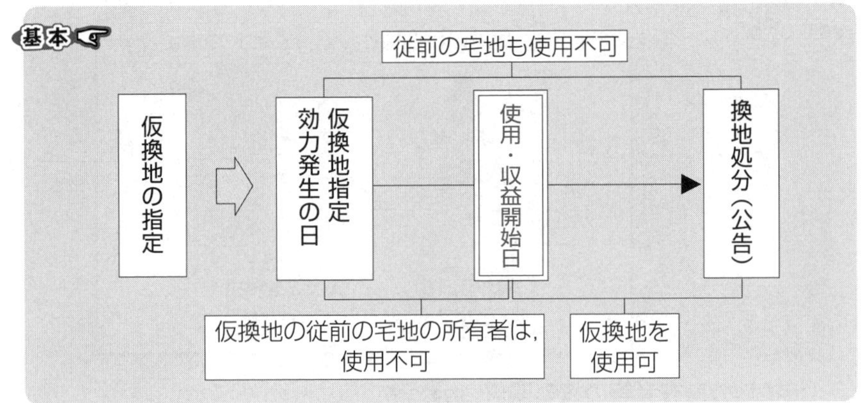

4 仮換地の指定がされない場合（100条）

換地計画で換地を定めない場合は，仮換地も指定されません。

施行者は，換地を定めないこととされる宅地の所有者その他の権利者に対して，期日を定めて，従前の宅地についての使用・収益を停止させることができます。

メモ

換地を定めないということは，その事業の施行地区内においては，最終的に使用・収益する土地はなくなるということ。少なくとも換地処分時において換地を定めない土地に関する権利は消滅するので（代わりに清算金が確定し交付される），それより前の段階で，「施行地区内から退去させたい」という趣旨である。

5 使用・収益する者がなくなった土地の管理（100条の2）

仮換地の指定，または使用・収益の停止により，使用・収益することのできる者のなくなった従前の宅地については，換地処分の公告のある日まで，施行者が管理することとなります。

3 換地処分

1 換地処分

土地区画整理事業は，いよいよ最終段階に入ります。

（1）換地処分とは

換地処分とは，従前の宅地上の権利をそのまま換地上に移転させる，土地区画整理事業の**終局的な確定処分**をいいます。

（2）換地処分の手続（103条）

① 換地処分の方法

換地処分は，関係権利者に，換地計画において定められた関係事項を通知して行います。原則として，換地計画に係る区域の全部について土地区画整理事業の工事が完了した後において，遅滞なく，換地処分をしなければなりません。

メモ

・換地計画に工区の定めがある場合は，工区ごとに換地処分をすることになる。
・ただし，定款等に別段の定めがある場合は，区域の全部について工事が完了する以前においても換地処分をすることができる。

② 換地処分の公告

個人施行者，組合，区画整理会社，市町村または都市再生機構等は，換地処分をした場合においては，遅滞なく，その旨を都道府県知事に届け出なければなりません。その届出を受けた知事は，換地処分の公告を行います。

メモ

都道府県施行の場合は知事が，国土交通大臣施行の場合は国土交通大臣が，換地処分の公告を行う。

2 換地処分の効果 (104条)

換地処分が行われると，次のような効果が生じます。

(1) 従前の宅地上の権利関係

① 換地計画において定められた換地

換地は，換地処分の公告があった日の翌日から，従前の宅地とみなされます。

メモ

換地処分の中心的な効果である。換地は，法律上，従前の宅地と同じに扱われるという意味で，従前の宅地上の権利が，換地上に移転してくる，といったイメージだ。従前の宅地上の抵当権や賃借権も，換地上に（移転して）存続することになる。

② 換地を定めなかった従前の宅地

換地計画で換地を定めなかった従前の宅地について存する権利は，換地処分の公告があった日が終了した時に，消滅します（清算金により清算される)。

③ 地役権

従前の宅地上に地役権が存在していた場合，その地役権も換地上に移転するか，という問題です。

① 原則	従前の宅地の上に存続する
② 例外	事業の施行により行使する必要のなくなった地役権は，消滅する

メモ

・「②」**例外**：事業により下水道が整備された場合の排水地役権，道路が整備された場合の通行地役権（いずれも行使の必要性がなくなる場合）などである。

・一方で，ある従前の宅地（承役地）の湧水を，周辺の土地（要役地）も利用していた用水地役権があり，土地区画整理事業により上水道が整備された後も存続させ利用する価値があるなどの場合は，その地役権は従前の宅地上に存続することになる（①)。

(2) 換地処分の公告の日の翌日において発生する権利関係

① 清算金の確定

換地処分の公告の日の翌日において，清算金が確定します。

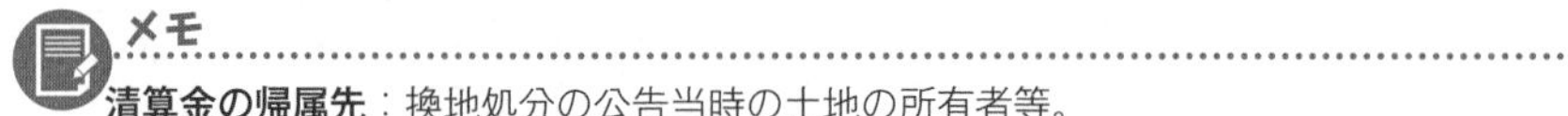

メモ

清算金の帰属先：換地処分の公告当時の土地の所有者等。

② 保留地の帰属

保留地は，換地処分の公告の日の翌日において，施行者が取得します。

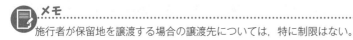

メモ
施行者が保留地を譲渡する場合の譲渡先については，特に制限はない。

③ 事業の施行により設置された公共施設

土地区画整理事業によって，道路や上下水道などの公共施設が設置された場合に，その管理は誰がするのか，という問題です。

① 管理	換地処分の公告の日の翌日において，原則として，その公共施設の存する市町村の管理に属する
② 用地の帰属（事業の施行により生じた公共施設の用に供する土地）	換地処分の公告の日の翌日において，原則として，その公共施設を管理する者（国，都道府県または市町村）に帰属する

メモ
「**換地処分の公告の日**」までは，**施行者が管理**する。

まとめ

暗記

〈換地処分の効果〉

換地処分の公告があった日が終了した時	➡	その翌日
消滅する権利	変動のないもの	変動する権利等
・換地を定めなかった従前の宅地上の権利 →消滅 ・行使する必要のなくなった地役権 →消滅	・地役権 →（原則として）従前の宅地上に存続	・換地 →「従前の宅地」とみなされる ・清算金→確定 ・保留地→施行者が取得 ・設置された公共施設 →(原則)市町村が管理 ・設置された公共施設用地 →管理する者に帰属

3 換地処分に伴う登記（107条）

事業により，土地の面積，地目，地番など登記の記録に変更が生じるため，その記録を改めなければなりません。

（1）登記の申請

施行者は，換地処分の公告があった場合において，施行地区内の土地・建物について事業の施行により変動があったときは，遅滞なく，その変動に係る登記を申請し，または嘱託しなければなりません。

（2）登記の制限

換地処分の公告があった日以後は，施行地区内の土地・建物に関しては，施行者の申請による登記がされるまで，原則として，他の登記はすることができません。

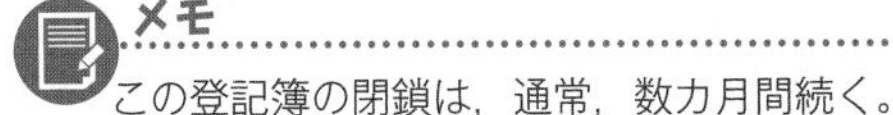

この登記簿の閉鎖は，通常，数カ月間続く。

4 建築等の制限 (76条)

事業進行中における施行地区内の制限です。

メモ

土地区画整理事業は公的な性格を有する事業なので，施行者が事業を円滑に遂行できるよう，行政側が，一定の行為に対して知事等の許可を要するという形で支援（サポート）する意味がある。いわば換地計画の実施保障制限とでもいえよう。

事業計画決定等の認可に関する76条１項の公告があった日から，換地処分の公告がある日までの間

（事業の施行の障害となるおそれのある）
①土地の形質の変更
②建築物その他の工作物の新築，改築，増築
または
③移動の容易でない物件（重量５ｔを超える物件）の設置・堆積

都道府県知事等の許可

用語 **都道府県知事等の許可**：原則として都道府県知事の許可。ただし，市の区域内において行われる個人施行，組合施行，会社施行，市施行の事業にあっては，当該市長の許可をいう。なお，国土交通大臣施行の事業にあっては，国土交通大臣の許可が必要である。

メモ

- 制限の内容は，都市計画法の「事業地内の制限」と同じ制限。例えば，組合施行の事業の施行地区内においては，当該組合の設立認可の公告があった日以後，換地処分の公告がある日まで，制限されることになる。要するに，土地に関する工事（区画整理）が終わるまで，他の宅地造成や建築行為は禁止，ということ。
- 必要な許可を受けない土地・建築物等については，知事等は，相当の期限を定め，かつ，事業の施行に必要な限度で，原状回復命令，建築物等の除却・移転の命令をすることができる。

第5章 農　地　法

S
重要度

データ　【直近12年間の出題実績＆攻略法】

項目	H25	H26	H27	H28	H29	H30	R1	R2	R3	R4	R5	R6	重要度
3条・4条・5条の許可	●	●	●	●	●	●	●	●	●	●	●	●	S

農地法も例年1問の出題だ。出題は，3条許可・4条許可・5条許可が中心といってよいが，この3つの許可制度が混同されやすい。各制度を区別することが，農地法を理解し得点するために，とても重要である。

この3つの許可の区別さえできれば，必ず得点できる。

ウォームアップ　例えば，**食料自給率の向上**など，**国内の農業生産の増大**を図り，**食料の安定供給**を確保することは，国の重要な政策です。そのための方法として農地法は制定されました。

その中心的な制度が，**3条許可**・**4条許可**・**5条許可**の各制度です。

1 農地法の目的

農地法の目的は，国内の農業生産を増大させ，食料の安定供給を確保することにあります。そのためには，**農地と耕作者を確保**することが必要です。

つまり，農業生産力を減退させる**農地**の「**転用**」及び「**転用**」**のための売買**と，農業非従事者への農地の売買などの「**権利移動**」を制限するのが，農地法3条・4条・5条の規定です。

3条許可	耕作者の確保	農地の売買等を制限 (農業非従事者への売却等の禁止)
4条許可	農地の確保	農地の転用等を制限
5条許可	農地の確保	

メモ

・土地の転用でも，例えば山林や原野を農地にする場合，農地法の許可は不要。農地が増え，農業生産は増大するからで，規制の必要はないからである。

・農地について，所有権・賃借権その他の使用・収益を目的とする権利を有する者は，当該農地の農業上の適正かつ効率的な利用を確保するようにしなければならない。

2 農地法の規制の対象

農地法の規制の対象は，**農地と採草放牧地**です。

農地とは，耕作の目的に供される土地を，**採草放牧地**とは，農地以外の土地で，主として耕作・養畜の事業のため，採草または家畜の放牧の目的に供されるものをいいます。

ある土地が農地・採草放牧地であるかどうか（農地法の**規制の対象**かどうか）は，次の基準により判断します。

基本 〈「農地」かどうかの判断基準のポイント〉

現況で判断する (現況，「農地」か)	・客観的な事実状態で判断する ・登記簿上の地目とは無関係 →地目が山林でも，現状が耕作の目的に供されていれば，「農地」
① 一時的休耕地	農地として耕作しようと思えば耕作できる状態の土地（**一時的休耕地**）は，農地である
② 一時的耕作地	例えば，宅地として購入した土地を，住宅を建てるまでの間，一時的に菜園として使用しているだけ（**一時的耕作地**）は，農地でない

3 農地・採草放牧地の権利移動の制限（3条許可）

（1）許可制

農地等（**農地・採草放牧地**）について，「**権利移動**」（所有権を移転し，または賃借権などの使用・収益権を設定・移転）する場合には，当事者は，農業委員会の許可を受けなければなりません。

メモ

許可申請は，契約両当事者が連署して行う。

権利移動：所有権を移転し，または地上権，永小作権，質権，使用貸借による権利，賃借権その他の使用・収益を目的とする権利を設定・移転する行為。具体的には，売買・交換・贈与，地上権設定・移転，永小作権設定・移転，質権設定・移転，使用借権設定・移転，賃借権設定・移転などの契約を結ぶこと

農業委員会：各市町村に必ず設置される行政委員会の1つ

許可を受けるのは「**当事者**」（売買であれば，売主と買主の双方），許可権者は，「**農業委員会**」です。許可のない「権利移動」は無効です。

農業生産力を増大させる（減退させない）ために，農業従事者（予定者を含む）以外の者が，農地等を取得（使用・収益）することがないようにするための制度なので，農業従事者等以外の者に対して権利移動をしようとする場合は，**原則として許可されません。**

プラスα

- 権利を取得しようとする者等が所有する耕作・養畜の事業に必要な機械の状況，農作業に従事する者の数等からみて，権利取得後，取得した農地等の全てを効率的に利用して耕作または養畜の事業を行うと認められない場合には，許可されない。
- 農業の安定経営の見地から，取得後において耕作の事業に供すべき農地の面積の合計が一定規模に満たない場合も，原則として許可されない。
- 同様の趣旨で，法人に対する農地の「売買」は，**農地所有適格法人**に対するもののほかは，原則として許可されない。
- 農地の「貸借」であれば，農地所有適格法人以外の一般法人でも，貸借契約に農地を適切に利用しない場合は契約を解除する旨の解除条件が付されていることなどの一定の要件の下，可能である。

(2) 3条許可の対象となる行為――「権利移動」

「権利移動」とは，端的には，農地・採草放牧地について，「売買など所有者が変更になる行為，または，賃貸借など使用・収益する者が変更になる行為」のことをいいます。

「所有者または使用収益する者が変更になるか否か」を基準に判断するとよい。

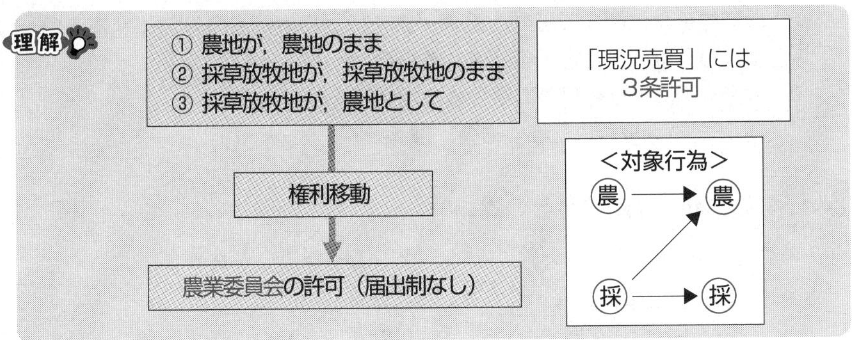

メモ

- **3条許可の適用場面**（上記①②③）：農業生産力は，現状維持または増大する場面
- **賃貸借について**：
  - ｉ）一時使用目的の賃貸借にも，3条許可が必要
  - ii）農地の賃借人がその農地を取得する場合も，3条許可が必要
- **抵当権の場合**：抵当権設定の段階では許可不要だが，抵当権を実行・競売する段階で，許可が必要

抵当権の設定	使用収益権は移転しない	許可不要
抵当権の実行・競売	農地等の所有権が移転する	許可必要

- **売買予約，予約完結権の譲渡・行使の場合**：売買予約の段階では許可不要だが，予約完結権を行使し売買契約を締結する段階に至ると許可が必要。

売買予約，予約完結権の譲渡	使用収益権は移転しない	許可不要
予約完結権の行使	農地等の所有権が移転する	許可必要

用語 **予約完結権**：（売買などの）予約を本契約とする権利のこと

メモ

3条違反の場合：
- ｉ）権利移動の効力は，無効
- ii）罰則→3年以下の懲役または300万円以下の罰金

（3）適用除外

次の場合は，３条許可は不要です。

① 国・都道府県が権利を取得する場合 →市町村が権利を取得する場合は，原則として，許可が必要 ② 土地収用法等により収用または使用される場合 ③ 民事調停法による農事調停により権利が設定・移転される場合 ④ 財産の分与に関する裁判・調停，または，相続財産の分与に関する裁判により，権利が設定・移転される場合 ⑤ 遺産分割により権利が取得される場合等 （別途「権利取得の届出」必要。4を参照）

（4）４条許可・５条許可との違い

３条許可と４条許可・５条許可とは，次のような違いがあります。

① ３条は許可制のみ ３条関係については，すべて「許可制」であり，４条・５条にみられるような届出制（市街化区域内農地等の特例）はない。したがって，対象となる農地・採草放牧地が市街化区域内に所在する場合でも，許可が必要（なお，「権利取得の届出」制度（4）を参照） ② 許可権者 ３条では，都道府県知事が許可権者となることはない ③ 農地を採草放牧地にするために権利移動 農地を採草放牧地とする目的で権利移動する場合は，５条許可の対象となり，３条許可ではない

4 権利取得の届出（3条の3）

農地等について所有権など「権利移動」に関する権利を取得した者は，許可を受けた場合等を除き，**農業委員会に届け出**なければなりません。

例 遺産分割・相続による取得，時効による取得などの場合

・「事後の届出」でよい。農地等について権利の移動があったとしても，遺産分割など3条許可が不要なケースについては農業委員会が把握することができないため，一定の届出を義務づけることによって，農業委員会に，農地等の適正かつ効率的な利用のための措置を講ずることができるようにするためである。
・無届・虚偽届出に対しては，罰則（10万円以下の過料）がある。

5 農地の転用の制限（4条許可）

（1）許可制

農地を**農地以外**のものにする者は，農地法4条の**都道府県知事等の許可**を受けなければなりません。

端的には，「農家が，自己所有の農地を，農地以外のものに転用しようとする場合に許可を受けなければならない」ということです（農地の自己転用の制限）。

用語 **都道府県知事「等」の許可：**
農業施策の実施状況を考慮して農林水産大臣が指定する市町村（「指定市町村」）の区域内では，都道府県知事の許可の代わりに，指定市町村の長の許可を受けることになり，これを総称して「都道府県知事等の許可」（「知事等の許可」）という。

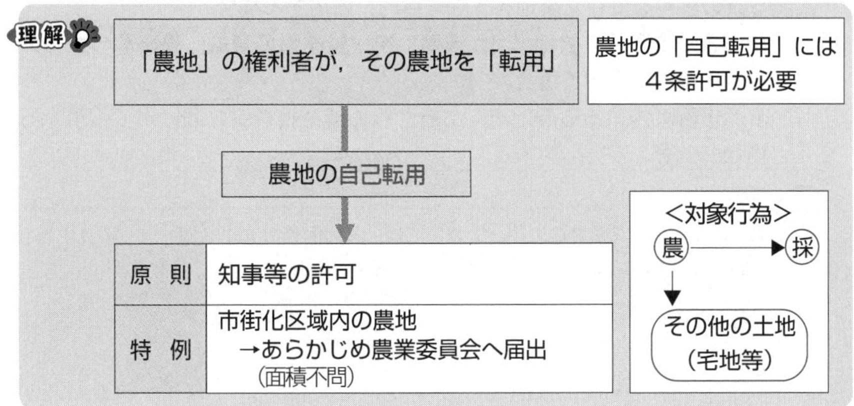

メモ

・４条が制限の対象とするのは，権利移動を伴わない「農地の（農地以外への）転用」であり，採草放牧地の単なる転用には許可は不要

例 ［採草放牧地→農地］や［採草放牧地→宅地等］には，許可不要

・**４条の適用場面**：「農地の，農地以外への転用」なので，農業生産力は減退する。一時使用目的での転用にも，許可が必要

・**国等の特例**：国または都道府県等が農地を転用する場合は，知事等との協議の成立をもって，４条許可があったものとみなされる。

・**４条違反の場合**：

ｉ）原状回復命令を受けることがある。

ⅱ）罰則：３年以下の懲役または300万円以下の罰金（両罰規定あり。後述7参照）

（2）適用除外

次の場合は，４条許可は不要です。

① 国・都道府県が，道路，農業用用排水施設の用に供するため，転用する場合

② 土地区画整理事業に基づき道路，公園等公共施設を建設するため転用する場合

③ 土地収用法等により収用した農地を，収用目的に転用する場合

④ ５条の許可を受けた農地を，許可目的に転用する場合

⑤ 耕作者が自己所有農地（2a未満）を，農作物の育成，養畜等のための農業用施設に供する場合

⑥ 市街化区域内にある農地を，あらかじめ農業委員会に届け出て転用する場合　　等

メモ

「⑥市街化区域内の農地の転用」については，その面積の大小を問わず，農業委員会への届出のみでよい。

6 農地・採草放牧地の転用のための権利移動の制限(5条許可)

(1) 許可制

農地を農地以外のものにするため，または，**採草放牧地を採草放牧地以外**のものにするため，これらの土地について「権利移動」する場合には，当事者は，都道府県知事等の許可を受けなければなりません。

つまり，農地，採草放牧地について，「転用目的で権利移動」する場合は，農地法5条の許可を受けなければならない，ということです。

メモ

農地を宅地に転用するために売買する場合が，典型例。

ただし，採草放牧地を農地に「転用」する目的で「権利移動」する場合は，3条許可が必要となり，5条許可の対象ではありません。

メモ

5条の適用場面は，農業生産力が減退する場面。採草放牧地を農地に転用すると農業生産力は増大するので，3条許可の対象とされる。

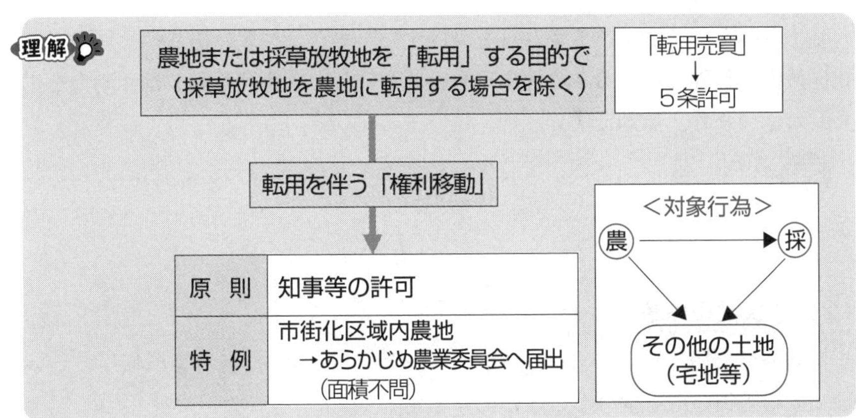

メモ

・一時使用の目的の賃貸借にも，許可必要

・**5条違反の場合**：

ⅰ）権利移動の効力は，無効

ⅱ）原状回復命令を受けることがある。

ⅲ）罰則→3年以下の懲役または300万円以下の罰金（両罰規定あり。後述7参照）

・**国等の特例**：国または都道府県が農地等を転用目的で権利移動する場合は，知事等との協議の成立をもって，5条許可があったものとみなされる。

（2）適用除外

次の場合は，5条許可は不要です。

> **① 国・都道府県が，道路，農業用用排水施設の用に供するため，権利を取得する場合**
> **② 土地収用法等により収用または使用される場合**
> **③ 市街化区域内の農地・採草放牧地について，あらかじめ農業委員会に届け出て，転用目的で権利を取得する場合等**

メモ

市街化区域内の農地・採草放牧地については，その面積の大小を問わず，農業委員会への届出のみでよい。

7 3条・4条・5条違反の効果

（1）権利移動の無効

受けるべき3条許可・5条許可を受けずに，または，届け出るべき届出（市街化区域内農地等に係る5条の届出）を行わずにした「**権利移動**」は，効力を生じません。つまり，**無効**です。

メモ

4条許可の対象は転用行為で，権利移動を伴わない事実行為であるから，その有効・無効の問題は生じない。

（2）原状回復命令

4条許可（届出）・5条許可（届出）を経ずに行われた農地等の転用については，原状回復命令を受けることがあります。

（3）罰則

3条・4条・5条の規定に違反した行為のすべてについては，罰則があります（3年以下の懲役または300万円以下の罰金）。

なお，4条許可（届出），5条許可（届出）の違反には，行為者を罰するほか，その雇い主等にも罰金刑（1億円以下の罰金）が科されます（**両罰規定**）。

まとめ

許可・届出の対象		農地の「転用」の有無	許可・届出	許可権者・届出先	無許可・無届
3条許可制度	農地等の権利移動	無	許可制のみ	農業委員会	i）権利移動は無効 ii）無断転用 →原状回復命令 iii）罰則あり （3年／300万円） iv）4条・5条は両罰規定（1億円）
4条許可制度	農地の転用	有	原則： 許可制 特例： 市街化区域 →届出制	知事等の許可 届出先： 農業委員会	
5条許可制度	農地等の転用目的での権利移動				

メモ

・採草放牧地を農地に転用するには，3条許可が必要。

・採草放牧地の自己転用に，許可不要

・**農地の賃貸借**：

① **許可の要否**

農地の賃貸借には，耕作目的であれば3条許可が，転用目的であれば5条許可（市街化区域内であれば届出）が，それぞれ必要である。

② **対抗力**

農地の賃貸借は，その登記がなくても，農地の引渡しをもって第三者に対抗できる。

③ **農地の賃貸借の存続期間**→最長50年（民法604条）

④ **更新**

期間の定めのある賃貸借において，当事者が期間満了の1年前から6カ月前までの間に更新拒絶の通知をしないと，従前の賃貸借と同一条件で賃貸借を更新したものとみなされる。

第6章 国土利用計画法

データ　【直近12年間の出題実績＆攻略法】

項目	H25	H26	H27	H28	H29	H30	R1	R2	R3	R4	R5	R6	重要度
国土利用計画法	●	●	●	●	●	●	●	●	●	●	●	●	S

国土利用計画法からは，少なくとも１問出題される。ただし，H29のように，「その他の法令上の制限」のテーマでの出題とあわせて出題される年もある（※：H29の出題は「１肢のみ」)。出題の中心は，法の中核でもある「土地取引の事後届出制」である。

試験対策としては，事後届出制の手続の流れを，まず理解しよう。学習すべき分量は少なくないが，必ず出題されるテーマである。

ウォームアップ

土地は，**公共財**として，適正・合理的にその利用が図られなければなりません。また，土地の価格が急騰することは，経済社会によい影響を及ぼさないでしょう。身近な例でいえば，自宅を購入したいと思っている個人にとってはその実現が困難となるし，企業が新規に工場を立地させようにもその用地の取得に莫大な費用が必要となってしまいます。

国土利用計画法（以下「国土法」）は，土地取引の規制に関する措置などを講じて，**総合的かつ計画的な国土の利用**を図ることを目的とした法律ですが，その中でも，**適正・合理的な土地利用**を図り，**地価の高騰を防止**するための**土地取引の規制**が，とりわけ重要です。

1 土地取引の規制

地価の高騰を防止し，**適正かつ合理的な土地利用の確保**を図るための施策が，**土地取引の規制**です。

規制の方法として，国土法は，「**規制区域**」という区域を設けて，**規制区域**「**内**」の土地取引の**許可制**と，**規制区域**「**外**」の土地取引の**届出制**を敷いています。

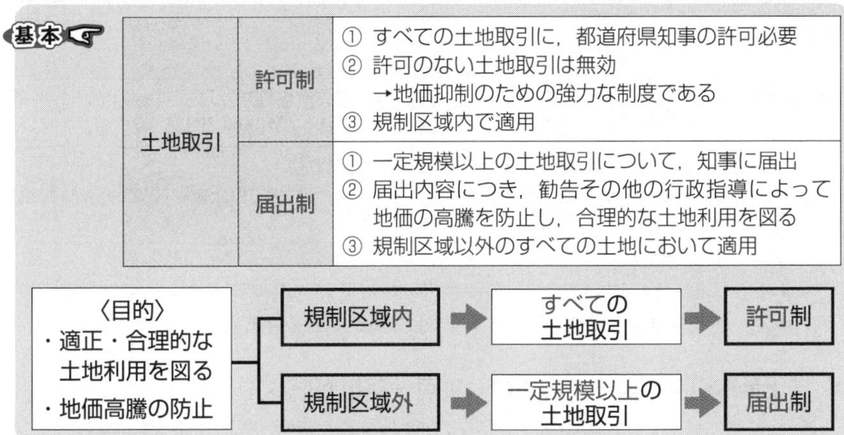

基本

土地取引	許可制	① すべての土地取引に，都道府県知事の許可必要 ② 許可のない土地取引は無効 →地価抑制のための強力な制度である ③ 規制区域内で適用
	届出制	① 一定規模以上の土地取引について，知事に届出 ② 届出内容につき，勧告その他の行政指導によって地価の高騰を防止し，合理的な土地利用を図る ③ 規制区域以外のすべての土地において適用

1 届出制の概要――事後届出の原則

土地取引の届出制は，その土地取引によって権利を取得した者が，取引終了後に届け出ることを原則とする制度です（**事後届出制**）。

ただし，地価の高騰が著しい場合などについては，別途，**注視区域**または**監視区域**を指定して，その土地の区域内においては，**取引前に届出**をすることを義務づけています（**事前届出制**）。

メモ

事前届出：予定対価の額等を届け出させ，地価高騰に対する事前チェック（**行政指導**）をかけるのを，主たる目的とする。

基本

土地取引の届出制	原　則	権利取得者の事後届出制
	注視区域内・監視区域内	取引当事者の事前届出制

2 「土地取引」とは (14条)

規制の対象となる「**土地取引**」は，その行為によって**地価が高騰**する原因となる性質を有する行為をいいます。土地の売買契約が，典型例です。

メモ

土地取引：「土地に関する権利の移転等」「土地売買等の契約」などともいう。

次の**3要件**のすべてを満たすと，「土地取引」に該当し，許可・届出の対象となります。

理解

① 権利性	土地に関する所有権，地上権，賃借権またはこれらの権利の取得を目的とする権利（予約完結権）の移転・設定に関すること
② 対価性	・対価をもって行うこと（有償性） ・地上権，賃借権については，権利設定の対価（いわゆる権利金）の授受があるものに限る
③ 契約性	契約・予約であること

用語 **予約完結権**：将来，予約を本契約にすることができる権利

① 「土地取引」に該当するもの（許可・届出が必要）

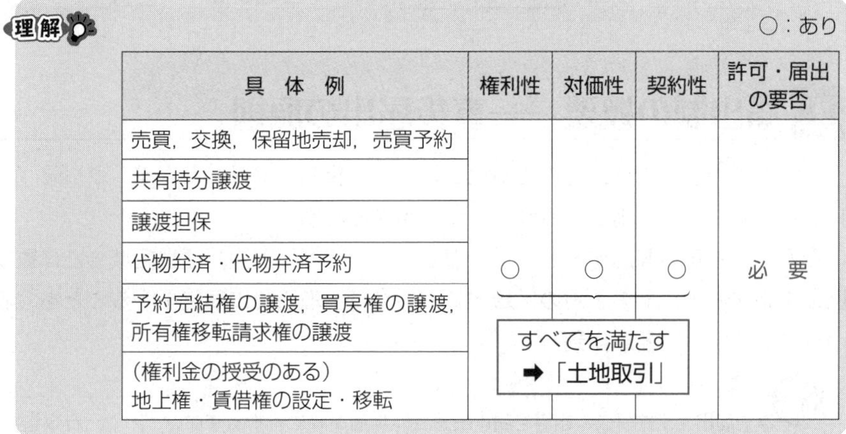
理解

○：あり

具　体　例	権利性	対価性	契約性	許可・届出の要否
売買，交換，保留地売却，売買予約	○	○	○	必　要
共有持分譲渡				
譲渡担保				
代物弁済・代物弁済予約				
予約完結権の譲渡，買戻権の譲渡，所有権移転請求権の譲渡				
（権利金の授受のある） 地上権・賃借権の設定・移転				

すべてを満たす ➡「土地取引」

② 「土地取引」に該当しないもの（許可・届出が不要）

■：あり　×：なし

具　体　例	権利性	対価性	契約性	許可・届出の要否
贈与		×		不　要
抵当権・質権設定	×	×		
信託の引受け		×		
予約完結権の行使，買戻権の行使，所有権移転請求権の行使		×	×	
契約の解除		×	×	
相続・合併・遺贈，遺産分割		×	×	
時効取得		×	×	
換地処分		×	×	
土地収用			×	

メモ

・信託の引受け→土地取引に該当せず，許可・届出不要

・受託した土地を受託者が売却する行為→土地取引に該当し，許可・届出が必要

3 例外（14条，23条，令６条）

「土地取引」に該当するもの（前出）でも，次の場合は**許可・届出は不要**です。

理解

<table>
<tr><th>具　体　例</th><th>許　可</th><th>届　出</th></tr>
<tr><td>① 農地法３条１項の許可を受けることを要するとき</td><td rowspan="3">許可不要</td><td rowspan="5">届出不要</td></tr>
<tr><td>② 民事調停法による調停，民事訴訟法による和解等によるとき</td></tr>
<tr><td>③ 滞納処分，強制執行，担保権の実行としての競売等によるとき</td></tr>
<tr><td>④ 当事者の一方または双方が，国，地方公共団体等（以下「国等」）であるとき</td><td>△</td></tr>
<tr><td>⑤「土地取引」の目的となる土地が，次の面積未満のとき
ⅰ）市街化区域：2,000㎡未満
ⅱ）市街化調整区域：5,000㎡未満
ⅲ）区域区分のない区域（非線引き区域）：5,000㎡未満
ⅳ）都市計画区域外（準都市計画区域を含む）：10,000㎡未満</td><td>許可制に面積要件なし</td></tr>
</table>

以下，**留意点**です。

①について，農地法３条１項の許可を受けることを要するときは，国土法上の許可・届出は不要ですが，農地法５条の許可を受けることを要する場合（例えば，農地が宅地に転用される目的で売買される場合）は，原則どおり，国土法上の許可・届出は必要です。

メモ

農地法3条の許可は農地の売買に必要だが，転用がない場合なので，土地の利用目的に変更がなく，地価が急騰する場面ではない。対して農地法5条の許可は，農地等を転用する目的で売買する場合に必要であり，土地の利用目的に変更があり，また地価急騰のおそれがある。そこで，許可・届出が必要とされる。

②③は，裁判所が関与する場合と覚えましょう。

④について，当事者の一方または双方が，国，地方公共団体等（以下「国等」）であるときは，土地取引の届出は不要です。

メモ

表中の「△」の意味：許可制の場合，当事者の一方または双方が国等であるときは，当該国等の機関が都道府県知事と協議し，その協議が成立することをもって，許可があったものとみなされる（許可自体は必要）ということ。

⑤について，土地取引の届出制では，表中の面積未満の土地等を取得するのであれば届出は不要ですが，許可制において，「許可が必要な土地取引」に該当する場合は，その**面積を問わず許可が必要**となっています。つまり，「面積により許可不要となる例外」はありません。

メモ

「⑤届出制」でも，監視区域内については，取得した土地等の面積が別途定められた面積未満の場合に，届出不要となる。

2 事後届出制

1 土地取引の届出

（1）事後届出の原則（23条）

規制区域外の「一定規模」以上の「一団の」土地について，土地売買等の契約を締結した場合は，**権利取得者**（当該土地売買等の契約により土地に関する権利の移転または設定を受けることとなる者）は，その契約を締結した日から**2週間以内**に，当該土地が所在する**市町村長を経由**して，**都道府県知事**（届出制において，当該土地が指定都市の区域内にある場合は，指定都市の長）に，一定の事項を届け出なければなりません。

届出すべき場合	規制区域外の「一定規模」以上の「一団の」土地について土地売買等の契約を締結（土地取引）した場合
届出義務者	権利取得者
届出期間	契約を締結した日から2週間以内
届出先	都道府県知事，または，指定都市の長

メモ

届出は，「権利取得者」が行う点に注意。

（2）届出事項（23条）

届け出なければならない事項は，次のとおりです。

① **当事者双方の氏名・住所**
② **契約締結年月日**
③ **契約に係る土地の所在及び面積**
④ **契約に係る土地に関する権利の種別・内容**
⑤ **土地の利用目的**
⑥ **対価の額**

2 届出の適用除外（23条）

下記のいずれかに該当する場合は，**届出は不要**です。

① 契約当事者の**一方または双方**が**国または地方公共団体**である場合

② 権利を取得した土地等の面積が**下記の面積未満**の場合

ⅰ）市街化区域内	2,000㎡未満
ⅱ）市街化調整区域内	5,000㎡未満
ⅲ）区域区分のない都市計画区域（非線引き区域）内	5,000㎡未満
ⅳ）都市計画区域外（準都市計画区域を含む）	10,000㎡未満

メモ

ⅳ）は都市計画区域「外」であり，「準都市計画区域」も含まれる点に注意。

（1）届出の要否

以下，具体例で，**届出の要否**を考えてみましょう。

［具体例―①］

権利取得者（B,C,D）が取得した面積が，それぞれ2,000㎡未満の場合 ➡ 届出不要

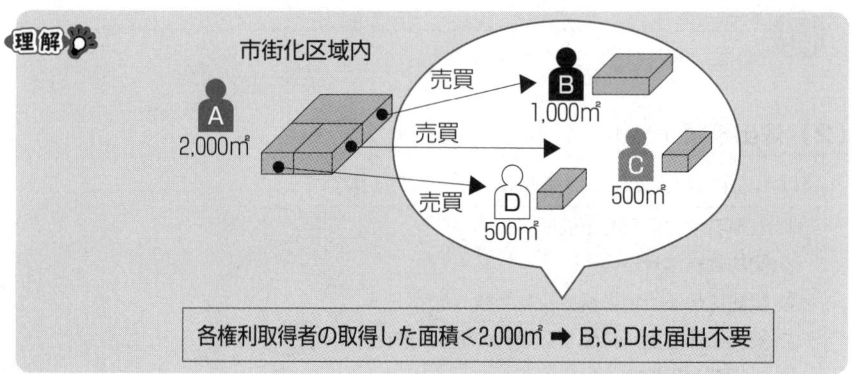

判断基準は，「権利を取得した者が，何㎡の土地等について権利を取得したか」ということです。市街化区域内で，まとめて2,000㎡以上の土地を取得すれば，届出が必要ですが，［**具体例―①**］では，土地の各権利取得者が取得した土地の面積は，市街化区域内であっても各2,000㎡未満なので，全員が届出不要，ということになります。

[具体例―②]

個々の土地取引に係る面積は2,000㎡未満だが，最終的に権利取得者 A が取得した面積が2,000㎡以上の場合	➡ **届出必要**

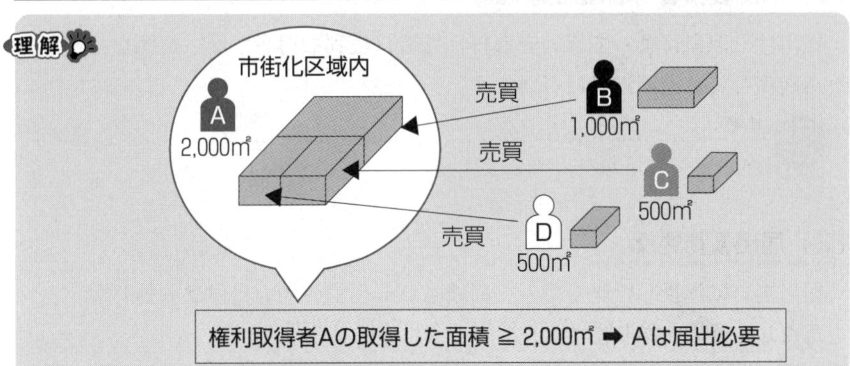

個々の取引については届出面積未満であっても，それを含む「一団の」土地について権利を取得した場合には，その「**すべての取引**」について，**権利取得者による届出**が必要となります。

メモ

なお，[**具体例―②**] で，A が D を**相続**して土地を取得した場合は，土地取引により権利を取得した土地の総面積は1,500㎡（2,000㎡未満）となるので，AB 間，AC 間のいずれの取引にも届出は不要。

(2)「一団」の認定基準

その「一団」は，何を基準に判断するのでしょうか。

〈「一団」とは〉

① 物理的一体性があり，取得した土地は連続（隣接）している土地であること　かつ，

② 計画的な一貫性があること（当初から取得する計画があったこと）

この2つの要件を満たせば，「一団」とされ，個々の取引の時期が同時期でなくても，全体として一定面積以上の土地を取得したのであれば，届出が必要になります。

3 届出期間等

（1）届出義務者・届出期間（23条）

届出は，取引によって権利を取得した者（**権利取得者**）が，契約を締結した日から起算して２週間以内に行います。

メモ

予約の場合は，「予約日から２週間以内」。

（2）届出義務違反

届出義務に違反した場合でも，締結された契約の効力自体は有効です。

ただし，罰則があります。

基本

・取引後に無届 ・虚偽届出	６カ月以下の懲役，または 100万円以下の罰金

メモ

法人の代表者等が違反行為をしたときは，行為者を罰するほか，その本人または法人も罰金刑に処せられる（両罰規定）。

4 知事の勧告

（1）勧告（24条）

都道府県知事は，届出があった場合，利用目的を審査し，利用目的の変更について，勧告することができます（行政指導）。

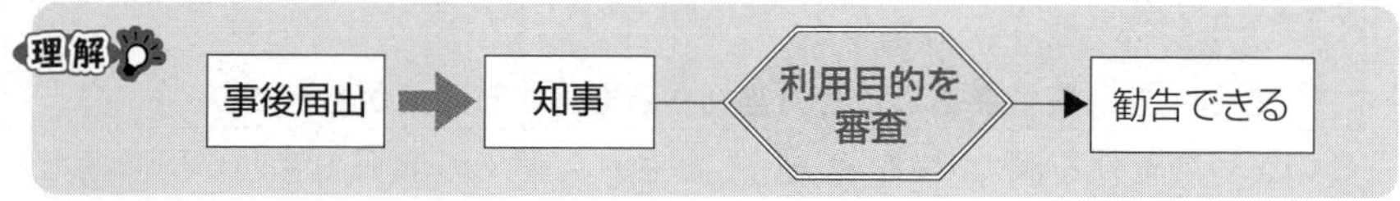

メモ

対価の額も届出事項であるが，審査の対象は利用目的のみであり，対価の額については審査しない。

勧告する場合，知事は，原則として，届出があった日から起算して３週間以内にしなければなりません。

メモ

前記「3週間」の勧告期間は，勧告をすることができない合理的な理由があるときは，3週間の範囲内において延長することができる。この場合，延長期間と延長の理由を通知しなければならない。

（2）勧告に基づいて講じた措置の報告徴収（25条）

都道府県知事は，勧告をした場合で，必要があると認めるときは，その勧告を受けた者に対し，その勧告に基づいて講じた措置について報告をさせることができます。

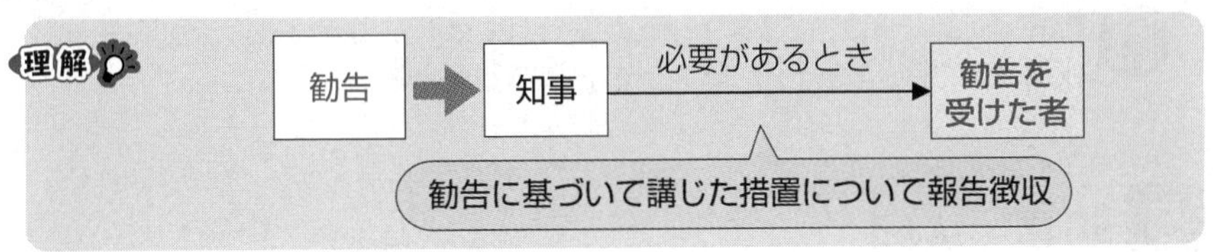

メモ

この報告をせず，または虚偽の報告をした場合には，罰則がある（30万円以下の罰金）。

（3）勧告に従わない場合（26条）

① **勧告に従わない場合**でも契約は**有効**です。罰則もありません。

② ただし，知事は，勧告に従わない旨及びその勧告の内容を，**公表**することができます。

メモ

「公表」という形で社会的に制裁を受けることになる。なお，知事は，公表をしなければならないわけではない。

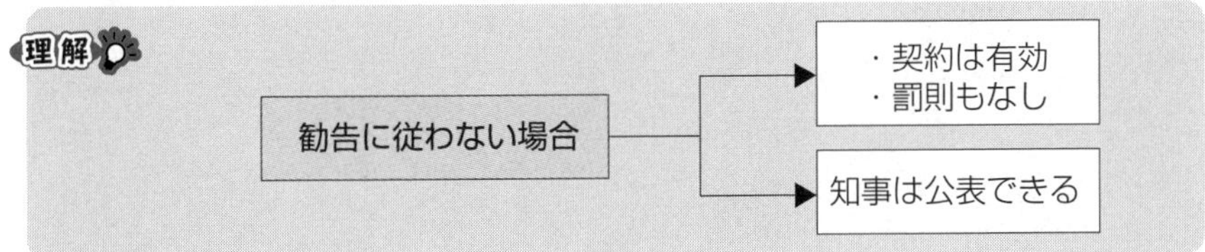

（4）勧告に従った場合――あっせん等（27条）

勧告に基づいて当該土地の利用目的が変更された場合で，必要があると認めるときは，知事は，当該土地に関する権利の処分についてのあっせんその他の措置を講ずるよう努めなければなりません。

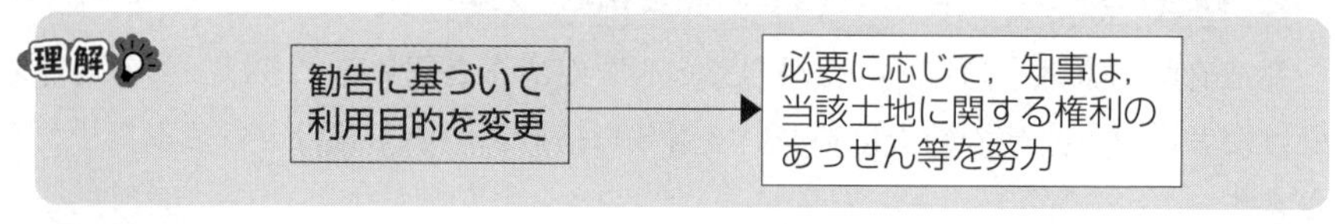
理解
勧告に基づいて
利用目的を変更
必要に応じて，知事は，
当該土地に関する権利の
あっせん等を努力

メモ

勧告に従っても，当該土地に関する権利の買取請求は認められていない。

5 助言（27条の2）

都道府県知事は，届出をした者に対し，届出に係る土地の利用目的について，当該土地を含む周辺の地域の適正かつ合理的な土地利用を図るために**必要な助言**をすることができます（行政指導）。

メモ

・助言に従わなかった場合でも，その旨を公表されることはない。もちろん，罰則もない。
・勧告と同様，助言の対象は，土地の利用目的のみ。対価の額について助言することはできない。
・勧告と異なり，助言をすべき期間に，特に制限はない。

3 事前届出制（注視区域制度・監視区域制度）

地価が上昇し，または上昇するおそれのある区域について，注視区域・監視区域を指定し，その両区域内における**土地売買等の契約**（土地取引）について，その契約を締結する前に，一定の事項の届出を義務づける制度です。予定対価の額等を届け出させ，地価高騰に対する**事前チェック**（行政指導）をかけることが目的です。

このうち，届け出なければならない土地取引に係る土地等の面積（届出対象面積）を引き下げて，**小規模な土地取引**についても知事への届出を義務づけ，届出制による地価抑制の実効性を高めようとするのが，**監視区域制度**です。

注視区域・監視区域は，都道府県知事（または指定都市の長）が指定します。

1 土地取引の事前届出（27条の4）

注視区域内または監視区域内における「一定規模」以上の「一団の」土地について，土地売買等の契約を締結しようとする者は，当該土地が所在する市町村長を経由して都道府県知事に，一定の事項を届け出なければなりません。

届出は，**契約当事者双方**が行います。

メモ
届出事項は，「事後届出制」における届出事項（前述）とほぼ同じ。

（1）届出の適用除外

土地取引に係る土地等の面積が**一定規模**未満の場合，**届出は**不要です。

届出不要な「土地取引」にかかる土地等の面積	注視区域	「事前届出制」と同じ
	監視区域	注視区域における面積を，知事が規則で引き下げる

（2）「一団」の土地取引

個々の取引については一定規模面積未満であっても，それを含む「一団の」土地について取引する場合には，そのすべての取引に届出が必要となる，という考え方は，「事後届出制」と同様です。

ただし，「事後届出制」では「権利を取得した者が**何㎡の権利**を取得したか」が問われたのに対して，事前届出制では，「土地取引に係る面積が，**合計で何㎡か**」により，届出の要否が判断されます。

メモ

例えば，事後届出制では，市街化区域で2,000㎡の土地を区画して分譲した場合には事後届出は不要であったのに対し，事前届出制では，市街化区域内で合計して2,000㎡の土地等を購入しようとする場合はもちろん，分譲しようとする場合も，いずれも事前届出が必要となる。

2 契約締結の制限等

事前届出制の場合，届出をした日から起算して６週間，契約の締結が禁止され，この間に，届出内容のうち，予定対価の額と土地の利用目的が審査されます。

監視区域の場合は，**取引が投機的取引か否か**も審査される。

一般的には，この６週間のうちに「勧告」（取引中止の勧告，予定対価引下げの勧告など）または「勧告しない旨の通知」があり，その後は（６週間の経過がなくても）契約を締結できるようになります。

届出義務に違反して土地取引を行っても，締結された契約自体の効力は有効であること，ただし，罰則があること，勧告に従うと知事が権利処分のための「あっせん等」に努めること，勧告に従わないと「公表」があり得ることなどは，事後届出制と同様です。

4 土地取引の許可制

土地の投機的取引が集中して行われ，地価の凍結が必要となる場合に，「許可」という，より強い制限を行うのが**規制区域制度**です。

「規制区域」が指定されると，規制区域内における土地取引は，その**面積の大小を問わず**，原則として，都道府県知事の**許可**を受けなければなりません。無許可の取引は**無効**とされます。

「許可制」で押さえるべきポイントは，次のとおりです。

> **① 許可制は，指定された「規制区域」内で適用される（知事が指定）**
> **② 許可権者は，都道府県知事**
> **③ 無許可の取引は無効**
> **罰則あり→3年以下の懲役または200万円以下の罰金**
> **④ 不許可処分のときは，知事に対する当該土地の買取請求が可能。この請求があったときは，知事はその権利を買い取らなければならない**

まとめ

理解 〈許可制と届出制〉

許可制	届出制	
	事後届出制	事前届出制
① 規制区域内のみ	① 区域の指定のない土地の区域	① 注視区域内または監視区域内
② 取引の面積の大小を問わず，許可必要	② 一定規模以上の取引のみ届出必要	
③ 予定対価の額，利用目的を審査 →不適当なとき，不許可	③ 利用目的のみ審査 →不適当なとき，利用目的変更の勧告。対価額の審査はない	③ 予定対価の額，利用目的を審査 →不適当なとき，取引中止の勧告等
④ 不許可処分を受けた土地の所有者 →知事に買取請求可	④ 勧告に従った場合，知事は，必要があれば買主のあっせん等を努力	
⑤ 無許可で契約 →無効，かつ，懲役・罰金刑あり（3年・200万円）	⑤ 無届の契約も有効 ただし，無届取引には懲役・罰金刑あり（6カ月・100万円）	

まとめ

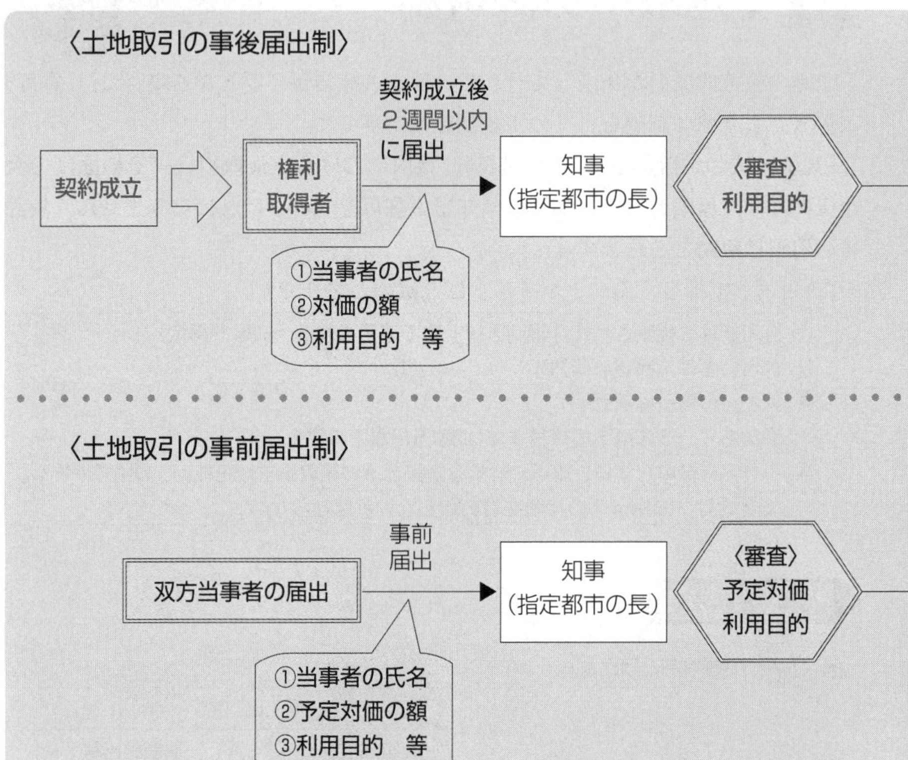

〈事後届出制の流れ〉

- **契約の成立後**，土地取引によって権利を取得した者は，①当事者の氏名，②対価の額，③土地の利用目的などを，原則として都道府県知事に届け出る
- 知事は，土地の利用目的を審査して，利用目的の変更について勧告や助言をすることができる。勧告をする場合は，届出後３週間以内にしなければならないのが原則である
- 勧告に従った場合は，知事は，必要があればその土地に関し，あっせんその他の措置を講ずるよう努力する。従わない場合には，知事は，勧告の内容などを公表することができる

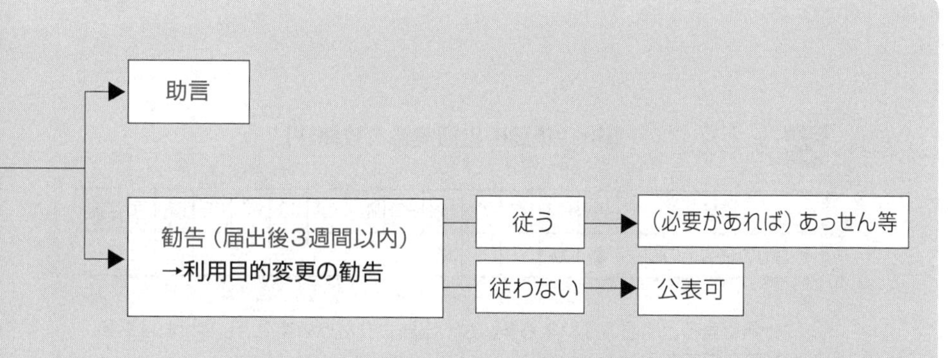

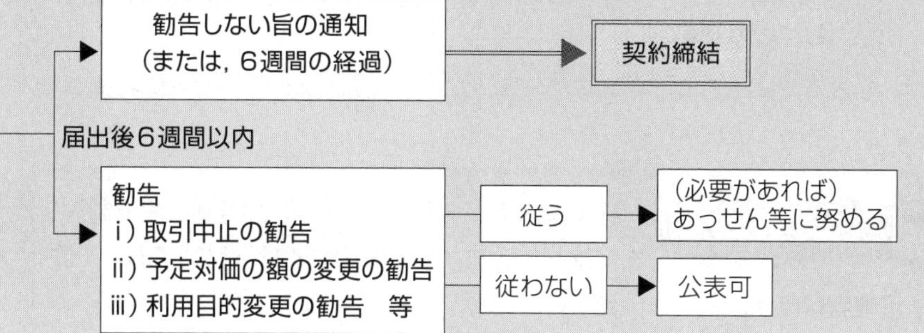

〈事前届出制の流れ〉

- **契約を締結する前**に，契約の双方当事者は，①当事者の氏名，②予定対価の額，③土地の利用目的などを，原則として都道府県知事に届け出る
- 知事は，予定対価の額と土地の利用目的の両方を審査して，勧告をすることができる。勧告をしない場合には「勧告しない旨の通知」をする
- 知事が勧告をする場合は，届出後6週間以内にしなければならないが，この届出後の6週間，当事者の契約締結は禁止される（ただし，勧告または勧告しない旨の通知があれば，この禁止は解除される）。勧告の内容は，**i）取引中止，ii）予定対価の額の変更，iii）利用目的変更**などである
- 勧告に従った場合は，知事は，必要に応じその土地に関し，あっせんその他の措置を講ずるよう努力し，従わない場合には，勧告の内容などを公表することができる，という点は，「事後届出制」と同様である

第7章 その他の法令上の制限

データ 【直近12年間の出題実績＆攻略法】

項目	H25	H26	H27	H28	H29	H30	R1	R2	R3	R4	R5	R6	重要度
その他の法令上の制限	●	●			●								C

近年で見ると出題のない年も多いが，出題されたら必ず得点しなければならないテーマである。

各法令に規定されている「行為の制限」の内容が出題されるが，原則は「都道府県知事等の許可」。ただし，正解を導くためには「例外」である，都道府県知事等の許可「以外」の場合が重要。したがって，「例外」を暗記するのが最良の試験対策である。

ウォームアップ　様々な法令が各種の行為制限（許可制・届出制等）を実施していますが，その**多くは許可制**であり，**許可権者は誰か，**という出題が多い分野です。

許可権者は，**原則として都道府県知事**ですが，試験対策としては，都道府県知事が許可権者でない**特別なもの**（**例外**）を押さえておく必要があります。

1 原則

（1）「原則」の概要

行為制限に対する**許可権者**の原則は，「**都道府県知事**（等）」です。

基本

建築物の建築等 → 都道府県知事（等）の許可

次のものは，過去の宅建本試験の**出題例**です。いずれも，一定の行為を行うには都道府県知事（等）の**許可が必要な場合**です。ただし，暗記の必要はありません。

基本 〈出題例〉

① 都市再開発法	第1種市街地再開発事業の施行区域内の建築，市街地再開発促進区域内の建築　等
② 密集市街地整備法	防災街区整備事業の施行地区内の土地の形質の変更，建築物の新築　等
③ 大都市法	住宅街区整備事業の施行区域内の建築　等
④ 流通業務市街地整備法	流通業務地区内の建築　等
⑤ 急傾斜地崩壊防止法	急傾斜地崩壊危険区域内の水の放流・土石の採取または集積　等
⑥ 地すべり等防止法	地すべり防止区域内の地表水の放流，ぼた山崩壊防止区域内の土石の採取　等
⑦ 土砂災害防止法	土砂災害特別警戒区域内での特定開発行為
⑧ 森林法	保安林における立木の伐採，家畜の放牧，土石の採掘，開墾　等
⑨ 都市緑地法	特別緑地保全地区内での建築物の新築・改築・増築，宅地の造成，木竹の伐採，水面の埋立て　等

メモ

・**上表の①～④**：各法令により，「都道府県知事の許可」は，市の区域内にあっては当該「市長の許可」となる場合がある。したがって，「**都道府県知事等の許可**」と表現される。

・地域・区域・地区の名称に，「特別」が付され，「特別○○地域・区域・地区」という場合がある。このような場合は，許可制が実施されている場合が多いことに注意。

（2）協定について

①「協定」とは

各種法令により，「～協定」が認可等される場合があります。その内容は各法令により様々ですが，公的機関や土地所有者等の合意に基づいて策定された**自主的ルール**により，**法の目的を達成**しようとしている点に共通点があります。

例　建築協定（建築基準法），風景地保護協定（自然公園法），管理協定（都市緑地法），避難経路協定（密集市街地整備法）

②　協定の効力

協定は，それに参加した者に対して効力を有するのは当然ですが，さらに，当該法令に基づく**認可等の公告があった後**に，その協定の区域内の土地の所有者等となった者に対しても，その**効力がある**とされるのが通常です。つまり，「後から来た者にも，効力あり」ということです。

③　一人協定

協定は，１人でも認可を受けることができる場合があります。その場合，「認可の日から起算して３年以内において２人以上が存することになった時から効力を有する」とされる場合が，多くみられます。

例　建築協定（建築基準法），避難経路協定（密集市街地整備法）

2 例　外

本試験では，行為制限につき，**都道府県知事等**の**許可**でないものが出題されます。**以下を確実に覚えておきましょう。**

1 自然公園法

国立公園・国定公園は，それぞれ，一定の行為につき**許可制**を敷く**特別地域**（特別保護地区を含む）と，**届出制**を敷く**普通地域**に分けられます。

許可権者・届出先は，国立公園について**環境大臣**，国定公園について**都道府県知事**となっています。

基本

	許可制（特別地域）	事前届出制（普通地域）
国立公園	環境大臣	
国定公園	都道府県知事	

プラスα

制限される行為：

例　i）工作物の新築・増改築，広告物の掲出・設置，屋根・壁面・へい等の色彩の変更
ii）鉱物の掘採・土石の採取，開墾他土地の形状の変更
iii）木竹の伐採，指定区域内での木竹の損傷，指定植物の採取・損傷
iv）河川等の水位・水量に増減を及ぼす行為，一定の湖沼等への汚水・廃水の排出，水面の埋立て・干拓等

2 河川法

基本

河川区域 河川保全区域　等	河川管理者の許可 （国土交通大臣・知事・市町村長）

プラスα

制限される行為：

例　土地の掘削，工作物の新築，土石の採取，流水の占用，土地の占用，竹木の栽植・伐採　等

3 海岸法

基本☞

海岸保全区域　等	海岸管理者の許可 （海岸管理者：原則として，**都道府県知事**）

プラスα

制限される行為：

例 海岸保全区域の占用，土石・砂の採取，工作物の新設・改築，土地の掘削　等

4 道路法

基本☞

道路予定区域　等	道路管理者の許可 （道路管理者：**国土交通大臣・知事・市町村長**）

プラスα

制限される行為：

例 土地の形質の変更，工作物の新築・増改築・大修繕，物件の付加増置　等

5 港湾法

基本☞

港湾区域	港湾管理者の許可 （港湾管理者：**関係地方公共団体等**）

プラスα

制限される行為：

例 港湾区域内の水域または公共空地の占用，土砂の採取，水域施設・係留施設・運河等の建設または改良

6 津波防災地域づくりに関する法律

基本☞

津波防護施設区域内	津波防護施設管理者の許可 （津波防護施設管理者：**知事・市町村長**）

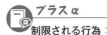

制限される行為：

例 津波防護施設以外の施設または工作物の新築・改築，土地の掘削・盛土・切土

7 文化財保護法

基本

重要文化財 史跡名勝天然記念物	現状変更・その保存に影響を及ぼす行為 →文化庁長官の許可
埋蔵文化財	調査のための土地の発掘 →文化庁長官に**届出**（着手する日の30日前まで）

8 生産緑地法

基本

生産緑地地区	建築物の新築，宅地の造成，水面の埋立て，干拓　等 →市町村長の許可

用語 **生産緑地地区**：市街化区域内の農地等（農地，採草放牧地，林業に供されている森林，漁業に供されている池沼等）で，その規模が一定の条件に該当するものにつき，市町村が指定

9 都市緑地法

基本

緑地保全地域	都道府県知事等に**届出**
特別緑地保全地区	都道府県知事等の**許可**
地区計画等緑地保全条例により制限を受ける区域	市町村長の**許可**

プラスα

・地区計画（第1章都市計画法3 7）の項も参照のこと。

・**制限される行為**：

例 建築物その他の工作物の新築等，宅地の造成，土地の開墾，土石の採取，鉱物の掘採，木竹の伐採，水面の埋立てまたは干拓　等

・特別緑地保全地区に関する都市計画が定められた際，すでに行為に着手している者は，都市計画が定められた日から30日以内に，知事に届出をしなければならない。
・特別緑地保全地区内において，非常災害のため必要な応急措置として一定の行為をした者は，行為日から14日以内に，知事に届出をしなければならない。

10 土壌汚染対策法

形質変更時要届出区域	土地の形質の変更 →**都道府県知事**に届出（着手する日の14日前まで）

プラスα

・**形質変更時要届出区域**：特定有害物質によって汚染されており，当該土地について形質の変更をしようとするときには届出をしなければならない区域で，都道府県知事が指定する。
・形質変更時要届出区域が指定された際，すでに土地の形質の変更に着手している者は，指定の日から14日以内に，知事に届出をしなければならない。
・形質変更時要届出区域内において非常災害のために必要な応急措置として土地の形質の変更をした者は，変更の日から14日以内に，知事に届出をしなければならない。

11 景観法

基本

景観計画区域内	景観行政団体の長に届出

プラスα

・**景観行政団体**：指定都市・中核市・都道府県のこと。
・**制限される行為**：
　例　建築物の新築・増築・改築・移転，外観を変更することとなる修繕・模様替，色彩の変更

第4編

税・その他

「税・その他」の分野での出題は、例年、合計8問である（「5問免除」含む）。出題分量としては「法令上の制限」と同等であるが、学習量に比較して得点できる期待が大きい（費用対効果が高い）分野であり、誰もが多少の時間を割けば、相応の得点が可能である。ここをないがしろにすることなく、本書の内容をきっちり頭に叩き込んでおいてほしい。

第1章 土地・建物に関する税

データ【直近12年間の出題実績＆攻略法】

項目	H25	H26	H27	H28	H29	H30	R1	R2	R3	R4	R5	R6	重要度
不動産取得税		●		●		●		●	●		●	●	S
固定資産税	●		●		●		●			●			S
所得税					●		●		●			●	B
登録免許税		●				●							B
印紙税	●			●				●		●	●		B
贈与税			●										C

税からの出題は2問。出題は各税の構造が中心で，税額計算そのものはないのが特徴。課税対象・納税義務者・課税標準・基本となる税率を，まず押さえよう。

特に住宅・住宅用地・居住用財産に対する特例が，重要なポイント。細かい適用要件まで含めて，暗記が必要である。

1 土地・建物に関する税制の概要

1 土地・建物に関する税

不動産に関連する税は様々です。個人が土地・建物を購入して売却する過程，及び，それらを相続・贈与する場合に課される税は，次のとおりです。

① **購入から売却まで**

基本

購入時	売買契約書を作成した時に	印紙税	国税
	不動産（所有権）の取得に対して	不動産取得税	地方税
	登記を申請すると	登録免許税	国税
	住宅ローン控除を受けると	所得税（住宅ローン控除）	
保有時	土地・家屋の所有者（登記名義人）に	固定資産税	地方税
	市街化区域内の土地・家屋の所有者に	都市計画税	
	不動産を賃貸して賃料収入があると	所得税（不動産所得）	国税
売却時	売買契約書を作成した時に	印紙税	
	不動産の売買によって「もうけ」が出たら	所得税（譲渡所得）	
	登記を申請すると	登録免許税	

② **相続・贈与が行われた場合**

相続・贈与	贈与を受けたときに	贈与税	国税
	相続した時に	相続税	

メモ

所得税のうちの住宅ローン減税と不動産所得，及び，相続税については，宅建試験の出題頻度などに鑑みて，本書では省略する。

2 課税の方法

（1）税の構造

宅建試験では，**税の構造**が**出題の中心**です。各税で押さえるべき，理解するためのポイントは，次のとおりです。

① 課税主体：課税権者（誰が課税するか）
② 課税客体：課税対象（何に対して課税するか）
③ 非課税となる場合：課税が免除される場合（特別に課税しない場合とは）
④ 徴収方法
⑤ 納税義務者
⑥ 課税標準（何を基準に課税するか）
⑦ 税率
⑧ 各種の特例（課税標準の特例・軽減税率・課税の特例など）

メモ
⑥⑦⑧については，特に，「住宅・居住用財産に関する特例」に注意すること。

（2）基本算式と納税額を引き下げる方法

① 基本算式

「課税標準（A） × 税率（B） ＝ 税額（C）」
（1,000円未満は切捨て）　（100円未満は切捨て）

② 納税額を引き下げる方法

基本算式は，①のとおりです。すなわち，「**課税標準(A)**」（税によって呼び名は多少異なる場合がある）に**税率(B)**を掛けて納付すべき**税額(C)**を出します。

ただし，広く住宅を供給するという政策目的を達成するために，しばしば最終的に**納税額を引き下げること**（減税）が行われます。

次は，そのための方法です。

ⅰ）課税標準（A）を下げる＝「課税標準の特例」
ⅱ）税率（B）を下げる＝「課税の特例」・「軽減税率」
ⅲ）算出された税額（C）の一定額（割合）をカット＝「減額の特例」等
ⅳ）特殊な計算方法を用いる＝「計算の特例」

用語 **不課税と非課税**：不課税は，本来的に課税の対象外である場合。**非課税**は，政策的配慮から本来課税の対象である場合でも課税しないとする場合

2 不動産取得税

不動産取得税は，**不動産の取得**につき，当該不動産所在の**都道府県**(課税権者)が，当該不動産の取得者に対して課税する**都道府県税**（普通税）です。不動産を取得する人には「税を納める能力（担税力）がある」と考えられるのが，課税の根拠です。

1 課税対象（地方税法73条の２）

不動産取得税の課税対象は，土地と家屋の取得

不動産取得税は，土地の取得及び家屋の取得について課税されます。

 **家屋**：住宅のほか店舗，工場，倉庫なども含む

メモ

- 「家屋の取得」には，新築のほか増築，改築による場合を含む。
- 家屋の改築の場合，改築によって家屋の価格が増加した場合に課税される（改築によって増加した価格を課税標準として課税）。
- 取得原因の有償・無償を問わない。例えば，贈与による不動産の取得には課税される。
- 所有権の取得につき，登記の有無を問わない。現実に取得されれば，未登記でも課税される。
- **「非課税」について**：次の場合には，不動産取得税は課税されない。

  例 ｉ）相続，遺贈（包括遺贈），合併，信託契約による取得

  ⅱ）国・地方公共団体の取得
- 遺贈のうち，包括遺贈には課税されないが（非課税），特定遺贈には課税される。「包括遺贈≒相続，特定遺贈≒贈与」と考えるとわかりやすい。

2 免税点（73条の15の２）

不動産取得税の課税標準は，不動産の価格（**評価額**＝固定資産課税台帳への登録価格）ですが，その額が低廉な場合には，結果的に，納税すべき税額より徴税コストが上回ってしまうことが起きます。

そこで，評価額が次の額未満である場合には，不動産取得税は課税されません。

土地	10万円	
家屋	建築に係るもの	1戸につき23万円
	建築以外に係るもの	1戸につき12万円

（覚える数字）
「10－23－12」

メモ

・なお，ｉ）土地の取得者が，取得の日から１年以内にその土地に隣接する土地を取得した場合，または，ⅱ）家屋の取得者が，取得の日から１年以内にその家屋と一構えの家屋を取得した場合は，１つの土地の取得または１戸の家屋の取得とみなされる。

・税法上住宅に関連する特例は多いが，地方税法上，「住宅」には，いわゆる別荘を含まない。ここでいう「別荘」とは，専ら避暑避寒その他**日常生活以外**の用に供するものをいう。なお，週末に居住するため郊外等に取得するもの，遠距離通勤者が平日に居住するため職場の近くに取得するものなどは，「**住宅**」に含まれる（「別荘」ではない）。

3 納税義務者（73条の２）

不動産取得税の納税義務者は，その不動産の**現実の取得者**です。また，家屋の新築の場合は「最初の使用または譲渡」を基準に課税します。

（1）納税の原則と特例

原　則	当該不動産の現実の取得者（個人・法人）
家屋の新築の場合の特例	①　最初の使用・譲渡あり 「最初の使用または譲渡」を基準に，当該家屋の所有者または譲受人に課税 ②　新築後６カ月経ても最初の使用・譲渡なし 家屋が新築された日から６カ月を経過して，なお最初の使用または譲渡がない場合は，新築された日から６カ月が経過した日の当該家屋の所有者に課税

メモ

・②は，分譲住宅・分譲マンション等については，その買主に課税するのが原則。ただし，６カ月経過しても売買がない場合には，「建築主」（分譲業者など）に課税する，という意味。

・②の特例の対象となるのが「宅建業者」の場合は，「６カ月」が「１年」とされている（特例期間の延長。令和９年３月31日まで）。

(2) 徴収の方法 (73条の17)

徴収は，「**普通徴収**」の方法により行われます。なお，特例の適用については，取得者による申告が必要です。

用語 **普通徴収**：課税権者が，納税通知書を納税義務者に交付して徴収する方法。不動産取得税の場合も，課税権者である都道府県が，納税通知書を納税義務者のもとへ郵送するのが一般的

4 課税標準 (73条の13，73条の21)

課税標準：不動産の価格＝固定資産課税台帳に登録されている価格

不動産取得税の課税標準は，不動産を**取得した時**における不動産の価格です。

固定資産課税台帳に固定資産の**価格が登録**されている不動産の場合は，その価格が，不動産取得税の課税標準となります。

家屋の改築をして家屋の取得とみなした場合の課税標準は，当該改築により増加した価格とします。

メモ

ⅰ）課税台帳に価格が登録されていない不動産（新築など），または，ⅱ）増築，改築，損かい，地目の変換などの特別の事情により，台帳登録の価格により難い不動産については，知事が，課税標準となる価格を決定する。

5 税率（標準税率） (73条の15，附則11条の２)

暗記

本則		4/100
特例	土地	3/100 (令和９年３月31日まで)
	住宅	

メモ

不動産取得税の税率は，したがって，土地と住宅に関しては３%，住宅以外の家屋については４%ということになる。

用語 **標準税率**：地方公共団体が地方税を課税する際に，通常用いることとされる税率。財政上の必要に応じ引き上げることも可能

6 住宅及び宅地の取得に関する特例

住宅の取得を促進する目的で，**（1）住宅の取得**及び**（2）宅地の取得**について，それぞれ「課税標準の特例」が，**（3）**さらにその課税標準の特例が適用される住宅用の土地については，**税額の減額の特例**が適用されます。

（1）住宅の取得に対する課税標準の特例（73条の14）

① 新築住宅を取得した場合の1,200万円控除

新築住宅を取得した場合における，住宅の取得に対して課する不動産取得税の課税標準の算定については，１戸（共同住宅等にあっては独立的に区画された一の部分ごと）について，課税標準から1,200万円が控除されます。

なお，この特例を適用して取得された住宅を，**「特例適用住宅」**といいます。

用語 **新築住宅を取得**：ｉ）住宅を建築した場合，及び，ⅱ）新築された住宅で，まだ人の居住の用に供したことのないものを購入した場合を含む

共同住宅等：共同住宅，寄宿舎など多数の人の居住の用に供する住宅のこと

プラスα

・アパートなどの共同住宅等を取得した場合は，「独立的に区画された一の部分ごと」に適用される。

例 ６戸あるアパートを新築すると，課税標準から（1,200万円×６＝）7,200万円が控除される。

・新築住宅を取得した場合には，個人・法人を問わず，この特例の適用を受けることができる。

② 既存住宅を取得した場合

既存住宅を取得した場合にも，特例の適用を受けることができますが，控除額は**1,200万円以下**となります（その住宅が新築された年により控除額は異なる）。

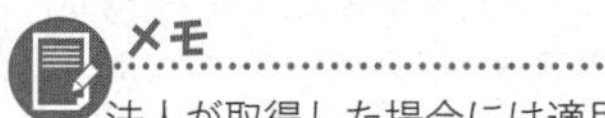

メモ

法人が取得した場合には適用されない。

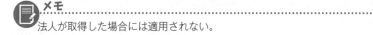

基本☞

① 新築住宅を取得した場合	課税標準の算定上，１戸につき，1,200万円が控除される
② 既存住宅を取得した場合	課税標準の算定上，１戸につき，その既存住宅が新築された当時において控除するとされていた控除額（～1,200万円）が，控除される

メモ

・特例適用住宅には，床面積要件がある（**50㎡以上240㎡以下**（戸建以外の新築貸家住宅→40㎡以上240㎡以下））。
・既存住宅には，新耐震基準に適合することなどの要件がある（耐震基準適合住宅）。

（2）宅地の取得に対する課税標準の特例（附則11条の５）

宅地評価土地（宅地及び宅地比準土地）の取得に対して課される不動産取得税の課税標準は，当該土地の価格（固定資産課税台帳登録価格）の**２分の１**とされます（令和９年３月31日まで）。

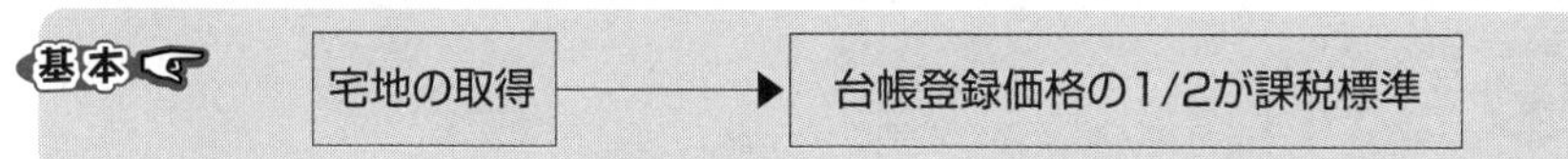
基本
宅地の取得
台帳登録価格の1/2が課税標準

（3）特例適用住宅の用地の取得にかかる税額の減額（減額の特例）（73条の24）

特例適用住宅（＝「**（１）課税標準の特例**」が適用される住宅）の用地の取得について，さらに税額が減額される特例があります。

すなわち，一定の要件のもと，次の**（ア）（イ）**のうち，高いほうの額が，税額から控除されます。

> **（ア）「150万円×税率」**
> **（イ）住宅の床面積の２倍（上限200㎡）に相当する**
> **土地の価格（課税標準）×税率**

まとめ

暗記 〈不動産取得税の特例〉

	課税標準の特例	税率の特例	減額の特例
住宅の取得	① 新築→１戸につき 1,200万円控除 ② 既存→１戸につき 一定額を控除	3％	なし
宅地の取得	１／２になる		特例適用住宅用地につき，一定の額を減額

3 固定資産税

固定資産税は，毎年**1月1日現在**に所在する固定資産（**土地**，**家屋**，**償却資産**）について，その固定資産所在の市町村が，その所有者に対して課す**市町村税**（普通税）です。

固定資産税は，当該固定資産の「所有者」が，ごみの収集や道路の清掃といった所在市町村の行政サービスを受ける，いわば対価として納税される，というのが基本的な考え方といえます（「所有者」への課税根拠）。

メモ

課税権者は，市町村。東京都の特別区は，都。

1 課税対象（地方税法341条，342条）

固定資産税の課税対象は，土地，家屋，償却資産です。土地，家屋，償却資産を所有（保有）していること自体に担税力がある，としています。

固定資産税の課税対象は，土地，家屋，償却資産

用語 **償却資産**：（土地・家屋以外で）事業の用に供することができる資産で減価償却の対象となる資産（機械，工具，車両など）のこと

免税点：同一人が所有する当該市町村の区域内の土地等の評価額が下記の額未満である場合には，固定資産税は，原則として，課税しない

暗記

土　地	30万円
家　屋	20万円
償却資産	150万円

（覚える数字）
「30－20－150」

2 納税義務者（343条）

（1）原則

納税義務者は，賦課期日（1月1日）現在の固定資産の「所有者」

固定資産税は，賦課期日（1月1日）現在の固定資産の「所有者」に課されます。

不動産質権，または，100年より永い存続期間の定めのある地上権が設定されている土地については，その質権者または地上権者が「所有者」として課税されます。

メモ

・**所有者**：土地または家屋については，登記簿または土地補充課税台帳・家屋補充課税台帳に所有者として登記または登録されている者をいう。

・**「固定資産課税台帳」とは**：

固定資産課税台帳		土地課税台帳，土地補充課税台帳，家屋課税台帳，家屋補充課税台帳，償却資産課税台帳の総称
	・土地課税台帳 ・家屋課税台帳	登記簿に登記されている土地・家屋について一定の事項を登録した帳簿のこと
	・土地補充課税台帳 ・家屋補充課税台帳	登記簿に登記されていない土地・家屋で固定資産税を課すことができるものについて，一定の事項を登録した帳簿のこと

（2）例外

①「所有者」が死亡している場合

所有者として登記または登録されている個人が賦課期日前に死亡しているときは，賦課期日に「現に所有している者」が「所有者」として課税されます。なお，所有者である法人が消滅しているときも同様です。

②「所有者」が所在不明の場合

市町村は，固定資産の所有者の所在が震災，風水害，火災などの事由で不明の場合，その「使用者」を**「所有者」とみなして**固定資産課税台帳に**登録**し，固定資産税を課すことができます。

基本

原　則	1月1日（賦課期日）現在で，固定資産課税台帳に所有者として登記・登録されている者 ・不動産質権の目的となっている土地：不動産質権者 ・100年より永い地上権の目的となっている土地：地上権者	
例　外	① 台帳に登録されている所有者が1月1日前に死亡している場合	1月1日現在の「現実の所有者」
	② 災害等によって，所有者の所在が不明	1月1日現在の「使用者」

（3）区分所有にかかる家屋とその敷地についての納税（352条，352条の2）

区分所有にかかる家屋とその敷地についての固定資産税の納税は，原則として，各区分所有者が，専有部分の持分割合（共有持分の割合）に応じて按分した額を納付する義務を負います。

プラスα

・「共有物に関する課税の原則は共有者が連帯して納税義務を負う」ということの「例外」にあたる。
・いわゆる「タワーマンション」などについては，高層階の専有部分ほど負担が大きくなるように，専有部分の床面積を補正率によって補正する。

（4）徴収（364条）

固定資産税の徴収は，**普通徴収**（納税通知書を交付して徴収する方法）により行います。

プラスα

・**固定資産税の納期**：固定資産税の納期は，4月，7月，12月，2月中において，当該市町村の条例で定める。ただし，特別の事情がある場合においては，これと異なる納期を定めることができる。
・納税通知書または課税明細書は，遅くとも，納期限前10日までに，納税者に交付しなければならない。
・固定資産税を賦課・徴収する場合には，当該納税者に係る**都市計画税**（後述7参照）をあわせて賦課・徴収することができる。

3 課税標準（349条）

固定資産税の課税標準は，固定資産課税台帳に登録されている価格（以下，「**台帳登録価格**」）です。台帳登録価格は，原則として，3年間据え置かれます（基準年度主義）。

ただし，地目の変更や家屋の改築等の特別の事情により基準年度の価格を据え置くことが適当でない場合には，類似する土地・家屋の台帳登録価格によるとされます。

プラスα

・**固定資産の価格等の決定**：固定資産の価格（台帳登録価格）は，原則として市町村長が，総務大臣が定める固定資産評価基準によって，毎年３月31日までに決定する。

・**固定資産の実地調査**：市町村長は，固定資産評価員または補助員に，当該市町村所在の固定資産の状況を，毎年少なくとも１回実地に調査させる。

・**固定資産課税台帳の閲覧，証明書の交付**：固定資産課税台帳登録価格について，納税義務者本人，借地権者，建物賃借人などは，一定の範囲において，これを閲覧することができる。また，市町村長は，これらの者の請求があれば，課税台帳に記載されている一定の事項についての証明書を交付しなければならない。

・台帳閲覧の範囲は限定されている。ⅰ）納税義務者は納税義務に係る固定資産，ⅱ）借地権者は権利の目的である土地，ⅲ）建物賃借人は権利の目的である家屋とその敷地，に限られる。

・課税台帳に登録された価格に不服がある場合は，固定資産評価審査委員会に，審査の申出をすることができる。その不服を審査決定するために，市町村に，固定資産評価審査委員会が設置される。

・**縦覧帳簿の縦覧**：固定資産税の納税者は，市町村長により作成される「土地価格等縦覧帳簿」及び「家屋価格等縦覧帳簿」により，原則として，毎年４月１日から，４月20日または当該年度の最初の納期限の日のいずれか遅い日以後の日までの間，当該土地または家屋が所在する市町村内の他の土地・家屋の台帳登録価格を縦覧することができる。

・固定資産課税台帳の閲覧制度では，利害関係のある土地・家屋の閲覧しかできないため（上述参照），期限は限定されるものの，他の土地・家屋の価格と比較することができるように「縦覧制度」が設けられた。価格の比較を目的としているため，所在・地番，地目・地積，家屋の種類・構造・床面積などは記載されるが，所有者の氏名等の個人情報は記載されない。

	課税台帳の閲覧	縦覧帳簿の縦覧
誰が	納税義務者，借地権者，建物賃借人　ほか	納税者
対象	課税台帳登録価格　等	その市町村内の他の土地・家屋の台帳登録価格
期間	通年	毎年４月１日から，４月20日または当該年度の最初の納期限の日のいずれか遅い日以後の日までの間

4 税率 (350条)

基本

標準税率	100分の1.4（1.4%）

5 住宅に関する特例

住宅の所有に対して納付税額を軽減する目的で，**（1）住宅用地**に関しては**課税標準の特例**が，**（2）新築住宅**に関しては**減額の特例**が適用されています。

（1）住宅用地に対する固定資産税の課税標準の特例 (349条の3の2)

①「住宅用地」の課税標準の原則

「住宅用地」に対して課される固定資産税の課税標準は，当該住宅用地に係る固定資産税の課税標準となる価格の**3分の1**の額とされます。

②「小規模住宅用地」の課税標準

住宅用地のうち,「小規模住宅用地」（宅地の面積が200㎡以下のもの）に対して課される固定資産税の課税標準は,その土地に係る固定資産税の課税標準となるべき価格の**6分の1**の額とされます。

なお，これらの特例①②は，**貸家用**の住宅用地についても**適用**されます。

理解

① 敷地面積の200㎡超の部分 （ただし，家屋の面積の10倍以内）	台帳登録価格の1／3に軽減
② 敷地面積の200㎡以下の部分 （小規模住宅用地）	台帳登録価格の1／6に軽減

メモ

・**住宅用地とは**：専ら人の居住の用に供する家屋またはその一部を人の居住の用に供する家屋で，居住部分の割合が4分の1以上であるものの敷地の用に供されている一定の土地のこと。

・空き家等対策推進法の規定により勧告された「特定空家等の敷地」は「住宅用地」ではないので，これらの特例は適用されない。

（2）新築住宅に対する減額の特例 (地方税法附則15条の6)

一定の**新築住宅**は，その住宅に関し新たに固定資産税が課税されることとなった年度から3年度分（新築の中高層耐火建築物である住宅に係る場合は5年度分）

に限り，床面積が120㎡までの部分について，税額の２分の１相当額が減額されます（令和８年３月31日まで）。

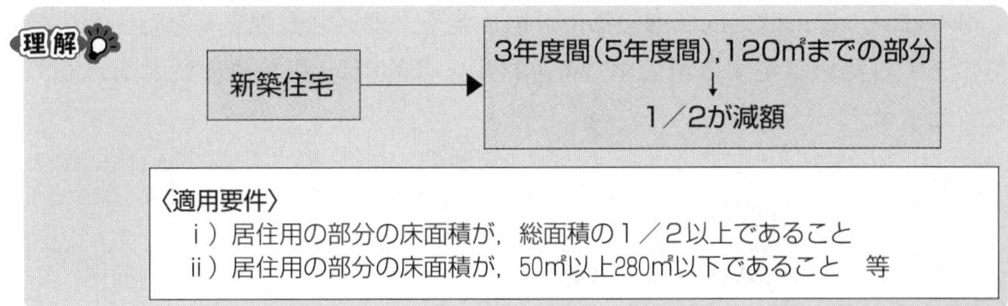

理解
新築住宅
3年度間(5年度間),120㎡までの部分
↓
1／2が減額
〈適用要件〉
ｉ）居住用の部分の床面積が，総面積の１／２以上であること
ⅱ）居住用の部分の床面積が，50㎡以上280㎡以下であること　等

6 宅地に対する負担調整措置

台帳登録価格の評価替え（公示価格の７割水準）に伴う納税者の負担感の増加に配慮し，税負担の均衡化を図るため，負担水準に応じた負担調整措置（負担水準の高い土地は，税負担を抑制（引下げ，据置き）する一方で，負担水準の低い土地については，税負担を緩やかに上昇させる措置）が講じられています。

用語 **負担水準**：個々の土地の前年度課税標準額が当該年度の価格（評価額）に対してどの程度まで達しているかを示すもの（前年度課税標準額／評価額）

まとめ

理解 〈住宅・住宅用地の特例〉

	課税標準の特例	税率の特例	減額の特例
不動産取得税	〈住宅の取得〉 ・新築住宅→１戸につき1,200万円控除 ・既存住宅→１戸につき一定額を控除 〈宅地の取得〉 ・１／２になる	3％	〈特例適用住宅用地の取得〉 一定の額を減額
固定資産税	〈住宅用地〉 ・200㎡超の部分→１／３になる ・200㎡以下の部分→１／６になる	なし	〈新築住宅〉 120㎡までの部分について，３（または５）年度間，１／２相当額が減額

7 都市計画税 (地方税法702条〜)

市町村が，都市計画区域内で都市計画事業や土地区画整理事業を行うための費用に充てるため課税する税です（市町村税・目的税）。固定資産税とあわせて徴収されます。

理解

課税対象	都市計画区域のうち，原則として市街化区域内に所在する土地及び家屋
納税義務者	「所有者」
課税標準	固定資産課税台帳登録価格
税率	0.3%（制限税率）
住宅用地に対する課税標準の特例	①敷地の面積が200㎡超の部分 ⇒台帳登録価格の2／3に軽減 ②敷地の面積が200㎡以下の部分 ⇒台帳登録価格の1／3に軽減

用語 **制限税率**：地方公共団体が，地方税法の標準税率を超えて課税する場合の，税率の上限のこと

メモ

都市計画税には，（固定資産税にある）新築住宅に対する減額の特例はない。

4 印紙税

印紙税は，主として経済取引に関連して作成される，何らかの証明力のある文書（売買契約書・領収証等）を課税文書として，その記載金額を基準に，文書の作成者に対して課税する国税（普通税）です。

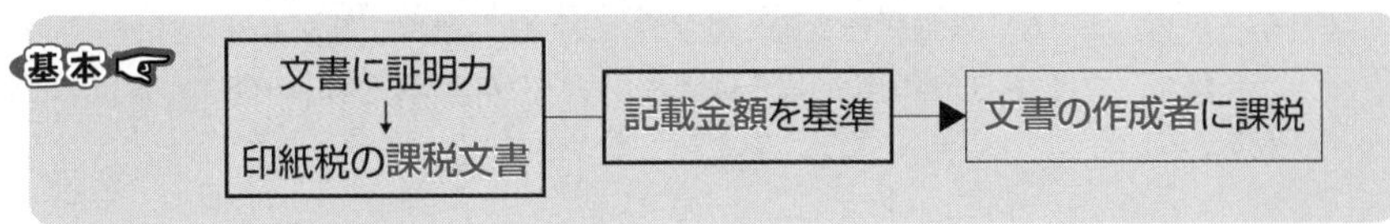

1 納税義務者及び課税の範囲

（1）納税義務者（印紙税法３条）

納税義務者＝「課税文書」の「作成者」

印紙税の納税義務者は，課税文書の作成者です。

① 課税文書を共同作成した場合

１つの課税文書を２人以上の者が共同して作成した場合は，**連帯**して**納税義務**を負います。

② 受取書（領収証）の納税義務者

金銭を受領する場合，受領者本人がその名で受領するので，作成する受取書（領収証）の作成者は**実際に受け取った者**であり，納税義務者も受領者本人になります。

本人を代理して代理人が受領する場合も，実際に受領したのが代理人であれば受取書の作成者は代理人であり，代理人が事業者である場合は，印紙税の納税義務を負います。

（2）非課税文書等（５条）

① 次の文書には，印紙税が課税されません（**非課税文書**）。

> i）国，地方公共団体等が作成する文書
> ii）委任状
> iii）建物の賃貸借契約書，抵当権設定契約書，使用貸借契約書
> iv）消費税が別に明記されていれば，その部分は非課税

② **国等と一般人が共同して作成**した文書の取扱いは，次のとおりです。

国等が保存するもの	一般人が作成したとみなされ，**課税文書**
一般人が保存するもの	国等が作成したとみなされ，**非課税文書**

メモ

国等（A）と国等以外（B）の共有地を，Cに売却する場合で，売買契約書を３通作成する場合，ⅰ）Aが所持する文書には課税，ⅱ）Bが所持する文書は非課税，ⅲ）Cが所持する文書は，Cが国等の場合は課税，ⅳ）Cが国等以外の場合は非課税，とされる。

（3）主な課税文書・記載金額（別表第１）

不動産の取引などに関連する主な課税文書と記載金額は，次のとおりです。

理解

主な課税文書	記載金額等
不動産の譲渡に関する契約書（不動産売買契約書など。予約を含む）	・記載金額は，「売買金額」 ・単価と数量だけが記載されているとき →それを計算した額が記載金額 ・記載金額が１万円未満は非課税
不動産交換契約書	・「金額が大きいほう」が記載金額 ・交換差金のみが記載されているとき →交換差金が記載金額
不動産贈与契約書	記載金額がないものとして課税される（200円）
地上権・土地の賃借権の設定・譲渡に関する契約書（土地賃貸借証書など）	記載金額は，「（後日返還されない）権利金等の額」 ・賃料，敷金，保証金等は記載金額に含めない ・後日返還が予定されているもののみある場合（敷金など）は，「記載金額の記載のないもの」として課税（200円）
請負に関する契約書	不動産売買契約書の記載に準ずる
売上代金に係る受取書（領収証）	・記載金額が５万円未満は非課税 ・営業に関しない受取書は，一切課税されない
有価証券の受取書	証券上の記載によって受取金額が明らかなとき →その額を記載金額とする

メモ

・課税文書か否か，どれが記載金額かは，文書またはその文書のどの部分に「証明力」があるかがポイント。

・課税文書に２つ以上の記載金額があり，これらが同じ課税文書にかかる場合は，合計額が記載金額となる（同一文書に土地の譲渡契約と建物の譲渡契約が記載されている場合など）。

・**土地を駐車場として使用する場合**：

i）駐車場としての設備のない更地の場合→土地の賃借権設定契約書として課税対象（月額賃料のみの記載であれば，200円）

ii）駐車場の一定の場所に特定の車両を有料で駐車する契約→不課税

その他，課税されるものとして，次のものがあります。いずれも証明力があるからです。

i）仮契約書・仮領収証
ii）課税文書の写し
iii）一の契約に正本と副本を作成する場合（そのすべてに課税）　等

メモ

「覚書」「念書」について：元の契約の内容を確認・変更する文書だが，契約の重要な事項を確認・変更する場合は課税文書となる。

例 権利の使用料・契約期間を補充・変更する覚書・契約書

（4）その他のポイント

①　契約金額の記載がないもの

契約金額の記載がないものであっても，課税文書であれば課税します（印紙税額は200円）。

②　契約金額を変更する場合

基本

増額する場合	原則，増額部分を記載金額とする
減額する場合	記載金額の記載がないものとして課税する（200円）

③　1通の文書に課税事項が併記されている場合

1通の文書に，2以上の課税事項が併記または混合記載されている文書は，そのいずれかの文書として，印紙税法のルールに基づき課税されます。

例 土地の売買契約書と建物建築請負契約書が併記されている場合

基本

原　則	不動産の譲渡に関する契約書として課税
例　外	請負に関する契約書に係る金額のほうが多い場合は，「請負に関する契約書」として課税

2 納付

（1）納付方法（8条）

印紙税は，課税文書に収入印紙を貼付する方法で納税するのが原則です。

基本

原　則	印紙納付：収入印紙により納付するのが原則 →文書の作成者が，課税文書と印紙の彩紋とにかけ，判明に印紙を消さなければならない（消印）
例　外	現金納付

メモ

印紙を消す方法：この消印は，課税文書の作成者等（自己またはその代理人（法人の代表者を含む），使用人その他の従業者）の印章または署名にて行う。

（2）納付を怠った場合（20条）

納付を怠った場合は，過怠税の徴収の対象となります。

理解

① 納付すべき印紙税を納付しない場合	納付しなかった印紙税の額と，その2倍に相当する金額との合計額（合計3倍）の過怠税を徴収
② 印紙税を納付しなかったことを自ら申告	1割増しの過怠税を徴収
③ 消印しなかった場合	消印されていない印紙の金額と同額の過怠税を徴収

（3）過誤納金の還付（14条）

印紙税に係る過誤納金があった場合には，還付を受けることができます。

5 登録免許税

登録免許税は，登記・登録・特許・免許等を受ける者に課される国税（普通税）です。対象は多数ありますが，以下，主として**不動産登記**に関して見ていきましょう。

不動産登記は，これを備えることにより第三者対抗力が付与されます。そのため，登録免許税は，国が整備する不動産登記制度の，いわば「利用料」として課税されます。

1 納税義務者 （登録免許税法３条）

納税義務者＝「登記等を受ける者」

登録免許税の納税義務者は，登記等を受ける者です。そして，登記等を受ける者が２人以上いる場合は，連帯して納税義務を負います。

メモ

・例えば，土地を売買し所有権の移転登記を受ける場合には，売主（登記義務者）と買主（登記権利者）の両方が，連帯して登録免許税を納める義務を負う。
・国・地方公共団体等が登記権利者となるときは，登録免許税は非課税となる。

理解

〈売買の場合〉

売主（登記義務者）	買主（登記権利者）	課税関係
一般人	国等	非課税
国等	一般人	課　税

2 納付

（1）現金納付の原則 （21条～24条の３）

登録免許税は，**現金納付**が原則です。すなわち，税額に相当する額を国に納付し（国税の収納を行う銀行または郵便局に現金納付），その領収証書を登記等の申請書に貼り付けて登記官署等に提出し，納付します。

ただし，登録免許税額が３万円以下その他の場合は，収入印紙による納付が認められ，また，クレジットカード等を使用する方法による納付も認められるようになりました（納付受託者制度）。

（2）納税地・納期限（８条，27条）

納税地は，受ける登記等の事務をつかさどる登記官署等の所在地，納期限は，納付の基因となる登記等を受ける時までです。

メモ

・納付した領収書（または収入印紙）等を提出書類に貼付してその書類を提出するので，納税地はその書類の提出先の登記官署，納期限は「登記等を受ける時」となる。

・不動産登記の場合の納税地は，登記所の所在地。納税義務者の住所地ではない。

（3）税額の計算

基本
課税標準額
（1,000円未満切捨て）
×
税率
=
登録免許税額
（100円未満切捨て）

3 課税標準・税率（別表第１，租税特別措置法（以下「租特」）72条）

不動産登記に関し，課税標準及び税率で重要なものは，次のとおりです。

〈「課税標準」・「税率表」〉

登記等の事項		課税標準	税率（本則）
所有権の保存の登記		不動産の価額	４／1,000
所有権の移転の登記	相　続	不動産の価額	４／1,000
	贈　与		20／1,000
	売　買		20／1,000
地上権，賃借権の設定の登記			10／1,000
所有権の移転に関する仮登記（売買の場合）			10／1,000
配偶者居住権の設定の登記			２／1,000
抵当権の設定の登記		債権金額・極度額	４／1,000
登記の抹消		不動産の個数	１個につき1,000円

・**不動産の価額**：固定資産課税台帳登録価格をいう。当該不動産の上に借地権など所有権以外の権利が存在するときは，不動産の価額は，当該権利等がないものとした場合の価額による。

・課税標準が1,000円に満たないときは，課税標準は1,000円とする。

・税率を適用して計算した金額が1,000円に満たない場合の登録免許税額は，原則として1,000円とする。

・**表示の登記**：原則，不課税。

表示に関する登記	原　則	・新築など→表示に関する登記 ・増築など→表示に関する変更の登記	不課税
	例　外	分筆・合筆（土地）・合併・合体（建物） →表示に関する変更の登記	課　税

4 登録免許税法上の特別規定（17条）

（1）所有権に基づく仮登記を本登記とする場合

例えば，所有権移転の仮登記権利者が，仮登記を本登記とする場合の税率は，**3**の**税率表**の割合から1,000分の10を控除した割合となります。

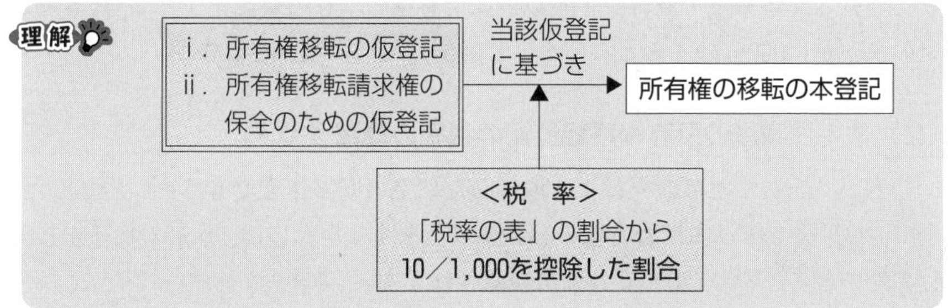

（2）所有権の移転の登記

地上権，賃借権，配偶者居住権等の設定登記がされている土地または建物について，それら権利の登記名義人（**地上権者等**）が，その土地または建物を取得して，その**所有権の移転の登記**を受けるときは，例えば，借地権者が底地を購入する場合に行う所有権の移転の登記の税率は，**3**の**税率表**の割合の２分の１の割合となります。

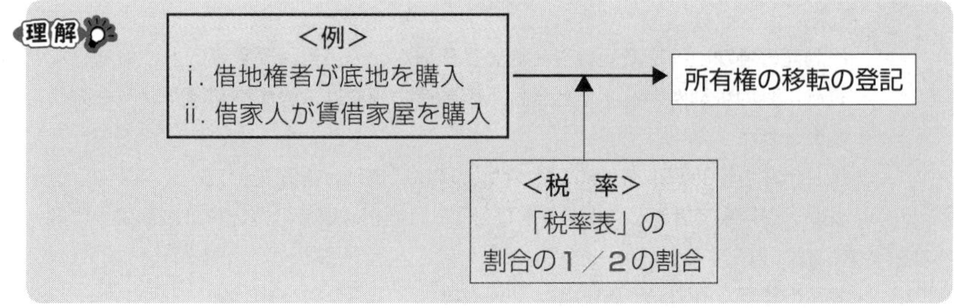
理解
＜例＞
i. 借地権者が底地を購入
ii. 借家人が賃借家屋を購入
所有権の移転の登記
＜税　率＞
「税率表」の
割合の１／２の割合

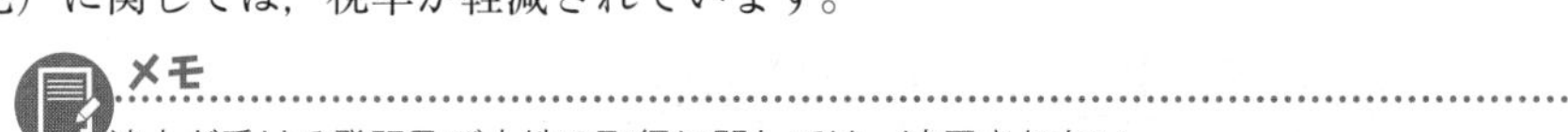

5 住宅に対する税率の軽減（租税特別措置法による税率の軽減措置）

個人の住宅取得とその登記を促進するため，**個人が取得する「住宅用家屋」**（住宅）に関しては，税率が軽減されています。

メモ
法人が受ける登記及び土地の取得に関しては，適用されない。

（1）住宅用家屋の所有権保存登記の税率の軽減

個人が，住宅を新築し，または，建築後未使用の住宅を取得し，居住の用に供した場合で，新築後・取得後１年以内に所有権の保存の登記をする場合には，本来の税率が1,000分の４のところを，1,000分の1.5に軽減されます。

（2）住宅用家屋の所有権移転登記の税率の軽減

個人が，売買または競売により取得した住宅（既存住宅でも可）に居住した場合で，取得後１年以内に所有権の移転の登記をする場合には，本来の税率が1,000分の20のところを，1,000分の３に軽減されます。

メモ
・売買または競売による取得に限られ，相続・贈与・交換などによる取得の場合には適用されない。
・「所得後１年以内」：政令で定めるやむを得ない事情がある場合は，政令で定める期間内となる。

（3）住宅取得資金の貸付等に係る抵当権設定登記の税率の軽減

個人が，新築または取得した住宅（既存住宅可）に居住した場合で，担保のため抵当権を設定・登記し，新築後または取得後１年以内に抵当権の設定の登記をする場合には，本来の税率が1,000分の４のところを，1,000分の１に軽減されます。

理解

登記の種類	軽減された税率
所有権保存登記	1.5／1,000
所有権移転登記（売買・競売）	3／1,000
抵当権設定登記	1／1,000

（4）適用要件

上記の軽減税率に共通する適用要件のうち，主なものは次のとおりです。

① 自己居住用の家屋について，個人が受ける登記であること
② 新築または取得後１年以内に受ける登記であること
③ 床面積（登記面積）が，50㎡以上の住宅であること
④ 既存住宅（中古住宅）については，新耐震基準に適合している住宅用家屋であること（登記簿上の建築日付が昭和57年１月１日以降の家屋は新耐震基準に適合しているものとみなされる）

6 税額の過誤納金の還付（登録免許税法31条）

納付した税額が多い場合や，登記の却下・取下げ等があったときは，原則として，国税通則法に定める手続により，還付を受けることができます。

メモ

納付した登録免許税に不足額があった場合には，登記所から所轄税務署に通知され，所轄税務署が不足額を徴収する。

6 土地・建物の譲渡所得税

個人の，土地・建物の譲渡による所得（いわば，“**もうけ**”）に対して課税される国税（普通税）が，土地・建物の**譲渡所得税**です。

例えば，5,000万円で購入した土地を8,000万円で売却すれば，差額3,000万円の利益が生じます。このように，土地・建物を譲渡したことによって**利益**（譲渡所得）が生じた場合には，**譲渡所得税**が課税されます。

逆に，5,000万円で購入した土地を2,000万円で売却すれば，差額3,000万円の**損失**（譲渡損失）が生じます。この場合には譲渡所得税は課税されません（「繰越控除」され得ます。後述6参照）。

メモ

- 所得税は，所得（「もうけ」）を，給与所得，事業所得，不動産所得，利子所得，譲渡所得などの10種類に分類して把握し，それぞれで所得計算をした後合算して税率（累進税率）をかけて税額を出すのを基本とする（総合課税）。ただし，土地・建物の譲渡所得は，他の所得とは別に税額を計算し，課税する（分離課税）。
- 所得税は，納税者が自分で税額を計算し，申告・納税する「申告納税」が原則。
- 借地権設定の対価としての権利金の額が，その土地の価額の10分の5を超える場合は，（不動産所得ではなく）譲渡所得として課税される。
- 営業用資産の譲渡（営利を目的として継続的に行われる資産の譲渡。例えば，賃貸専門の事業者が，所有する賃貸マンションを譲渡する場合など）は，譲渡所得ではなく，事業所得となる。

1 土地・建物の譲渡所得の計算方法

（1）税額計算の基本式（所得税法33条）

土地・建物を譲渡したことにより利益を得た場合の税額は，次のように，基本的に「譲渡所得金額」に税率を乗じて求められます。

メモ

基本的な考え方：売った値段から買った値段を引いた“もうけ”に税率を掛けて税額を出す。

理解

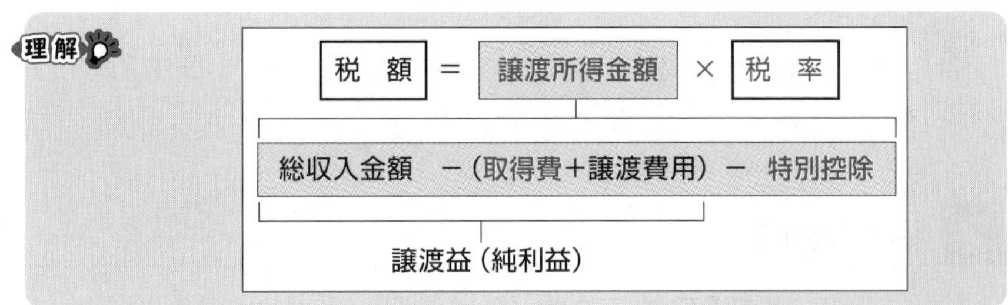

このように，（課税）譲渡所得金額は，「総収入金額」（＝売却代金）から「経費」（「取得費」と「譲渡費用」）を引いて譲渡益（純利益）を求め，さらに，政策的観点から「一定額の特別控除」（後述**2**参照）を行って求めることになります。

理解

総収入金額	著しい低額（時価の1／2未満）で法人に対して譲渡した場合は，時価譲渡とみなす
取得費	・原則として，譲渡した土地・建物の取得に要した費用と，取得後支出した設備費・改良費の合計額をいう ・不明な場合は，概算取得費控除の特例がある（後述） ・「取得費＝商品の仕入れ価格」と考えるとわかりやすい
譲渡費用	土地・建物を譲渡するのに直接かかった費用のこと 例 不動産業者に対する仲介手数料，立退料や家屋の取壊し費用など

メモ

・**贈与・相続等により取得した資産を譲渡した場合の取得費**：受贈者・相続人等が引き続き所有していたものとして，贈与者・被相続人等が取得したときの取得費が，そのまま譲渡資産の取得費となるのが原則である。

・**概算取得費控除の特例**：個人が土地・建物を譲渡した場合の取得費は，その収入金額（売却代金）の5％に相当する金額とすることができる。取得費が明らかな場合でも，この特例を適用できる。

（2）譲渡所得の区分（租特31条）

譲渡所得は，譲渡をした年の1月1日における所有期間が**5年を超えるか否か**で，**長期**と**短期**に区別します。

基本

長期譲渡所得	譲渡年1月1日における所有期間が5年を超える場合
短期譲渡所得	譲渡年1月1日における所有期間が5年以下の場合

メモ

所有期間が長期の場合には税額を低く，短期の場合には税額を高くして課税するためである。

2 特別控除

政策的見地から**税額を軽減**する目的で，譲渡益から一定額を**特別に控除**することが認められています。次の①～⑤は，いずれも，短期譲渡所得でも受けることができる特別控除です。

① 収用等された場合：5,000万円特別控除
② 居住用財産を譲渡した場合：3,000万円特別控除
③ 特定土地区画整理事業のための譲渡：2,000万円特別控除
④ 特定住宅地造成事業のための譲渡：1,500万円特別控除
⑤ 農地保有の合理化等のための譲渡：800万円特別控除
⑥ 低未利用土地等を譲渡した場合：100万円特別控除

メモ

・**重複適用**：
１年度中の１つの不動産の譲渡について，①～⑥のうち２つ以上の特別控除が該当するときは，①→⑥の順により，そのうちの１つが適用される（①～⑥の特別控除の重複適用は受けられない）。

例　居住用財産を収用され，①②ともにそれぞれ適用要件を満たす場合，①が優先的に適用される。

・**複数の特別控除の適用がある場合**：
同年中に２以上の土地等を譲渡した場合，複数の特別控除の適用を受けることができる。ただし，それら特別控除額の合計が5,000万円を超えることになる場合は，控除すべき金額は通じて5,000万円の範囲内となる。つまり，「**複数の特別控除**が適用可能なとき，その**上限は**5,000**万円**」ということである。

例　同年中に，事業用の店舗を収用され，かつ，居住用財産を譲渡した場合など

（１）収用交換等の場合の5,000万円特別控除（租特33条の４）

土地等が，いわば**強制的に譲渡**させられるような場合であり，譲渡益から5,000万円が控除されます。

i）土地等が，土地収用法，都市計画法等の規定に基づいて収用等される場合
ii）土地等が，国，地方公共団体等により，一団の住宅施設経営のために買い取られる場合　など

メモ

・長期譲渡所得及び短期譲渡所得のいずれにも適用される。
・**「収用等」の適用関係**：後述の4「収用等に伴い代替資産を取得した場合の課税の特例」（課税の繰延べ）とは，選択的に適用される（どちらか一方の適用のみ）。

（2）居住用財産を譲渡した場合の3,000万円特別控除（租特35条）

居住用の家屋，またはそれとともにその敷地を譲渡する場合には，譲渡益から3,000万円が控除されます。

メモ

・長期譲渡所得及び短期譲渡所得のいずれにも適用される。
・**居住用財産の中に「長期」と「短期」がある場合**：例えば「敷地の所有期間は3年，住宅の所有期間は7年」というように，居住用財産の譲渡所得中に短期譲渡所得と長期譲渡所得があるときは，3,000万円は，まず短期譲渡所得から控除し，控除しきれない額があれば，長期譲渡所得より控除することとなる（その方が税額が低くなる）。

①　「居住用財産」とは

居住用財産とは，次のような財産をいいます（以下同じ）。

i）現に自己が居住している家屋，及び，その敷地
ii）かつて自己が居住していた家屋，及びその敷地。ただし，その居住の用に供されなくなった日以後3年を経過する日の属する年の12月31日までの譲渡に限る

メモ

・**ii）について**：現に居住の用に供していないものでも，かつて（およそ3年前まで）居住の用に供していれば，「居住用財産」となる場合がある，ということ。
・**譲渡者が居住用の家屋を2つ以上有するとき**：その者が主として居住の用に供している1つの家屋（「生活の本拠」）に限って適用される。
・**店舗併用住宅**：（原則として）居住の用に供されている面積で按分比例して，居住用財産として扱う。

②　居住用財産の譲渡に該当しても，この特別控除が適用されない場合

次の場合は，居住用財産の3,000万円特別控除は適用されません。

i）譲受人が，譲渡者と特別な関係にある場合（例えば，譲受人が，譲渡者の配偶者，直系血族，同一の生計を営む一定の親族，あるいはいわゆる同族会社である場合）
ii）前年分または前々年分の譲渡所得について，すでにこの控除，または居住用財産の買換え・交換特例の適用を受けている場合
iii）収用交換等の譲渡に該当し，5,000万円特別控除を受ける場合（特別控除に重複適用なし）

メモ

・i）：「配偶者」および「直系血族」は，譲渡者と同一の生計を営むか否かを問わない。
・ii）：俗に，居住用財産の3,000万円控除の適用は「３年に１度」。
・**適用関係**：後述の，5居住用財産の買換特例（課税の繰延べ），及び，7住宅ローン控除とは，選択的に適用。居住用財産の課税の特例（軽減税率）とは併用適用が可能

（3）被相続人の居住用財産（空き家）に係る譲渡所得の特別控除の特例

相続または遺贈により，被相続人居住用家屋，またはその敷地等を取得した個人が，必要な耐震改修をして家屋及びその敷地を売却し，または，家屋を取り壊して土地を「更地」として売却したとき，または買主が譲渡日の属する年の翌年２月15日までに耐震改修または除却の工事を行ったときは，譲渡所得の金額から最高3,000万円まで控除することができます（平成28年４月１日から令和９年12月31日までの売却）。

① 相続の開始の直前において被相続人が「被相続人居住用家屋」に居住していたこと（相続の開始の直前において被相続人以外に居住をしていた人がいなかったこと）
② 次の要件を満たす家屋（「被相続人居住用家屋」）であること
ア）昭和56年５月31日以前に建築されたこと
イ）区分所有建物登記がされている建物でないこと
③ 相続の時から譲渡の時まで事業・貸付け・居住の用に供されていたことがないこと
④ 相続の開始があった日から３年を経過する日の属する年の12月31日までに譲渡すること
⑤ 売却代金が１億円以下であること
⑥ 譲受人が，譲渡者と特別な関係にないこと　等

3 長期譲渡所得の課税の特例（軽減税率）（租特31条）

長期譲渡所得の場合に適用される税率は原則として15%。ただし，軽減税率が適用される場合は，次のとおりです。

（1）優良住宅地の造成等のために土地等を譲渡した場合（租特31条の2）

収用等による譲渡の場合は，この特例を受けることができます。

理解

<table>
<tr><td rowspan="2">税率</td><td rowspan="2">課税長期
譲渡所得金額</td><td>2,000万円以下の部分</td><td>10%</td></tr>
<tr><td>2,000万円超の部分</td><td>15%</td></tr>
<tr><td colspan="4">次の土地等の譲渡は，優良住宅地の造成のための譲渡にあたる
i）国，地方公共団体等に対する譲渡
ii）収用，交換等による土地等の譲渡　など</td></tr>
</table>

メモ

適用関係：この特例は，特別控除及び課税の繰延べとの併用適用ができないので，収用交換等の場合でも，5,000万円特別控除の適用を受けた場合は受けられない。

（2）居住用財産を譲渡した場合（租特31条の3）

個人が，所有期間が「10年を超える」居住用財産を譲渡した場合は，他の長期譲渡所得と分離して，次のように課税されます。

<table>
<tr><td rowspan="2">税率</td><td rowspan="2">課税長期
譲渡所得金額</td><td>6,000万円以下の部分</td><td>10%</td></tr>
<tr><td>6,000万円超の部分</td><td>15%</td></tr>
<tr><td colspan="4">特例の適用を受けることができない場合
① 当該個人の配偶者等特別な関係にある相手に譲渡した場合（前出）
② その年の前年または前々年に，すでにこの特例の適用を受けている場合
③ 居住用財産の買換特例の適用を受けた場合　など</td></tr>
</table>

メモ

- **所有期間「10年超」**：（敷地が含まれる場合）家屋・敷地ともに10年超でなければならない。
- **適用関係**：5居住用財産の買換特例（課税の繰延べ。後述），及び，7住宅ローン控除とは，選択適用となる。前述の3,000万円特別控除とは併用適用が可能。また，収用交換等に該当すれば，5,000万円特別控除の適用を受けた後の課税長期譲渡所得金額については，この軽減税率の特例を受けることができる。

まとめ

理解 〈長期譲渡所得の税率〉

長期譲渡所得の原則		15%	
課税の特例（軽減税率）	優良住宅地の造成等のための譲渡（収用等による譲渡）	2,000万円以下の部分	10%
		2,000万円超の部分	15%
	居住用財産の譲渡（所有期間10年超）	6,000万円以下の部分	10%
		6,000万円超の部分	15%
（参考）	短期譲渡所得の原則	30%（国等に対する譲渡：15%）	

4 収用等に伴い代替資産を取得した場合の課税の特例（租特33条）

土地・建物等を収用等により譲渡し，その補償金等で代替資産を取得する場合には，課税が繰り延べられます。

メモ

課税の繰延べ：要は，課税を「先送りする」ということ。

理解

補償金等の額	代替資産の取得価額以下のとき	当年は課税しない
	代替資産の取得価額を超えるとき	超える部分について課税

5 居住用財産の買換特例――特定の居住用財産の買換えの場合の長期譲渡所得の課税の特例（租特36条の2，令24条の2）

所有期間が10年を超える居住用財産を譲渡し，買換資産を取得する（買い換える）場合は，課税が繰り延べられます。

すなわち，譲渡価額が買換資産の取得価額以下の場合（「譲渡代金≦買換資産の購入代金」）は，今回の譲渡所得については課税しないとすることができ，譲渡価額が買換資産の取得価額を超える場合は，その超える部分について課税されます（課税の繰延べ，令和7年12月31日までの譲渡について適用）。

所有期間10年超の居住用財産の買換え → 買換特例

〈適用要件のポイント〉

譲渡資産	ｉ）所有期間：10年超 ii）居住期間：10年以上 iii）譲渡対価：１億円以下
買換資産	ｉ）家屋の床面積：50㎡以上 ii）土地の面積：500㎡以下 iii）既存住宅の築年数： ア）取得の日以前25年以内に建築されたものであること，または，イ）一定の耐震基準等に適合する建築物であること，のどちらかを満たすこと（取得後の改修でも可） iv）買換資産は，譲渡資産を譲渡した年の前年に取得したもの，または，譲渡した年の翌年に取得するものであってもよい

メモ

・**併用関係**：居住用財産を譲渡した場合の3,000万円の特別控除，課税の特例（10%・15%の軽減税率の適用），住宅ローン控除とは，選択的に適用される（いずれかを選んで適用を受けられる）。

・課税の繰延べは，他の特例と併用して適用できない。

6 居住用財産について生じた譲渡損失の損益通算及び繰越控除（租特41条の５，41条の５の２）

所有期間が長期（５年超）である居住用財産の買換え，または譲渡にあたって，譲渡損失の金額が生じた場合は，一定の要件の下，その年について他の所得と損益通算をした後，翌年以後３年にわたって，各年分の所得税について控除することができます（令和７年12月31日までの譲渡について適用）。

メモ

住宅の買換えの際に譲渡損が生じたときや，住宅を売ってもその代金で住宅ローンを返済しきれない場合に，所得税を減税する制度である。ただし，買換資産取得のため（買換えの場合），または譲渡資産に係る（譲渡の場合）償還期間10年以上の住宅ローンがなければならない。

理解

所有期間が長期の居住用財産の譲渡または買換え ⇒ 譲渡資産について譲渡損失の金額があるとき ⇒ 損益通算 ↓ 繰越控除

主な適用要件	i ）譲渡資産の所有期間：５年超（長期） ii ）買換資産の床面積：50㎡以上 iii ）繰越控除を受ける年分の合計所得金額：3,000万円以下

メモ

居住用財産の買換えの場合には，この損失繰越控除制度は，住宅ローン控除制度と併用して適用できる。

7 住宅借入金等を有する場合の所得税額の特別控除（住宅ローン控除）

（1）概要（租特41条，令26条）

個人が，居住用の家屋（新築または既存）の取得等をし，その取得とともにする対象住宅の敷地の用に供される土地等の取得に要する資金に充てるための借入金があるとき，その借入金の年末残高の一定割合に相当する額が，一定期間，各年の所得税額から控除される制度です（いわゆる住宅ローン控除制度。）。

メモ

所得税につき，ここまでは「土地・建物を譲渡した場合」の税制を検討してきたが，住宅ローン控除制度は，「住宅（土地・建物）を取得した場合」の税制である。

理解

居住用の家屋･敷地を取得 ↓ 取得に要する資金に充てるための借入金あり ⇒ 借入金の年末残高の一定割合 ↓ 一定期間,各年の所得税額から控除

メモ

- **適用関係**：居住用財産の譲渡にかかる，3,000万円特別控除・課税の特例（軽減税率）・買換特例とは，選択的に適用される。
- **借入金**：償還期間が13年以上の住宅取得借入金等で，銀行等の民間融資，公的融資が対象。個人的な借入金は対象とならない。
- 「借入金の年末残高」には借入限度額があり，住宅の区分により異なり，省エネ性能が高い程限度額は高くなる（「認定住宅」：5,000万円，ZEH 水準省エネ住宅：4,500万円，など）。

（2）主な適用要件

ローンを組む	・金融機関等の13年以上のローンを組み，住宅（住宅とその敷地）を取得すること ・敷地部分の取得資金や住宅の増改築資金も対象となる
居住要件	取得後６カ月以内に居住の用に供すること
適用関係	適用を受ける年度及び前２年・後３年に，居住用財産の3,000万円特別控除，課税の特例（軽減税率）及び買換特例の適用を受けていないこと（これらとは選択適用）
年間所得金額	・2,000万円以下であること ・2,000万円を超える年度については適用を受けられない
床面積	（原則）50㎡以上であること
既存住宅	新耐震基準に適合していること（登記簿上の建築日付が昭和57年１月１日以降の家屋については新耐震基準に適合しているものとみなす）
住　宅	床面積の１／２以上が居住の用に供されていること
確定申告	適用を受けるには確定申告が必要

メモ

・**再居住者の住宅ローン控除の再適用**：住宅ローン控除の適用を受けていた居住者が，転勤等やむを得ない事情により居住できなくなった後に再入居した場合には，一定要件の下，住宅ローン控除の再適用を受けられる。
・給与所得者は，初年度に確定申告した後，翌年度以降は，年末調整により適用を受けられる。

7 贈与税

1 贈与税とは

贈与税は，個人が個人から財産の贈与を受けた場合，**贈与を受けた者**に課せられる国税です。納税義務者は，贈与を受けた個人です。

メモ

法人間の贈与または個人から法人への贈与は，法人税の課税対象となり，法人から個人への贈与は，所得税の課税対象となる。

2 贈与税額の計算

（1）贈与税の税額計算・基礎控除（相続税法21条の５，租特70条の２～）

贈与税は，１年間に贈与を受けた財産の価額の合計額（評価方法は，相続税と同様）から，基礎控除額を控除し，その残額に税率（～55％の超過累進税率）を乗じて計算します（暦年課税）。基礎控除額は，年間110万円です。

（2）相続時精算課税制度

①　一般の相続時精算課税制度（相続税法21条の９）

親世代が保有する資産を，子の世代に円滑に移転させるための制度です。

すなわち，生前贈与をした場合に，受贈時には比較的低い税率で贈与税を納税しておいて，その後相続が発生した時に，贈与を受けた財産と相続財産とを合計した価額を基に計算した相続税額から，すでに納税した贈与税額を控除して相続税を納税するという，贈与税と相続税を一体化させた納税をすることができます。相続税としての納税を相続時まで先送りする制度，ということもできます。

贈与財産の種類，金額，贈与の回数に，制限はありません。

〈一般の相続時精算課税制度のポイント〉

適用対象者	贈与者：60歳以上の親 受贈者：18歳以上の子である推定相続人（及び代襲相続人） ・年齢は，贈与年の１月１日現在の年齢 ・受贈者の所得要件はない
特別控除	2,500万円 ・贈与を受ける金額や回数に制限はない
贈与税率（税額計算）	20%（一律） ・受贈額から特別控除額を控除した後の金額に，20%の税率を掛けて，税額を算出する

メモ

・適用を受けるためには，最初の贈与を受けた年の翌年の３月15日までに確定申告をしなければならない。

・この制度を利用すると，それ以降の同一贈与者からの贈与は全て相続時精算課税制度での贈与となり，歴年課税に戻すことはできない（110万円以下の贈与でも同様）。

・なお，令和６年１月１日以降の贈与から，基礎控除110万円が控除される。

② 住宅取得等資金に係る特例（租特70条の３）

贈与者の年齢制限 → なし

自己の居住の用に供する一定の家屋（住宅用家屋）を取得するために，金銭で「住宅取得等資金」の贈与を受けた場合には，さらに次の特例措置（「**特定の贈与者から住宅取得等資金の贈与を受けた場合の相続時精算課税の特例**」）が講じられています。

住宅取得等資金とは，自己の住宅用家屋を取得する資金，または自己の住宅用家屋の増改築資金のことです。

60歳未満の親から18歳以上の子・孫などに，住宅取得のための金銭の贈与をした場合に，適用できることになります。なお，**金銭の贈与**でなければならない点に注意が必要です。

〈住宅用家屋の主な要件〉

ⅰ）床面積→40㎡以上

ⅱ）床面積の１／２以上が専ら居住用であること

ⅲ）既存住宅：新耐震基準に適合すること（登記簿上の建築日付が昭和57年１月１日以降の場合は，新耐震基準に適合しているものとみなされる）

（3）住宅取得等資金の贈与を受けた場合の贈与税の非課税制度（租特70条の2）

（2）と同様に，「住宅取得等資金」として金銭の贈与を受けた場合ですが，（2）が相続時に「精算」する，いわば相続を前倒しして生前贈与を受ける制度であり，時期は前後するものの相続財産の全部を対象に相続税を納税することになるのに対して，（3）は**非課税制度**であり，直系専属からの贈与であれば，その分相続財産が減少するので，納税額全体では低減される効果があります。

メモ

（2）が実質上は相続そのものであり，適用にあたり制限は少ないのに対して，（3）は非課税制度であり，適用にあたり制限は多くなる。

① 制度の概要

その年の１月１日において18歳以上の者が，自己の居住の用に供する一定の家屋（住宅用家屋）を取得するために，「**住宅取得等資金**」の贈与を，その直系尊属から受けた場合には，**所定の額**まで贈与税が**非課税**となるという制度です。

② 主な適用要件

理解

適用対象者	贈与者：直系尊属（父母または祖父母。年齢不問） 受贈者：18歳以上の子である推定相続人及び代襲相続人 ・年齢：贈与年の１月１日現在の年齢 ・受贈者の合計所得金額：2,000万円以下
非課税限度額	令和６年１月１日～令和８年12月31日までの贈与の場合 ア）1,000万円（省エネルギー性，耐震性等を備えた良質な住宅用家屋） イ）500万円（ア）以外。例えば一般の住宅用家屋など）
「住宅用家屋」	ｉ）床面積→40㎡以上240㎡以下 ⅱ）床面積の１／２以上が専ら居住用であること ⅲ）既存住宅：新耐震基準に適合すること（登記簿上の建築日付が昭和57年１月１日以降の住宅の場合は，新耐震基準に適合しているものとみなされる）
期限について	贈与を受けた年の翌年の３月15日までに受贈額全額を住宅取得等資金に充て，同日までに居住することまたは同日後居住することが確実であること

第2章 地価公示法と土地・建物の鑑定評価

データ 【直近12年間の出題実績＆攻略法】

項目	H25	H26	H27	H28	H29	H30	R1	R2	R3	R4	R5	R6	重要度
地価公示法	●	●	●		●		●			●			S
土地・建物の鑑定評価				●		●		●	●		●	●	A

毎年どちらかの項目から１問出題される。地価公示法は，法令の分量も少なく，設問も比較的単純で，出題された年は必ず得点したい。一方，土地・建物の鑑定評価は「不動産鑑定評価基準」からの出題となるが，その多くは難問だ。過去の出題箇所を中心に，基本事項を理解しよう。

いずれも，本書では，“合格点をとる”ために必要な基礎知識に絞って収載した。まずはその内容を押さえてほしい。

1 地価公示

地価公示は，公示区域内に**標準地**を選定し，その**正常な価格**を公示することによって，一般の土地の取引価格に対して指標を与え，また，公共事業用地の取得に対しては適正な補償金の額を算定する規準を与えて，これらによって**適正な地価を形成**しようとする制度です。

1 地価公示の手続

土地鑑定委員会は，「**公示区域**」内の**標準地**について，毎年１回，**一定の基準日**における当該標準地の**正常な価格**を判定し，公示します。

（1）地価公示の実施範囲――標準地の選定（地価公示法２条，３条）

公示区域とは，都市計画区域その他の土地取引が相当程度見込まれるものとして**国土交通省令で定める区域**のことです。

地価公示は，その公示区域内の標準地について行います。

メモ

公示区域は，国土利用計画法上の規制区域を除き定められる。

標準地は，土地鑑定委員会が，土地の利用状況，環境等が通常と認められる一団の土地について選定します。なお，一筆の土地でなくてもよく，更地である必要もありません。また，地上権などの権利が設定されていても構いません。

メモ

標準地は，市街化調整区域内でも，都市計画区域外でも選定できる（公示区域内）。

基本 〈標準地〉

選定する場所	公示区域内
選定する者	土地鑑定委員会
選定基準	自然的・社会的条件からみて類似の利用価値を有する地域において，土地の利用状況，環境等が**通常と認められる一団の土地**について選定

（2）正常な価格の鑑定，判定（2条）

土地鑑定委員会は，２人以上の不動産鑑定士の鑑定評価を求め，その結果を審査し，必要な調整を行って，一定の基準日における標準地の**正常な価格**を判定し，公示します。

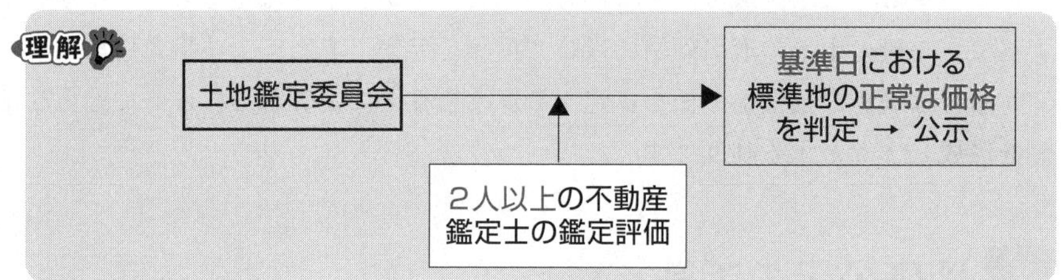

メモ

- **標準地の鑑定評価**は，近傍類地の取引価格や地代等から算定される推定の価格等を勘案して行われる。
- **正常な価格を判定する基準日**：毎年「1月1日」
- **正常な価格**とは，土地について，自由な取引が行われる場合に通常成立すると認められる取引価格をいう。

・正常な価格は，当該土地に建物，その他の定着物，または地上権その他土地の使用・収益を制限する権利がある場合は，「それらが存しない」とした**更地**の取引価格である。
・標準地の正常な価格を最終的に判定するのは，土地鑑定委員会である点に注意。

（3）正常な価格の公示（6条）

土地鑑定委員会は，標準地の正常な価格を判定したときは，すみやかに官報で公示しなければなりません。

〈官報で公示する主な事項〉
① 標準地の所在
② 標準地の単位面積（平方メートル）当たりの価格・価格判定の基準日
③ 標準地の地積・形状　④ 標準地及びその周辺の土地の利用の現況
⑤ 標準地の前面道路の状況
⑥ 標準地についての水道・ガス供給施設及び下水道の整備状況，鉄道その他の交通施設との接近の状況，都市計画法その他法令に基づく制限で主要なもの　等

メモ
標準地の周辺の土地の単位面積当たりの価格や標準地の価格の総額は，公示事項でない。

（4）公示事項を記載した書面等の送付と閲覧（7条）

土地鑑定委員会は，公示した標準地の各**市町村長**に，その属する都道府県内の全部の標準地の公示事項を記載した書面及び図面を送付します。

市町村長は，当該図書を，その事務所で一般の閲覧に供しなければなりません。

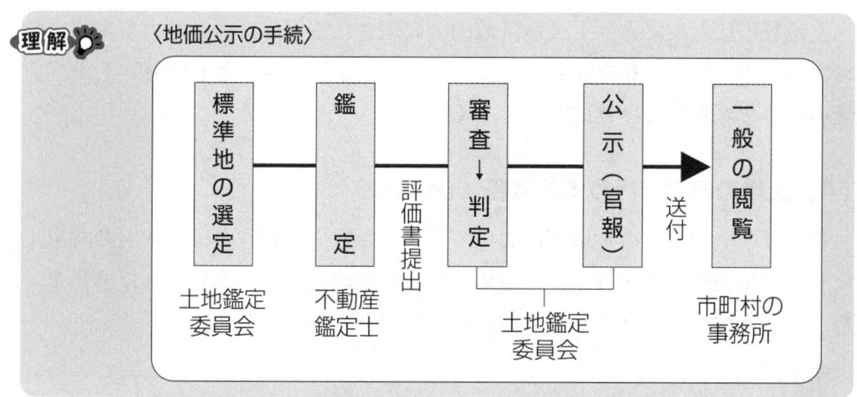

メモ

閲覧に供するのは「市町村の事務所」であって，都道府県の事務所ではない。

2 公示価格の効力

（1）不動産鑑定士についての準則（8条）

不動産鑑定士が，公示区域内の土地について鑑定評価を行う場合において，その土地の正常な価格を求めるときは，標準地の公示価格を「**規準**」としなければなりません。

メモ

「**公示価格を規準とする**」とは，対象土地の価格を求めるに際して，当該対象土地とこれに類似する利用価値を有すると認められる1または2以上の標準地との位置，地積，環境等の土地の客観的価値に作用する諸要因についての比較を行い，その結果に基づき，当該標準地の公示価格と当該対象土地の価格との間に均衡を保たせること。

（2）公共事業用地の取得価格算定の準則（9条）

土地収用法その他の法律によって土地を収用できる事業を行う者が，公示区域内の土地をその事業用地として取得する場合の取得価格を定めるときは，公示価格を「規準」としなければなりません。

（3）土地収用法の補償金額算定の準則（10条）

土地収用法71条により，公示区域内の収用される土地についての事業認定時における相当な価格を算定するときは，公示価格を「規準」として算定した当該土地の価格を考慮しなければなりません。

（4）土地の取引を行う者の責務（1条の2）

都市及びその周辺の地域等において，土地の取引を行う者は，取引の対象土地に類似する利用価値を有すると認められる標準地について公示された価格を「**指標**」として取引を行うよう**努めなければなりません**。

メモ

国または地方公共団体が，一般人の立場でその所有する土地の取引を行う場合は，公示価格を指標として取引を行うよう努めなければならない。

2 土地・建物の鑑定評価

1 不動産の鑑定評価とは（不動産の鑑定評価に関する法律２条）

不動産の経済的価値は，それを売買・交換した場合に**価格**として表れ，また，それを使用・収益した場合には**賃料**として表れます。土地・建物等の権利の適正な経済価値を判定し，その結果を**価額に表示**することが，**不動産の鑑定評価**です。

メモ

不動産の価格は，その不動産の効用が最高度に発揮される可能性に最も富む使用（最有効使用）を前提として把握される価格を標準として形成される。

2 鑑定評価の基本的事項（鑑定評価基準総論第５章）

不動産の鑑定評価にあたっては，基本的事項として，対象不動産，価格時点及び価格・賃料の種類を確定しなければなりません。

（1）対象不動産の確定

不動産の鑑定評価を行うにあたっては，まず，鑑定評価の対象となる土地・建物及び対象となる権利を確定しなければなりません。

（2）価格時点の確定

不動産の価格は，その**判定の基準となった日においてのみ妥当**とします。この基準日を「**価格時点**」といいます。

価格時点は，鑑定評価を行う「年月日」を基準として，**ⅰ）現在の場合**（現在時点），**ⅱ）過去の場合**（過去時点），**ⅲ）将来の場合**（将来時点）に分けられます。

メモ

・過去や将来時点での鑑定評価も可能である。

・**賃料の価格時点**：賃料の算定の期間の収益性を反映するものとして，その期間の期首となる。

（3）鑑定評価によって求める価格の確定

不動産の鑑定評価によって求める価格は，**基本的には正常価格**ですが，鑑定評価の目的などに応じて限定価格，特殊価格等を求める場合もあります。

理解

正常価格	**市場性を有する**不動産について，現実の社会経済情勢の下で合理的と考えられる条件を満たす市場で形成されるであろう市場価格を表示する適正な価格のこと
限定価格	**市場性を有する**不動産について，不動産と取得する他の不動産との併合または不動産の一部を取得する際の分割等に基づき，正常価格と同一の市場概念の下において形成されるであろう市場価値と乖離することにより，**市場が相対的に限定**される場合における取得部分の当該市場限定に基づく市場価値を適正に表示する価格のこと
特定価格	・**市場性を有する**不動産について，法令等による社会的要請を背景とする**鑑定評価目的の**下で，正常価格の前提となる諸条件を満たさないことにより正常価格と同一の市場概念の下において形成されるであろう市場価値と乖離することとなる場合における不動産の経済価値を適正に表示する価格のこと ・例えば，民事再生法に基づく鑑定評価目的の下で，事業の継続を前提とした価格や，早期売却を前提とした価格を求める場合など
特殊価格	・文化財等の一般的に**市場性を有しない**不動産について，その利用現況等を前提とした不動産の経済価値を適正に表示する価格のこと ・文化財の指定を受けた建造物・宗教建築物などについて，保存等に主眼をおいた鑑定評価を行う場合などに適用する

用語

- **合理的な市場**：市場統制等がない公開の市場で，需要者及び供給者が売り急ぎ，買い進み等特別の動機によらないで行動する市場をいう
- **限定価格**：例えば，借地権が設定されている土地について，借地権者が底地を購入する場合と第三者が購入する場合とでは，市場で形成される価格が異なる
- **乖離**（かいり）：かけ離れていること
- **限定価格を求める場合の例**：ｉ）借地権者が底地を購入する場合，ii）隣接する不動産を購入する場合，iii）経済合理性に反して不動産を分割して売却する場合

メモ

不動産鑑定評価によって求める「賃料」は，一般的には「正常賃料」または「継続賃料」である。ほかに，「限定賃料」を求める場合もある。

3 不動産の価格を求める鑑定評価の３手法(第７章，第８章)

不動産価格の鑑定評価の手法には，原価法，取引事例比較法，収益還元法の３つの手法があります。

基本

手法	試算価格	着目点
原価法	積算価格	不動産の再調達に要する原価
取引事例比較法	比準価格	現実の取引事例
収益還元法	収益価格	不動産から生み出される収益

この場合，地域分析及び個別分析により把握した対象不動産に係る市場の特性等を適切に反映した**複数の鑑定評価の手法**を適用すべきであり，対象不動産の種類，所在地の実情，資料の信頼性等により，複数の鑑定評価の手法の適用が困難な場合においても，その考え方をできるだけ**参酌するように努めるべき**とされます。

（1）試算にあたっての留意事項

① 事例の収集及び選択

原価法の適用にあたっては**建設事例**が，取引事例比較法の適用にあたっては**取引事例**が，収益還元法の適用にあたっては**収益事例**（以下，「取引事例等」）が必要ですが，これら取引事例等は，鑑定評価の各手法に即応し，適切にして合理的な計画に基づき，豊富に秩序正しく収集・選択すべきであり，投機的取引であると認められる事例等，適正さを欠くものであってはなりません。

取引事例等は，次の要件の全部を備えるもののうちから選択します。

i）**近隣地域または同一需給圏内の類似地域**（必要やむを得ない場合には近隣地域の周辺の地域）**に存在する不動産，または同一需給圏内の代替競争不動産に係るものであること**
ii）**取引事情が正常なもの，または正常なものに補正できること**
iii）**時点修正が可能なこと**
iv）**地域要因の比較及び個別的要因の比較が可能であること**（例えば，木造平屋建ての建物と鉄筋コンクリート造５階建ての建築物の比較は不可）

用語 **同一需給圏**：不動産の価格を求める対象不動産と代替関係が成立して，その価格の形成について相互に影響を及ぼすような関係にある他の不動産の存する圏域をいう

② 事情補正

取引事例等に係る取引等が特殊な事情を含み，これが当該取引価格等に影響を及ぼしているときは，適切に補正しなければなりません。

メモ

特殊な事情を含んでいても，それを正常なものに補正できるものであれば，取引事例として用いることができる。

基本

増額補正	相続・転勤等により，売り急いで取引されたとき
減額補正	投機目的で買い進んで取引されたとき

③ 時点修正

取引事例等の取引時点が「価格時点」と異なり，その間に価格水準に変動があると認められる場合は，取引事例等の取引価格を，価格時点におけるものに修正しなければなりません。

④ 地域要因の比較

用途的地域としての近隣地域において多数の事例を収集できない場合は，同一需給圏内の類似地域に存在する事例，または，同一需給圏内の代替競争不動産に係る事例を収集することになります。この場合は，地域要因を比較しなければなりません。

プラスα

例えば，住宅地域の「**地域要因**」として，次のようなものがある。

例 日照・温度・湿度・風向等の気象の状態，街路の幅員，都心との距離・交通施設，商業施設の配置の状態，上下水道・ガス等の供給・処理施設の状態，情報通信基盤の整備の状態，公共施設・公益的施設等の配置の状態，汚水処理場等嫌悪施設の有無，洪水・地すべり等の災害の発生の危険性，騒音・大気の汚染・土壌汚染等の公害の発生の程度，各画地の面積・配置・利用の状態，街並みの状態，眺望・景観等の自然的環境の良否，土地利用に関する計画・規制の状態

⑤ 個別的要因の比較

収集した事例に係る不動産と対象不動産との個別的要因(間口，奥行，日照等)の比較は，必ず行われなければなりません。

プラスα

例えば，住宅地の「個別的要因」として，次のようなものがある。

例 地勢，地質，地盤，日照，通風，乾湿，間口，奥行，地積，形状，高低・角地その他の接面街路との関係，接面街路の幅員，交通施設との距離，商業施設・公共施設等との接近の程度，汚水処理場等嫌悪施設との接近の程度，上下水道・ガス等の供給・処理施設の有無・その利用の難易，情報通信基盤の利用の難易，土壌汚染の有無及びその状態，公法上・私法上の規制　等

（2）原価法

① 原価法とは

原価法は，対象不動産の価格時点における「再調達原価」を求め，これを「減価修正」して「積算価格」を求める方式です。

再調達原価　－　減価修正　＝　積算価格

メモ

・**再調達原価**：ある不動産を，価格時点において新たに再調達することを想定した場合に必要とされる適正な原価の総額。同一同等の工法，同一同等の材質を用いて，請負の形態による再調達を想定する（請負業者の利益も加算して計算）。なお，建設資材・工法等の変遷があった場合は，対象不動産と同等の有用性を持つものに置き換えて求めた原価（置換原価）を，再調達原価とする。

・**減価修正における減価の要因**：

例 ⅰ）物理的減価：使用によって生ずる摩滅，破損，老朽化等
ⅱ）機能的減価：形式の旧式化，設備の不足等
ⅲ）経済的減価：高層ビル街の中の木造店舗等，環境に適合していない建築物等

② 原価法の特徴

原価法は，再調達原価の把握と減価修正を適正に行うことができるものに適用できる方法です（例 建物の鑑定評価）。したがって，土地については，造成地，埋立地等，再調達原価が把握できる場合以外は，適用できません。

このように，原価法は既成市街地内の土地の鑑定評価には不向きな方式ですが，たとえ既成市街地でも「建物及びその敷地」については，敷地の評価を取引事例比較法または収益還元法により行うことによって，全体として，原価法による鑑定評価をすることができます。

プラスα

原価法の土地についての適用：宅地造成直後と価格時点を比較し，公共施設等の整備等により環境の変化が価格水準に影響を与えていると認められる場合は，地域要因の変化の程度に応じた増加額を，**熟成度**として加算できる。

(3) 取引事例比較法

取引事例比較法は，多数の適切な取引事例を収集して，これら収集した取引価格に必要に応じて「事情補正」「時点修正」を行い，さらに「地域要因」「個別的要因」の比較を行って「比準価格」を求める方式です。

・広く一般的に用いられる方式だが，不動産取引のない地域の不動産や，取引事例のない不動産（神社，仏閣等）については適用できない。

・事情補正・時点修正等の内容は，前述①②③参照。

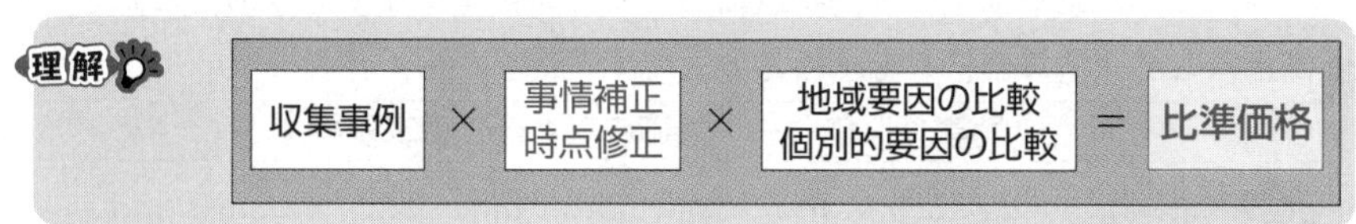

(4) 収益還元法

① 収益還元法とは

収益還元法は，対象不動産が将来生み出すであろうと期待される純収益の現在価値の総和を求めることによって，「収益価格」を求める方式です。賃貸用不動産あるいは賃貸以外の事業用不動産の価格を求める場合に，特に有効です。

また，収益還元法は，文化財の指定を受けた建造物等の一般的に市場性を有しない不動産以外のものには基本的に**すべて適用すべき**であり，自用の不動産といえども，**賃貸を想定**することにより適用されます。

なお，市場における土地の取引価格の上昇が著しいときは，その価格と収益価格との乖離が増大するものであるので，先走りがちな取引価格に対する有力な験証手段として，収益還元法が活用されるべきである。

② 収益価格を求める方法

収益価格を求める方法には，**直接還元法**と**DCF 法**があります。

ⅰ）直接還元法

一期間の純収益を，還元利回りで還元して収益価格を求める方法です。例えば，まず，１年間の総収入金額から，その収益を生み出すのに必要な経費を差し引いて，１年間の純収益を求め，それを還元利回りで割れば，直接還元法による**収益価格**が求められます。

$$\frac{\text{純収益（総収入－収益を生み出すのに必要な総経費）}}{\text{還元利回り}}＝\text{収益価格}$$

メモ

・例えば，１年間の純収益が500万円，還元利回りを５％とした賃貸物件の収益価格は，１億円ということになる。

・**経費の例**：各種税金，火災保険料，維持管理費，貸倒れ準備金など。

・**還元利回り**：その不動産の収益性を表すもの。最も一般的な投資の利回り（例 国債，公社債の利回り）を標準として，投資対象としての危険性，安全性を総合的に比較して求める。

ii）DCF 法

連続する複数の期間を投資期間と想定して，その期間に発生する純収益及び復帰価格（保有期間の満了時点における対象不動産の価格）を，その発生時期に応じて現在価値に割り引き，それぞれを合計して収益価格を求める方法です。

メモ

・例えば，賃貸マンションを投資期間５年間として購入する場合，その５年間に賃料等から得られる純収益と，５年後にその物件を売却した場合に想定される不動産の価格を，それぞれ現在価値に割り引き合計して，収益価格を求めることになる。

・**直接還元法，DCF 法の適用**：

i）直接還元法・DCF 法のどちらの方法を適用するかは，収集可能な資料の範囲，対象不動産の類型及び依頼目的に即して適切に選択する。

ii）なお，証券化対象不動産の鑑定評価における収益価格を求めるに当たっては，DCF 法を適用しなければならないが，この場合においても，併せて直接還元法を適用することにより検証を行うことが適切である。

第3章 住宅金融支援機構

S 重要度

データ 【直近12年間の出題実績＆攻略法】

項目	H25	H26	H27	H28	H29	H30	R1	R2	R3	R4	R5	R6	重要度
住宅金融支援機構	●	●	●	●	●	●	●	●	●	●	●	●	S

住宅金融支援機構からは１問,「機構の業務」からの出題となる。中心的業務である「証券化支援業務」からは必ず出題され，その他の業務に関しては，その種類と概要からとなる。

本書では，過去問での出題テーマを中心に整理してまとめたが，学習方法としては,「過去問を解いてみて正解できなかった肢については本書に戻って確認する」という方法が効率がよいだろう。

1 「住宅金融支援機構」とは

住宅金融支援機構（以下,「**機構**」）は，国民の安定的な住宅取得等を図るため，一般の金融機関による住宅の建設等に必要な資金の融通を支援することを目的として，貸付債権の譲受け等の業務を行う独立行政法人です。

プラスα

- この他，機構は，国民の住生活を取り巻く環境の変化に対応した良質な住宅の建設等に必要な資金の調達等に関する情報の提供その他の援助の業務，一般の金融機関による融通を補完するための災害復興建築物の建設等に必要な資金の貸付けの業務を行っている。
- **機構に係る主務大臣**：国土交通大臣及び財務大臣

2 業務の範囲 (独立行政法人住宅金融支援機構法13条)

機構は，主として次の業務を行います。

(1) 民間金融機関による住宅資金の融通支援業務

① 証券化支援業務

機構は，民間金融機関による長期固定金利の住宅ローンの供給を支援するため，住宅ローンの申込者本人または親族が居住する**住宅の建設，購入または改良**に必要な資金の貸付けに係る民間金融機関の**貸付債権の譲受け**，及び，貸付債権を担保とする債券に係る**債務保証**を行います。それを，**証券化支援業務**といいます。

機構は，消費者への直接融資を**原則として行わない**ので（後述**（3）**参照），この証券化支援業務が，機構の中心的な業務となります。

プラスα

証券化支援業務には，銀行等民間金融機関が長期固定金利の住宅ローンを消費者に提供することができるように，ア）民間金融機関の長期固定金利の住宅ローン貸付債権をいったん機構が譲り受け，信託銀行等に担保目的で信託し，MBS（資産担保証券）を発行する「**買取型**」と，イ）民間金融機関の長期固定金利の住宅ローンを担保として発行された債券等に係る債務の支払について，投資家に対して期日どおりの元利払を保証する「**保証型**」がある。

証券化支援業務の対象となる債権には，親族が住むための住宅建設や中古住宅の購入に係る貸付債権も含まれることに注意。

② 融資保険業務

機構は，民間金融機関の住宅ローンについて保険を行うことにより，中小金融機関をはじめとする民間住宅ローンの円滑な供給を促進します。

(2) 住情報の提供

機構は，住宅の建設・購入等をしようとする者などに対し，最良のローンを選択できるように，あるいは良質な住宅の建設等が可能となるように，必要な資金の調達，良質な住宅の設計・建設等に関する情報の提供，相談その他の援助を行います。

(3) 民間金融機関では困難な資金の融資

機構は，(個人向け住宅ローンなどの) 住宅建設・購入資金の融資 (直接融資) を，原則として行いません。

ただし，政策上重要で，しかし民間金融機関では融資が困難な①**災害関連の融資**，②**都市居住再生融資**等については，例外として，直接に融資を行います。

① 災害関連融資

機構は，災害関連融資として，次のような直接融資を行います。

> **ア) 災害復興建築物の建設・購入，被災建築物の補修に必要な資金の貸付け**
> **イ) 災害予防代替建築物の建設・購入資金，災害予防のため移転が必要な建築物の移転のための資金，災害予防関連工事のための資金，地震に対する安全性を向上させるための住宅の改良資金の貸付け**

用語
- **災害復興建築物**：災害により住宅が滅失した場合の，その住宅に代わるべき建築物のこと
- **災害予防代替建築物**：災害を防止・軽減するため，住宅部分を有する建築物を除却する必要がある場合のその建築物に代わるべき建築物のこと
- **災害予防関連工事**：災害を防止・軽減するため，住宅部分を有する建築物の敷地に擁壁・排水施設を設置・改造等するための工事のこと

② 都市居住再生融資等

機構は，合理的土地利用，子育てファミリー支援，高齢者支援などの直接融資を行います。

> **ア) 合理的土地利用建築物の建設・購入資金，または，マンションの共用部分の改良資金の貸付け**

用語 **合理的土地利用建築物**：市街地の土地の合理的な利用に寄与する一定の建築物で，相当の住宅部分を有するもの

> **イ) 子育てファミリー向け・高齢者向けの賃貸住宅建設・改良資金の貸付け**

子どもを育成する家庭，高齢者の家庭に適した良好な居住性能・居住環境を有する賃貸住宅の建設または改良に必要な資金の貸付けを行います。つまり，「賃貸オーナー」向けの融資で，例えば，子育て世帯向け省エネ賃貸住宅の建設や，サービス付き高齢者向け賃貸住宅 (サ高住) の建設に必要な資金の貸付けなどが，これにあたります。

ウ）高齢者向けの住宅改良資金・優良賃貸住宅（中古）購入資金の貸付け

高齢者の家庭に適した良好な居住性能・居住環境を有する住宅とすることを主たる目的とする住宅（高齢者が自ら居住する場合に限る）の改良資金の貸付け，または，高齢者向け優良賃貸住宅とすることを主たる目的とする中古住宅の購入に必要な資金の貸付けを行います。

メモ

例 バリアフリー・耐震改修工事を含むリフォームを行うため必要な資金の貸付け，サービス付き高齢者向け賃貸住宅の購入に必要な資金の貸付けなど

・高齢者向けの住宅改良資金の貸付けには，死亡時一括償還（申込人が死亡したときに相続人が一括して償還する制度。後述4「業務方法書」参照）が利用できる。

エ）住宅のエネルギー消費性能の向上を主たる目的とする住宅の改良に必要な資金の貸付け

（4）団体信用生命保険業務

機構は，貸付けを受けた者とあらかじめ締結した（団体信用生命）保険契約に基づき，その者が死亡等した場合（重度障害の状態となった場合を含む）に支払われる死亡保険金等を，当該貸付けに係る債務の弁済に充当する業務を行います。

用語 **団体信用生命（団信）**：債務者本人が死亡または重度障害となったときには，ローン残額に相当する額の保険金が支払われる生命保険商品のこと

（5）財形住宅貸付業務等

機構は，事業主等から，雇用・能力開発機構が行う貸付けに係る住宅資金の貸付けを受けることができない勤労者に対し，住宅資金を貸し付ける業務（財形住宅貸付業務）を行います。

（6）空家等対策援助業務

機構は，市町村または空家等管理活用支援法人からの委託に基づき，空家等および空家等の跡地の活用の推進に必要な資金の融通に関する情報の提供その他の援助を行うことができます。

3 業務の委託（16条）

機構は，その業務のうちの一定の業務を，一定の金融機関や地方公共団体等に委託することができます。

① **一定の金融機関に委託できる業務**
　i）貸付債権に係る元利金の回収に関する業務
　ii）機構の直接融資業務
　　→ただし，貸付けの決定・工事の審査は委託できない
　iii）団体信用生命保険業務
　　→なお，生命保険等の契約の締結は委託できない
　　→貸付けの決定は委託できない
② **債権回収会社に委託できる業務**
　　→貸付債権に係る元利金の回収に関する業務を委託できる
③ **地方公共団体，指定確認検査機関である法人，登録住宅性能評価機関である法人に委託できる業務**
　i）貸付金に係る建築物等に関する工事の審査
　ii）貸付けに係る建築物の規模，規格等についての審査
④ **指定構造計算適合性判定機関である法人に委託できる業務**
　　→貸付けに係る建築物の構造計算についての審査を委託できる

4 業務方法書

業務方法書とは，機構の業務の方法について基本的な事項を定めたものです。

（1）貸付債権の譲受け

貸付債権の譲受けに関しては，次の事項が定められています。

〈譲受けの対象となる債権に係る適合要件〉
i）自己居住用または親族居住用に住宅を建設・購入する者に対する貸付けであること
ii）元利金の償還が確実であると見込まれる者に対する貸付けであること
iii）貸付け債権に係る住宅が一定の基準に適合すること
iv）償還期間は，原則として，15年以上50年以下であること
v）貸付金の利率が，貸付けの時に償還期間の全期間について定まっていること。また，償還期間が35年を超える場合で，かつ，貸付け時に償還期

間の全期間について定まっていない場合には，当初の利率を適用する期間及びその期間後に適用する利率を適用する期間が，機構が定める期間以上であること
vi）償還方法は，原則として，毎月払いの元金均等または元利均等方式により償還されるものであること（ボーナス併用可）
vii）譲り受けた債権に係る建築物または土地について，原則として，機構のために第１順位の抵当権を設定させること
viii）譲り受けた債権に係る建築物について，原則として，貸付金の償還が完了するまでの期間中火災保険を付保させること

メモ
iii）：基準に適合すれば，中古住宅の購入資金の貸付けも含まれる。
v）：貸付金の利率（金利）は，融資する金融機関により異なる。
また，長期優良住宅など省エネルギー性，耐震性などの性能を備えた住宅を取得する場合，貸付金の金利が一定期間引き下げられることがある。

（2）資金貸付け

業務方法書には，資金貸付けに関して次のような事項が定められています。

①　機構の直接融資に係る貸付金の限度，利率及び償還期間は，機構が定めること。なお，一定の災害関連融資等について，据置期間を設けることができる
②　貸付金の償還は，原則として，割賦償還の方法によること。
ただし，合理的土地利用建築物や子育てファミリー・高齢者向けの一定の賃貸住宅の建設資金の貸付け等については，割賦償還の方法によらないことができる
③　高齢者向けの住宅改良資金の貸付け等については，当該高齢者の死亡時一括償還とすることができること
④　機構が定める一定の事由により元利金の支払いが著しく困難となった場合には，貸付けの条件または延滞元利金の支払方法の変更をすることができること

メモ
③**「死亡時一括償還」**：毎月の支払は利息のみで，元金は申込人全員が死亡したときに相続人が一括して償還することができる制度。なお，「貸付け等」とは，バリアフリー工事，耐震改修工事のためのものなどが挙げられる。

第4章 取引の実務

データ【直近12年間の出題実績＆攻略法】

項目	H25	H26	H27	H28	H29	H30	R1	R2	R3	R4	R5	R6	重要度
公正競争規約	●	●	●	●	●	●	●	●	●	●	●	●	S

不動産業者が行う広告と景品の提供に対しては，「不当景品類及び不当表示防止法」（景表法）と，これに基づく「公正競争規約」により規制がかけられている。この分野での本試験での出題は1問だが，ほぼ「不動産の表示に関する公正競争規約」（表示規約）からとなる。

過去の出題でみると「常識」で解けるものが多いが，ときどき常識だけでは解けない設問もある。これを解くには規約の「知識」が必要。過去問を解いて不正解となった肢については，本書できちんと確認しよう。

1 景表法（不当景品類及び不当表示防止法）

1 概要（景表法1条，4条，5条）

不当景品類及び不当表示防止法（以下，「**景表法**」）は，不当な景品類や不当な表示による顧客の誘引を防止し，一般消費者の利益を保護するため，一般消費者による自主的かつ合理的な選択を阻害するおそれのある不当な景品類・不当表示を，制限・禁止しています。

2 措置命令（7条）

内閣総理大臣及びその委任を受けた消費者庁長官は，不当な景品類の提供または不当表示の禁止に違反する行為があるときは，事業者に対し，その行為の差止め，その行為の再発防止のために必要な事項，または，これらの実施に関連する公示その他必要な事項をすることを，命ずることができます。

また，その**命令**は，当該違反行為が**すでになくなっている場合**においても，**することができます**。

メモ

不当景品類の提供も不当表示も，いずれも繰り返し行われる可能性があるからである。

用語 **公正競争規約**：景表法に基づいて事業者団体が自主的に策定したルール（内閣総理大臣（その委任を受けた消費者庁長官）及び公正取引委員会の認定必要）。この規約に違反しない限り，景表法違反に問われることはない

2 景品類の提供の制限に関する公正競争規約

事業者は，一般消費者に対し，次に掲げる範囲を超えて景品類を提供してはなりません（不動産業における景品類の提供の制限に関する公正競争規約３条）。

理解

① 懸賞により提供する景品類（くじ引きによる方法など）	取引価額の20倍または10万円のいずれか低い価額の範囲内。 ただし，提供できる景品類の総額は，その懸賞に係る取引予定総額の100分の２以内
② 懸賞によらないで提供する景品類（不動産展示会・モデルルームなどの来訪者に対して，購入を条件としないで提供する場合など）	取引価額の10分の１または100万円のいずれか低い価額の範囲内

3 表示に関する公正競争規約

事業者は，不動産の取引に関し，広告その他の表示をするときは，次の**基準を遵守**しなければなりません。

なお，ここでの「表示」とは，顧客を誘引するための手段として事業者が不動産の内容，または取引条件その他不動産の取引（事業者自らが貸借の当事者となる場合を含む）に関する事項について行う広告その他の表示であって，その**方法を問いません**。

規約本文および施行規則のうち，宅建試験対策として以下の規定をおさえておきましょう。

1 特定事項の明示義務

理解

特定事項	明示すべき内容
建築条件付きの土地	ｉ）取引の対象が「土地」である旨 ⅱ）建築条件の内容 ⅲ）建築条件が成就しなかったときの措置
２項道路によりセットバックを要する部分を含む土地	ｉ）その旨を表示し， ⅱ）セットバックを要する部分の面積がおおむね10%以上→その面積
接道義務（建築基準法）違反の敷地（「道路」に２ｍ以上接していない土地）	「再建築不可」または「建築不可」
市街化調整区域に所在する土地	「市街化調整区域。宅地の造成及び建物の建築はできません」 ※文字の大きさ：新聞折込チラシ等→16ポイント以上の文字を使用。ただし，開発許可を受けている場合や建築の許可が確実に受けられる場合は，この明示は不要（住宅等を建築できる条件の明示は必要）
路地状部分のみで道路に接する土地→路地状部分の面積が，おおむね30%以上を占めるとき	ｉ）路地状部分を含む旨 ⅱ）路地状部分の割合または面積

傾斜地を含む土地で，次に該当するもの ア）傾斜地の割合がおおむね30%以上を占める場合（マンション及び別荘地等を除く）	ｉ）傾斜地を含む旨 ⅱ）傾斜地の割合・面積
イ）傾斜地の割合にかかわらず，傾斜地を含むことにより，土地の有効な利用が著しく阻害される場合（マンションを除く）	ｉ）その旨 ⅱ）傾斜地の割合・面積
土地の有効な利用が阻害される著しい不整形画地，区画の地盤面が２段以上に分かれている等の著しく特異な地勢の土地	その旨
土地が擁壁によっておおわれないがけの上またはがけの下	ｉ）その旨 ⅱ）建築（再建築）するにあたり制限あり→その内容
土地の全部または一部が高圧電線路下にあるとき	ｉ）その旨 ⅱ）そのおおむねの面積 ⅲ）さらに建物その他の工作物の建築が禁止されているときは，その旨も併せて明示
建築工事着手後，その工事を相当期間中断していた新築住宅・新築分譲マンション	ｉ）工事着手時期 ⅱ）中断期間

2 交通の利便性

① 交通の利便

・公共交通機関を利用することが通例の場合

ア）鉄道等の最寄駅等の名称及び物件から最寄駅等までの徒歩所要時間を明示して表示

イ）鉄道等の最寄駅等までバスを利用

→最寄駅等の名称，物件から最寄りのバス停留所までの徒歩所要時間，同停留所から最寄駅等までのバス所要時間を明示して表示

ウ）バスのみを利用

→最寄りのバス停留所の名称，物件から同停留所までの徒歩所要時間を明示して表示

②　**交通機関の所要時間**

ア）朝の通勤ラッシュ時の所要時間を明示する。この場合，平常時の所要時間をその旨を明示して併記することができる
イ）乗換えを要するときはその旨を明示し，上記ア）の所要時間には乗り換えにおおむね要する時間を含めること

③　**公共交通機関**

・原　則：現に利用できるものを表示。特定の時期にのみ利用できるものは，その時期を明示して表示する
・例　外：新設の路線
→路線の新設に係る国土交通大臣の許可処分等の内容を明示して表示できる

④　**新設予定の駅等**

当該路線の運行主体が公表したものに限り，その新設予定時期を明示して表示することができます。

3 各種施設までの距離または所要時間

①　**道路距離・所要時間の表示**

道路距離または所要時間を表示するときは，起点及び着点を明示して表示します。その際の物件の**起点は**，物件の区画のうち駅その他施設に**最も近い地点**（マンション・アパート：**最も近い建物の出入口**（エントランス））とし，駅その他の施設の**着点は**，**その施設の出入口**（施設の利用時間内において常時利用できるもの）としなければなりません。

②　**団地と駅その他の施設との間の道路距離または所要時間**

団地（一団の宅地または建物）と駅その他の施設との間の道路距離または所要時間は，取引する区画のうち，それぞれの施設ごとに，その施設から**最も近い区画を起点として算出した数値**とともに，その施設から**最も遠い区画を起点として算出した数値**も表示しなければなりません。

・**マンション・アパートの場合**：駅その他の施設から**最も近い建物の出入口**を起点として算出した数値とともに，**最も遠い建物の出入口**を起点として算出した数値も表示する。
・**表示例**：「○○駅まで５分～10分」「市役所まで100m～150m」など。

③ **徒歩による所要時間**

「道路距離80mにつき1分間を要する」として算出した数値を表示する必要があります。1分未満の**端数**が生じたときは，**1分**として**切り上げて**算出します。

④ **自動車・自転車による所要時間**

いずれも，道路距離を明示して，走行に通常要する時間を表示しなければなりません。

なお，自動車による所要時間については，表示された時間が有料道路の通行を含むときはその旨を明示すること（その道路が高速自動車国道であって，周知のものであるときは，有料である旨の表示は省略可）。

4 面積

① **面積**

「メートル法」により表示する必要があります。なお，1㎡未満の数値は，切り捨てて表示できます。

② **土地の面積**

水平投影面積を表示します。

なお，取引する全ての区画の面積を表示するのが原則ですが，パンフレット等の媒体を除き，最小土地面積及び最大土地面積のみで表示することができます。

③ **建物の面積（マンションでは専有面積）**

延べ面積を表示します。車庫，地下室等（地下居室は除く）の面積を含むときは，その旨及びその面積を表示する必要があります。

取引する全ての建物の面積を表示するのが原則ですが，新築分譲住宅，新築分譲マンション，一棟リノベーションマンション，新築賃貸マンション・アパートなどについては，パンフレット等の媒体を除き，最小建物面積及び最大建物面積のみで表示することができます。

メモ

・住宅の居室等の広さを畳数で表示する場合は，畳1枚当たりの広さは1.62㎡（壁心面積を畳数で割った数値）以上の広さがなければならない。

5 物件の形質

① 採光及び換気のための窓等の開口部の面積の床面積に対する割合が，法の規定に適合していないため，居室と認められない部分

「納戸」等と表示します。

② 地目

登記簿に記録されているものを表示する必要があります。なお，現況の地目と異なるときは，現況の地目を併記することができます。

③ 宅地の造成材料・建物の建築材料について，これを強調して表示するとき

その材料が使用されている部位を明示する必要があります。

④ 建物の増改築，改装，改修

建物を増築，改築，改装または改修したことを表示する場合は，その内容及び時期を明示しなければなりません。

6 写真・絵図

① 写真・動画

理解

原　則	「取引するもの」を表示する
工事完了前等その建物の写真・動画を用いることができない場合 →取引する建物を施工する者が過去に施工した建物の写真・動画を用いることができる	ア）建物の外観：取引する建物と構造，階数，仕様が同一であって，規模，形状，色等が類似するもの（取引する建物であると誤認されるおそれのある表示は不可） イ）建物の内部：写される部分の規模，仕様，形状等が同一のもの →当該写真・動画が他の建物のものである旨を，写真に接する位置・画像中に，明示して表示する

② 完成予想図等

ア)宅地・建物のコンピュータグラフィックス，見取図，完成図・完成予想図
　→その旨を明示して用いること
イ）当該物件の周囲の状況について表示するとき
　→現況に反する表示をしないこと

7 生活関連施設

① 学校，病院，官公署，公園その他の公共・公益施設

次の原則により，表示する必要があります。

ア）現に利用できるものを表示すること
イ）物件からの道路距離または徒歩所要時間を明示すること
ウ）その施設の名称を表示すること

ただし，公立学校・官公署は，パンフレットを除き，省略できます。

② デパート，スーパーマーケット，コンビニ，商店等の商業施設

ア）現に利用できるものを，物件からの道路距離または徒歩所要時間を明示して表示すること
イ）ただし，工事中である等その施設が将来確実に利用できると認められるものは，その整備予定時期を明示して表示することができる

8 価格・賃料

① 土地の価格

ア）１区画当たりの価格を表示すること
→ただし，１区画当たりの土地面積を明らかにし，これを基礎として算出する場合に限り，１㎡当たりの価格で表示することができる
イ）取引する全ての区画の価格を表示することが原則。ただし，
→分譲宅地の価格については，１区画当たりの最低価格・最高価格，最多価格帯，その価格帯に属する販売区画数のみで表示ができる（パンフレット等を除く）
→この場合，販売区画数が10未満であるときは，最多価格帯の表示は省略可能

② 住宅（住戸）の価格

ア）１戸当たりの価格（敷地の価格及び建物に係る消費税等の額を含む）を表示すること
イ）取引する全ての住戸の価格を表示することが原則。ただし，
→新築分譲住宅，新築分譲マンション，一棟リノベーションマンションの価格については，１戸当たりの最低価格・最高価格，最多価格帯，その価格帯に属する住宅または住戸の戸数のみで表示することができる（パンフレット等を除く）

→この場合，販売戸数が10戸未満であるときは，最多価格帯の表示は省略可能

③　住宅（住戸）の賃料

ア）取引する全ての住戸の１カ月当たりの賃料を表示することが原則。ただし，
イ）新築賃貸マンション・アパートの賃料については，１住戸当たりの最低賃料・最高賃料のみで表示することができる（パンフレット等を除く）

④　管理費・共益費・修繕積立金

ア）１戸当たりの月額を表示すること
イ）住戸によりそれらの額が異なる場合において，その全てを示すことが困難であるときは，最低額及び最高額のみで表示することができる

9 不当な二重価格表示の禁止

物件の価格，賃料または役務の対価について，二重価格表示をする場合において，事実に相違する広告表示，または，実際のもの・競争事業者に係るものよりも**有利であると誤認**されるおそれのある**広告表示をしてはなりません**。

用語 **二重価格表示**：実際に販売する価格（「実売価格」）にこれよりも高い価格（「比較対照価格」）を併記する等の方法により，実売価格に比較対照価格を付すこと

プラスα

・**過去の販売価格を「比較対照価格」とする二重価格表示をすること**：
原則として，禁止される不当な二重価格表示に該当する。ただし，次の要件の全てに適合し，かつ，実際に，当該期間，当該価格で販売していたことを，資料により客観的に明らかにすることができる場合は，例外となる。
ⅰ）過去の販売価格の公表日・値下げした日を明示すること
ⅱ）比較対照価格に用いる過去の販売価格は，値下げの直前の価格であって，かつ，値下げ前２カ月以上にわたり，実際に販売のために公表していた価格であること
ⅲ）値下げの日から６カ月以内の表示であること
ⅳ）過去の販売価格の公表日から二重価格表示を実施する日まで物件の価値に同一性が認められるものであること
ⅴ）土地（現況有姿分譲地を除く）または建物（共有制リゾートクラブ会員権を除く）について行う表示であること

・**割引表示をすること**：
原則として，禁止される不当な二重価格表示に該当する。ただし，一定の条件に適合する取引の相手方に対し，販売価格・賃料等から一定率・一定額の割引をする場合に，当該条件を明示して，割引率・割引額・割引後の額を表示する場合は，例外となる。

10 特定用語の使用基準等

次の用語を用いて表示するときは，それぞれに定められる意義に即して使用しなければなりません。

基本

用語	意義
① 新築	建築工事完了後1年未満であり，居住の用に供されたことがないもの
② 新発売	新たに造成された宅地・新築の住宅・一棟リノベーションマンションについて，一般消費者に対し，初めて購入の申込みの勧誘を行うこと（一団の宅地・建物を数期に区分して販売するときは，「期」ごとの勧誘）
③ 取引態様	「売主」「貸主」「代理」または「媒介（仲介）」の別をこれらの用語を用いて表示すること。これら以外の用語は使用できない。
④ LDK（リビング・ダイニング・キッチン）	居間と台所と食堂の機能が1室に併存する部屋をいい，住宅の居室数に応じ，その用途に従って使用するために必要な広さ・形状・機能を有するもの

⑤ 表示内容を裏付ける合理的な根拠を示す資料を現に有し，かつ，その根拠となる事実を併せて表示する場合に限り使用することができる用語

ア）最上級を意味する用語
例 「最高」「最高級」「極」「特級」など

イ）著しく安いという印象を与える用語
例 「買得」「掘出」「土地値」「格安」「投売り」「破格」「特安」「激安」「バーゲンセール」「安値」など

⑥ 表示内容を裏付ける合理的な根拠を示す資料を現に有している場合を除き，使用してはならない用語

ウ）全く欠けるところがない，または全く手落ちがないことを意味する用語
例 「完全」「完ぺき」「絶対」「万全」など

エ）競争事業者の供給するもの，または競争事業者よりも優位に立つことを意味する用語
例 「日本一」「日本初」「業界一」「超」「当社だけ」「他に類を見ない」「抜群」など

オ）一定の基準により選別されたことを意味する用語
例 「特選」「厳選」など

カ）著しく人気が高く，売行きがよいという印象を与える用語
例 「完売」など

メモ

イ）土地値：土地の値段のみ（建物の値段はゼロ）の意味。

11 物件の名称の使用基準

物件の名称として地名等を用いる場合は，次の基準によるものとされます。

① **地名等を用いる場合に使用できる名称**

ア）物件が所在する市区町村内の町・字・地理上の名称
イ）慣例として用いられている地名・歴史上の地名
ウ）最寄りの駅・停留場・停留所の名称
エ）物件が公園，庭園，旧跡その他の施設または海(海岸)，湖沼，河川の岸・堤防から直線距離で300m 以内に所在している場合→それらの名称
オ）物件から直線距離で50m 以内に所在する街道・道路・坂の名称

② **別荘地（別荘またはリゾートマンションを含む）の場合に，①に加えて用いることのできる名称**

ア）自然公園法の自然公園内→その自然公園の名称
イ）最寄り駅の名称。ただし，その最寄り駅から直線距離で5,000m を超える場合は，併せてその距離を明記する
ウ）物件が，地勢上または地形上，山，山脈，山塊等の一部に位置
→その山，山脈，山塊等の名称
エ）物件が，海（海岸），湖沼，河川の岸・堤防から直線距離で1,000m 以内
→その海（海岸），湖沼，河川の名称
オ）物件が温泉地，名勝，旧跡等から直線距離で1,000m 以内
→その温泉地，名勝，旧跡等の名称

12 予告広告

① 予告広告とは，分譲宅地，新築分譲住宅・マンション，新築賃貸マンション・アパートに関し，価格・賃料等が確定していないため直ちに取引することができない物件について，その本広告に先立って，その取引開始時期をあらかじめ告知する広告のことです。

② 予告広告を行う場合，その対象物件の取引開始前に，本広告を行わなければなりません。その本広告は，ア）予告広告と同じかそれより広い地域において予告広告と同じ媒体を用いて，または，イ）インターネット広告により，実施します（なお，インターネット広告で本広告をする場合には，予告広告において，アドレスを含むインターネットサイト名及び掲載予定時期の明示も必要)。

③　予告広告は，本広告に必要な表示の一部を省略できる一方で，予告広告である旨，販売予定時期など一定の事項を，見やすい場所に，見やすい大きさ，見やすい色彩の文字により，分かりやすい表現で明瞭に表示しなければなりません。

第5章 土地・建物

データ 【直近12年間の出題実績＆攻略法】

項目	H25	H26	H27	H28	H29	H30	R1	R2	R3	R4	R5	R6	重要度
土地	●	●	●	●	●	●	●	●	●	●	●	●	S
建物	●	●	●	●	●	●	●	●	●	●	●	●	S

土地・建物とも毎年それぞれ１問ずつ，合計２問出題される。学習対象の範囲は広く，完璧な対策は立てにくいので，本試験では，過去の出題例を再構成した本書の内容，及び「常識」を，最大限に活用して解いてほしい。

1 土　地

土地については，広い意味で「**宅地として**適性がある土地はどのような土地か」について問われています。

1 宅地としての条件

（1）自然的条件

①　低地

低地は，原則として，**宅地に適しません**。いずれも，**河川の氾濫**や**土石流の危険**がある土地といえます。

ⅰ）谷底平野
ⅱ）自然堤防の背後にできる「後背低地」
ⅲ）旧河道

〈旧河道〉

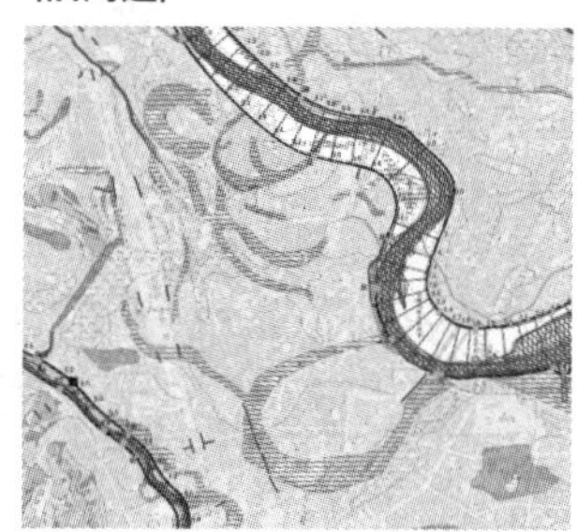

（国土地理院 HP）

iv）谷の出口にあたるところ
v）三角州

用語 **谷底平野**：山間部の谷底に形成される幅1～2km以下の狭く細長い谷間の低平地
自然堤防：河川の流れの両側に自然にできた高さ数mの微高地。自然堤防自体は，地盤も砂礫層を主に，良好で排水性もよく，建築物の基礎について十分な支持力を得ることができ，宅地として適しているが，その後背地は，粘土質の水はけの悪い土地であることが多く，宅地として適するとはいえない。

② 微高地

次のような「微高地」は，低地の中では**比較的危険度が低い**（低地の中では比較的信頼度が高い）といえます。

i）谷の出口などに扇状に広がった微高地
ii）自然堤防や旧天井川で，現在は廃川になっている箇所等の微高地

〈扇状地〉

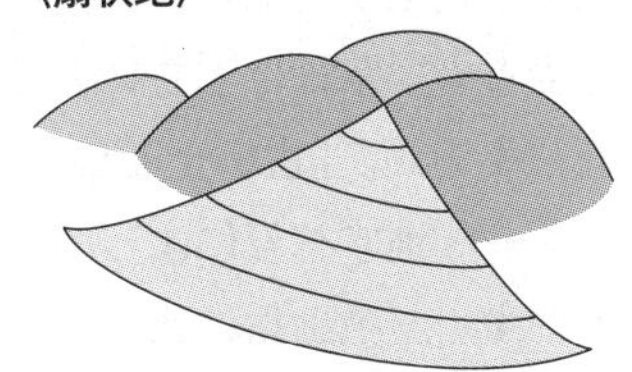

i）は，いわゆる**扇状地**です。山地から河川で運ばれてきた砂礫が，谷口を頂点として平地に向かって扇状に堆積してできる半円錐形の地形で，等高線は同心円状になります。

地盤は，砂礫層からなり，構造物の基礎について十分な支持力を得られ，扇端（扇状地の末端部）は水はけも良く湧水の利便が良いので，微高地であれば宅地として適していますが，扇状地自体は，元来谷の出口にあたる場所であり，扇頂部は土石流災害に注意が必要です。扇状地については，大縮尺の地形図や空中写真によって，土石流や洪水の危険度をある程度判別できる場合があります。

ii）の**天井川**は，堤防内に砂礫が堆積することによって，河床面が周辺の平野より高くなった河川のことです。川の流路が変わり，現在は廃川となっている場所は，周囲より高い微高地で地盤も砂礫であることが多く，宅地として適しています。

メモ
建築物の基礎の支持力は，砂礫地盤のほうが，粘土地盤より高い。

③　台地・段丘・なだらかな丘陵地

台地・段丘・丘陵地は，一般的に水はけもよく，砂礫やよく締まった硬粘土質の地盤であり，地下水位も深いので，宅地に適しますが，台地等であっても，次の場所は**宅地には適しません**。

〈河岸段丘〉

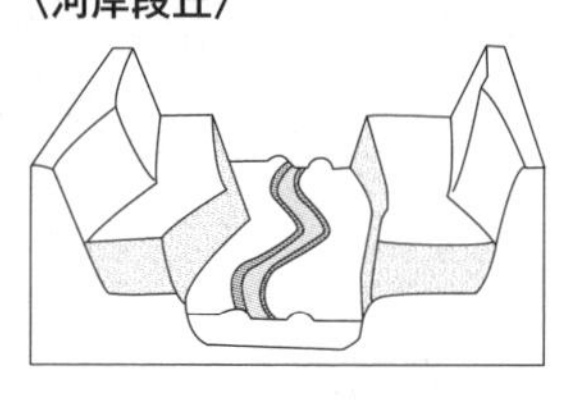

> **ｉ）台地上でも，浅く広い谷の部分**
> **ii）縁辺部**
> **iii）谷・池沼を埋め立てた場所**

谷の部分には雨水が集中し，洪水が起きやすく，縁辺部では崖崩れや地すべりによる被害を受けることがあります。また，台地上でも，谷や池沼を埋め立てた場所は，地震の際に液状化が起きやすいので，注意が必要です。

④　山麓部

山のふもと，山地と平地の接する部分です。傾斜が緩やかであれば，地すべりを起こす危険も少なく，水はけも良いので一般的には宅地に適しますが，**「古い土石流が堆積してできた部分」**や**「地すべりによってできた部分」**は，崩れやすく，**宅地には適しません**。

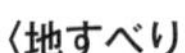
〈地すべり〉

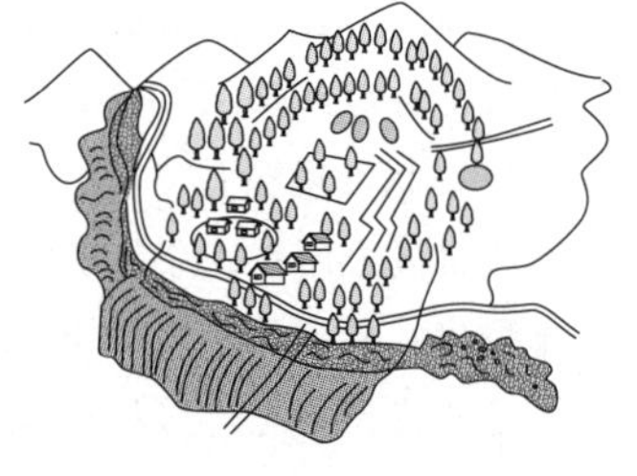

地すべりは過去に活動を起こした経歴があれば，繰り返し起こる傾向があります。「地すべり地形」といわれる独特の地形を呈し，棚田などの水田として利用されることがあります。

⑤　埋立地・干拓地

埋立地は，一般に海水面等に対して数ｍの比高を持ち，**宅地として利用できます**。一方で，**干拓地**は，海抜下にあることが多く，地盤も弱いので，**宅地には適しません**（農地として利用される）。

⑥　その他

ｉ）地下水位の高い土地

〈液状化〉

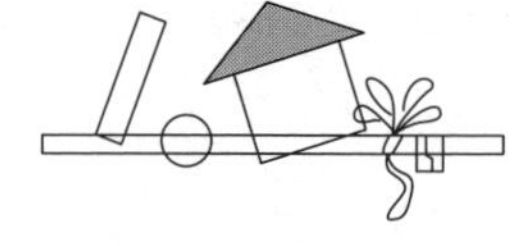

液状化現象は，比較的粒径の揃った砂地盤で，地下水位の高い地域，例えば，旧河道・低湿地・埋立地などで発生します。

ⅱ）切土・盛土した土地等

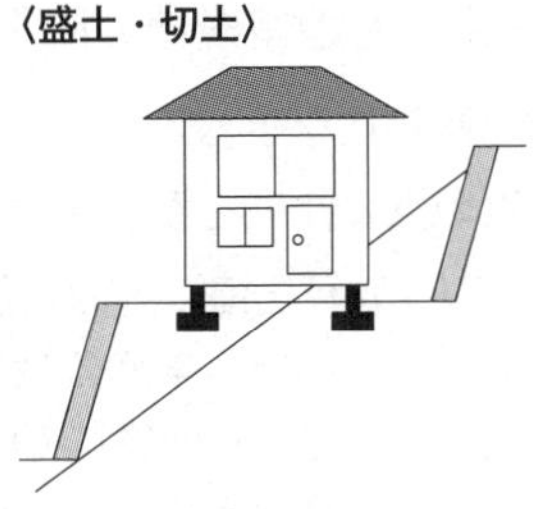

建物や構造物の**不等沈下**は，一般に切土部よりも盛土部で起こります。また，軟弱地盤は，盛土をすると，隣接する既設の建造物に影響を及ぼすことがあります。例えば，高含水性の粘性土等が堆積している軟弱地盤は，盛土や建物の荷重によって大きな沈下を生じたり，側方にすべり落ちたりすることがあります。

切土した崖面に湧水がみられる場合には，一般にその湧水地点から上の部分のほうが，それより下の部分よりも崖崩れを起こしやすいので，注意が必要です。

ⅲ）災害の危険のある地形等

> **ア）崩壊跡地は，周辺と異なる植生を示し，微地形的には馬蹄形状の凹地形を示すことが多く，一度崩壊した後にも再び崩壊する危険があるので，擁壁の設置などの安全対策を行う**
> **イ）断層地形は，直線上の谷など，地形の急変する地点が連続して存在するといった特徴が見られることが多い**
> **ウ）地表がほとんど平坦で，近くの河，湖，海などの水面との高低差が極めて小さく，古い集落や街道がないような地形は，軟弱地盤であることが多い**
> **エ）河川近傍の低平地で盛土を施した古い家屋が周辺に多いのは，洪水常習地帯である可能性が高い**
> **オ）崖錐堆積物は，一般的に透水性が高く，基盤との境界付近が水の通り道となって，そこを滑り面とした地すべりが生じやすい**

ⅳ）等高線

> **ア）山頂から見て等高線が張り出している部分は，尾根である**
> **イ）等高線が，山頂に向かって高い方に弧を描いている部分は谷である**
> **ウ）地形図で見ると，急傾斜地では等高線の間隔は密になり，傾斜が緩やかな土地では等高線の間隔は疎になっている**
> **エ）地形図の上では斜面の等高線の間隔が不揃いで大きく乱れているような場所では，過去に崩壊が発生した可能性がある**

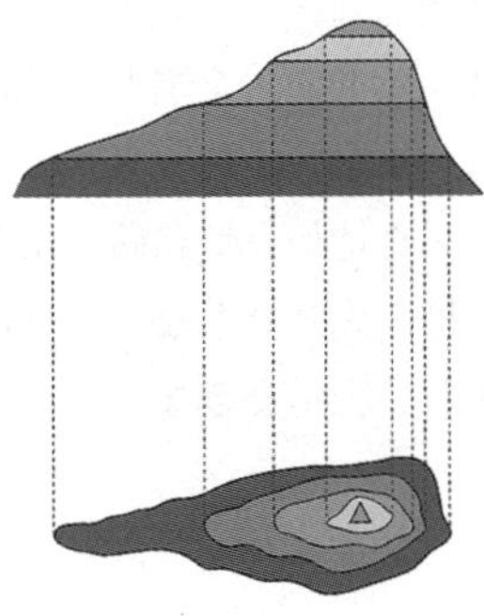

（2）宅地造成地の防災

傾斜地を生じる宅地造成にあたっては，崖崩れの防止等災害防止の観点から，次の点に注意を要します。

i）硬岩盤以外の自然崖は，傾斜角が30度以上になると崩壊の危険が生じるので，擁壁の設置や法面の保護などを行う
ii）著しく傾斜している谷に盛土して宅地を造成する場合，盛土前の地盤と盛土が接する面が滑り面となって崩壊するおそれがあるので，段切りをする
iii）盛土をする場合は，雨水等の浸透による沈下，崩壊のないように地面の締固めその他の措置を講ずる
iv）切土により生じる高さ２ｍを超える崖または盛土により生じる１ｍを超える崖は擁壁で保護する。擁壁に覆われない崖面は，芝張り・石張り等により保護する
v）擁壁には，裏面の排水のために水抜き穴（原則として，内径が7.5cm以上の陶管等を壁面３㎡以内ごとに１個）を設け，裏面の水抜き穴周辺には裏込め（砂利等の透水層）を設ける
vi）崖の上端に続く地盤面は，原則として，崖の反対方向に雨水が流れるように勾配をとり，崖面の土の流出を防ぐ

（3）ハザードマップ

ハザードマップとは，自然災害による被害を軽減し，防災対策に使用する目的で，被災想定区域や避難場所・避難経路などの位置などを示した地図をいいます。

国土交通省の提供するハザードマップポータルサイトは，災害リスク情報などを，閲覧できるWeb地図サイトで，全国どの地域についても，洪水・土砂災害・高潮・津波のリスク情報，道路防災情報，土地の特徴・成り立ちなどを地図や写真に重ねて表示できます。

2 建　物

「建物」からは，建築物の材料・工法及び耐震性に関して，多く出題されています。

1 建物の構造

（1）建物の構成

建物は，大きく基礎構造と上部構造からなり，基礎構造は地業（ちぎょう）と基礎盤（上部構造を支える水平面）から構成され，上部構造を安全に支持する役目を担います。上部構造は，重力，風力，地震力等の荷重に耐える役目を負う主要構造と，仕上げ部分等（屋根，壁，床等）から構成されています。

用語 ・**地業**：**基礎構造のうち地盤に対して行う工事（基礎工事）のこと**
・**上部構造**：具体的には，木造，鉄骨造，鉄筋コンクリート造など

（2）基礎構造

基礎は，建物が沈下したり傾斜したりしないようにするためのものなので，硬質の支持地盤に堅固に設置し，上部構造とも堅固に緊結する必要があります。

基礎の種類には，①直接基礎（基礎の底面が建物を支持する地盤に直接接するもの）と，②杭基礎（杭地業。建物を支持する地盤が深い場合に使用するもの）があります。

①直接基礎の種類には，(i) 独立基礎（柱の下に設けるもの），(ii) 布基礎（連続基礎。壁体等の下に連続的に設けるもの）と，(iii) べた基礎（建物の底部全体に設けるもの）等があります。

②杭基礎の種類には，木杭，既製コンクリート杭，鋼杭などがあります。

2 建築物の材料・工法等

各建築材料と建築工法の特徴は，次のとおりです。

（1）木材・木造

① 建築物に用いる木材は，湿潤状態に比べて気乾状態のほうが強度が大きい
② 木材の強度は，繊維方向に力をかけた場合が最も大きい
③ 集成材は，単板等を積層したもので，伸縮・変形・割れなどが生じにくくなるため，大規模な木造建築物の骨組みにも使用される
④ 木造軸組工法は，柱と梁によって骨組みを作り建物を支える構造。耐震性・耐風性を高めるために，筋交い（斜材）を入れて補強するほか，構造用合板により耐力壁を用いることもある。一般に，柱と梁などを組み合わせた「軸組」，屋根を支える骨組みである「小屋組」，床を支える構造部分である「床組」から構成される。
⑤ 枠組壁工法（ツーバイフォー工法）は，２×４インチ等の断面を有する木材を用いた枠組みに，構造用合板等を釘打ちした壁及び床によって構造体を形成する構造方法。壁全体で建物を支えるので耐震性が高い

（2）鉄・鉄骨造

① 鉄は，炭素含有量が多くなると，引っ張り強さ及び硬さが増大し，伸びが減少するため，鉄骨造には一般に炭素含有量が少ない鋼が用いられる
② 鉄骨造は，自重が軽く，じん性（靭（むち）のようにしなって，エネルギーを吸収するような性質のこと）が大きいので，大空間（大スパン）を有する建築や高層建築の骨組みに適する
③ 鉄は不燃構造であるが，火熱に遭うと耐力が著しく減少するので，耐火材料で被覆する必要がある

（3）コンクリート・鉄筋コンクリート造の特徴

① コンクリートは弱アルカリ性で，熱に強い
② コンクリート＝「セメント＋砂＋砂利＋水」
モルタル＝「セメント＋砂＋水」
③ コンクリートは，圧縮には強いが引っ張りには弱く，引っ張り強度は，一般に，圧縮強度の１／10程度
④ 鉄筋は，引っ張りに強いが，熱に弱く，錆びやすい
⑤ 常温常圧において，鉄筋と普通コンクリートを比較すると，温度上昇に伴う体積の膨張の程度（熱膨張率）は，ほぼ等しい
⑥ コンクリートの劣化：鉄筋は錆びると膨張し，増えた体積がコンクリートを押し広げ，爆裂させる

⑦ **鉄筋コンクリート造の柱は，主筋は4本以上とし，主筋と帯筋は緊結しなければならない**
⑧ **鉄筋コンクリート造における柱の帯筋や，はりのあばら筋は，地震力に対するせん断補強のほか，内部のコンクリートを拘束したり，柱主筋の座屈を防止する効果がある**
⑨ **鉄筋に対するコンクリートのかぶり厚さ：**

耐力壁以外の壁，床	2cm 以上
耐力壁，柱，はり	3cm 以上
直接土に接する壁，柱，床，はり，布基礎の立上り部分	4cm 以上
基礎	（原則として）6cm 以上

⑩ **鉄筋の末端は，原則として，かぎ状に折り曲げて，コンクリートから抜け出ないように定着する**

メモ
コンクリートのかぶり厚さ：鉄筋の位置からコンクリート表面までの距離。厚ければ，水がしみこんでも鉄筋まで達せず，鉄が錆びない。

（4）建築物の構造　他

① **壁式構造**：四方の壁と床・天井という6枚の板で建物を建てる方法。ボックスを構成してそれを積み上げていくイメージ。壁で躯体にかかる力を支える
② **ラーメン構造**：柱（垂直方向の部材）と梁（水平方向の部材，「横臥材」）で骨組みを造り，その接合部をしっかりと繋ぐことにより（剛接合），建物を支える構造。そこに壁を張っていく
③ **ブレース構造**：柱や梁などの主要部材が壊れにくく，地震や風の力に抵抗することができる
④ **トラス構造**：部材同士を，三角形を基本にして組んだ構造。部材の節点はピン接合されている（自由に回転する支点（ピン）で緩やかに繋がっている
⑤ **アーチ構造**：円弧，楕円状に形成した骨組みなどで，スポーツ施設や体育館のように，大空間（大スパン＝支点間の距離が大きい）を持つ建築物に使われる

3 耐震構造

建物の耐震性を確保する方法には，**耐震・制震・免震**の３つの構造があります。

(1) 耐震工法（構造）

〈耐震構造〉

耐震構造は，**建物自体の剛性**を高め，地震の揺れに強い構造として，**地震の振動に対抗**する方法です。

木造では，金物で柱・梁・基礎を緊結して固める，耐震壁や筋交いを設けるなどの方法を行います。また，鉄筋コンクリート造では，コンクリートの強度を上げる，鉄筋の量を増やす，耐震壁を設けるなどの方法を採ります。

この工法では建物の揺れを減少させることはできず，地震の強さを正面から受け止め，力で対抗します。そのため，強い地震に対しては，建物の損傷は避けられません。

〈制震構造〉

(2) 制震工法（構造）

制震構造は，建物の内部に**振動軽減装置**（**ダンパー等**）を設置し，地震のエネルギーをダンパー等に吸収させて，建物にいわば**粘りを持たせる構造**です。地震の揺れはいったん建物に届くものの，ダンパー等が揺れを吸収しようとする方法です。

木造建物に筋交いを入れるようにダンパーを設置できるので，既存建物の耐震補強として広く利用できます。

(3) 免震工法（構造）

(免震ゴム，ブリヂストン HP)

免震工法は，建物と基礎との間，または建物の中間層に，**免震装置**（**積層ゴム**，**オイルダンパー**，**中間層ダンパー**など）を設け，建物に（中間層免震装置の場合は上層階に）そもそも**地震**

のエネルギーを伝わりにくくする（ゆったりとした揺れに変える）工法です。基本的には，ヨコ方向の揺れの地震に大きな効果のある工法（構造）であるため，タテ方向の揺れには効果が低くなる場合があります。

4 木造建築と耐震性向上の方法

木造建築物の耐震性を向上させるには，前出の耐震構造を採用することのほかに，次のような方法を採るとよいでしょう。

① 屋根

できるだけ軽量にする（日本瓦は重く耐震性が低い）

② 壁

ア）筋かいを入れた壁をバランスよく配置すること

筋かいには，欠込みをしてはならない。ただし，筋かいをたすき掛けにするため，やむを得ない場合で，金物などで必要な補強を行えば可能

イ）真壁造より大壁造を採用すること

真壁は壁面より柱が出ている形式，大壁は壁面より柱が出ていない形式。大壁のほうが耐震性が高い

③ 柱・はり

隅柱やこれに準ずる主要な柱は，１階・２階を１本で通す「通し柱」とする

・木造２階建ての建物の隅柱について，接合部を「通し柱」と同等以上の耐力を有するように補強した場合は，通し柱としないこともできる

・はり・けたその他の横架材には，その中央部付近の下側に耐力上支障のある欠込みをしてはならない

④ 基礎・土台

土台は，基礎に緊結する。土台が交差する隅には，火打ちを入れる

・基礎：外壁や間仕切り壁の下は，布基礎がよい

・土台：各柱の下部を連結して基礎に平均的に重量を伝える横架材

・火打ち：土台など水平材が直交する部分に入れる斜材

・構造耐力上主要な部分である柱・筋かい・土台のうち地面から１m以内の部分→有効な防腐措置を講じ，必要に応じてシロアリ防除措置を講ずる

⑤ 接合部

各部材の接合部（仕口・継手）は，金物を用いて緊結する

・仕口：２本以上の材を直角または角度をもって組み合わせること

・継手：長く使えるように２本の材を継ぎ合わせること

第6章 統　計

データ　【直近12年間の出題実績＆攻略法】

項目	H25	H26	H27	H28	H29	H30	R1	R2	R3	R4	R5	R6	重要度
土地・建物に関する統計	●	●	●	●	●	●	●	●	●	●	●	●	S

土地・建物に関する統計からも毎年１問出題される。地価公示・住宅着工統計・法人企業統計等の各種統計データ（数値）と，これに関連する各省庁のコメントから出題される。本試験では，内容を暗記しておかないと解けないので，受験する年の「最新データ」を取得するところから，学習をスタートさせたい。

「土地・建物の統計」として，ほぼ毎年出題されるテーマが，次の２つです。

①　地価公示　　②　住宅着工統計（新設住宅着工戸数）

これに加えて，次の３つのうちの２つのテーマが出題されるのが，通例です。

③　法人企業統計（不動産業の「売上高」「経常利益」「売上利益」）
④　土地取引件数（売買による所有権の移転登記の件数）
⑤　宅地建物取引業者数（総数と増・減傾向）

データは，基本的に，国土交通省・総務省等，政府系のデータベースに基づいており，国土交通省，及び，その関連省庁のホームページ（HP）や土地白書等に記載されています。

本書執筆時点で，令和７年度宅建本試験対策のために必要な最新データは，いまだ出揃っていないため，次に，各テーマのホームページ上での所在を示しました（なお，各ホームページとも，その構成は変わる可能性があります）。

表の右端の項目が試験に出題される項目です。例年であれば，７月には，ほぼすべて公表されています。

まとめ

理解 〈各種統計データの概略〉

<table>
<tr><td rowspan="2">国土交通省HP</td><td colspan="2">土地・建設産業</td><td>地価公示</td><td>令和○年地価公示</td><td>結果の概要</td><td>① 地価公示</td></tr>
<tr><td>オープンデータ</td><td>統計情報→建設・住宅関係統計</td><td>建築着工統計調査（年計）公表資料</td><td>住宅着工統計→集計結果→年次→年</td><td>記者発表資料→ダウンロード→建築着工統計調査報告</td><td>② 新設住宅着工戸数（概要）</td></tr>
<tr><td>財務総合政策研究所HP</td><td>統計資料</td><td>法人企業統計調査→調査の結果</td><td>調査の結果（目次）→結果（年次）→結果の概要</td><td>年次別結果→最新の報道発表資料</td><td>結果の概要</td><td>③ 不動産業の売上高の推移など</td></tr>
<tr><td>国土交通省HP</td><td>オープンデータ</td><td>白書→土地白書</td><td>本文　第1部第1章</td><td>第1章 土地に関する動向</td><td>第2節 土地取引の動向</td><td>④ 土地取引件数等の推移</td></tr>
<tr><td colspan="2">不動産適正取引推進機構HP</td><td colspan="2">「宅建システム」</td><td colspan="2">「宅建システムの概要」</td><td>⑤ 宅建業者数</td></tr>
</table>

住宅新報出版のHPにおいて，令和7年度本試験対策向けの「重要統計データ」を公開します。是非アクセスしてください（8月公開予定）。詳しくは，巻頭の「本書の利用方法」をご参照ください。

試験対策としては，模擬試験（過去問は本年度用に問題自体をアップデートしたもの）の問題を解くのが効率的です。上記の統計データと問題・解説を照合し暗記して，本試験当日をむかえてください。

法律用語かんたんナビ

権利関係の学習を始めると、法律用語が次々と登場します。
法律に馴染みのない受験生にとっては、
それが理解のさまたげとなることもあります。
そこで、基本的かつ重要な法律用語をピックアップして、
意味を表にまとめました。法律について初めて学習されるという方は、
ぜひ参考にしてください。

【あ行】

悪意（あくい）

ある事情を知っていること。なお、悪意の人のことを「悪意者」という。

以下（いか）

その基準の数を含んでそれより小さいこと。例えば、「100㎡以下」といえば、100㎡を含むことになる。

遺言（いごん／ゆいごん）

死んだ後の法律関係についてなされた最終意思の表示。遺言者の死亡により法律効果が発生する。

意思能力（いしのうりょく）

自己の法律行為の結果を認識し判断できる能力のこと。意思能力を欠く法律行為は無効である。

一般的不法行為（いっぱんてきふほうこうい）

故意（わざと）または過失（不注意）により、他人の利益を侵害すること。損害を賠償する責任が発生する。普通の交通事故などがこれに当たる。

遺留分（いりゅうぶん）

相続人のために必ず残される遺産の一部のこと。被相続人は、遺言でこれを奪うことはできない。配偶者・子・直系尊属には遺留分があるが、兄弟姉妹にはない。

【か行】

解除（かいじょ）

相手方の約束違反（債務不履行）

などを理由に、さかのぼって契約を消滅させる制度。契約の解除には、催告による解除（履行遅滞の場合）と催告によらない解除（全部の履行不能や定期行為など）がある。

過失（かしつ）
不注意のこと。重過失と軽過失がある。一般的に過失といわれる場合は、軽過失を意味する。

果実（かじつ）
「実り」のこと。法律的には天然果実と法定果実の2種がある。天然果実は、物の用法によって収取される物（りんご、鉱物）、法定果実は、物の利用、使用の対価（家賃、利息）。

過半数（かはんすう）
全体の半分より多い数のこと。半分(2分の1)の数を含まない。例えば、全体を100とした場合、整数におけるその過半数は51以上の数。

期限（きげん）
「18歳になったら、土地を贈与する」という約束の「18歳になったら」という部分は、将来到来することが確実な事実だ。これを期限という。

共有（きょうゆう）
複数人で1つの物を持ち合う（所有する）こと。その複数人を共有者、物を共有物、持ち合う割合を持分という。

金銭債務（きんせんさいむ）
「百万円を払う」というような、金銭の支払を目的とする債務。売買代金支払債務などが典型例。

契約（けいやく）
申込みと承諾によって成立する約束で法律行為の中心。売り買いする約束が売買契約だ。

限定承認（げんていしょうにん）
相続の形態の一つで、相続によって得たプラス財産の範囲内で、マイナス財産を引き継ぐというもの。被相続人の借金額が不明な場合に有用。

故意（こい）
わざと、知りながらあえて行うという意味。

工作物責任（こうさくぶつせきにん）
建物の一部が崩壊して、通行人がケガをしたような場合、その建物を使っている者（借主＝占有者）または所有者が被害者に負う責任。

混同（こんどう）
債権者（権利者）の地位と債務者（義務者）の地位が、相続などによって同一人に帰すること。債権（権利）

は存在意味を失い消滅する。

【さ行】

債権（さいけん）

他人に対して「〜をしてくれ」と要求できる権利。例えば、「土地を使わせてくれ」というのは、土地賃借権という債権。

債務不履行（さいむふりこう）

債務者が約束した義務を履行しないこと（履行遅滞・不完全履行）、またはできないこと（履行不能）。損害賠償請求や契約の解除が問題となる。

自己契約・双方代理
（じこけいやく・そうほうだいり）

自己契約は、売主の代理人が自ら買主になるような場合。双方代理は、同一人物が売主と買主双方の代理人になる場合。本人の利益を害する恐れがあるので許されない。

条件（じょうけん）

「試験に合格したら、車を買ってやろう」という約束の、「試験に合格したら」という部分（将来の発生が不確実な事実）を条件という。

使用者責任（しようしゃせきにん）

使用者（企業など）は、従業員がその仕事中に他人に損害を与えた場合、その賠償責任を負う。

事理を弁識する能力
（じりをべんしきするのうりょく）

法律行為をすることの意味を認識・判断（弁識）できる能力のこと。成年被後見人となるには、この能力を欠く常況にあることが必要である。

親権者（しんけんしゃ）

未成年の子に対して親権（親の権利義務の総称）を行う者をいう。父母の婚姻中は、原則として、父母が共同でなる（共同親権）。

推定（すいてい）

法律が「一応、そのように考えましょうよ」と決めていること。証明できれば、推定を覆すこともできる。

善意（ぜんい）

ある事情を知らないこと。

相殺（そうさい）

互いに金銭を貸し借りしているような（同種の債務を負担している）場合に、対等額でチャラにすること。

双務契約（そうむけいやく）

当事者双方がお互いに対価的な債務を負担する契約のこと。売買契約・賃貸借契約などが典型例である。なお、贈与契約などは片務契約という。

贈与契約（ぞうよけいやく）
タダ（代金不要）で物を与える契約。なお、与える人（贈与者）の死亡によって効力を生ずるのが死因贈与。

【た行】

対抗要件（たいこうようけん）
自分の権利や物であることを対抗（主張）するための要件や根拠。当事者以外の第三者に対し主張するための要件で、当事者間では不要。一般に不動産では登記、動産では引渡しが対抗要件である。

第三取得者（だいさんしゅとくしゃ）
担保に入っている物について所有権や用益物権を取得した者をいう。例えば、Bのために抵当権が設定されているA所有の甲地を、Aから買い取ったCがこれに該当する。

諾成契約（だくせいけいやく）
両当事者の合意だけで成立し、物の引渡しが不要な契約のこと。売買などほとんどの契約が該当する。なお、両当事者の合意だけでなく、現実の引渡しが必要な契約を要物契約という。

単純承認（たんじゅんしょうにん）
相続の形態の一つで、被相続人のプラス財産とマイナス財産（借金）を無限に承継するもの。

嫡出子（ちゃくしゅつし）
法律上の婚姻関係にある夫婦から生まれた子のこと。

超（ちょう）
基準の数を含まずそれより大きいこと。例えば、「200 万円超」という場合は、200 万円は含まない。

追認（ついにん）
行為がされた後に、初めから有効と認めること。

当事者・第三者（とうじしゃ・だいさんしゃ）
法律関係に直接関与する者が当事者（売買の買主・売主）、それ以外の者を第三者という。

取消し（とりけし）
契約は有効だが、それを初めにさかのぼって無効にすること。制限行為能力や意思表示で問題になる。

【な行】

任意代理（にんいだいり）
本人の依頼（授権）によって代理人となる場合。委任契約などから生ずる。

法律用語かんたんナビ

【は行】

非嫡出子（ひちゃくしゅつし）
法律上の婚姻関係にない男女間に生まれた子のこと。

物権（ぶっけん）
物を直接的・排他的に支配できる権利。誰に対しても主張できるので、登記や占有などによって公示する必要がある。

弁済（べんさい）
債務者が、約束を実現（借金の支払いなど）すること。その結果、債権は消滅する。

保証債務（ほしょうさいむ）
保証人と債権者が締結する保証契約により、保証人が負担する債務。保証債務によって担保された債務を「主たる債務」という。

【ま行】

未成年者（みせいねんしゃ）
18 歳未満の者のこと。

みなす（みなす）
本来は「そう」ではないものを、（法的に）「そう」として扱うこと。擬制。

未満（みまん）
基準の数は含まずその数より小さいこと。例えば、「18 歳未満」という場合、17 歳から下の年齢を指す。

無効（むこう）
契約が初めから効力を生じないこと。特定人の主張を必要とせず、当然に効力を生じない。公序良俗に反する行為などは無効である。

【や行】

有償契約（ゆうしょうけいやく）
契約の当事者双方がお互いに対価的な給付をする契約のこと。売買契約が典型例である。

【ら行】

連帯債務（れんたいさいむ）
複数の債務者が、同一内容の債務を連帯して負担すること。各債務者は、独立して全部の支払いの債務を負担する。

連帯保証（れんたいほしょう）
保証人が、主たる債務者と連帯して保証債務を負う内容の保証のこと。

さくいん

あ行

か行

さ行

た行

な行

は行

ま行

や行

ら行

〈本書へのお問い合わせ〉

本書の記述に関するご質問等は，文書にて下記あて先にお寄せください。お寄せいただきましたご質問等への回答は，著者に確認のうえ回答いたしますので，若干お時間をいただくことをあらかじめご了承ください。また，電話でのお問い合わせはお受けいたしかねます。

なお，当編集部におきましては記述内容をこえるご質問への回答および受験指導等は行っておりません。なにとぞご了承の程お願いいたします。

郵送先　〒171-0014
東京都豊島区池袋２—38—１—3F
㈱住宅新報出版
ＦＡＸ　(03) 5992-5253

法改正等による修正の情報に関しては，
下記ウェブサイトでご確認いただけます。
情報の公開は2026年版発行までとさせていただきます。
ご了承ください。

https://www.jssbook.com

2025年版　パーフェクト宅建士（たっけんし）　基本書（きほんしょ）

1991年５月27日　初版発行（旧書名 パーフェクト宅建基本書）
2018年11月５日　2019年版（改題版）発行（旧書名パーフェクト宅建の基本書）
2020年12月１日　2021年版（改題版）発行
2023年１月23日　2023年版発行
2023年12月８日　2024年版発行
2024年12月９日　2025年版発行

著　　者　住宅新報出版
発 行 者　馬　場　栄　一
発 行 所　㈱住宅新報出版
〒174-0014　東京都豊島区池袋２－38－１－3F
電話（03）6388-0052

印刷・製本／㈱ワコー
落丁本・乱丁本はお取り替えいたします。

Printed in Japan
ISBN 978-4-911407-00-4 C2032